W0000743

J. R. R. TOLKIEN

DER HERR DER RINGE

ERSTER TEIL: DIE GEFÄHRTEN

ZWEITER TEIL: DIE ZWEI TÜRME

DRITTER TEIL: DIE RÜCKKEHR DES KÖNIGS

HOBBIT PRESSE

KLETT-COTTA

J. R. R. TOLKIEN

DER HERR DER RINGE

DRITTER TEIL:

DIE RÜCKKEHR DES KÖNIGS

HOBBIT PRESSE
KLETT-COTTA

Aus dem Englischen übersetzt von
Margaret Carroux
Gedichtübertragungen von E.-M. von Freymann
Die Originalausgabe erschien unter dem Titel
»The Return of the King
Being the Third Part of the Lord of the Rings«

CIP-Kurztitelaufnahme der Deutschen Bibliothek
Tolkien, John Ronald Reuel:
Der Herr der Ringe / J. R. R. Tolkien.
[Aus d. Engl. übers. von Margaret Carroux.
Gedichtübertr. von E.-M. von Freymann]. –
Stuttgart: Klett-Cotta.
(Hobbit-Presse)
Einheitssacht.: The lord of the rings ⟨dt.⟩
Teil 3. Die Rückkehr des Königs. – 2. Aufl. d. Normalausg. – 1980.
Orig.-Ausg. u. d. T.: Tolkien, John Ronald Reuel:
The return of the King.
ISBN 3-12-907941-6

2. Auflage der Normalausgabe in Leinen

Printed in Germany 1980
Umschlag: Heinz Edelmann
Druck: Ernst Klett, Stuttgart
ISBN 3-12-907921-1 (Band 1 Ln)
ISBN 3-12-907931-9 (Band 2 Ln)
ISBN 3-12-907941-6 (Band 3 Ln)
Luxusausgabe, 3 Bände zusammen
ISBN 3-12-907951-3 (Band 1 Hldr)
ISBN 3-12-907961-0 (Band 2 Hldr)
ISBN 3-12-907971-8 (Band 3 Hldr)
Kartonierte Ausgabe, 3 Bände im Schuber
ISBN 3-12-908000-7

INHALT

FÜNFTES BUCH

SECHSTES BUCH

ANHÄNGE

DER HERR DER RINGE

Drei Ringe den Elbenkönigen hoch im Licht,
Sieben den Zwergenherrschern in ihren Hallen aus Stein,
Den Sterblichen, ewig dem Tode verfallen, neun,
Einer dem Dunklen Herrn auf dunklem Thron
Im Lande Mordor, wo die Schatten drohn.
Ein Ring, sie zu knechten, sie alle zu finden,
Ins Dunkel zu treiben und ewig zu binden
Im Lande Mordor, wo die Schatten drohn.

ÜBERSICHT

Dies ist der dritte Teil des *Herrn der Ringe.*

Der erste Teil, *Die Gefährten,* erzählte, wie Gandalf der Graue entdeckte, daß der Ring, den Frodo der Hobbit besaß, der Eine Ring war, der Beherrscher aller Ringe der Macht. Er berichtete, wie Frodo und seine Gefährten aus ihrer Heimat, dem friedlichen Auenland, fliehen, verfolgt von den grausamen Schwarzen Reitern von Mordor, bis sie schließlich unter entsetzlichen Gefahren mit Hilfe von Aragorn, dem Waldläufer von Eriador, zu Elronds Haus in Bruchtal kamen.

Dort wurde der große Rat von Elrond abgehalten und dabei beschlossen, daß der Versuch unternommen werden sollte, den Ring zu zerstören, und Frodo wurde zum Ringträger bestimmt. Die Ringgefährten wurden ausgewählt, die ihm beistehen sollten bei seiner Aufgabe: sich, wenn irgend möglich, zum Berg des Feuers in Mordor, dem Lande des Feindes, durchzuschlagen, wo allein der Ring vernichtet werden konnte. Zu dieser Gemeinschaft gehörten Aragorn und Boromir, Sohn des Herrschers von Gondor, als Vertreter der Menschen; Legolas, Sohn des Elbenkönigs von Düsterwald, für die Elben; Gimli, Sohn Gloins vom Einsamen Berg, für die Zwerge; Frodo mit seinem Diener Samweis und seine beiden jungen Verwandten, Meriadoc und Peregrin, für die Hobbits; und Gandalf der Graue.

Die Gefährten wanderten in aller Heimlichkeit weit fort von Bruchtal im Norden, bis ihr Versuch scheiterte, im Winter den hohen Paß von Caradhras zu überschreiten, und Gandalf sie durch das verborgene Tor führte in die gewaltigen Minen von Moria, um einen Weg unter dem Gebirge zu finden. Im Kampf mit einem schrecklichen Geist der Unterwelt fiel Gandalf dort in einen tiefen Abgrund. Doch Aragorn, der sich jetzt als der geheime Erbe der alten Könige des Westens zu erkennen gegeben hatte, führte die Gruppe weiter vom Osttor von Moria durch das Elbenland Lórien und entlang des großen Stromes Anduin, bis sie zu den Rauros-Fällen kamen. Sie hatten bereits bemerkt, daß sie auf ihrer Wanderung von Spähern beobachtet wurden, und daß Gollum, dieses Geschöpf, das einst den Ring besessen hatte und noch immer nach ihm verlangte, ihren Spuren folgte.

Sie mußten sich jetzt entscheiden, ob sie ostwärts nach Mordor ziehen oder mit Boromir zusammenbleiben sollten, um Minas Tirith, der Hauptstadt von Gondor, in dem bevorstehenden Krieg Hilfe zu bringen; oder ob sie sich trennen sollten. Als sich ergab, daß der Ringträger entschlossen war, seine hoffnungslose Wanderung in das Land des Feindes fortzusetzen, versuchte Boromir, sich des Ringes mit Gewalt zu bemächtigen. Der erste Teil endet damit, daß Boromir der Verlockung durch den Ring erliegt, daß Frodo und sein Diener Sam ihm entkommen und verschwinden; und daß durch einen plötzlichen Angriff von Orksoldaten, von denen einige im Dienste des Dunklen Herrschers von Mordor, andere im Dienste des Verräters Saruman von Isengart stehen, die Gemeinschaft zersprengt wird. Die Fahrt des Ringträgers schien vom Unglück verfolgt.

Im zweiten Teil (dritten und vierten Buch), *Die zwei Türme*, wird über die Taten aller Gefährten, nachdem die Gemeinschaft des Ringes zerfallen war, berichtet. Das dritte Buch erzählt von Boromirs Reue und Tod und von seiner Bestattung in einem Boot, das den Rauros-Fällen überantwortet wurde; von der Gefangennahme von Meriadoc und Peregrin durch Orksoldaten, die sie über die östlichen Ebenen von Rohan nach Isengart verschleppen wollten; und von ihrer Verfolgung durch Aragorn, Legolas und Gimli.

Dann erschienen die Reiter von Rohan. Eine berittene Truppe, geführt von Éomer dem Marschall, umzingelte am Rande des Waldes von Fangorn die Orks und vernichtete sie; doch die Hobbits waren in den Wald geflüchtet und begegneten dort dem Ent Baumbart, dem heimlichen Herrn von Fangorn. In seiner Gesellschaft wurden sie Zeuge, wie das Baumvolk in Zorn entbrannte und auf Isengart marschierte.

Inzwischen hatten Aragorn und seine Gefährten Éomer getroffen, der von der Schlacht zurückkehrte. Er verschaffte ihnen Pferde, und sie ritten weiter zu dem Wald. Während sie dort vergebens nach den Hobbits suchten, fanden sie Gandalf wieder, der, vom Tode zurückgekehrt, jetzt der Weiße Reiter war, doch noch in Grau gehüllt. Mit ihm ritten sie durch Rohan zum Hof des Königs Théoden von der Mark, wo Gandalf den alten König heilte und ihn dem unheilvollen Einfluß von Schlangenzunge entriß, seinem bösen Ratgeber, dem geheimen Verbündeten von Saruman. Dann ritten sie mit dem König und seinem Heer gegen die Streitmacht von Isengart und nahmen teil an dem mit dem Mute der Verzweiflung erfochtenen Sieg bei der Hornburg. Gandalf geleitete sie nach Isengart, und sie fanden die große Feste durch das Baumvolk zerstört und Saruman und Schlangenzunge belagert in dem unbezwingbaren Turm von Orthanc.

Bei der Verhandlung vor der Tür zeigte Saruman keinerlei Reue, und

Gandalf setzte ihn ab, zerbrach seinen Stab und überließ seine Bewachung den Ents. Von einem hochgelegenen Fenster aus schleuderte Schlangenzunge einen Stein auf Gandalf, der ihn nicht traf und von Peregrin aufgehoben wurde. Es zeigte sich, daß es einer der drei noch vorhandenen *Palantíri*, der Sehenden Steine von Númenor, war. Später am Abend erlag Peregrin der Verlockung durch den Stein; er stahl ihn und sah hinein und wurde Sauron also offenbart. Das Buch endet damit, daß ein Nazgûl, ein Ringgeist auf einem geflügelten Schlachtroß, über den Ebenen von Rohan erscheint, ein Anzeichen des drohenden Krieges. Gandalf übergab Aragorn den *Palantír*, nahm Peregrin mit sich und ritt davon nach Minas Tirith.

Im vierten Buch kehren wir zu Frodo und Samweis zurück, die jetzt durch die unwirtlichen Berge des Emyn Muil irren. Es wird erzählt, wie sie aus den Bergen entkommen und von Sméagol-Gollum überrascht werden; und wie Frodo Gollum zähmt und seine Bosheit bezwingt, so daß Gollum sie durch die Toten Sümpfe und die verheerten Lande führte nach Morannon, dem Schwarzen Tor des Landes Mordor im Norden.

Dort war es unmöglich hineinzugelangen, und Frodo nahm Gollums Rat an, einen »geheimen Eingang«, den dieser kannte, zu suchen, weit südlich im Schattengebirge, Mordors westlichem Schutzwall. Als sie dorthin wandern, werden sie von einem Spähtrupp der Menschen von Gondor unter Führung von Faramir, Boromirs Bruder, aufgegriffen. Faramir entdeckte, welcher Art ihr Auftrag war, widerstand aber der Versuchung, der Boromir erlegen war, und schickte sie auf den letzten Abschnitt ihrer Wanderung nach Cirith Ungol, dem Paß der Spinne; obwohl er sie warnte, daß es ein Ort tödlicher Gefahr sei, worüber Gollum ihnen weniger gesagt hatte, als er wußte. Gerade als sie zum Kreuzweg kamen und den Pfad zu der grauenvollen Stadt Minas Morgul einschlugen, ging von Mordor eine große Finsternis aus, die alle Länder einhüllte. Dann schickte Sauron sein erstes Heer aus, geführt von dem schwarzen König der Ringgeister: der Ringkrieg hatte begonnen.

Gollum führte die Hobbits zu einem geheimen Weg, der Minas Morgul umging, und in der Finsternis kamen sie schließlich nach Cirith Ungol. Dort fiel Gollum in seine Bosheit zurück und versuchte, sie an das Ungeheuer zu verraten, das den Paß bewachte: Kankra. Das mißglückte durch den Heldenmut von Samweis, der Gollums Angriff abschlug und Kankra verwundete.

Der zweite Teil endet damit, daß Samweis sich entscheiden muß. Frodo ist von Kankra gestochen worden und liegt scheinbar tot da: Entweder wird das Unterfangen scheitern oder Samweis muß seinen Herrn im Stich lassen. Schließlich nimmt er den Ring an sich und versucht, die hoffnungslose Aufgabe allein weiterzuführen. Doch gerade, als er die Grenze des Landes Mordor überschreiten will, kommen Orks herauf von Minas Morgul und herab vom Turm Cirith Ungol, der den höchsten Punkt des Passes bewacht. Verborgen durch den Ring, hört Sam das Gezänk der Orks mit an und erfährt daraus, daß Frodo nicht tot, sondern nur vergiftet ist. Zu spät setzt er ihnen nach; die Orks schleppen Frodo durch einen Stollen, der zum hinteren Tor des Turms führt. Als das Tor mit lautem Geklirr vor Samweis zuschlägt, fällt er in Ohnmacht.

Der dritte und letzte Teil, *Die Rückkehr des Königs*, berichtet von den jeweiligen Kriegskünsten von Gandalf und Sauron bis zur letzten Katastrophe und dem Ende der großen Finsternis. Wir kehren zunächst zu dem Kriegsgeschehen im Westen zurück.

FÜNFTES BUCH

ERSTES KAPITEL

MINAS TIRITH

Pippin lugte unter Gandalfs schützendem Mantel hervor. Er fragte sich, ob er wache oder schlafe und noch in dem rasch dahineilenden Traum befangen sei, in den er, seit der große Ritt begann, so lange versunken gewesen war. Wie im Flug zog die dunkle Welt an ihm vorüber, und laut brauste der Wind in seinen Ohren. Er konnte nichts sehen als die funkelnden Sterne und fern zu seiner Rechten, wo sich das Gebirge des Südens erstreckte, gewaltige Schatten, die sich vom Himmel abhoben. Müde versuchte er die Zeiten und Abschnitte ihrer Fahrt nachzurechnen, aber sein Gedächtnis war schläfrig und verwirrt.

Zuerst waren sie, ohne anzuhalten, entsetzlich schnell geritten, und dann hatte er im Morgengrauen einen bleichen, goldenen Schimmer gesehen, und sie waren zu der stillen Stadt und dem großen, leeren Haus auf dem Berg gekommen. Und kaum waren sie in seinem Schutz angelangt, da war der geflügelte Schatten wiederum über sie hinweggezogen, und die Menschen vergingen vor Angst. Aber Gandalf hatte ihm beruhigend zugesprochen, und er war in einem Winkel eingeschlafen, müde, aber unruhig, war sich undeutlich des Kommens und Gehens bewußt und daß Männer sprachen und Gandalf Befehle gab. Und dann ritten sie weiter, ritten durch die Nacht. Das war jetzt die zweite, nein, die dritte Nacht, seit er in den Stein geblickt hatte. Diese abscheuliche Erinnerung ließ ihn ganz wach werden, und er erschauerte, und das Geräusch des Windes war mit einemmal erfüllt von drohenden Stimmen.

Ein Licht erhellte den Himmel, ein gelber Schein loderte hinter dunklen Schranken. Vor Schreck duckte sich Pippin einen Augenblick und fragte sich, in was für ein fürchterliches Land Gandalf ihn bringe. Er rieb sich die Augen, und dann sah er, daß es der Mond war, der über den Schatten im Osten aufging und jetzt fast voll war. Es war also noch früh in der Nacht, und lange würden sie im Dunkeln weiterreiten. Er setzte sich auf.

»Wo sind wir, Gandalf?« fragte er.

»Im Königreich Gondor«, antwortete der Zauberer. »Noch durchqueren wir das Land Anórien.«

Eine Weile herrschte wieder Schweigen. »Was ist das?« rief dann Pippin plötzlich und packte Gandalfs Mantel. »Schau! Feuer, rotes Feuer! Gibt es Drachen in diesem Land? Schau, da ist noch eins!«

Statt zu antworten, rief Gandalf dem Pferd laut zu: »Voran, Schattenfell! Wir müssen eilen. Die Zeit ist knapp. Siehe! Die Leuchtfeuer von Gondor sind angezündet und rufen Hilfe herbei! Der Krieg ist entbrannt. Schau, da ist das Feuer auf Amon Dîn und die Flamme auf Eilenach; und dort ziehen sie sich eilends nach Westen: Nardol, Erelas, Min-Rimmon, Calenhad und Halifirien an den Grenzen von Rohan.«

Doch Schattenfell verlangsamte seinen Gang und fiel in Schritt, dann hob er den Kopf und wieherte. Und aus der Dunkelheit kam das Stampfen von Hufen, drei Reiter fegten heran, zogen im Mondschein wie flüchtige Gespenster vorbei und verschwanden im Westen. Dann raffte sich Schattenfell auf und sprang davon, und die Nacht strömte über ihn hinweg wie ein brausender Wind.

Pippin wurde wieder schläfrig und schenkte Gandalf nicht viel Aufmerksamkeit, der ihm von den Bräuchen in Gondor erzählte und wie der Herr der Stadt auf den Gipfeln herausragender Berge Leuchtfeuer errichtete und Wachposten an diesen Punkten unterhielt, an denen immer frische Pferde bereitstanden, um seine reitenden Boten nach Rohan im Norden oder nach Belfalas im Süden zu bringen. »Es ist lange her, seit die Leuchtfeuer im Norden angezündet wurden«, sagte er. »Und in den alten Tagen von Gondor wurden sie nicht gebraucht, denn es gab die Sieben Steine.« Pippin zuckte unbehaglich zusammen.

»Schlaf weiter und fürchte dich nicht!« sagte Gandalf. »Denn du gehst nicht wie Frodo nach Mordor, sondern nach Minas Tirith, und dort wirst du so sicher sein, wie man heutzutage nur irgendwo sein kann. Wenn Gondor fällt oder der Ring erbeutet wird, dann wird auch das Auenland keine Zuflucht sein.«

»Du gewährst mir keinen Trost«, sagte Pippin, aber dennoch überkam ihn der Schlaf. Das letzte, an das er sich erinnerte, ehe er in einen tiefen Traum sank, war ein Aufleuchten hoher weißer Gipfel; wie über den Wolken schwebende Inseln schimmerten sie, als die Strahlen des im Westen stehenden Mondes auf sie fielen. Er fragte sich, wo Frodo wohl sei, ob er schon in Mordor oder tot sei; und er wußte nicht, daß Frodo von ferne denselben Mond betrachtete, der hinter Gondor unterging, ehe der Tag anbrach.

Pippin erwachte von Stimmengeräuschen. Ein weiterer Tag des Verbergens und eine Nacht des Reitens waren dahingeflogen. Es war Zwielicht: die kalte Morgendämmerung nahte wiederum, und kühle graue Nebel umwogten sie. Schattenfell dampfte vor Schweiß, aber er hielt den Hals stolz und ließ keine Müdigkeit erkennen. Viele große Männer in schweren

Mänteln standen neben ihm, und hinter ihnen erhob sich eine Mauer aus Stein. Halb eingestürzt schien sie zu sein, doch obwohl noch Nacht war, hörte man schon die Geräusche eiliger Arbeit: Hammerschläge, Klirren von Maurerkellen und Knirschen von Rädern. Fackeln und Leuchtfeuer glühten dunkel hier und dort im Nebel. Gandalf sprach mit den Männern, die ihm den Weg versperrten, und als er zuhörte, merkte Pippin, daß von ihm die Rede war.

»Ja, gewiß, wir kennen Euch, Mithrandir«, sagte der Anführer der Männer, »und Ihr kennt die Paßworte der Sieben Tore; es steht Euch frei, weiterzureiten. Aber wir kennen Euren Gefährten nicht. Was ist er eigentlich? Ein Zwerg aus dem Gebirge im Norden? Zu dieser Zeit wollen wir keine Fremden im Land haben, es seien denn mächtige Krieger, auf deren Treue und Hilfe wir uns verlassen können.«

»Ich werde für ihn gutsagen vor Denethors Thron«, sagte Gandalf. »Und Tapferkeit läßt sich nicht nach Körpergröße messen. Er hat mehr Schlachten und Gefahren bestanden als Ihr, Ingold, obgleich Ihr doppelt so groß seid; und jetzt kommt er von Isengarts Erstürmung, deren Nachricht wir überbringen, und er ist sehr erschöpft, sonst würde ich ihn wecken. Sein Name ist Peregrin, ein sehr tapferer Mann.«

»Mann?« sagte Ingold zweifelnd, und die anderen lachten.

»Mann!« rief Pippin, jetzt ganz wach. »Mann! Nein, wirklich nicht! Ich bin ein Hobbit und ebensowenig tapfer, wie ich ein Mann bin, außer vielleicht dann und wann, wenn es not tut. Laßt Euch von Gandalf nicht täuschen!«

»Manch einer, der große Taten vollbringt, könnte nicht mehr sagen«, sagte Ingold. »Aber was ist ein Hobbit?«

»Ein Halbling«, antwortete Gandalf. »Nein, nicht der, von dem gesprochen wurde«, fügte er hinzu, als er die staunenden Gesichter der Männer sah. »Der nicht, doch einer aus seiner Sippe.«

»Ja, und einer, der mit ihm gewandert ist«, sagte Pippin. »Und Boromir aus Eurer Stadt war bei uns, und er rettete mich im Schnee des Nordens, und zuletzt wurde er erschlagen, als er mich gegen viele Feinde verteidigte.«

»Still!« sagte Gandalf. »Die Botschaft von diesem Unglück hätte zuerst dem Vater überbracht werden sollen.«

»Es ist schon gemutmaßt worden«, sagte Ingold, »denn in letzter Zeit sind hier seltsame Zeichen gesichtet worden. Doch reitet nun rasch weiter! Der Herr von Minas Tirith wird begierig sein, einen zu sehen, der ihm die letzte Nachricht von seinem Sohn bringt, sei er nun ein Mensch oder ...«

»Ein Hobbit«, sagte Pippin. »Nur geringe Dienste kann ich Eurem Herrn anbieten, doch was ich tun kann, würde ich tun zur Erinnerung an Boromir, den Tapferen.«

»Lebt wohl!« sagte Ingold; und die Männer machten Schattenfell Platz, und er schritt durch ein schmales Tor in der Mauer. »Möget Ihr Denethor in seiner Not und uns allen guten Rat bringen, Mithrandir!« rief Ingold. »Doch gewöhnlich kommt Ihr mit Nachrichten von Unglück und Gefahr, heißt es.«

»Weil ich selten komme, außer wenn meine Hilfe gebraucht wird«, antwortete Gandalf. »Und was meinen Rat angeht, so würde ich zu Euch sagen, daß Ihr zu spät dran seid, die Mauer des Pelennor auszubessern. Mut wird jetzt Eure beste Verteidigung sein gegen den Sturm, der bald hereinbricht — Mut und das, was ich an Hoffnung bringe. Denn nicht alle Nachrichten, die ich überbringe, sind schlecht. Aber laßt Eure Maurerkellen beiseite und schärft Eure Schwerter!«

»Die Arbeit wird vor dem Abend beendet sein«, sagte Ingold. »Es ist der letzte Abschnitt der Mauer, der verteidigungsbereit gemacht werden muß: derjenige, der am wenigsten einem Angriff ausgesetzt ist, denn er liegt auf der Seite unserer Freunde von Rohan. Wißt Ihr etwas von ihnen? Glaubt Ihr, sie werden unserem Ruf Folge leisten?«

»Ja, sie werden kommen. Aber sie haben viele Schlachten geschlagen in Eurem Rücken. Weder dieser Weg noch überhaupt ein Weg ist länger sicher. Seid wachsam! Wäre Gandalf Sturmkrähe nicht gewesen, Ihr hättet ein Heer von Feinden aus Anórien heranrücken sehen, und keine Reiter von Rohan. Und das mag immer noch geschehen. Lebt wohl und haltet die Augen offen!«

Gandalf kam nun in das weite Land jenseits des Rammas Echor. So nannten die Menschen von Gondor die Außenmauer, die sie in harter Arbeit gebaut hatten, nachdem Ithilien unter den Schatten ihres Feindes geraten war. Denn zehn oder mehr Wegstunden war sie lang, ausgehend vom Fuß des Gebirges und wieder zu ihm zurückkehrend, und in ihrem Gehege umschloß sie die Felder des Pelennor: schöne und fruchtbare Hufen auf den langen Abhängen und Geländestufen, die zur Talsohle des Anduin abfielen. Am weitesten entfernt vom Großen Stadttor, und zwar vier Wegstunden, war die Mauer im Nordosten, die hier von einem bedrohlichen Wall aus hinunter auf die weiten Ebenen am Fluß blickte, und die die Menschen hoch und stark gemacht hatten; denn an diesem Punkt kam auf einem mit Mauern geschützten Damm die Straße von den Furten und den Brücken von Osgiliath herauf und führte zwischen zinnenbewehrten Türmen durch ein bewachtes Tor. Der Stadt am nächsten war die Mauer im Südosten; hier betrug die Entfernung kaum mehr als eine Wegstunde. An dieser Stelle bog der Anduin, der die Berge des Emyn Arnen im südlichen Ithilien in einer großen Schleife umfloß, scharf nach Westen, und die Außenmauer erhob sich unmittelbar an seinem Ufer; und unter ihr lagen die Kais und Landeplätze von Harlond, an denen die Schiffe anlegten, die stromaufwärts aus den südlichen Lehen kamen.

Die Hufen waren reich an ausgedehnten Äckern und vielen Obstgärten, und Gehöfte gab es mit Darre und Speicher, Pferch und Kuhstall, und viele Bäche plätscherten durch die Wiesen vom Hochland hinab zum Anduin. Dennoch waren die Hirten und Ackerbauern, die dort lebten, nicht zahlreich, und der größte Teil des Volks von Gondor wohnte in den sieben Ringen der Stadt oder in den hohen Tälern der Randgebirge, in Lossarnach oder weiter südlich im schönen Lebennin mit seinen fünf raschen Flüssen. Dort zwischen den Bergen und dem Meer lebte ein zäher Volksstamm. Sie galten als Menschen von Gondor, doch war ihr Blut vermischt, und es gab untersetzte und schwärzliche Leute unter ihnen, deren Vorfahren wohl eher von den vergessenen Menschen abstammten, die in den Dunklen Jahren vor der Ankunft der Könige im Schatten der Berge gelebt hatten. Doch jenseits des Lebennin, in dem großen Lehen Belfalas, saß Fürst Imrahil in seiner Burg Dol Amroth am Meer, und er war von edlem Geblüt, und sein Volk auch, hochgewachsene und stolze Menschen mit meergrauen Augen.

Nachdem Gandalf nun einige Zeit geritten war, nahm das Tageslicht am Himmel zu, und Pippin setzte sich auf und schaute sich um. Zu seiner Linken lag ein Nebelmeer, das sich bis zu einem düsteren Schatten im Osten hinaufzog; doch zu seiner Rechten erhoben sich in einer Kette vom Westen her die Gipfel großer Berge und brachen steil und plötzlich ab, als ob der Fluß bei der Erschaffung des Landes eine große Sperre durchbrochen und ein mächtiges Tal gestaltet habe, das in späteren Zeiten ein Land des Kampfes und des Haders werden sollte. Und dort, wo das Weiße Gebirge, Ered Nimrais, endete, sah er, wie Gandalf angekündigt hatte, den düsteren Gebirgsstock Mindolluin und die dunkel purpurroten Schatten seiner hohen Schluchten und seinen im aufgehenden Tag weißschimmernden Steilhang. Und auf einem vorgeschobenen Sattel lag die Bewachte Stadt mit ihren sieben Mauern aus Stein, so mächtig und alt, daß es schien, als seien sie nicht erbaut worden, sondern von Riesen aus dem Gebein der Erde herausgehauen worden.

Während Pippin sie noch staunend betrachtete, gingen die Mauern von undeutlichem Grau in Weiß über und röteten sich schwach in der Morgendämmerung; und plötzlich stieg die Sonne über den östlichen Schatten und sandte einen Strahl aus, der die Stadt traf. Da schrie Pippin laut auf, denn nun hob sich der Turm von Ecthelion, der innerhalb der obersten Mauer aufragte, klar vom Himmel ab, schimmernd wie eine Ähre aus Perlen und Silber, hoch und schön und wohlgestalt, und seine Spitze glitzerte, als sei sie aus Kristallen; weiße Banner entrollten sich und flatterten im Morgenwind von den Zinnen, und laut und deutlich hörte er einen hellen Klang wie von silbernen Trompeten.

So ritten bei Sonnenaufgang Gandalf und Peregrin zum Großen Tor der Menschen von Gondor, und die eisernen Torflügel taten sich vor ihnen auf.

»Mithrandir! Mithrandir!« riefen Männer. »Jetzt wissen wir, daß der Sturm wahrlich nahe ist!«

»Er ist über euch«, sagte Gandalf. »Ich bin auf seinen Flügeln geritten. Laßt mich durch! Ich muß zu eurem Herrn Denethor, solange er noch Truchseß ist. Was immer geschehen mag, ihr steht am Ende von Gondor, das ihr gekannt habt. Laßt mich durch!«

Die Männer wichen zurück vor seiner gebieterischen Stimme und stellten ihm keine Fragen mehr, obwohl sie voll Staunen auf den Hobbit blickten, der vor ihm saß, und auf das Pferd, das ihn trug. Denn das Volk der Stadt brauchte kaum Pferde, und selten waren in den Straßen welche zu sehen außer jenen der reitenden Boten ihres Herrn. Und sie sagten: »Gewiß ist das doch eines der mächtigen Rösser des Königs von Rohan? Vielleicht kommen die Rohirrim bald zu unserer Verstärkung.« Doch Schattenfell schritt stolz die lange, gewundene Straße hinauf.

Denn das Eigentümliche an Minas Tirith war, daß es auf sieben Stufen erbaut war; jede von ihnen war in den Berg hineingegraben und mit einer Mauer umgeben worden, und in jeder Mauer war ein Tor. Doch die Tore lagen nicht in einer Reihe übereinander: das Große Tor in der Stadtmauer war im Osten des Ringes, doch das nächste blickte halb nach Süden und das dritte halb nach Norden, und so immer abwechselnd bis nach oben; der gepflasterte Weg, der zur Veste hinaufführte, erklomm den Berg daher im Zickzack. Und jedesmal, wenn er über dem Großen Tor angelangt war, verschwand er in einem überwölbten Gang, der einen gewaltigen Felsenpfeiler durchschnitt, dessen riesige Außenseite alle Ringe der Stadt mit Ausnahme des ersten in zwei Abschnitte teilte. Denn teilweise in der urzeitlichen Gestalt des Berges und teilweise durch die große Kunstfertigkeit und Arbeit von einst erhob sich vom rückwärtigen Teil des breiten Platzes hinter dem Tor eine sich auftürmende Bastion aus Stein, deren Rand scharf wie ein Schiffskiel nach Osten blickte. Sie stieg empor bis zum obersten Ring und wurde dort von einer Brustwehr gekrönt, so daß die Besatzung der Veste von ihrem Gipfel aus wie Seeleute auf einem riesigen Schiff steil hinunterblicken konnten auf das Tor, das siebenhundert Fuß darunter lag. Auch der Eingang zur Veste blickte nach Osten, aber er war tief in den Felsen eingegraben; von dort führte eine von Lampen erhellte Böschung hinauf zum siebenten Tor. So gelangte man schließlich zum Hohen Hof und dem Platz des Springbrunnens zu Füßen des Weißen Turms: hoch und schöngeformt, fünfzig Klafter vom Sockel bis zur Spitze, wo das Banner der Truchsesse tausend Fuß hoch über der Ebene flatterte.

Eine wahrlich starke Veste, die kein feindliches Heer einzunehmen vermochte, wenn Männer darinnen waren, die Waffen führen konnten; es sei denn, ein Feind hätte, von hinten kommend, die unteren Säume des Mindolluin erklimmen und so den schmalen Bergsattel erreichen können, der den Berg der Wacht mit dem Gebirgsstock verband. Doch dieser Bergsattel, der in Höhe der fünften Mauer verlief, war mit großen Wallanlagen gesichert bis hinauf zu dem Steilhang, der über sein westliches Ende hinausragte. Und an dieser Stelle standen die Häuser und mit Kuppeln gekrönten Grabmäler vergangener Könige und Gebieter für immer stumm zwischen dem Berg und dem Turm.

Mit wachsendem Erstaunen betrachtete Pippin die große, steinerne Stadt, die gewaltiger und prächtiger war als alles, was er sich in seinen Träumen vorgestellt hatte; größer und mächtiger als Isengart und sehr viel schöner. Dennoch geriet sie in Wirklichkeit Jahr um Jahr mehr in Verfall; und schon fehlte ihr die Hälfte der Menschen, die mit Leichtigkeit dort hätten leben können. In jeder Straße kamen sie an irgendeinem großen Haus oder Hof vorbei, über dessen Türen und gewölbten Torwegen viele schöne Buchstaben von seltsamer und altertümlicher Form eingemeißelt waren: Namen, vermutete Pippin, von großen Männern und von Sippen, die einst hier gewohnt hatten; doch nun waren sie still, und kein Schritt hallte über das breite Pflaster, keine Stimme war in den Hallen zu hören, kein Gesicht blickte aus der Tür oder den leeren Fenstern.

Schließlich kamen sie aus dem Schatten heraus zum siebenten Tor, und die warme Sonne, die jenseits des Flusses herabschien, während Frodo durch den lichten Wald von Ithilien wanderte, leuchtete hier auf den glatten Mauern und standfesten Säulen und dem großen Gewölbebogen, in dessen Schlußstein ein gekrönter und königlicher Kopf eingemeißelt war.

Gandalf saß ab, denn kein Pferd durfte in die Veste, und Schattenfell ließ es zu, daß er auf ein leises Wort seines Herrn weggeführt wurde.

Die Torwächter waren schwarz gekleidet, und ihre Helme waren von seltsamer Form, mit hoher Helmglocke und dicht am Gesicht anliegenden langen Wangenschützern, und über den Wangenschützern saßen die weißen Schwingen von Seevögeln; doch schimmerten die Helme in einem silbernen Glanz, denn sie waren aus *mithril* geschmiedet, Erbstücke der ruhmreichen alten Zeiten. Auf den schwarzen Überwürfen war ein blühender Baum weiß wie Schnee eingestickt unter einer silbernen Krone und vielgezackten Sternen. Das war die Hoftracht von Elendils Erben, und in ganz Gondor trug sie jetzt niemand außer den Wächtern der Veste vor dem Hof des Springbrunnens, wo einst der Weiße Baum gewachsen war.

Es schien, als sei die Nachricht von ihrem Kommen schon vor ihnen eingetroffen; denn sie wurden sofort eingelassen, stumm und ohne Fragen. Rasch schritt Gandalf über den weißgepflasterten Hof. Ein lieblicher Springbrunnen sprudelte dort in der Morgensonne, umgeben von leuchtend grünem Rasen; doch in der Mitte, über den Weiher geneigt, stand ein toter Baum, und traurig rannen die herabfallenden Tropfen von seinen dürren, abgestorbenen Zweigen wieder zurück in das klare Wasser.

Pippin betrachtete den Baum flüchtig, als er Gandalf nacheilte. Er sah jämmerlich aus, fand er und wunderte sich, warum der tote Baum dort stehen gelassen wurde, wo doch sonst alles so gepflegt war.

Sieben Sterne und sieben Steine und ein weißer Baum.

Die Worte, die Gandalf gemurmelt hatte, kamen ihm wieder in den Sinn. Und dann stand er mit einemmal an den Türen der großen Halle unter dem schimmernden Turm; und hinter dem Zauberer schritt er an hochgewachsenen, stummen Türwächtern vorbei und betrat die kühlen, widerhallenden Schatten des steinernen Hauses.

Sie gingen durch einen gepflasterten Gang, der lang und leer war, und während sie gingen, sprach Gandalf leise mit Pippin. »Sei vorsichtig mit deinen Worten, Herr Peregrin! Jetzt ist nicht die Zeit für Hobbit-Keckheit. Théoden ist ein freundlicher, alter Mann. Denethor ist von anderer Art, stolz und schlau, ein Mann aus einem weit vornehmeren Geschlecht und mächtiger, obwohl er nicht König genannt wird. Doch wird er hauptsächlich mit dir sprechen und dich viel fragen, da du ihm über seinen Sohn Boromir berichten kannst. Er liebte ihn sehr: zu sehr vielleicht; und um so mehr, als sie einander unähnlich waren. Aber unter dem Deckmantel dieser Liebe wird er glauben, daß er von dir leichter als von mir erfahren kann, was er wissen möchte. Sage ihm nicht mehr, als du mußt, und schweige über Frodos Auftrag. Ich werde das zur rechten Zeit vorbringen. Und sage auch nichts über Aragorn, es sei denn, du mußt.«

»Warum nicht? Was ist gegen Streicher einzuwenden?« flüsterte Pippin. »Er hat doch vor herzukommen, nicht wahr? Und er wird sowieso bald hier sein.«

»Vielleicht, vielleicht«, sagte Gandalf. »Doch wenn er kommt, wird es wahrscheinlich auf eine Weise sein, die niemand erwartet, nicht einmal Denethor. Es wird so besser sein. Zumindest sollte seine Ankunft nicht von uns angekündigt werden.«

Gandalf blieb vor einer hohen Tür aus geglättetem Metall stehen. »Schau, Herr Pippin, es ist keine Zeit mehr, dich jetzt über die Geschichte von Gondor zu unterrichten, obwohl es besser wäre, du hättest etwas davon gelernt, als du noch Vogelnester ausnahmst und in den Wäldern des Auenlandes umherstreiftest. Tu, was ich dich heiße! Wenn man einem mächtigen Herrn die Nachricht vom Tode seines Erben überbringt, ist es nicht gerade klug, allzu viel von jemandes Ankunft zu reden, der, wenn er kommt, Anspruch auf die Königswürde erheben wird.«

»Die Königswürde?« fragte Pippin erstaunt.

»Ja«, sagte Gandalf. »Wenn du all diese Tage mit geschlossenen Augen und verschlafenem Sinn einhergegangen bist, dann wache jetzt auf!« Er klopfte an die Tür.

Die Tür öffnete sich, aber niemand war zu sehen, der sie geöffnet hatte. Pippin blickte in eine große Halle. Sie erhielt Licht durch tiefe Fenster in den breiten Seitenschiffen hinter den Reihen hoher Säulen, die das Dach trugen. Die Säulen waren jeweils aus einem einzigen schwarzen Marmorblock herausgehauen, und in ihre großen Kapitelle waren viele seltsame Figuren von Tieren und Blättern eingemeißelt; und hoch oben im Schatten funkelte das Gewölbe von dunklem Gold, unterbrochen von verschlungenem Maßwerk in vielen Farben. Keine Wandbehänge oder Bildteppiche und überhaupt keine Gegenstände aus gewebtem Stoff oder aus Holz waren in dieser langen, feierlichen Halle zu sehen; doch zwischen den Säulen erhob sich eine stumme Gruppe großer Standbilder aus kaltem Stein.

Plötzlich fielen Pippin die behauenen Felsen von Argonath ein, und eine ehrfürchtige Scheu überkam ihn, als er die lange Reihe längst verstorbener Könige entlangblickte. Auf einer Empore am anderen Ende des Raums, zu der viele Stufen hinaufführten, stand unter einem Baldachin aus Marmor in Form eines bekrönten Helms ein Herrschersitz; hinter ihm war das Abbild eines blühenden Baumes in die Wand eingemeißelt und mit Edelsteinen besetzt. Doch der Hochsitz war leer. Am Fuß der Empore, auf der untersten Stufe, die breit und tief war, stand ein steinerner Sitz, schwarz und unverziert, und darauf saß ein alter Mann und starrte auf seinen Schoß. In der Hand hielt er einen weißen Stab mit goldenem Knauf. Er blickte nicht auf. Gemessen schritten sie durch den langen Gang, bis sie drei Schritte vor seinem Schemel stehenblieben. Dann sprach Gandalf.

»Heil, Herr und Truchseß von Minas Tirith, Denethor, Ecthelions Sohn! Ich komme mit Rat und Botschaft in dieser dunklen Stunde.«

Nun blickte der alte Mann auf. Pippin sah sein scharf geschnittenes Gesicht mit stolzen Zügen, einer Haut wie Elfenbein und einer langen, gebogenen Nase zwischen dunklen, tiefliegenden Augen; und es erinnerte ihn nicht so sehr an Boromir als vielmehr an Aragorn. »Wahrlich dunkel ist die Stunde«, sagte der alte Mann, »und zu solchen Zeiten ist es Eure Gewohnheit zu kommen, Mithrandir. Doch obwohl alle Zeichen künden, daß Gondors Untergang nahe ist, bedeutet mir diese Düsternis weniger als meine eigene Düsternis. Mir ist gesagt worden, Ihr bringt einen mit, der meinen Sohn sterben sah. Ist er das?«

»Das ist er«, sagte Gandalf. »Einer der beiden. Der andere ist bei Théoden von Rohan und kommt vielleicht später her. Halblinge sind es, wie Ihr seht, doch dieser hier ist nicht derjenige, von dem die Weissagungen sprachen.«

»Dennoch ein Halbling«, sagte Denethor bitter, »und wenig Liebe bringe ich dem Namen entgegen, seit jene verfluchten Worte bekannt wurden, unsere Pläne störten und meinen Sohn veranlaßten, zu seiner unbesonnenen Fahrt aufzubrechen und seinem Tod entgegenzugehen. Mein Boromir! Jetzt brauchen wir dich. Faramir hätte an deiner Stelle gehen sollen.«

»Er wäre auch gegangen«, sagte Gandalf. »Seid nicht ungerecht in Eurem Schmerz! Boromir beanspruchte den Auftrag für sich und wollte nicht dulden, daß ein anderer ihn erhielt. Er war ein herrischer Mann, der sich nahm, was er begehrte. Ich bin weit mit ihm gewandert und lernte ihn gut kennen. Doch Ihr sprecht von seinem Tod. Hattet Ihr Nachricht darüber, ehe wir kamen?«

»Das hier habe ich erhalten«, sagte Denethor, legte seinen Stab nieder und hob von seinem Schoß das Ding auf, auf das er gestarrt hatte. In jeder Hand hielt er eine Hälfte eines in der Mitte gespaltenen großen Horns: das silberbeschlagene Horn eines wilden Ochsen.

»Das ist das Horn, das Boromir immer trug!« rief Pippin.

»Fürwahr«, sagte Denethor. »Und zu meiner Zeit trug ich es, und ebenso jeder älteste Sohn unseres Hauses bis zurück zu den entschwundenen Jahren, ehe die Könige ausstarben, seit Vorondil, Mardils Vater, die wilden Rinder von Araw auf den fernen Feldern von Rhûn jagte. Schwach hörte ich es vor dreizehn Tagen in den nördlichen Grenzlanden blasen, und der Strom hat es mir gebracht, geborsten. Es wird nimmermehr erschallen.« Er hielt inne, und es herrschte ein bedrücktes Schweigen. Plötzlich wandte er seinen schwarzen Blick auf Pippin. »Was hast du dazu zu sagen, Halbling?«

»Dreizehn, dreizehn Tage«, stammelte Pippin. »Ja, ich glaube, so wird es gewesen sein. Ja, ich stand neben ihm, als er das Horn blies. Aber keine Hilfe kam. Nur noch mehr Orks.«

»So«, sagte Denethor und sah Pippin scharf an. »Du warst also da? Erzähle mir mehr! Warum kam keine Hilfe? Und wie bist du entkommen, er aber nicht, der doch ein so starker Mann war und nur Orks gegen sich hatte?«

Pippin errötete und vergaß seine Angst. »Der stärkste Mann kann von einem einzigen Pfeil erschlagen werden«, sagte er, »und Boromir wurde von vielen durchbohrt. Als ich ihn zuletzt sah, sank er neben einem Baum nieder und zog sich einen schwarzgefiederten Schaft aus der Seite. Dann verlor ich das Bewußtsein und wurde gefangengenommen. Ich sah ihn nicht mehr und weiß nichts mehr. Aber ich halte sein Angedenken in Ehren, denn er war sehr tapfer. Er starb, um uns zu retten, meinen Vetter Meriadoc und mich, als die Soldaten des Dunklen Herrschers uns in den Wäldern auflauerten; und obwohl er fiel und uns nicht retten konnte, ist meine Dankbarkeit um nichts geringer.«

Dann blickte Pippin dem alten Mann in die Augen, denn seltsam regte sich in ihm sein Stolz, der noch verletzt war durch die Verachtung und das Mißtrauen in jener kalten Stimme. »Als wenig nützlich wird zweifellos ein so mächtiger Gebieter der Menschen einen Hobbit erachten, einen Halbling aus dem nördlichen Auenland. Doch was ich an Diensten leisten kann, will ich anbieten, um meine Schuld abzutragen.« Er zerrte seinen grauen Mantel beiseite, zog sein kleines Schwert und legte es Denethor zu Füßen.

Ein bleiches Lächeln wie der matte Schimmer der kalten Sonne eines Winterabends zog über das Gesicht des alten Mannes; doch er senkte den Kopf, streckte die Hand aus und legte die Bruchstücke des Horns beiseite. »Gib mir die Waffe!« sagte er.

Pippin hob sie auf und reichte ihm das Heft. »Woher kam sie?« fragte Denethor. »Viele, viele Jahre liegen auf ihr. Gewiß ist das eine Klinge, die in grauer Vorzeit von unserer eigenen Sippe im Norden geschmiedet wurde?«

»Sie kam aus den Hügelgräbern, die an den Grenzen meines Landes liegen«, sagte Pippin. »Doch jetzt hausen dort nur böse Unholde, und nicht gern möchte ich mehr von ihnen erzählen.«

»Ich sehe, daß seltsame Geschichten um dich verwoben sind«, sagte Denethor, »und wieder einmal zeigt sich, daß das Äußere eines Mannes – oder eines Halblings – täuschen mag. Ich nehme deine Dienste an. Denn du läßt dich von Worten nicht einschüchtern; und du führst eine höfliche Sprache, obwohl ihr Klang uns im Süden seltsam erscheinen mag. Und in den kommenden Tagen werden wir alle höflichen Leute brauchen, seien sie groß oder klein. Leiste mir jetzt den Eid!«

»Nimm das Heft«, sagte Gandalf, »und sprich dem Herrn nach, wenn du dazu entschlossen bist.« – »Das bin ich«, sagte Pippin.

Der alte Mann legte das Schwert auf seinen Schoß, und Pippin berührte das Heft mit der Hand und sprach Denethor langsam nach:

»Hier gelobe ich Lehnstreue und Dienst für Gondor und für den Herrn und Truchseß des Reiches, zu sprechen und zu schweigen, zu tun und geschehen zu lassen, zu kommen und zu gehen, in der Not und in guten Zeiten, im Frieden oder Krieg, im Leben oder Sterben, von dieser Stunde an, bis mein Herr mich freigibt oder der Tod mich nimmt oder die Welt endet. So sage ich, Peregrin, Paladins Sohn, aus dem Auenland der Halblinge.«

»Und das höre ich, Denethor, Ecthelions Sohn, Herr von Gondor, Truchseß des Hohen Königs, und ich werde es nicht vergessen noch versäumen, das zu vergelten, was gegeben wird: Lehnstreue mit Liebe, Tapferkeit mit Ehre, Eidbruch mit Strafe.« Dann erhielt Pippin sein Schwert zurück und steckte es in die Scheide.

»Und nun«, sagte Denethor, »mein erster Befehl an dich: sprich und schweige nicht! Erzähle mir die ganze Geschichte und rufe dir alles, was du von Boromir, meinem Sohn, weißt, ins Gedächtnis zurück. Setze dich nun und beginne!« Während er sprach, schlug er auf ein kleines silbernes Schallbecken, das neben seinem Schemel stand, und sofort kamen Diener. Pippin sah dann, daß sie unbemerkt in Alkoven zu beiden Seiten der Tür gestanden hatten, als Gandalf und er hereingekommen waren.

»Bringt Wein und Speise und Stühle für die Gäste«, sagte Denethor, »und sorgt dafür, daß wir eine Stunde lang von niemandem gestört werden.«

»Das ist alles, was ich erübrigen kann, denn vieles andere ist zu bedenken«, sagte er zu Gandalf. »Vieles, was wichtiger ist, wie es scheinen mag, und doch für mich weniger dringend. Aber vielleicht können wir am Ende des Tages wieder miteinander reden.«

»Und früher, will ich hoffen«, sagte Gandalf. »Denn ich bin nicht von Isengart hierher geritten, einhundertfünfzig Wegstunden, mit Windeseile, nur um Euch einen kleinen Krieger zu bringen, wie höflich er auch sein mag. Bedeutet es Euch nichts, daß Théoden eine große Schlacht geschlagen hat, daß Isengart zerstört ist und ich Sarumans Stab zerbrochen habe?«

»Es bedeutet mir viel. Aber ich weiß bereits genug von diesen Taten für meine eigenen Pläne gegen die Drohung des Ostens.« Er richtete seine dunklen Augen auf Gandalf, und jetzt bemerkte Pippin eine Ähnlichkeit zwischen den beiden, und er spürte eine Spannung zwischen ihnen, fast als sähe er eine schwelende Zündschnur, die von einem Auge zum anderen gezogen war und plötzlich in Flammen aufgehen könnte.

Denethor sah in Wirklichkeit viel mehr wie ein großer Zauberer aus als Gandalf, königlicher, schön und mächtig; und älter. Doch mit einem anderen Sinn als dem Sehvermögen erkannte Pippin, daß Gandalf die größere Macht und die tiefere Weisheit besaß und eine Hoheit, die verschleiert war. Und er war älter, weit älter. »Wieviel älter?« fragte er sich, und dann dachte er, wie merkwürdig es sei, daß er nie zuvor darüber nachgedacht hatte. Baumbart hatte etwas über Zauberer gesagt, aber selbst da hatte er nicht an Gandalf als einen von ihnen gedacht. Was war Gandalf eigentlich? In welcher fernen Zeit und an welchem Ort war er auf die Welt gekommen, und wann würde er sie verlassen? Und dann brachen seine Grübeleien ab, und er sah, daß Denethor und Gandalf sich immer noch in die Augen blickten, als wollten sie in der Seele des anderen lesen. Aber Denethor war es, der zuerst den Blick abwandte.

»Ja«, sagte er. »Obwohl die Steine, wie es heißt, verloren sind, haben die Herren von Gondor immer noch ein schärferes Auge als geringere Menschen, und viele Botschaften gelangen zu ihnen. Doch setzt Euch nun!«

Dann kamen Männer und brachten einen Stuhl und einen niedrigen Hocker, und einer brachte ein Auftragebrett mit einem silbernen Krug und Bechern und weißen Kuchen. Pippin setzte sich hin, aber er konnte seine Augen nicht von dem alten Gebieter abwenden. War es so, oder hatte er es sich nur eingebildet, daß Denethor, als er von den Steinen sprach, plötzlich einen Blick auf Pippin geworfen hatte?

»Nun erzähle mir deine Geschichte, mein Lehnsmann«, sagte Denethor, halb freundlich, halb spöttisch. »Denn die Worte von einem, mit dem mein Sohn so gut Freund war, werden fürwahr willkommen sein.«

Niemals vergaß Pippin jene Stunde in der großen Halle unter dem durchbohrenden Blick des Herrn von Gondor, immer wieder aufgeschreckt durch seine geschickten Fragen, und alldieweil war er sich Gandalfs an seiner Seite bewußt, der beobachtete und zuhörte und (wie Pippin merkte) seinen aufsteigenden Zorn und seine Ungeduld im Zaum hielt. Als die Stunde um war und Denethor wieder an das Schallbecken schlug, war Pippin erschöpft. »Es kann nicht später als neun Uhr sein«, dachte er. »Ich könnte jetzt dreimal hintereinander frühstücken.«

»Führt den Herrn Mithrandir zu der für ihn vorbereiteten Unterkunft«, sagte Denethor, »und sein Gefährte mag fürs erste bei ihm wohnen, wenn er will. Und es soll bekanntgemacht werden, daß ich ihn in Eid und Pflicht genommen habe, und als Peregrin, Paladins Sohn soll er bekannt sein und die minderen Losungsworte erfahren. Schickt den Heerführern Nachricht, daß sie mich sobald als möglich hier aufsuchen sollen, nachdem die dritte Stunde geschlagen hat.«

»Und Ihr, Herr Mithrandir, sollt auch kommen, wann immer Ihr wollt. Niemand soll Euch hindern, jederzeit zu mir zu kommen, außer in den kurzen Stunden meines Schlafs. Laßt Euren Zorn über die Torheit eines alten Mannes abkühlen und kommt dann zurück zu meinem Trost.«

»Torheit?« sagte Gandalf. »Nein, Herr, wenn Ihr ein schwachsinniger Greis seid, dann werdet Ihr sterben. Selbst Euren Schmerz vermögt Ihr als einen Deckmantel zu benutzen. Glaubt Ihr, ich verstehe Eure Absicht nicht, wenn Ihr eine Stunde lang den verhört, der am wenigsten weiß, während ich daneben sitze?«

»Wenn Ihr es versteht, dann seid zufrieden«, erwiderte Denethor. »Stolz, der in der Not Hilfe und Rat verschmähte, wäre Torheit; doch Ihr verteilt solche Gaben entsprechend Euren eigenen Plänen. Dennoch darf der Herr von Gondor nicht zum Werkzeug der Absichten anderer Männer gemacht werden, wie ehrenwert sie auch sein mögen. Und für ihn gibt es kein höheres Ziel in der Welt, so, wie die Dinge jetzt liegen, als Gondors Wohl, und in Gondor herrsche ich, mein Herr, und kein anderer, es sei denn, der König käme wieder.«

»Es sei denn, der König käme wieder?« sagte Gandalf. »Nun, Herr Truchseß, Eure Aufgabe ist es, einen Teil des Königreichs zu bewahren bis zu diesem Ereignis, das zu erleben wenige jetzt erwarten. Bei dieser Aufgabe sollt Ihr alle Hilfe erhalten, die zu erbitten Euch beliebt. Aber das will ich sagen: kein Reich beherrsche ich, weder Gondor noch irgendein anderes, ob groß oder klein. Doch alles, was Wert hat in der Welt, so wie die Dinge jetzt liegen, das steht unter meinem Schutz. Und ich für mein

Teil werde mit meiner Aufgabe nicht ganz scheitern, sollte Gondor auch zugrunde gehen, wenn irgend etwas diese Nacht übersteht, das noch gut werden oder Frucht tragen oder in zukünftigen Tagen wieder blühen kann. Denn auch ich bin ein Truchseß. Wußtet Ihr das nicht?« Und damit wandte er sich ab und verließ mit Pippin, der neben ihm herlief, die Halle.

Gandalf schaute Pippin nicht an und sprach kein Wort mit ihm, während sie gingen. Ihr Führer brachte sie von den Toren der Halle über den Hof des Springbrunnens zu einer Gasse zwischen hohen Steinhäusern. Nach mehreren Kehren kamen sie zu einem Haus dicht an der Mauer der Veste auf der Nordseite, nicht weit von dem Sattel, der den Berg mit dem Gebirge verband. Drinnen, im ersten Stock über der Straße, zu dem sie über eine breite, geschnitzte Treppe gelangt waren, geleitete er sie in einen schönen Raum, hell und luftig, mit prächtigen Wandbehängen in dunkelgoldenem Ton und ungemustert. Das Zimmer war spärlich ausgestattet und hatte nur einen kleinen Tisch, zwei Stühle und eine Bank, doch zu beiden Seiten waren Alkoven, und darinnen standen hinter Vorhängen gut gedeckte Betten und Wasserkrüge und Becken zum Waschen. Drei Fenster gab es; sie gingen nach Norden, und jenseits der großen Schleife des Anduin, die noch in Nebel gehüllt war, konnte man in der Ferne den Emyn Muil und Rauros sehen. Pippin mußte auf die Bank klettern, um über die breite steinerne Fensterbank zu blicken.

»Bist du böse auf mich, Gandalf?« fragte Pippin, als ihr Führer gegangen war und die Tür geschlossen hatte. »Ich habe es so gut gemacht, wie ich nur konnte.«

»Das hast du wirklich«, sagte Gandalf und lachte plötzlich; und er kam zu Pippin, stellte sich neben ihn, legte dem Hobbit den Arm um die Schulter und starrte aus dem Fenster hinaus. Pippin schaute erstaunt auf das Gesicht, das jetzt so dicht neben seinem war, denn das Lachen hatte fröhlich und vergnügt geklungen. Dennoch sah er im Gesicht des Zauberers Kummer- und Sorgenfalten; doch als er genauer hinschaute, erkannte er, daß sich unter alledem eine große Freude verbarg: eine Quelle der Heiterkeit, die gereicht hätte, ein Königreich zum Lachen zu bringen, wenn sie zu sprudeln begänne.

»Wirklich, du hast dein Bestes getan«, sagte der Zauberer. »Und ich hoffe, daß es lange dauern möge, bis du dich wieder in einer so mißlichen Lage zwischen zwei so entsetzlichen alten Männern befindest. Immerhin erfuhr der Herr von Gondor mehr von dir, als du vermuten magst, Pippin. Du konntest die Tatsache nicht verheimlichen, daß nicht Boromir die Gemeinschaft von Moria aus führte, und daß unter euch einer von hohem

Rang war, der nach Minas Tirith kommt; und daß er ein berühmtes Schwert hatte. Die Menschen denken viel nach über die Geschichten aus den alten Zeiten von Gondor, und Denethor hat lange über den Vers und die Worte *Isildurs Fluch* nachgegrübelt, seit Boromir fortging.

Er ist nicht wie andere Männer dieser Tage, Pippin, und wie immer seine Abstammung von Vater zu Sohn auch war, durch irgendeinen Zufall rinnt das Blut von Westernis fast unverfälscht in seinen Adern; ebenso wie bei seinem anderen Sohn, Faramir, indes nicht bei Boromir, den er am meisten liebte. Er vermag weit zu blicken. Wenn er seinen Willen darauf richtet, kann er viel von dem wahrnehmen, was im Geiste anderer Menschen vor sich geht, selbst derer, die in weiter Ferne weilen. Es ist schwer, ihn zu täuschen, und gefährlich, es zu versuchen.

Denke daran! Denn du hast ihm nun den Diensteid geleistet. Ich weiß nicht, warum du es dir in den Kopf gesetzt hast oder dein Herz dir befahl, das zu tun. Aber es war gut getan. Ich habe es nicht verhindert, denn großmütigen Taten sollte nicht durch kalten Rat Einhalt geboten werden. Es rührte sein Herz und (wenn ich das sagen darf) besserte auch seine Stimmung. Und zumindest kannst du dich nun in Minas Tirith frei bewegen, wie es dir gefällt – wenn du nicht gerade Dienst hast. Du unterstehst seinem Befehl, und er wird es nicht vergessen. Sei also immer noch vorsichtig!«

Er schwieg und seufzte. »Nun, es ist nicht nötig, darüber nachzugrübeln, was der morgige Tag bringen mag. Denn gewiß wird das Morgen Schlechteres bringen als das Heute, und so wird es viele Tage gehen. Und ich kann nichts mehr tun, um es zu ändern. Das Schachbrett ist aufgestellt, und die Figuren sind in Bewegung. Eine Figur, die zu finden ich sehr wünschte, ist Faramir, der nun Denethors Erbe ist. Ich glaube, er ist nicht in der Stadt; aber ich hatte noch keine Zeit, mich umzuhören. Ich muß gehen, Pippin. Ich muß zu dem Kriegsrat des Herrn gehen und versuchen, etwas zu erfahren. Doch der Feind ist am Zuge und im Begriff, sein Spiel voll zu eröffnen. Und die Bauern werden wahrscheinlich ebenso viel davon zu sehen bekommen wie alle anderen Figuren, Peregrin, Paladins Sohn, Gefolgsmann von Gondor. Schärfe dein Schwert!«

Gandalf ging zur Tür, und dort wandte er sich noch einmal um. »Ich bin in Eile, Pippin«, sagte er. »Tu mir einen Gefallen, wenn du hinausgehst. Sogar ehe du dich ausruhst, wenn du nicht zu müde bist. Geh und suche Schattenfell und sieh nach, wie er untergebracht ist. Diese Leute sind gütig zu Tieren, denn sie sind ein gutes und kluges Volk, aber sie haben weniger Erfahrung mit Pferden als andere.«

Damit ging Gandalf hinaus, und in eben dem Augenblick erschallte vom Turm in der Veste ein klarer, lieblicher Glockenton. Dreimal schlug es silberhell und verklang: die dritte Stunde nach Sonnenaufgang.

Gleich darauf ging Pippin zur Tür und die Treppe hinunter und schaute sich auf der Straße um. Die Sonne schien jetzt warm und hell, und die Türme und hohen Häuser warfen lange, scharf umrissene Schatten nach Westen. Hoch in die blauen Lüfte erhob der Mindolluinberg seinen weißen Helm und schneeigen Mantel. Bewaffnete Mannen liefen auf den Wegen der Stadt hin und her, als ob sie beim Stundenschlag zur Ablösung von Posten und Wachen gingen.

»Neun Uhr würden wir es im Auenland nennen«, sagte Pippin laut vor sich hin. »Gerade die Zeit für ein gutes Frühstück am offenen Fenster in der Frühlingssonne. Und wie gern hätte ich ein Frühstück! Ob es das bei diesen Leuten überhaupt gibt, oder ist es schon vorbei? Und wann nehmen sie ihre Hauptmahlzeit ein, und wo?«

Plötzlich bemerkte er einen in Schwarz und Weiß gekleideten Mann, der die schmale Straße geradenwegs von der Veste herunter und auf ihn zukam. Pippin fühlte sich einsam und beschloß, den Mann anzusprechen, wenn er vorbeiging; aber er brauchte es nicht. Der Mann kam schnurstracks auf ihn zu.

»Seid Ihr Peregrin der Halbling?« fragte er. »Mir wurde gesagt, Ihr seid für den Herrn und die Stadt in Eid und Pflicht genommen worden. Willkommen!« Er streckte ihm die Hand hin, und Pippin nahm sie.

»Ich heiße Beregond, Baranors Sohn. Heute morgen habe ich keinen Dienst und bin ausgesandt worden, um Euch über die Losungsworte zu unterrichten und Euch einige der vielen Dinge zu erzählen, die Ihr zweifellos wissen wollt. Und ich für mein Teil möchte auch gern einiges von Euch erfahren. Denn niemals zuvor haben wir einen Halbling in diesem Land gesehen, und obwohl wir Gerüchte über sie gehört haben, wird wenig über sie gesagt in irgendeiner Erzählung, die wir kennen. Überdies seid Ihr ein Freund von Mithrandir. Kennt Ihr ihn gut?«

»Nun«, sagte Pippin, »*von* ihm habe ich mein ganzes kurzes Leben gewußt, wie man sagen könnte; und in letzter Zeit bin ich weit mit ihm gewandert. Aber in diesem Buch gibt es viel zu lesen, und ich kann nicht behaupten, mehr als ein oder zwei Seiten gesehen zu haben. Immerhin kenne ich ihn vielleicht so gut wie irgendeiner mit Ausnahme einiger weniger. Aragorn war der einzige in unserer Gemeinschaft, glaube ich, der ihn wirklich kannte.«

»Aragorn?« sagte Beregond. »Wer ist das?«

»Ach«, stammelte Pippin, »ein Mann, der mit uns wanderte. Ich glaube, er ist jetzt in Rohan.«

»Ihr seid in Rohan gewesen, wie ich höre. Auch über dieses Land würde ich Euch gern viel fragen; denn zu einem gut Teil gründet sich die geringe Hoffnung, die wir haben, auf dieses Volk. Aber ich vergesse meinen Auftrag, wonach ich zuerst beantworten soll, was Ihr fragen wollt. Was möchtet Ihr wissen, Herr Peregrin?«

»Hm«, sagte Pippin, »wenn ich mir die Bemerkung erlauben darf, es ist eine ziemlich brennende Frage, die mich zur Zeit beschäftigt, nämlich wie es mit dem Frühstück und alledem steht? Ich meine, wann sind die Mahlzeiten, versteht Ihr, und wo ist der Speisesaal, wenn es einen gibt? Und Wirtshäuser? Ich habe mich umgeschaut, aber ich sah keins, als wir heraufritten, obwohl mich die Hoffnung auf einen Schluck Bier, sobald wir zu den Behausungen kluger und gesitteter Menschen kämen, aufrechterhalten hat.«

Beregond sah ihn ernst an. »Ein alter Haudegen, das sehe ich«, sagte er. »Es heißt, daß Männer, die in den Krieg ziehen, als nächstes immer auf Essen und Trinken hoffen; obwohl ich selbst kein weitgereister Mann bin. Dann habt Ihr also heute noch nichts gegessen?«

»Nun ja, ehrlich gesagt, doch«, antwortete Pippin. »Aber es war nicht mehr als ein Becher Wein und ein oder zwei weiße Kuchen dank der Güte Eures Herrn; aber er hat mich eine Stunde lang mit Fragen gequält, und das macht hungrig.«

Beregond lachte. »Bei Tisch mögen kleine Männer die größeren Taten vollbringen, heißt es bei uns. Aber Ihr habt ebenso gut gefrühstückt wie jedermann in der Veste, und mit größerer Ehre. Dies ist eine Festung und ein Turm der Wacht und jetzt im Kriegszustand. Wir stehen vor der Sonne auf, essen einen Happen in der Dämmerung und gehen zu unserem Dienst, wenn er beginnt. Doch verzagt nicht!« Er lachte wieder, als er die Verzweiflung in Pippins Gesicht sah. »Diejenigen, die einen *schweren* Dienst hatten, nehmen im Laufe des Vormittags etwas zu sich, um ihre Kraft wieder aufzufrischen. Dann gibt es einen Imbiß um die Mittagsstunde oder danach, wie der Dienst es zuläßt; und bei Sonnenuntergang versammeln sich die Männer zur Hauptmahlzeit und fröhlicher Unterhaltung, so weit das noch möglich ist.

»Doch kommt! Wir wollen ein wenig spazierengehen und uns dann nach irgendeiner Erfrischung umsehen, auf der Festungsmauer essen und trinken und den schönen Morgen betrachten.«

»Einen Augenblick«, sagte Pippin errötend. »Gier oder Hunger, wie Ihr es höflicher Weise nennen würdet, ließ es mich vergessen. Gandalf,

Mithrandir, wie Ihr ihn nennt, hat mich nämlich gebeten, mich um sein Pferd zu kümmern – Schattenfell, ein prächtiges Roß aus Rohan, der Liebling des Königs, wie es heißt, obwohl er es Mithrandir für seine guten Dienste geschenkt hat. Ich glaube, sein neuer Herr liebt das Tier mehr als manche Menschen, und wenn sein Wohlwollen irgendeinen Wert für diese Stadt hat, dann werdet Ihr Schattenfell mit allen Ehren behandeln: mit noch größerer Freundlichkeit als diesen Hobbit, wenn es möglich ist.«

»Hobbit?« fragte Beregond.

»So nennen wir uns selbst«, sagte Pippin.

»Das freut mich zu hören«, sagte Beregond. »Denn nun kann ich sagen, daß fremdländische Aussprache eine schöne Redeweise nicht verhindert, und Hobbits sind ein schön sprechendes Volk. Doch kommt jetzt! Ihr sollt mich mit dem guten Pferd bekannt machen. Wir sehen selten Tiere in dieser steinernen Stadt, und ich liebe sie, denn meine Sippe kam aus den Gebirgstälern und stammt ursprünglich aus Ithilien. Doch fürchtet Euch nicht! Der Besuch soll kurz sein, ein bloßer Höflichkeitsbesuch, und von da aus gehen wir dann zu den Schenken.«

Pippin stellte fest, daß Schattenfell gut untergebracht und versorgt war. Denn im sechsten Ring der Stadt, außerhalb der Mauern der Veste, gab es schöne Ställe für einige wenige schnelle Pferde dicht bei den Unterkünften der reitenden Boten des Herrn: Boten, die immer bereit standen, um auf dringenden Befehl von Denethor oder seiner Heerführer loszureiten. Doch jetzt waren alle Pferde und Reiter unterwegs.

Schattenfell wieherte, als Pippin in den Stall kam, und wandte den Kopf. »Guten Morgen«, sagte Pippin. »Gandalf wird kommen, sobald er kann. Er ist beschäftigt, aber er schickt Grüße, und ich soll nachsehen, ob alles gut ist bei dir; und du ruhst dich aus, hoffe ich, nach deinen langen Mühen.«

Schattenfell warf den Kopf zurück und stampfte. Doch ließ er zu, daß ihm Beregond sanft den Kopf tätschelte und die großen Flanken streichelte.

»Er sieht aus, als sehne er sich nach einem Wettlauf, und nicht, als sei er eben erst von einer langen Fahrt gekommen«, sagte Beregond. »Wie stark und stolz er ist! Wo ist sein Geschirr? Es sollte prächtig und schön sein.«

»Keins ist prächtig und schön genug für ihn«, sagte Pippin. »Er will keins haben. Wenn er bereit ist, Euch zu tragen, dann trägt er Euch; und wenn nicht, dann wird kein Zaum und kein Zügel, keine Peitsche und kein Riemen ihn gefügig machen. Leb wohl! Schattenfell! Habe Geduld. Die Schlacht kommt.«

Schattenfell hob den Kopf und wieherte so laut, daß der Stall bebte und sie sich die Ohren zuhielten. Dann nahmen sie Abschied, nachdem sie sich überzeugt hatten, daß die Krippe gut gefüllt war.

»Und nun zu unserer Krippe«, sagte Beregond, und er führte Pippin zurück zur Veste und dann zu einer Tür an der Nordseite des großen Turms. Dort stiegen sie eine lange, kühle Treppe hinunter zu einem breiten, von Lampen erleuchteten Gang. Auf beiden Seiten waren Durchreichen, und eine stand offen.

»Das ist das Vorratshaus und der Ausschank für meine Schar der Wache«, sagte Beregond. »Grüß dich, Targon!« rief er durch die Durchreiche. »Es ist noch früh, aber hier ist ein Neuer, den der Herr in seinen Dienst genommen hat. Er ist lange und weit geritten mit eng geschnalltem Gürtel und hat heute morgen schwere Arbeit geleistet, und nun ist er hungrig. Gib uns, was du hast!«

Sie bekamen Brot und Butter, Käse und Äpfel: die letzten aus dem Wintervorrat, verschrumpelt, aber saftig und süß; und einen ledernen Bocksbeutel mit frisch gezapftem Bier und hölzerne Teller und Becher. Alles verstauten sie in einem Weidenkorb und klommen wieder hinauf in die Sonne; und Beregond brachte Pippin zu einer Stelle am östlichen Ende der großen herausragenden Brustwehr, an der eine Schießscharte in der Mauer war und ein steinerner Sitz unter dem Süll. Von hier konnten sie hinausschauen auf den Morgen allüberall.

Sie aßen und tranken; und sie sprachen bald von Gondor und seinen Sitten und Bräuchen, bald vom Auenland und den fremden Ländern, die Pippin gesehen hatte. Und je länger sie sich unterhielten, um so verwunderter war Beregond und schaute den Hobbit in immer größerem Erstaunen an, wie er da auf der Steinbank saß und die kurzen Beine baumeln ließ oder sich auf Zehenspitzen stellte, um über das Süll auf die Lande unten zu blicken.

»Ich will Euch nicht verbergen, Herr Peregrin«, sagte Beregond, »daß Ihr in unseren Augen fast wie eins unserer Kinder ausseht, ein Bub von neun Jahren oder so; und dennoch habt Ihr Gefahren überstanden und Wunderdinge gesehen, deren sich wenige unserer Graubärte rühmen könnten. Ich glaubte, es sei eine Laune unseres Herrn, sich einen Edelknaben zu nehmen, so wie es die Könige von einst taten, heißt es. Aber ich sehe, daß dem nicht so ist, und Ihr müßt meine Torheit verzeihen.«

»Das tue ich«, sagte Pippin. »Obwohl Ihr nicht weit daneben geschossen habt. In den Augen meines eigenen Volkes bin ich immer noch kaum mehr als ein Junge, denn es dauert noch vier Jahre, bis ich »mündig« werde, wie wir im Auenland sagen. Aber macht Euch keine Gedanken um mich. Schaut hinaus und erzählt mir, was ich hier sehe.«

Die Sonne stand jetzt hoch, und die Nebel unten im Tal hatten sich gehoben. Wie weiße Wolkenfetzen zogen die letzten Nebelschwaden gerade über ihre Köpfe hinweg, davongetragen von der steifen Brise aus dem Osten, die an den Fahnen und weißen Bannern der Veste zog und zerrte. Weit unten auf der Talsohle, etwa fünf Wegstunden wie das Auge schweift, sah man jetzt grau und glitzernd den Großen Strom, der sich, von Nordwesten kommend, in einer mächtigen Schleife nach Süden und dann wieder nach Westen zog, und dann verschwand er in einem Dunst und Schimmer, hinter dem, fünfzig Wegstunden entfernt, das Meer lag.

Pippin sah den ganzen Pelennor vor sich ausgebreitet, bis in die Ferne getüpfelt mit Bauerngehöften und kleinen Mauern, Scheunen und Kuhställen, aber nirgends konnte er Rinder oder andere Tiere sehen. Viele Straßen und Pfade kreuzten die grünen Felder, und es gab viel Kommen und Gehen: lange Wagenschlangen zogen zum Großen Tor, und andere kamen heraus. Dann und wann kam ein Reiter, sprang aus dem Sattel und eilte in die Stadt. Doch der stärkste Verkehr war auf der großen Hauptstraße, die nach Süden führte, einen kleineren Bogen als der Fluß beschrieb, sich an den Bergen entlangzog und bald dem Blick entschwand. Sie war breit und gut gepflastert, und an ihrem östlichen Rand verlief ein stattlicher, grüner Reitweg und hinter ihm eine Mauer. Auf dem Reitweg galoppierten Reiter hin und her, aber die ganze Straße schien verstopft zu sein mit großen, bedeckten Wagen, die nach Süden unterwegs waren. Doch bald erkannte Pippin, daß in Wirklichkeit alles wohlgeordnet war: die Wagen fuhren in drei Reihen, eine schneller, mit Pferden bespannt; langsamer in der zweiten Reihe die mit Ochsen bespannten großen Wagen mit schönen, vielfarbigen Planen; und viele kleinere Karren am Westrand der Straße wurden mühselig von Männern gezogen.

»Das ist die Straße zu den Tälern Tumladen und Lossarnach und zu den Bergdörfern und dann weiter nach Lebennin«, sagte Beregond. »Dort fahren die letzten der Planwagen, die die Alten und Kinder und die Frauen, die sie begleiten müssen, in Sicherheit bringen. Vor der Mittagsstunde müssen sie alle fort sein, und auf eine Wegstunde vom Tor muß die Straße frei sein: so lautet der Befehl. Es ist traurig, aber unumgänglich.« Er seufzte. »Vielleicht werden sich wenige von denen, die sich jetzt trennen, wiedersehen. Und es hat immer zu wenig Kinder in dieser Stadt gegeben; aber jetzt sind gar keine mehr da – außer einigen jungen Burschen, die nicht fort wollten und vielleicht irgendeine Aufgabe zu erfüllen finden. Mein eigener Sohn ist einer von ihnen.«

Sie schwiegen beide eine Weile. Pippin starrte ängstlich nach Osten, als ob er jeden Augenblick erwarte, daß Tausende von Orks über die Felder herankommen. »Was sieht man denn dort?« fragte er und zeigte auf die Mitte der großen Schleife des Anduin. »Ist das noch eine Stadt, oder was ist es?«

»Es war eine Stadt«, sagte Beregond. »Die Hauptstadt von Gondor, und diese hier war nur eine Festung. Was Ihr dort seht, sind die Trümmer von Osgiliath auf beiden Ufern des Anduin, das unsere Feinde vor langer Zeit eroberten und niederbrannten. Doch haben wir es in Denethors Jugendtagen zurückgewonnen: nicht, um darin zu wohnen, sondern um es als Feldwache zu halten und die Brücke wieder aufzubauen, damit wir unsere Waffen hinüberbringen konnten. Und dann kamen die Grausamen Reiter aus Minas Morgul.«

»Die Schwarzen Reiter?« fragte Pippin und öffnete die Augen, die groß und dunkel waren von einer wiedererwachten Furcht.

»Ja, sie waren schwarz«, sagte Beregond, »und ich sehe, daß Ihr etwas über sie wißt, obwohl Ihr in Euren Erzählungen nichts von ihnen gesagt habt.«

»Ich weiß von ihnen«, sagte Pippin leise, »aber ich will jetzt nicht von ihnen sprechen, so nah, so nah.« Er brach ab und blickte hinüber über den Fluß, und ihm schien, daß alles, was er sehen konnte, ein riesiger, bedrohlicher Schatten war. Vielleicht waren es Berge, die über dem Rand des Gesichtsfeldes aufragten, und annähernd sechzig Meilen nebliger Luft ließen ihre gezackten Grate verschwommen erscheinen; vielleicht war es nur eine Wolkenwand und hinter ihr eine noch tiefere Dunkelheit. Doch während er noch schaute, schien es seinen Augen, als nehme die Dunkelheit zu und wachse, sehr langsam, und steige langsam auf, um die Gefilde der Sonne einzuhüllen.

»So nahe an Mordor?« sagte Beregond leise. »Ja, dort liegt es. Wir nennen es selten; aber immer haben wir in Sichtweite jenes Schattens gelebt: manchmal erscheint er schwächer und ferner; manchmal näher und dunkler. Jetzt wächst er und verdunkelt sich; und daher nehmen auch unsere Angst und Unruhe zu. Und die Grausamen Reiter haben vor weniger als einem Jahr die Flußübergänge zurückerobert, und viele unserer besten Mannen wurden erschlagen. Boromir war es, der den Feind schließlich von diesem westlichen Ufer zurücktrieb, und fast die Hälfte von Osgiliath halten wir noch immer. Für eine kleine Weile. Aber wir erwarten jetzt dort einen neuen Angriff. Vielleicht den wichtigsten Angriff des kommenden Krieges.«

»Wann?« fragte Pippin. »Habt Ihr eine Vermutung? Denn ich sah in der letzten Nacht die Leuchtfeuer und die reitenden Boten; und Gandalf sagte, es sei ein Zeichen, daß der Krieg begonnen habe. Er schien in verzweifelter Eile zu sein. Aber nun scheint alles wieder gemächlicher zu gehen.«

»Nur, weil jetzt alles bereit ist«, sagte Beregond. »Es ist bloß das tiefe Luftholen vor dem Absprung.«

»Aber warum sind letzte Nacht die Leuchtfeuer angezündet worden?«

»Es ist zu spät, Hilfe herbeizuholen, wenn man belagert wird«, antwortete Beregond. »Doch kenne ich die Pläne des Herrn und seiner Heerführer nicht. Sie haben viele Möglichkeiten, Nachrichten zu sammeln. Und der Herr Denethor ist nicht wie andere Menschen: er blickt weit. Manche sagen, er sitze des Nachts allein in seinem hohen Gemach im Turm und richte seine Gedanken hierhin und dorthin, er könne irgendwie in der Zukunft lesen; und manchmal erforsche er sogar die Gedanken des Feindes und ringe mit ihm. Und daher kommt es, daß er gealtert ist, vorzeitig verbraucht. Aber wie immer dem sein mag, mein Herr Faramir ist unterwegs, jenseits des Flusses, bei irgendeinem gefährlichen Auftrag, und vielleicht hat er eine Botschaft geschickt.

Aber wenn Ihr wissen wollt, was ich glaube, warum die Leuchtfeuer angezündet wurden: wegen der Nachrichten, die gestern abend aus Lebennin kamen. Dort nähert sich eine große Flotte den Mündungen des Anduin, bemannt von den Corsaren aus Umbar im Süden. Gondors Macht fürchten sie schon lange nicht mehr und haben sich mit dem Feind verbündet, und jetzt führen sie einen schweren Schlag für seine Sache. Denn dieser Angriff wird ein gut Teil der Hilfe ablenken, die wir uns von Lebennin und Belfalas erhofften, wo das Volk tapfer und zahlreich ist. Um so mehr richten sich unsere Gedanken auf Rohan, und um so froher sind wir über die Siegesnachrichten, die Ihr bringt.

Und dennoch ...« Er hielt inne, stand auf und schaute ringsum nach Norden, Osten und Süden. »Und dennoch sollten die Ereignisse in Isengart eine Warnung für uns sein, daß wir jetzt in ein großes Netz und Ränkespiel geraten sind. Es sind nicht länger Plänkeleien an den Furten, Raubzüge aus Ithilien und aus Anórien, Überfälle und Plünderungen. Dies ist ein lange geplanter großer Krieg, und wir sind nur eine Schachfigur darin, was immer unser Stolz auch sagen mag. Im fernen Osten, jenseits des Binnenmeeres, sind die Dinge in Bewegung, wie berichtet wird;

und nördlich im Düsterwald und dahinter; und südlich in Harad. Und jetzt sollen alle Reiche auf die Probe gestellt werden, ob sie standhalten oder — unter den Schatten fallen.

Immerhin, Herr Peregrin, wird uns diese Ehre zuteil: stets richtet sich der Hauptbaß des Dunklen Herrn gegen uns, denn dieser Haß kommt aus den Gründen der Zeit und über die Tiefen des Meers. Hier wird der Hammerschlag am heftigsten niederfallen. Und aus diesem Grunde kam Mithrandir in solcher Eile her. Denn wenn wir fallen, wer soll dann standhalten? Und, Herr Peregrin, seht Ihr irgendwelche Hoffnung, daß wir standhalten werden?«

Pippin antwortete nicht. Er blickte auf die großen Mauern, die Türme und tapferen Banner und die Sonne am hohen Himmel, und dann auf die zunehmende Düsternis im Osten; und er dachte an die langen Finger des Schattens: an die Orks in den Wäldern und Bergen, an den Verrat von Isengart, an die Vögel mit dem bösen Blick und die Schwarzen Reiter sogar auf den Pfaden im Auenland — und an den geflügelten Schrecken, die Nazgûl. Er erschauerte, und die Hoffnung schien zu schwinden. Und in eben diesem Augenblick flackerte die Sonne eine Sekunde und verdunkelte sich, als ob ein dunkler Flügel über sie hinweggezogen sei. Kaum hörbar, glaubte er hoch und fern am Himmel einen Schrei zu vernehmen: schwach, doch herzerschütternd, grausam und kalt. Er erbleichte und kauerte sich an die Mauer.

»Was war das?« fragte Beregond. »Habt Ihr auch etwas gespürt?«

»Ja«, flüsterte Pippin. »Es ist das Zeichen unseres Untergangs und der Schatten des Verhängnisses, ein Grausamer Reiter der Luft.«

»Ja, der Schatten des Verhängnisses«, sagte Beregond. »Ich fürchte, Minas Tirith wird fallen. Die Nacht kommt. Sogar die Wärme meines Bluts scheint sich davongestohlen zu haben.«

Eine Zeitlang saßen sie mit gesenkten Köpfen beieinander und sprachen nicht. Dann schaute Pippin plötzlich auf und sah, daß die Sonne noch schien und die Banner noch im Wind flatterten. Er schüttelte sich. »Es ist vorbei«, sagte er. »Nein, mein Herz will noch nicht verzweifeln. Gandalf ist gestürzt, und doch ist er zurückgekehrt und bei uns. Wir mögen standhalten, wenn auch nur auf einem Bein oder wenigstens noch auf unseren Knien.«

»Wohlgesprochen!« rief Beregond, erhob sich und schritt auf und ab. »Nein, obwohl alles schließlich sein Ende findet, soll Gondor noch nicht untergehen. Auch nicht, wenn ein verwegener Feind die Mauern einnehmen und vor ihnen einen Berg von Aas aufhäufen sollte. Es gibt immer noch andere Festungen und geheime Fluchtwege in das Gebirge. Hoffnung und Erinnerung sollen immer noch lebendig bleiben in irgendeinem verborgenen Tal, wo das Gras grün ist.«

»Trotz alledem, ich wünschte, es wäre vorüber, mag es nun gut oder schlecht ausgehen«, sagte Pippin. »Ich bin ganz und gar kein Krieger, und jeder Gedanke an die Schlacht mißfällt mir; aber auf eine Schlacht zu warten, der man nicht entgehen kann, ist am allerschlimmsten. Wie lang kommt mir dieser Tag schon vor! Ich wäre glücklicher, wenn wir nicht dastehen und abwarten müßten, keine Bewegung machen und nirgends zuerst zuschlagen dürften. Kein Streich wäre in Rohan geführt worden, glaube ich, wenn Gandalf nicht gewesen wäre.«

»Ah, da legt Ihr den Finger in eine offene Wunde, die viele verspüren«, sagte Beregond. »Aber die Dinge mögen sich ändern, wenn Faramir zurückkehrt. Er ist kühn, kühner, als viele annehmen. Denn heutzutage fällt es den Menschen schwer zu glauben, daß ein Heerführer klug sein kann und bewandert in den alten Schriften der Lehre und des Liedes, wie er es ist, und dennoch ein Mann von Beherztheit und rascher Entscheidung auf dem Schlachtfeld. Aber ein solcher ist Faramir. Nicht so verwegen und stürmisch wie Boromir, doch nicht weniger entschlossen. Was kann er indes wirklich tun? Die Gebirge von — dem Gebiet da drüben vermögen wir nicht anzugreifen. Unser Wirkungsbereich ist klein geworden, und wir können erst zuschlagen, wenn ein Feind in unsere Reichweite kommt. Dann muß unsere Hand schwer sein!« Er packte das Heft seines Schwerts.

Pippin schaute ihn an: hochgewachsen und stolz und edel, wie alle Männer, die er bisher in diesem Land gesehen hatte; und seine Augen funkelten bei dem Gedanken an die Schlacht. »Ach«, dachte Pippin, »meine eigene Hand fühlt sich leicht an wie eine Feder«, aber er sagte nichts. »Ein Bauer, hat Gandalf gesagt? Vielleicht, aber auf dem falschen Schachbrett.«

So unterhielten sie sich, bis die Sonne den höchsten Punkt erklomm, und plötzlich wurden die Mittagsglocken geläutet, und es kam Bewegung in die Veste; denn alle außer den Wächtern gingen zur Mahlzeit.

»Wollt Ihr mit mir kommen?« fragte Beregond — »Ihr könnt heute mit mir essen. Denn ich weiß nicht, welcher Schar Ihr zugeteilt werdet, oder ob Euch der Herr zu seiner eigenen Verfügung haben will. Aber bei meiner Schar werdet Ihr willkommen sein. Und für Euch wird es gut sein, möglichst viele Leute kennenzulernen, solange es noch Zeit ist.«

»Ich werde gern mitkommen«, sagte Pippin. »Ich fühle mich einsam, um Euch die Wahrheit zu sagen. Meinen besten Freund habe ich in Rohan zurückgelassen und nun niemanden gehabt, mit dem ich mich unterhalten und Spaß machen konnte. Vielleicht könnte ich wirklich in Eure Schar eintreten? Seid Ihr der Hauptmann? Wenn ja, könntet Ihr mich dann aufnehmen oder Euch für mich verwenden?«

»Nein, nein«, lachte Beregond, »ich bin kein Hauptmann. Weder Amt noch Rang noch Macht habe ich, sondern bin ein einfacher Krieger in der Dritten Schar der Veste. Und dennoch, Herr Peregrin, nur ein Krieger zu sein, der zur Wache des Turms von Gondor gehört, gilt in der Stadt als ehrenvoll, und solche Männer werden im Lande hoch geachtet.«

»Dann bin ich bei weitem nicht würdig genug dafür«, sagte Pippin. »Bringt mich in unser Zimmer zurück, und wenn Gandalf nicht da ist, werde ich mit Euch gehen, wohin Ihr wollt — als Euer Gast.«

Gandalf war nicht in der Unterkunft und hatte keine Botschaft gesandt; also ging Pippin mit Beregond mit und wurde mit den Mannen der Dritten Schar bekannt gemacht. Und es schien, als ob es Beregond ebenso zur Ehre gereichte wie seinem Gast, denn Pippin war sehr willkommen. Es war in der Veste schon viel über Mithrandirs Gefährten geredet worden und über sein langes Gespräch mit dem Herrn; und es lief das Gerücht um, ein Fürst der Halblinge sei aus dem Norden gekommen, um Lehnspflicht für Gondor und fünftausend Schwerter anzubieten. Und einige sagten, wenn die Reiter aus Rohan kämen, würde jeder einen Halbling-Krieger mitbringen, klein vielleicht, aber beherzt.

Obwohl Pippin zu seinem Bedauern dieser hoffnungsvollen Geschichte den Boden entziehen mußte, konnte er doch seinen neuen Rang nicht abschütteln, der, wie die Leute meinten, einem wohl anstehe, der ein Freund von Boromir gewesen war und von Denethor ausgezeichnet wurde; und sie dankten ihm, daß er zu ihnen gekommen sei, und lauschten seinen Worten und Geschichten über fremde Länder und gaben ihm so viel zu essen und so viel Bier, wie er sich nur wünschen konnte. Seine einzige Sorge war es denn auch, »vorsichtig« zu sein, wie Gandalf ihm geraten hatte, und nicht seiner Zunge freien Lauf zu lassen, wie es die Art eines Hobbits unter Freunden ist.

Schließlich erhob sich Beregond. »Lebt wohl einstweilen«, sagte er. »Ich habe jetzt Dienst bis Sonnenuntergang, wie alle anderen hier auch, glaube ich. Aber wenn Ihr einsam seid, wie Ihr sagt, dann hättet Ihr vielleicht gern einen lustigen Führer durch die Stadt. Mein Sohn würde mit Freuden mit Euch gehen. Ein guter Junge, wenn ich das sagen darf. Falls Euch das zusagt, geht hinunter zum untersten Kreis und fragt nach dem

Alten Gästehaus in der Rath Celerdain, der Lampenmacher-Straße. Dort werdet Ihr ihn bei den anderen Burschen finden, die in der Stadt geblieben sind. Es mag sehenswerte Dinge geben am Großen Tor, ehe es geschlossen wird.«

Er ging hinaus, und bald folgten ihm alle anderen. Der Tag war noch schön, obwohl es dunstig wurde, und es war heiß für März, selbst so weit südlich. Pippin war schläfrig, doch die Unterkunft erschien ihm freudlos, und er beschloß, hinunterzugehen und die Stadt zu erforschen. Er nahm ein paar Leckerbissen, die er für Schattenfell aufgespart hatte und die gnädig angenommen wurden, obwohl es dem Pferd an nichts zu mangeln schien. Dann ging er viele gewundene Pfade hinunter.

Das Volk starrte ihn an, wenn er vorüberging. Solange er sie sah, waren die Menschen ernst und höflich und grüßten ihn nach der Sitte von Gondor mit gesenktem Kopf und den Händen auf der Brust; aber hinter seinem Rücken hörte er so manchen Ruf, als ob diejenigen an den Türen die anderen, die drinnen waren, aufforderten, herauszukommen und sich den Fürsten der Halblinge anzusehen, Mithrandirs Gefährten. Viele gebrauchten eine andere als die Gemeinsame Sprache, aber es dauerte nicht lange, da hatte er wenigstens gelernt, was *Ernil i Pheriannath* bedeutete, und wußte, daß seine Ehrenbezeichnung ihm schon in der Stadt vorausgeeilt war.

Schließlich kam er durch überwölbte Straßen und viele schöne Gassen und über gepflasterte Plätze zum untersten und ausgedehntesten Ring und wurde in die Lampenmacher-Straße gewiesen, einen breiten Weg, der zum Großen Tor hinunterführte. Dort fand er das Alte Gästehaus, ein großes Gebäude aus grauem, verwittertem Stein mit zwei Flügeln senkrecht zur Straße, dazwischen eine schmale Rasenfläche und dahinter das vielfenstrige Haus. Es hatte auf der ganzen Breite einen von Säulen getragenen Vorbau und eine Treppe bis zum Rasen. Jungen spielten zwischen den Säulen, die einzigen Kinder, die Pippin in Minas Tirith gesehen hatte, und er blieb stehen, um sie sich anzuschauen. Einer der Jungen erblickte ihn plötzlich, und mit einem lauten Ruf sprang er über den Rasen und kam auf die Straße, gefolgt von den anderen. Da stand er nun vor Pippin und schaute ihn von oben bis unten an.

»Willkommen!« sagte der Junge. »Wo kommt Ihr her? Ihr seid fremd in der Stadt.«

»Das war ich«, sagte Pippin, »aber es heißt, ich sei Gefolgsmann von Gondor geworden.«

»Na, hört mal«, sagte der Junge. »Dann sind wir hier alle Männer. Wie alt seid Ihr denn, und wie heißt Ihr? Ich bin schon zehn und werde bald fünf Fuß haben. Ich bin größer als Ihr. Aber schließlich ist mein Vater auch bei der Wache, einer der größten. Was ist Euer Vater?«

»Welche Frage soll ich zuerst beantworten?« sagte Pippin. »Mein Vater bebaut das Land um Weißbrunn in der Nähe von Buckelstadt im Auenland. Ich bin fast neunundzwanzig, also bin ich dir darin über; obwohl ich nur vier Fuß groß bin und wahrscheinlich nicht mehr wachsen werde, außer in die Breite.«

»Neunundzwanzig!« sagte der Junge und pfiff. »Da seid Ihr aber ziemlich alt. So alt wie mein Onkel Iorlas. Immerhin«, fügte er hoffnungsvoll hinzu, »ich wette, ich könnte Euch auf den Kopf stellen oder auf den Rükken legen.«

»Das könntest du vielleicht, wenn ich dich ließe«, sagte Pippin lachend. »Und vielleicht könnte ich dasselbe mit dir machen: wir kennen ein paar Ringkampfkniffe in meinem kleinen Land. Wo ich, das will ich dir sagen, als ungewöhnlich groß und stark gelte; und ich habe noch keinem erlaubt, mich auf den Kopf zu stellen. Wenn es also zu einem Wettkampf käme und nichts anderes helfen würde, dann werde ich dich vielleicht töten müssen. Denn wenn du älter bist, wirst du lernen, daß die Leute nicht immer sind, was sie zu sein scheinen; und obgleich du mich wohl für einen schwächlichen Ausländerjungen und eine leichte Beute angesehen hast, laß dich warnen: das bin ich nicht, ich bin ein Halbling, stark, tapfer und gefährlich!« Pippin machte ein so grimmiges Gesicht, daß der Junge einen Schritt zurücktrat, aber sogleich kam er wieder an mit geballten Fäusten und Kampfeslust im Blick.

»Nein!« lachte Pippin. »Du darfst auch nicht alles glauben, was Fremde von sich selbst sagen! Ich bin kein Kämpfer. Aber es wäre jedenfalls höflicher, wenn der Herausforderer sagen würde, wer er ist.«

Der Junge richtete sich stolz auf. »Ich bin Bergil, der Sohn Beregonds von der Wache«, sagte er.

»Das dachte ich mir«, sagte Pippin, »denn du siehst aus wie dein Vater. Ich kenne ihn, und er hat mich hergeschickt, um dich zu suchen.«

»Warum habt Ihr denn das nicht gleich gesagt?« rief Bergil, und er sah mit einemmal ganz erschreckt aus. »Sagt mir nicht, daß er es sich anders überlegt hat und mich nun doch mit den Mädchen wegschicken will. Ach nein, die letzten Wagen sind ja schon fort.«

»Die Botschaft ist weniger schlimm, wenn auch nicht gut«, sagte Pippin. »Er sagt, wenn du es lieber tust, als mich auf den Kopf stellen, dann könntest du mich eine Weile in der Stadt herumführen und mich in meiner Einsamkeit trösten. Ich kann dir als Gegenleistung ein paar Geschichten aus fernen Ländern erzählen.«

Bergil klatschte in die Hände und lachte vor Erleichterung. »Alles ist gut«, rief er. »Dann kommt! Wir wollten sowieso zum Tor gehen und zuschauen. Wir werden jetzt gleich gehen.«

»Was geschieht denn dort?«

»Die Heerführer aus den Außenlehen werden vor Sonnenuntergang auf der Südstraße erwartet. Kommt mit uns, dann werdet Ihr es sehen.«

Bergil erwies sich als guter Gefährte, die beste Gesellschaft, die Pippin seit seiner Trennung von Merry gefunden hatte, und bald lachten sie und unterhielten sich vergnügt, als sie durch die Straßen gingen und der vielen Blicke nicht achteten, die die Menschen ihnen zuwarfen. Es dauerte nicht lange, da waren sie von einer Volksmenge umringt, die zum Großen Tor strömte. Dort stieg Pippin beträchtlich in Bergils Achtung, denn als er seinen Namen nannte und das Losungswort aussprach, grüßte ihn der Wachtposten und ließ ihn durch; und überdies erlaubte er ihm, seinen Gefährten mitzunehmen.

»Das ist gut«, sagte Bergil. »Wir Jungens dürfen nämlich ohne einen Erwachsenen nicht mehr aus dem Tor heraus. Nun werden wir besser sehen können.«

Jenseits des Tors stand eine Menschenmenge am Straßenrand und an dem großen gepflasterten Platz, auf den alle Wege nach Minas Tirith einmündeten. Aller Augen waren nach Süden gerichtet, und bald erhob sich ein Gemurmel: »Dort hinten ist Staub! Sie kommen!«

Pippin und Bergil bahnten sich ihren Weg, bis sie vorn in der Menge standen, und warteten. Hörner erklangen in einiger Entfernung, und das Geräusch von Beifallsrufen drang zu ihnen wie ein aufkommender Sturm. Dann gab es einen lauten Trompetenstoß, und ringsum schrien die Leute.

»Forlong! Forlong!« hörte Pippin sie rufen. »Was sagen sie?« fragte er.

»Forlong ist gekommen«, antwortete Bergil, »der alte Forlong der Dicke, der Herr von Lossarnach. Das ist dort, wo mein Großvater lebt. Hurra! Da ist er. Der brave alte Forlong!«

An der Spitze des Zuges kam ein großes Pferd mit starken Gliedmaßen, und auf ihm saß ein Mann mit breiten Schultern und von gewaltigem Umfang, zwar alt und graubärtig, doch im Panzerhemd und mit schwarzem Helm, einen langen, schweren Speer in der Hand. Hinter ihm marschierte stolz eine staubige Schar Männer, gut bewaffnet mit großen Schlachtäxten; grimmige Gesichter hatten sie und waren gedrungener und irgendwie schwärzlicher als alle Menschen, die Pippin bisher in Gondor gesehen hatte.

»Forlong!« riefen die Menschen. »Tapferer, treuer Freund! Forlong!« Aber als die Männer aus Lossarnach vorbei waren, murrten sie: »So wenige! Zweihundert, was ist das schon? Wir hatten auf zehnmal so viel gehofft. Das wird an den neuen Nachrichten über die schwarze Flotte liegen. Sie können nur ein Zehntel ihrer Streitmacht entbehren. Immerhin ist jedes Bißchen ein Gewinn.«

Und so kamen die Heerscharen und wurden begrüßt und bejubelt und zogen durch das Tor, die Mannen der Außenlehen, die heranmarschierten, um in einer dunklen Stunde die Stadt von Gondor zu verteidigen; doch immer waren es zu wenige, immer eine geringere Anzahl, als die Hoffnung erwartete oder die Not erforderte. Die Mannen aus dem Ringló-Tal hinter dem Sohn ihres Herrn, Dervorin, der zu Fuß ging: dreihundert. Aus dem Hochland Morthond, dem großen Schwarzerdental, der hochgewachsene Duinhir mit seinen Söhnen Duilin und Derufin und fünfhundert Bogenschützen. Aus Anfalas, dem fernen Langstrand, eine stattliche Schar von Männern aller möglicher Berufe, Jäger und Hirten und Bauern aus kleinen Dörfern, kärglich bewaffnet mit Ausnahme der Gefolgsleute ihres Herrn Golasgil. Aus Lamedon ein paar Bergbewohner ohne einen Hauptmann. Fischerleute aus Ethir, einige Hundert oder mehr, die man bei den Schiffen entbehren konnte. Hirluin der Schöne von den Grünen Bergen aus Pinnath Gelin mit dreihundert tapferen, grüngekleideten Mannen. Und zuletzt und am stolzesten Imrahil, Fürst von Dol Amroth, der Vetter des Herrn Denethor, mit vergoldeten Bannern, die sein Wappen trugen, das Schiff und den Silberschwan, und eine Schar Ritter in voller Rüstung auf grauen Pferden; und hinter ihnen siebenhundert Krieger, hochgewachsen wie edle Herren, grauäugig, dunkelhaarig, und sie sangen, als sie herankamen.

Und das war alles, weniger als dreitausend insgesamt. Mehr würden nicht kommen. Noch hörte man ihre Rufe und ihre Fußtritte in der Stadt, dann verhallten sie. Die Zuschauer blieben noch eine Weile schweigend stehen. Staub hing in der Luft, denn der Wind hatte sich gelegt und der Abend war drückend. Schon näherte sich die Stunde, da das Tor geschlossen wurde. Die rote Sonne stand hinter dem Mindolluin. Schatten senkte sich auf die Stadt.

Pippin schaute auf, und ihm schien, daß der Himmel aschgrau geworden war, als ob ein gewaltiger Staub und Rauch über ihnen hänge, und das Licht drang nur matt hindurch. Doch im Westen hatte die untergehende Sonne den ganzen Dunst in Brand gesteckt, und jetzt hob sich der Mindolluin schwarz ab vor einem schwelenden Feuer, mit Funken gesprenkelt. »So endet ein schöner Tag im Zorn«, sagte er, den Jungen an seiner Seite vergessend.

»So wird es sein, wenn ich nicht vor den Abendglocken zurück bin«, sagte Bergil. »Kommt! Da erschallt die Trompete, daß das Tor geschlossen wird.«

Hand in Hand gingen sie zurück in die Stadt und waren die letzten, die das Tor durchschritten, ehe es geschlossen wurde; und als sie die Lampenmacher-Straße erreichten, läuteten feierlich alle Glocken der Türme. Viele Fenster wurden hell, und aus den Häusern und Wachräumen der Krieger entlang den Mauern hörte man Gesang.

»Lebt wohl einstweilen«, sagte Bergil. »Bringt meinem Vater Grüße und dankt ihm, daß er Euch mir zur Gesellschaft geschickt hat. Kommt bald wieder, bitte. Fast wünschte ich jetzt, es wäre nicht Krieg, dann könnten wir eine fröhliche Zeit miteinander haben. Wir könnten nach Lossarnach wandern, zum Haus meines Großvaters; es ist schön dort im Frühling, die Wälder und Felder sind voller Blumen. Aber vielleicht können wir doch einmal zusammen dort hingehen. Sie werden niemals unseren Herrn besiegen, und mein Vater ist sehr tapfer. Lebt wohl und kommt wieder!«

Sie trennten sich, und Pippin eilte hinauf in die Veste. Der Weg erschien ihm lang, ihm war heiß und er wurde sehr hungrig; und die Nacht senkte sich herab, rasch und dunkel. Kein Stern stand am Himmel. Er kam spät zu der Mahlzeit in den Eßraum, und Beregond begrüßte ihn erfreut und ließ ihn sich neben ihn setzen, um Neues von seinem Sohn zu hören. Nach dem Essen blieb Pippin noch eine Weile, und dann verabschiedete er sich, denn eine seltsame Schwermut bedrückte ihn, und er wünschte jetzt sehr, Gandalf wiederzusehen.

»Könnt Ihr den Weg finden?« fragte Beregond an der Tür der kleinen Halle auf der Nordseite der Veste, wo sie gesessen hatten. »Es ist eine schwarze Nacht, und um so schwärzer, seit der Befehl kam, daß alle Lampen in der Stadt verdunkelt werden müssen, und kein Licht darf von den Mauern herausscheinen. Und ich kann Euch noch eine Nachricht von anderer Art geben: Ihr werdet morgen in der Frühe zu Herrn Denethor gerufen. Ich fürchte, Ihr werdet nicht zur Dritten Schar kommen. Doch dürfen wir hoffen, uns wiederzutreffen. Lebt wohl und schlaft in Frieden!«

Die Unterkunft war dunkel bis auf eine kleine Laterne, die auf dem Tisch stand. Gandalf war nicht da. Pippins Schwermut wurde noch bedrückender. Er kletterte auf die Bank und versuchte, aus dem Fenster zu schauen, aber es war, als blicke man in einen Tintenpfuhl. Er kam wieder herunter, schloß den Laden und ging zu Bett. Eine Weile lag er wach und lauschte, ob er Gandalf kommen hörte, und dann versank er in einen unruhigen Schlaf.

In der Nacht wurde er von einem Lichtschein geweckt, und er sah, daß Gandalf gekommen war und hinter dem Vorhang des Alkovens auf und ab schritt. Kerzen standen auf dem Tisch, und Pergamentrollen lagen da. Er hörte den Zauberer seufzen und murmeln: »Wann wird Faramir zurückkehren?«

»He!« sagte Pippin und steckte den Kopf durch den Vorhang. »Ich dachte, du hättest mich ganz vergessen. Ich freue mich, dich wiederzusehen. Es ist ein langer Tag gewesen.«

»Aber die Nacht wird zu kurz sein«, sagte Gandalf. »Ich bin hierher zurückgekommen, denn ich muß ein wenig Ruhe haben, allein. Du solltest schlafen, in einem Bett, solange du es noch kannst. Bei Sonnenaufgang werde ich dich wieder zu Herrn Denethor bringen. Nein, wenn der Ruf ergeht, nicht bei Sonnenaufgang. Die Dunkelheit hat begonnen. Es wird keine Morgendämmerung kommen.«

ZWEITES KAPITEL

DER WEG DER GRAUEN SCHAR

Gandalf war fort, und das Stampfen von Schattenfells Hufen verlor sich in der Nacht, als Merry zu Aragorn zurückkam. Er hatte nur ein leichtes Bündel, denn seinen Rucksack hatte er in Parth Galen verloren, und alles, was er besaß, waren ein paar nützliche Dinge, die er in den Trümmern von Isengart aufgelesen hatte. Hasufel war schon gesattelt. Legolas und Gimli standen mit ihrem Pferd daneben.

»Vier von unserer Gemeinschaft sind also noch da«, sagte Aragorn. »Wir werden zusammen reiten. Aber wir werden nicht allein gehen, wie ich glaubte. Der König ist jetzt entschlossen, sofort aufzubrechen. Seit der geflügelte Schatten gekommen ist, ist es sein Wunsch, im Schutz der Nacht in die Berge zurückzukehren.«

»Und wohin dann?« fragte Legolas.

»Das kann ich noch nicht sagen«, antwortete Aragorn. »Was den König betrifft, so wird er zur Heerschau reiten, die er für die vierte Nacht, von heute an gerechnet, befohlen hat. Und dort, glaube ich, wird er Nachrichten über den Krieg erhalten, und die Reiter von Rohan werden nach Minas Tirith gehen. Doch ohne mich und jeden, der mit mir gehen will.«

»Ich, zum Beispiel«, rief Legolas. »Und Gimli mit ihm«, sagte der Zwerg.

»Nun, was mich betrifft«, sagte Aragorn, »so ist es dunkel vor mir. Ich muß auch nach Minas Tirith gehen, aber ich sehe den Weg noch nicht. Eine lange vorbereitete Stunde rückt heran.

»Laßt mich nicht zurück!« sagte Merry. »Ich bin nicht viel nütze gewesen bisher; aber ich will nicht beiseite gelegt werden wie Gepäck, das abgeholt wird, wenn alles vorbei ist. Ich glaube nicht, daß die Reiter sich jetzt mit mir belasten wollen. Obgleich der König allerdings gesagt hat, ich solle bei ihm sitzen, wenn er wieder in sein Haus kommt, und ihm alles vom Auenland erzählen.«

»Ja«, sagte Aragorn, »und dein Weg soll der seine sein, glaube ich, Merry. Aber erwarte nicht Fröhlichkeit am Ende. Es wird lange dauern, fürchte ich, bis Théoden wieder behaglich in Meduseld sitzt. Viele Hoffnungen werden in diesem bitteren Frühling zunichte.«

Bald waren alle bereit aufzubrechen: vierundzwanzig Pferde, und Gimli saß hinter Legolas und Merry vor Aragorn. Dann ritten sie rasch durch die Nacht. Sie hatten die Hügelgräber noch nicht lange hinter sich gelassen, als ein Reiter von der Nachhut heransprengte.

»Herr«, sagte er zum König, »es sind Reiter hinter uns. Als wir die Furt durchquerten, glaubte ich sie zu hören. Jetzt sind wir sicher. Sie reiten geschwind und holen uns ein.«

Théoden ließ sofort halten. Die Reiter wendeten ihre Pferde und packten ihre Speere. Aragorn saß ab, setzte Merry auf den Boden, zog sein Schwert und stellte sich neben den Steigbügel des Königs. Éomer und sein Schildknappe ritten zurück zur Nachhut. Merry kam sich mehr denn je wie unnötiges Gepäck vor, und er fragte sich, wenn es einen Kampf geben würde, was er tun sollte. Angenommen, das kleine Gefolge des Königs würde umzingelt und überwältigt, aber er könnte in der Dunkelheit entkommen – allein in den unbewohnten Feldern von Rohan, ohne eine Vorstellung zu haben, wo er war in all diesen endlosen Meilen? »Das ist nicht gut«, dachte er. Er zog das Schwert und schnallte den Gürtel enger.

Der untergehende Mond wurde durch eine große, dahinziehende Wolke verdunkelt, aber plötzlich trat er wieder klar hervor. Dann hörten sie Hufgetrappel, und im gleichen Augenblick sahen sie dunkle Gestalten, die rasch den Pfad von der Furt heraufkamen. Das Mondlicht schimmerte hier und dort auf den Spitzen ihrer Speere. Wie viele es waren, die sie verfolgten, ließ sich nicht feststellen, aber sie schienen an Zahl zumindest nicht geringer zu sein als das Gefolge des Königs.

Als sie auf etwa fünfzig Schritte herangekommen waren, rief Éomer mit lauter Stimme: »Halt! Halt! Wer reitet in Rohan?«

Die Verfolger brachten ihre Rösser sofort zum Stehen. Ein Schweigen folgte; und dann sah man im Mondschein einen Reiter absitzen und langsam vorwärts gehen. Seine Hand leuchtete weiß, als er sie hochhielt, die Handfläche nach außen, als ein Zeichen des Friedens, doch die Mannen des Königs packten ihre Waffen. Auf zehn Schritte blieb der Mann stehen. Er war groß, ein dunkler, stiller Schatten. Dann erschallte seine helle Stimme.

»Rohan? Sagtet Ihr Rohan? Das ist frohe Botschaft. Wir kommen von weit her und suchen dieses Land in Eile.«

»Ihr habt es gefunden«, sagte Éomer. »Als ihr dort drüben die Furt überquert, habt ihr es betreten. Doch es ist das Reich des Königs Théoden. Niemand reitet hier ohne seine Erlaubnis. Wer seid ihr? Und warum in Eile?«

»Halbarad Dúnadan, Waldläufer des Nordens, bin ich«, rief der Mann.

»Wir suchen Aragorn, Arathorns Sohn, und hörten, er sei in Rohan.«

»Und ihn habt ihr auch gefunden!« rief Aragorn. Er warf Merry den Zügel zu, lief dem Neuankömmling entgegen und umarmte ihn. »Halbarad!« sagte er. »Von allen Freuden ist das die am wenigsten erwartete!«

Merry stieß einen Seufzer der Erleichterung aus. Er hatte geglaubt, dies sei eine letzte Arglist von Saruman, um dem König aufzulauern, wenn er nur wenig Mannen um sich hatte; doch schien es nicht nötig zu sein, bei Théodens Verteidigung zu sterben, jedenfalls jetzt noch nicht. Er steckte sein Schwert in die Scheide.

»Alles ist gut«, sagte Aragorn und wandte sich um. »Hier sind einige meiner eigenen Sippe aus dem fernen Lande, wo ich wohnte. Aber warum sie kommen und wie viele sie sind, soll Halbarad uns berichten.«

»Ich habe dreißig bei mir«, sagte Halbarad. »Das sind alle von unserer Sippe, die in Eile zusammengerufen werden konnten; doch die Brüder Elladan und Elrohir sind mit uns geritten, denn es ist ihr Wunsch, in den Krieg zu ziehen. Wir ritten so rasch wir konnten, als dein Ruf kam.«

»Aber ich habe euch nicht gerufen«, sagte Aragorn, »außer in Gedanken. Oft habe ich an euch gedacht, und selten mehr als heute nacht; doch habe ich keine Botschaft gesandt. Doch komm! Alle diese Dinge müssen warten. Du findest uns auf einem Ritt in Eile und Gefahr. Reite jetzt mit uns, wenn der König es erlaubt.«

Théoden war freilich froh. »Es ist gut«, sagte er. »Wenn diese Verwandten in irgendeiner Weise Euch ähnlich sind, Herr Aragorn, dann werden dreißig solcher Recken eine Streitmacht sein, die sich nicht nach Köpfen zählen läßt.«

Dann machten sich die Reiter wieder auf den Weg, und Aragorn ritt eine Weile mit den Dúnedain; und nachdem sie über die Neuigkeiten im Norden und im Süden gesprochen hatten, sagte Elrohir zu ihm:

»Ich bringe dir Botschaft von meinem Vater: *Die Tage sind kurz. Wenn du in Eile bist, gedenke der Pfade der Toten.*«

»Immer schienen mir meine Tage zu kurz zu sein, um meinen Wunsch zu erfüllen«, antwortete Aragorn. »Doch groß fürwahr wird meine Eile sein, ehe ich diesen Weg einschlage.«

»Das werden wir bald sehen«, sagte Elrohir. »Aber laßt uns nicht mehr auf offener Straße von diesen Dingen sprechen.«

Und Aragorn sagte zu Halbarad: »Was ist das, was du trägst, Vetter?« Denn er sah, daß Halbarad statt eines Speers einen langen Stab trug, gleichsam ein Banner, aber es war fest aufgerollt in einem schwarzen Tuch und wurde mit vielen Riemen zusammengehalten.

»Es ist ein Geschenk, das ich dir von der Herrin von Bruchtal bringe«, antwortete Halbarad. »Sie hat es heimlich gefertigt, und lange dauerte die Arbeit. Aber auch sie sendet dir Botschaft: *»Die Tage sind nun kurz. Entweder unsere Hoffnung kommt, oder alle Hoffnung endet. Daher sende ich dir, was ich für dich gemacht habe. Lebe wohl, Elbenstein!«*

Und Aragorn sagte: »Nun weiß ich, was du trägst. Trage es noch eine Weile für mich!« Und er wandte sich um und blickte weit gen Norden unter den großen Sternen, und dann schwieg er und sprach nicht mehr, solange der nächtliche Ritt dauerte.

Die Nacht war weit vorgeschritten und der Osten schon grau, als sie endlich vom Klammtal heraufritten und wieder zur Hornburg kamen. Dort sollten sie sich niederlegen und eine kurze Weile ruhen und dann miteinander beratschlagen.

Merry schlief, bis er von Legolas und Gimli geweckt wurde. »Die Sonne steht hoch«, sagte Legolas. »Alle anderen sind längst munter. Komm, Herr Faulpelz, und schau dir die Gegend an, solange du kannst!«

»Hier war eine Schlacht vor drei Nächten«, sagte Gimli, »und hier haben Legolas und ich ein Spiel gespielt, das ich um nur einen einzigen Ork gewonnen habe. Komm und sieh dir an, wie es war. Und hier gibt es Höhlen, Merry, die ein Wunder sind. Wollen wir sie aufsuchen, Legolas, was meinst du?«

»Nein, dazu ist keine Zeit«, sagte der Elb. »Verdirb das Wunder nicht durch Eile. Ich habe dir mein Wort gegeben, daß ich mit dir hierher zurückkomme, wenn es wieder Tage des Friedens und der Freiheit gibt. Doch jetzt ist es bald Mittag, und zu dieser Stunde essen wir und brechen dann wieder auf, wie ich höre.«

Merry erhob sich und gähnte. Die paar Stunden Schlaf waren nicht annähernd genug für ihn gewesen; er war müde und ziemlich niedergeschlagen. Pippin fehlte ihm, und er hatte das Gefühl, er sei nur eine Bürde, während alle anderen Pläne schmiedeten für den Erfolg einer Angelegenheit, die er nicht ganz verstand. »Wo ist Aragorn?« fragte er.

»In einem hohen Gemach in der Burg«, sagte Legolas. »Er hat nicht geruht und nicht geschlafen, glaube ich. Vor einigen Stunden ist er dort hinaufgegangen und hat gesagt, er müsse nachdenken, und nur sein Vetter Halbarad ging mit ihm; aber irgendein dunkler Zweifel oder eine Sorge bedrückt ihn.«

»Das ist eine seltsame Gesellschaft, diese Neuankömmlinge«, sagte Gimli. »Tapfere und edle Männer sind es, und die Reiter von Rohan sehen fast wie Knaben neben ihnen aus; denn die meisten haben grimmige Gesichter, zerfurcht wie verwitterter Fels, wie Aragorn auch; und sie sind schweigsam.«

»Aber ebenso wie Aragorn sind sie höflich, wenn sie ihr Schweigen brechen«, sagte Legolas. »Und habt ihr die Brüder Elladan und Elrohir bemerkt? Weniger düster als die der anderen ist ihre Kleidung, und sie sind schön und stattlich wie Elbenfürsten; und das ist nicht verwunderlich bei den Söhnen von Elrond aus Bruchtal.«

»Warum sind sie gekommen? Habt ihr darüber etwas gehört?« fragte Merry. Er war jetzt angezogen und warf sich den grauen Mantel um die Schulter; und die drei gingen zusammen hinaus und hinüber zu dem zerstörten Tor der Burg.

»Sie folgten einem Ruf«, wie du gehört hast«, sagte Gimli. »Botschaft kam nach Bruchtal, sagen sie: *Aragorn braucht seine Sippe. Laßt die Dúnedain zu ihm nach Rohan reiten!* Aber woher die Nachricht kam, darüber sind sie jetzt im Zweifel. Gandalf schickte sie, möchte ich annehmen.«

»Nein, Galadriel«, sagte Legolas. »Hat sie nicht durch Gandalf von dem Ritt der Grauen Schar vom Norden gesprochen?«

»Ja, du hast recht«, sagte Gimli. »Die Herrin des Waldes! Sie liest in vielen Herzen und errät die Wünsche. Warum haben wir uns nicht einige von unserer Sippe gewünscht, Legolas?«

Legolas stand vor dem Tor und ließ seine strahlenden Augen nach Norden und Osten schweifen, und sein schönes Gesicht war bekümmert. »Ich glaube nicht, daß welche kommen würden«, antwortete er. »Sie brauchen nicht in den Krieg zu reiten; der Krieg rückt schon in ihre Länder ein.«

Eine Weile wanderten die drei Gefährten umher, sprachen von dieser oder jener Wendung der Schlacht, gingen von dem geborstenen Tor aus hinunter, vorbei an den Hügelgräbern der Gefallenen, bis sie an Helms Deich standen und in die Klamm schauten. Die Todeshöhe war schon da, schwarz und hoch und steinig, und man konnte deutlich sehen, wo die Huorns das Gras niedergetreten und braun getrampelt hatten. Die Dunländer und viele Männer von der Besatzung der Burg waren am Deich oder auf den Feldern und den beschädigten Mauern dahinter an der Arbeit; doch alles schien seltsam still: ein erschöpftes Tal, das nach einem schweren Sturm ausruht. Bald kehrten sie um und gingen zur Mittagsmahlzeit in die Halle der Burg.

Der König war schon da, und sobald sie eintraten, rief er nach Merry und ließ einen Stuhl für ihn an seine Seite stellen.

»Es ist nicht so, wie ich es gern hätte«, sagte Théoden, »denn dies hat wenig Ähnlichkeit mit meinem schönen Haus in Edoras. Und dein Freund ist fort, der auch hätte hier sein sollen. Aber es mag lange währen, ehe wir, du und ich, an der hohen Tafel in Meduseld sitzen; auch wird es nicht die Zeit für Festmähler sein, wenn ich dorthin zurückkehre. Doch komm nun! Iß und trink und laß uns miteinander reden, solange wir können. Und dann sollst du mit mir reiten.«

»Darf ich?« fragte Merry, überrascht und erfreut. »Das wäre herrlich!« Niemals war er dankbarer gewesen für freundliche Worte. »Ich fürchte, ich bin jedermann im Wege«, stammelte er. »Aber ich würde gern alles tun, was ich kann.«

»Daran zweifle ich nicht«, sagte der König. »Ich habe ein gutes Bergpony für dich fertigmachen lassen. Es wird dich auf den Straßen, die wir einschlagen werden, so rasch davontragen wie jedes Pferd. Denn ich will von der Burg auf Bergpfaden reiten, nicht in der Ebene, und so über Dunharg, wo Frau Éowyn mich erwartet, nach Edoras kommen. Du sollst mein Knappe sein, wenn du willst. Gibt es hier Kriegsausrüstung, Éomer, die mein Schwert-Than brauchen könnte?«

»Wir haben hier keine große Waffenkammer, Herr«, antwortete Éomer. »Vielleicht könnte ein leichter Helm gefunden werden, der ihm paßt; aber wir haben keinen Panzer und kein Schwert für einen von seiner Größe.«

»Ein Schwert habe ich« sagte Merry, kletterte von seinem Stuhl herunter und zog aus der schwarzen Scheide seine kleine glänzende Klinge. Plötzlich war er von Liebe zu diesem alten Mann erfüllt, er ließ sich auf ein Knie nieder und nahm des Königs Hand und küßte sie. »Darf ich das Schwert von Meriadoc aus dem Auenland auf Euren Schoß legen, König Théoden?« rief er. »Empfangt meine Dienste, wenn Ihr wollt!«

»Gerne nehme ich sie an«, sagte der König; er legte seine langen, alten Hände auf das braune Haar des Hobbits und weihte ihn. »Stehe nun auf, Meriadoc, Knappe von Rohan aus der Gefolgschaft von Meduseld!« sagte er. »Nimm dein Schwert und trage es zu gutem Gelingen!«

»Wie ein Vater sollt Ihr für mich sein«, sagte Merry.

»Für eine kleine Weile«, sagte Théoden.

Sie unterhielten sich, während sie aßen, bis Éomer plötzlich sprach. »Es ist nahe der Stunde, die wir für unseren Aufbruch festgesetzt haben, Herr«, sagte er. »Sollen wir den Mannen befehlen, die Hörner zu blasen? Aber wo ist Aragorn? Sein Platz ist leer, und er hat nicht gegessen.«

»Wir werden uns fertigmachen zum Reiten«, sagte Théoden, »aber laß Herrn Aragorn ausrichten, daß die Stunde nahe ist.«

Der König und seine Leibwache und Merry an seiner Seite gingen vom Tor der Burg hinunter zu dem Rasen, wo sich die Reiter gesammelt hatten. Viele waren schon aufgesessen. Es würde eine große Schar sein, denn der König ließ nur eine kleine Besatzung in der Burg zurück, und alle, die entbehrt werden konnten, ritten zum Waffenempfang nach Edoras. Tausend Speerträger waren schon in der Nacht vorausgeritten, doch waren es noch einige fünfhundert, die den König begleiteten, zum größten Teil Männer von den Feldern und Tälern von Westfold.

Etwas abseits saßen die Waldläufer in einer wohlgeordneten Gruppe, bewaffnet mit Speer und Bogen und Schwert. Sie waren in Mäntel von dunklem Grau gekleidet, und ihre Kapuzen waren jetzt herabgezogen über Helm und Kopf. Ihre Pferde waren kräftig und von stolzer Haltung, doch struppig; und eins stand da ohne Reiter, Aragorns eigenes Pferd, das sie aus dem Norden mitgebracht hatten; Roheryn war sein Name. Weder Edelstein noch Gold oder irgendein Schmuck schimmerte an ihrem Geschirr und Zaumzeug; auch trugen ihre Reiter keinerlei Wahrzeichen oder Wappen, abgesehen von einer silbernen Brosche in der Form eines strahlenförmigen Sterns, mit der jeder Mantel auf der linken Schulter befestigt war.

Der König bestieg sein Roß Schneemähne, und Merry saß neben ihm auf seinem Pony: Stybba hieß es. Plötzlich kam Éomer aus dem Tor, und Aragorn war bei ihm und Halbarad, der den großen, fest zusammengerollten Stab in Schwarz trug, und zwei hochgewachsene Männer, weder jung noch alt. So ähnlich waren sie einander, die Söhne von Elrond, daß wenige sie auseinanderhalten konnten: dunkelhaarig, grauäugig, und ihre Gesichter waren elbenschön, und beide trugen gleiche schimmernde Panzerhemden unter silbergrauen Mänteln. Hinter ihnen gingen Legolas und Gimli. Aber Merry hatte nur Augen für Aragorn, so auffällig war die Veränderung, der er an ihm bemerkte, als ob in einer Nacht viele Jahre über ihn gekommen seien. Düster war sein Gesicht, grau und müde.

»Ich bin sehr beunruhigt, Herr«, sagte er, als er neben dem Pferd des Königs stand. »Seltsame Worte habe ich gehört und sehe neue Gefahren in weiter Ferne. Ich habe lange angestrengt nachgedacht, und jetzt fürchte ich, daß ich meinen Entschluß ändern muß. Sagt mir, Théoden, Ihr reitet jetzt nach Dunharg, wie lange wird es dauern, bis Ihr dorthin kommt?«

»Es ist jetzt eine volle Stunde nach dem Mittag«, sagte Éomer. »Vor der Nacht des dritten Tages sollten wir die Feste erreichen. Es wird dann eine Nacht nach dem Vollmond sein, und die Heerschau, die der König befohlen hat, wird am Tag danach abgehalten. Schneller können wir es nicht machen, wenn die Streitmacht von Rohan gesammelt werden soll.«

Aragorn schwieg einen Augenblick. »Drei Tage«, murmelte er, »und dann wird die Heerschau erst beginnen. Aber ich sehe ein, daß es jetzt nicht beschleunigt werden kann.« Er blickte auf, und es schien, als habe er eine Entscheidung getroffen; sein Gesicht war weniger bekümmert. »Dann muß ich mit Eurer Erlaubnis, Herr, für mich und meine Sippe einen neuen Entschluß fassen. Wir müssen auf unserem eigenen Weg reiten, und nicht länger verborgen. Für mich ist die Zeit der Heimlichkeit vorbei. Ich will auf dem schnellsten Weg nach Osten reiten, auf den Pfaden der Toten.«

»Die Pfade der Toten!« sagte Théoden und zitterte. »Warum sprecht Ihr von ihnen?« Éomer wandte sich um und starrte Aragorn an, und Merry schien es, daß die Gesichter der Reiter, die in Hörweite saßen, bei diesen Worten erbleichten. »Wenn es in Wirklichkeit solche Pfade gibt«, sagte Théoden, »dann ist ihr Tor in Dunharg. Aber kein Lebender darf es durchschreiten.«

»Wehe, Aragorn, mein Freund«, sagte Éomer. »Ich hatte gehofft, daß wir zusammen in den Krieg reiten würden; doch wenn Ihr die Pfade der Toten einschlagt, dann ist unser Abschied gekommen, und es ist wenig wahrscheinlich, daß wir uns jemals unter der Sonne wiedersehen.«

»Diesen Weg werde ich dennoch nehmen«, sagte Aragorn. »Aber das sage ich Euch, Éomer, in der Schlacht werden wir uns wiedertreffen, wenn auch alle Heere von Mordor zwischen uns stehen sollten.«

»Ihr werdet tun, wie Ihr wünscht, Herr Aragorn«, sagte Théoden. »Vielleicht ist es Euer Schicksal, seltsame Pfade zu beschreiten, auf die andere sich nicht wagen. Dieser Abschied betrübt mich, und meine Stärke wird dadurch verringert; doch nun muß ich die Gebirgswege einschlagen und darf nicht länger säumen. Lebt wohl!«

»Lebt wohl, Herr«, sagte Aragorn. »Reitet großem Ruhm entgegen! Leb wohl, Merry! Ich lasse dich in guten Händen zurück, in besseren, als wir hoffen konnten, als wir die Orks bis Fangorn jagten. Legolas und Gimli werden noch weiter mit mir jagen, hoffe ich; aber dich werden wir nicht vergessen.«

»Auf Wiedersehen«, sagte Merry. Er fand weiter nichts zu sagen. Er kam sich sehr klein vor und war verwirrt und bedrückt von all diesen düsteren Worten. Mehr denn je fehlte ihm Pippin mit seiner unerschütterlichen Fröhlichkeit. Die Reiter waren bereit, und ihre Pferde waren unruhig. Er wünschte, sie würden aufbrechen und es hinter sich bringen.

Nun sprach Théoden zu Éomer, und er hob die Hand und rief laut, und auf dieses Wort hin brachen die Reiter auf. Sie ritten über den Deich und in die Klamm hinunter, dann wandten sie sich rasch nach Osten und nahmen den Pfad, der sich auf etwa eine Meile an den Vorbergen entlangzog, bis er nach Süden abbog, wieder in die Berge hineinführte und dem Blick entschwand. Aragorn ritt zum Deich und schaute hinab, bis die Mannen des Königs weit unten in der Klamm waren. Dann wandte er sich zu Halbarad.

»Dort reiten drei, die ich liebe, und den kleinsten nicht am wenigsten«, sagte er. »Er weiß nicht, welchem Ziel er entgegenreitet; doch wenn er es wüßte, er würde dennoch gehen.«

»Ein kleines Volk, doch von großem Wert sind die Auenländer«, sagte Halbarad. »Wenig wissen sie von unseren langen Mühen, um ihre Grenzen zu schützen, und doch reut es mich nicht.«

»Und nun sind unsere Schicksale miteinander verflochten«, sagte Aragorn. »Und dennoch müssen wir uns nun leider trennen. Ja, ich sollte eine Kleinigkeit essen, und dann müssen auch wir forteilen. Kommt, Legolas und Gimli, ich muß mit euch reden, während ich esse.«

Zusammen gingen sie zurück zur Burg, doch eine Zeitlang saß Aragorn schweigend am Tisch in der Halle, und die anderen warteten, daß er spreche. »Komm«, sagte Legolas schließlich. »Sprich und sei getröstet und schüttle den Schatten ab! Was ist geschehen, seit wir im Morgengrauen zu diesem schrecklichen Ort zurückkamen?«

»Ein Kampf, der für mein Teil etwas schrecklicher war als die Schlacht der Hornburg«, antwortete Aragorn. »Ich habe in den Stein von Orthanc geblickt, meine Freunde.«

»Du hast in diesen verfluchten Zauberstein geblickt!« rief Gimli, und Furcht und Staunen malten sich auf seinem Gesicht. »Hast du etwas gesagt zu — ihm? Selbst Gandalf fürchtete diese Begegnung.«

»Du vergißt, mit wem du sprichst«, sagte Aragorn streng, und seine Augen blitzten. »Habe ich nicht vor den Toren von Edoras meinen Anspruch offen erklärt? Was, fürchtest du, hätte ich ihm sagen sollen? Nein, Gimli«, fügte er mit sanfterer Stimme hinzu, und die Härte wich von seinem Gesicht und er sah aus wie einer, der sich seit vielen Nächten in schlafloser Pein gequält hat. »Nein, meine Freunde, ich bin der rechtmäßige Herr des Steins, und ich habe das Recht und auch die Kraft, ihn zu gebrauchen, so beurteilte ich es jedenfalls. Das Recht kann nicht bezweifelt werden. Die Kraft reichte — knapp.«

Er holte tief Luft. »Es war ein erbitterter Kampf, und die Erschöpfung vergeht nur langsam. Ich sprach kein Wort mit ihm, und zum Schluß unterwarf ich den Stein meinem Willen. Allein das wird ihm schwer erträglich sein. Und er erblickte mich. Ja, Herr Gimli, er sah mich, aber in anderer Gestalt, als ihr mich hier seht. Wenn ihm das nützt, dann habe ich Schlimmes getan. Aber ich glaube es nicht. Zu erfahren, daß ich lebe und auf der Erde wandele, war ein Schlag für sein Herz, schätze ich; denn er wußte es bis jetzt nicht. Die Augen in Orthanc durchschauten Théodens Rüstung nicht; aber Sauron hat Isildur und Elendils Schwert nicht vergessen. Jetzt, in eben der Stunde seiner großen Pläne werden Isildurs Erbe und das Schwert sichtbar; denn ich zeigte ihm die neu geschmiedete Klinge. So mächtig ist er noch nicht, daß er über Angst erhaben wäre. Nein, Zweifel nagt nun an ihm.«

»Aber nichtsdestoweniger besitzt er große Gewalt«, sagte Gimli, »und jetzt wird er rascher zuschlagen.«

»Der hastige Streich geht oft fehl«, sagte Aragorn. »Wir müssen unseren Feind bedrängen und dürfen nicht länger darauf warten, daß er zuschlägt. Schaut, meine Freunde, als ich den Stein bezwang, habe ich vielerlei erfahren. Eine ernste Gefahr sah ich unerwartet von Süden über Gondor kommen, die starke Kräfte von Minas Tiriths Verteidigung abziehen wird. Wenn nicht rasch ein Gegenschlag geführt wird, schätze ich, daß die Stadt verloren sein wird, ehe zehn Tage vergangen sind.«

»Dann muß sie eben verloren werden«, sagte Gimli. »Denn welche Hilfe könnten wir dort hinschicken, und wie könnte sie zeitig kommen?«

»Ich kann keine Hilfe schicken, deshalb muß ich selbst gehen«, sagte Aragorn. »Aber es gibt nur einen Weg durch das Gebirge, das mich zu den Küstenländern bringt, ehe alles verloren ist. Das sind die Pfade der Toten.«

»Die Pfade der Toten!« sagte Gimli. »Es ist ein unheimlicher Name; und wenig nach dem Geschmack der Menschen von Rohan, wie ich gesehen habe. Können Lebende einen solchen Weg benutzen, ohne zugrunde zu gehen? Und selbst wenn du diesen Weg beschreitest, was können so wenige ausrichten, um Mordors Schläge abzuwehren?«

»Die Lebenden haben diesen Weg niemals benutzt, seit die Rohirrim gekommen sind«, sagte Aragorn, »denn er ist ihnen verschlossen. Aber in dieser dunklen Stunde kann Isildurs Erbe ihn benutzen, wenn er es wagt. Hört zu! Das ist die Botschaft, die mir Elronds Söhne bringen von ihrem Vater in Bruchtal, dem Kundigsten in der alten Überlieferung: *Sagt Aragorn, er solle der Worte des Sehers gedenken und der Pfade der Toten.*«

»Und wie mögen die Worte des Sehers gelautet haben?« fragte Legolas.

»Also sprach Malbeth der Seher in den Tagen Arveduis, des letzten Königs in Fornost«, sagte Aragorn:

Über dem Land liegt lang der Schatten,
Flügel der Finsternis strecken sich westwärts.
Der Turm bebt; den Königsgrüften

Naht das Gericht. Die Toten erwachen,
Am Stein von Erech stehen sie wieder,
Denn die Stunde ist da der Wortbrüchigen:
Und hören das Horn in den Bergen hallen.
Wessen Horn? Wer wird sie rufen,
Das vergessene Volk aus grauem Zwielicht?
Der Erbe des Mannes, dem einst sie schworen.
Von Norden naht er, Not treibt ihn:
Das Tor zum Pfad der Toten wird er durchschreiten.

»Dunkle Wege, zweifellos«, sagte Gimli, »aber nicht dunkler, als diese Verse für mich sind.«

»Wenn du sie besser verstündest, würde ich dich bitten, mit mir zu kommen«, sagte Aragorn. »Denn diesen Weg werde ich nehmen. Doch gehe ich ihn nicht gern; nur die Not treibt mich. Daher möchte ich, daß ihr nur mitkommt, wenn es euer freier Wille ist, denn Mühsal erwartet euch und große Angst und vielleicht Schlimmeres.«

»Ich werde mit dir gehen, selbst auf den Pfaden der Toten, wo immer sie auch hinführen«, sagte Gimli.

»Ich werde auch mitkommen«, sagte Legolas, »denn ich fürchte die Toten nicht.«

»Ich hoffe, daß das vergessene Volk nicht vergessen haben wird, wie man kämpft«, sagte Gimli, »denn sonst sehe ich nicht ein, warum wir sie stören sollten.«

»Das werden wir wissen, wenn wir je nach Erech kommen«, sagte Aragorn. »Da sie mit dem Eid, den sie gebrochen haben, geschworen hatten, gegen Sauron zu kämpfen, müssen sie jetzt kämpfen, wenn sie ihn erfüllen wollen. Denn in Erech steht noch ein schwarzer Stein, den Isildur, wie es heißt, aus Númenor gebracht hat; und er wurde auf einem Berg aufgestellt, und bei diesem Stein hat der König des Gebirges ihm Lehnstreue geschworen, als das Reich Gondor begann. Doch als Sauron zurückkehrte und seine Macht wieder wuchs, forderte Isildur die Menschen des Gebirges auf, ihren Eid zu erfüllen, und sie taten es nicht: denn in den Dunklen Jahren hatten sie Sauron gehuldigt.

Damals sagte Isildur zu ihrem König: ›Du sollst der letzte König sein. Und wenn sich der Westen mächtiger erweist als dein Schwarzer Gebieter, dann lege ich diesen Fluch auf dich und dein Volk: niemals Ruhe zu finden, bis dein Eid erfüllt ist. Denn dieser Krieg wird unzählige Jahre dauern, und noch einmal wirst du gerufen werden, ehe das Ende kommt.‹ Und sie flohen vor Isildurs Zorn und wagten nicht, auf Saurons

Seite in den Krieg zu ziehen; und sie verbargen sich an geheimen Orten im Gebirge und hatten keinen Umgang mit anderen Menschen, sondern siechten langsam dahin in den kahlen Bergen. Und der Schrecken der Schlaflosen Toten liegt über dem Berg Erech und allen Orten, wo dieses Volk noch weilt. Aber diesen Weg muß ich gehen, da keine Lebenden da sind, um mir zu helfen.«

Er stand auf. »Kommt!« rief er und zog sein Schwert, und es blitzte in der dämmerigen Halle der Burg. »Auf zum Stein von Erech! Ich suche die Pfade der Toten. Komme mit mir, wer will!«

Legolas und Gimli antworteten nicht, aber sie standen auf und folgten Aragorn, als er die Halle verließ. Auf dem Rasen warteten, still und schweigend, die Waldläufer, verhüllt unter ihren Kapuzen. Legolas und Gimli saßen auf. Aragorn sprang auf Roheryn. Dann hob Halbarad ein großes Horn, und sein Schmettern hallte in Helms Klamm wider; und damit preschten sie davon, und wie ein Donnern ritten sie das Tal hinab, und alle Männer, die noch auf dem Deich oder der Burg zurückgeblieben waren, starrten voll Staunen.

Und während Théoden auf langsamen Pfaden durch die Berge zog, ritt die Graue Schar geschwind über die Ebene, und am Nachmittag des nächsten Tages kamen sie nach Edoras; dort hielten sie nur kurz an, ehe sie den Weg das Tal hinauf einschlugen, und so kamen sie, als die Dunkelheit hereinbrach, nach Dunharg.

Frau Éowyn begrüßte sie und freute sich über ihr Kommen; denn nie hatte sie solche Recken gesehen wie die Dúnedain und Elronds schöne Söhne; aber auf Aragorn ruhten ihre Augen vor allem. Und als die Männer mit ihr beim Abendessen saßen, sprachen sie miteinander, und sie hörte alles, was geschehen war, seit Théoden fortgeritten war, worüber sie bisher nur flüchtige Nachrichten erhalten hatte; und als sie von der Schlacht in Helms Klamm hörte und dem großen Gemetzel unter ihren Feinden und von Théodens und seiner Ritter Angriff, da glänzten ihre Augen.

Doch schließlich sagte sie: »Ihr Herren seid müde und sollt nun zu Bett gehen mit so viel Behaglichkeit, als sich in der Eile schaffen läßt. Doch morgen sollen schönere Unterkünfte für euch gefunden werden.«

Aber Aragorn sagte: »Nein, Herrin, bemüht Euch nicht für uns! Wenn wir hier heute nacht schlafen und morgen frühstücken dürfen, dann wird das genug sein. Denn ich habe einen höchst dringenden Auftrag, und mit dem ersten Tageslicht müssen wir reiten.«

Sie lächelte ihn an und sagte: »Dann war es sehr freundlich, Herr, daß

Ihr so viele Meilen abseits Eures Weges geritten seid, um Éowyn Botschaft zu bringen und mit ihr in ihrer Verbannung zu sprechen.«

»Wahrlich, kein Mann würde eine solche Fahrt als verschwendet ansehen«, sagte Aragorn. »Und dennoch hätte ich nicht hierher kommen können, Herrin, wenn mich nicht der Weg, den ich nehmen muß, nach Dunharg geführt hätte.«

Und sie antwortete wie eine, der nicht gefällt, was gesagt wurde: »Dann, Herr, seid Ihr fehlgegangen; denn aus dem Hargtal führte keine Straße nach Osten oder Süden; und Ihr reitet besser den Weg zurück, den Ihr gekommen seid.«

»Nein, Herrin«, sagte er, »ich bin nicht fehlgegangen; denn ich bin in diesem Lande gewandert, ehe Ihr geboren wurdet, um es zu zieren. Es gibt eine Straße, die aus diesem Tal herausführt, und diese Straße werde ich nehmen. Morgen werde ich auf den Pfaden der Toten reiten.«

Dann starrte sie ihn an wie eine, die von Furcht ergriffen ist, und ihr Gesicht erbleichte, und lange sprach sie nicht mehr, während alle schweigend dasaßen. »Aber, Aragorn«, sagte sie schließlich, »ist es denn Euer Auftrag, den Tod zu suchen? Denn das ist alles, was Ihr auf diesem Wege finden werdet. Sie dulden es nicht, daß die Lebenden dort gehen.«

»Vielleicht werden sie es dulden, daß ich dort gehe«, sagte Aragorn. »Aber zumindest will ich es wagen. Keine andere Straße nützt mir.«

»Aber das ist Wahnsinn«, sagte sie. »Denn hier sind ruhmreiche und heldenhafte Männer, die Ihr nicht in die Schatten, sondern in den Krieg führen solltet, wo Männer gebraucht werden. Ich bitte Euch, hierzubleiben und mit meinem Bruder zu reiten; denn dann werden unser aller Herzen froh und unsere Hoffnung größer sein.«

»Es ist nicht Wahnsinn, Herrin«, antwortete er. »Denn ich gehe einen Weg, der mir bestimmt ist. Doch jene, die mir folgen, tun es aus freiem Willen; und wenn es jetzt ihr Wunsch ist, hierzubleiben und mit den Rohirrim zu reiten, dann mögen sie es tun. Doch ich werde die Pfade der Toten einschlagen, allein, wenn es sein muß.«

Dann sprachen sie nicht mehr und aßen schweigend; doch Éowyns Augen ruhten immer auf Aragorn, und die anderen sahen, daß sie große Seelenqualen litt. Schließlich erhoben sie sich und verabschiedeten sich von der Herrin und dankten ihr für ihre Fürsorge und gingen zur Ruhe.

Doch als Aragorn zu der Hütte kam, in der er mit Legolas und Gimli nächtigen sollte, und als seine Gefährten hineingegangen waren, kam Frau Éowyn hinter ihm her und rief ihn. Er wandte sich um und sah sie wie einen Schimmer in der Nacht, denn sie war in Weiß gekleidet; doch ihre Augen glühten.

»Aragorn«, sagte sie, »warum wollt Ihr auf dieser todbringenden Straße gehen?«

»Weil ich muß«, sagte er. »Nur so kann ich hoffen, das Meinige in dem Krieg gegen Sauron zu tun. Ich wähle nicht freiwillig Pfade der Gefahr, Éowyn. Könnte ich dorthin gehen, wo mein Herz weilt, fern im Norden, dann würde ich jetzt in dem schönen Tal von Bruchtal wandern.«

Eine Weile schwieg sie still, als überlege sie, was das bedeuten könne. Dann plötzlich legte sie ihm die Hand auf den Arm. »Ihr seid ein gestrenger Herr und entschlossen«, sagte sie, »und so gewinnen Männer Ruhm.« Sie hielt inne. »Herr«, sagte sie, »wenn Ihr gehen müßt, dann laßt mich in Eurem Gefolge mitreiten. Denn ich bin es leid, mich in den Bergen zu verstecken, Gefahr und Kampf will ich ins Auge sehen.«

»Eure Pflicht liegt bei Eurem Volk«, antwortete er.

»Zu oft habe ich von Pflicht gehört«, rief sie. »Aber bin ich nicht aus Eorls Haus, eine Schildmaid und keine Kinderfrau? Lange genug habe ich strauchelnden Füßen aufgewartet. Darf ich nicht jetzt, da es scheint, daß sie nicht mehr straucheln, mein Leben so verbringen, wie ich es will?«

»Wenige dürfen das in Ehren tun«, antwortete er. »Doch was Euch betrifft, Herrin: habt Ihr nicht die Aufgabe übernommen, das Volk zu führen, bis sein Herr zurückkehrt? Wäret Ihr nicht dazu auserwählt worden, dann wäre irgendein Marschall oder Hauptmann auf denselben Platz gestellt worden, und auch er könnte nicht von seiner Aufgabe wegreiten, ob er sie leid ist oder nicht.«

»Soll ich immer erwählt werden?« sagte sie bitter. »Soll ich immer zurückgelassen werden, wenn die Reiter aufbrechen, und mich um das Haus kümmern, während sie Ruhm finden, und für Nahrung und Betten sorgen, wenn sie zurückkehren?«

»Bald mag eine Zeit kommen«, sagte er, »da keiner zurückkehrt; dann wird Heldenmut ohne Ruhm nötig sein, denn niemand wird sich der Taten erinnern, die bei der letzten Verteidigung Eurer Heimstätten vollbracht werden. Doch werden die Taten nicht weniger heldenhaft sein, nur weil sie nicht gerühmt werden.«

Und sie antwortete: »Alle Eure Worte sollen lediglich besagen: du bist eine Frau, und dein Teil ist das Haus. Aber wenn die Männer in Kampf und Ehre gefallen sind, dann darfst du im Haus verbrannt werden, denn die Männer brauchen es nicht mehr. Doch ich bin aus Eorls Haus und keine Dienerin. Ich kann reiten und die Klinge führen, und ich fürchte weder Schmerz noch Tod.«

»Was fürchtet Ihr, Herrin?« fragte er.

»Einen Käfig«, sagte sie. »Hinter Gittern zu bleiben, bis Gewohnheit und hohes Alter sich damit abfinden und alle Aussichten, große Taten zu vollbringen, unwiderruflich dahin sind und auch gar nicht mehr ersehnt werden.«

»Und dennoch rietet Ihr mir, mich nicht auf die Straße zu wagen, die ich gewählt habe, weil sie gefährlich sei?«

»So mag einer dem anderen raten«, sagte sie. »Dennoch bitte ich Euch nicht, vor der Gefahr zu fliehen, sondern in die Schlacht zu reiten, wo Euer Schwert Ruhm und Sieg erringen mag. Ich möchte nicht sehen, daß etwas, das edel und vortrefflich ist, unnütz verschwendet wird.«

»Das möchte ich auch nicht«, sagte er. »Deshalb sage ich zu Euch, Herrin: Bleibt! Denn Ihr habt keinen Auftrag im Süden.«

»Den haben auch jene nicht, die mit dir gehen. Sie gehen nur, weil sie sich nicht von dir trennen wollen – weil sie dich lieben.« Dann wandte sie sich ab und verschwand in der Nacht.

Als das Tageslicht den Himmel erhellte, aber die Sonne noch nicht über die hohen Grate im Osten gestiegen war, machte Aragorn sich bereit zum Aufbruch. Seine Schar war schon aufgesessen, und er wollte eben in den Sattel springen, als Frau Éowyn kam, um ihnen Lebewohl zu sagen. Sie war wie ein Reiter gekleidet und mit einem Schwert gegürtet. In der Hand trug sie einen Becher, und sie setzte ihn an die Lippen und trank ein wenig und wünschte ihnen guten Erfolg; dann gab sie Aragorn den Becher, und er trank und sagte: »Lebt wohl, Herrin von Rohan! Ich trinke auf das Glück Eures Hauses, auf Euer und Eures Volkes Glück. Sagt Eurem Bruder: jenseits der Schatten mögen wir uns wiedertreffen!«

Dann schien es Gimli und Legolas, die nahebei saßen, daß sie weinte, und bei einer, die so streng und stolz war, war das um so schmerzlicher. Aber sie sagte: »Aragorn, willst du gehen?«

»Ja«, sagte er.

»Willst du mich dann nicht mitreiten lassen in dieser Schar, wie ich gebeten habe?«

»Das will ich nicht, Herrin«, sagte er. »Denn diese Bitte könnte ich nicht gewähren ohne die Erlaubnis des Königs und Eures Bruders, und vor morgen werden sie nicht zurückkehren. Aber ich zähle jetzt jede Stunde, ja sogar jede Minute. Lebt wohl!«

Dann fiel sie auf die Knie und sagte: »Ich bitte dich.«

»Nein, Herrin«, sagte er, nahm sie bei der Hand und hob sie auf. Dann küßte er ihr die Hand, sprang in den Sattel und ritt davon und schaute nicht zurück; und nur diejenigen, die ihn gut kannten und nahe bei ihm waren, sahen den Schmerz, den er litt.

Doch Éowyn stand still wie eine in Stein gehauene Gestalt, die Hände an die Seiten gepreßt, und sie schaute ihnen nach, bis sie in den Schatten unter dem schwarzen Dwimorberg, dem Geisterberg, kamen, in dem das Tor der Toten ist. Als sie ihrem Blick entschwunden waren, wandte sie sich um, taumelnd wie ein Blinder, und ging zurück zu ihrer Unterkunft. Doch keiner von ihrem Volk sah diesen Abschied, denn alle verbargen sich vor Angst und kamen nicht heraus, ehe es heller Tag und die tollkühnen Fremden fort waren.

Und einige sagten: »Es sind elbische Geister. Laßt sie dorthin gehen, wo sie hingehören, in finstere Gegenden, und niemals zurückkehren. Die Zeiten sind schlimm genug.«

Das Tageslicht war noch grau, als sie ritten, denn die Sonne war noch nicht über die schwarzen Grate des Geisterbergs geklommen. Ein Entsetzen befiel sie, als sie zwischen Reihen alter Steine hindurch zum Dimholt kamen. Dort unter der Düsternis schwarzer Bäume, die nicht einmal Legolas lange ertragen konnte, fanden sie eine Senke, die sich zum Fuß des Berges hin öffnete, und mitten auf ihrem Pfad stand ein einzelner, mächtiger Stein wie ein Finger des Todes.

»Mir stockt das Blut«, sagte Gimli, aber die anderen schwiegen, und seine Stimme erstarb auf den feuchten Tannennadeln zu seinen Füßen. Die Pferde wollten nicht an dem drohenden Stein vorbeigehen, bis die Reiter absaßen und sie führten. Und so kamen sie endlich tief hinein in die Schlucht; und dort erhob sich eine jähe Felswand, und in der Wand gähnte vor ihnen das Dunkle Tor wie der Schlund der Nacht. Zeichen und Gestalten waren über seiner breiten Wölbung eingemeißelt, die zu undeutlich waren, um sie zu deuten, und Schrecken entströmte ihr wie ein grauer Dunst.

Die Schar hielt an, und es gab kein Herz unter ihnen, das nicht erzitterte, es sei denn das Herz von Legolas dem Elben, für den die Gespenster der Menschen keinen Schrecken haben.

»Das ist ein übles Tor«, sagte Halbarad, »und mein Tod liegt jenseits von ihm. Dennoch will ich wagen, es zu durchschreiten; aber kein Pferd wird hineingehen.«

»Doch wir müssen hineingehen, und deshalb müssen auch die Pferde gehen«, sagte Aragorn. »Denn wenn wir je durch diese Dunkelheit kommen, liegen jenseits viele Meilen, und jede Stunde, die verloren wird, wird Saurons Sieg näherbringen. Folgt mir!«

Dann ging Aragorn voran, und so groß war die Stärke seines Willens in dieser Stunde, daß alle Dúnedain und ihre Pferde ihm folgten. Und so sehr liebten die Pferde der Waldläufer ihre Reiter, daß sie bereit waren, selbst dem Schrecken des Tors ins Auge zu sehen, wenn die Herzen ihrer Herren, die neben ihnen gingen, standhaft waren. Doch Arod, das Pferd aus Rohan, verweigerte den Weg, und es stand schwitzend und vor Angst zitternd da, die schmerzlich anzusehen war. Dann legte ihm Legolas die Hände über die Augen und sang ihm einige Worte vor, die gedämpft klangen in der Düsternis, bis es sich führen ließ und mit Legolas hineinging. Und draußen stand Gimli der Zwerg allein.

Seine Knie schlotterten, und er war auf sich selbst wütend. »Das ist doch unerhört!« sagte er. »Ein Elb geht unter die Erde, und ein Zwerg wagt es nicht!« Und damit stürzte er sich hinein. Aber ihm schien, daß er seine Füße wie Blei über die Schwelle schleppte; und sofort kam eine Blindheit über ihn, über Gimli, Glóins Sohn, der so manches Mal furchtlos in den Tiefen der Welt gewandert war.

Aragorn hatte aus Dunharg Fackeln mitgebracht, und jetzt ging er voran und hielt eine hoch; und Elladan mit einer zweiten beschloß den Zug, und Gimli, der hinterherstolperte, versuchte, ihn einzuholen. Er konnte nichts sehen als die düstere Flamme der Fackeln; aber wenn die Schar anhielt, schien rings um ihn ein endloses Stimmengeflüster zu sein, ein Murmeln von Wörtern in einer Sprache, die er nie zuvor gehört hatte.

Nichts griff die Schar an oder stellte sich ihnen in den Weg, und dennoch wurde der Zwerg immer stärker von Angst gepackt: vor allem, weil er wußte, daß es jetzt kein Zurück gab; auf all den Pfaden hinter ihnen drängte sich ein unsichtbares Heer, das im Dunkeln folgte.

So verging eine unermeßliche Zeit, bis Gimli einen Anblick hatte, an den er sich später nur widerwillig erinnerte. Der Weg war breit, soweit er es beurteilen konnte, aber plötzlich kam die Schar auf einen großen, leeren Platz, und auf beiden Seiten waren keine Felswände mehr. Das Entsetzen lag so schwer auf ihm, daß er kaum gehen konnte. Fern zur Linken glitzerte etwas in der Düsternis, als Aragorns Fackel sich näherte. Dann hielt Aragorn an und ging hin, um zu schauen, was es sein könnte.

»Kennt er keine Furcht?« murmelte der Zwerg. »In jeder anderen Höhle wäre Gimli, Glóins Sohn, der erste gewesen, der zu einem Schimmer von Gold rennt. Aber nicht hier! Laß es liegen!«

Dennoch ging auch er näher, und er sah, wie Aragorn niederkniete, während Elladan beide Fackeln hochhielt. Vor ihm lag das Gerippe eines mächtigen Mannes. Er hatte eine Rüstung getragen, und noch lag sein Harnisch unversehrt da; denn die Luft in der Höhle war trocken wie Staub, und sein Panzer war vergoldet. Sein Gürtel war aus Gold und Granat, und reich mit Gold verziert war der Helm auf seinem knochigen Kopf, der mit dem Gesicht nach unten auf dem Boden lag. Nahe der hinteren Wand der Höhle war er gestürzt, wie man jetzt sehen konnte, und vor ihm erhob sich eine fest geschlossene steinerne Tür: seine Fingerknochen waren noch in die Ritzen verkrallt. Ein schartiges und geborstenes Schwert lag neben ihm, als ob er in seiner letzten Verzweiflung gegen den Fels geschlagen habe.

Aragorn rührte ihn nicht an, und nachdem er ihn eine Weile schweigend betrachtet hatte, stand er auf und seufzte. »Hierher werden die Blüten der *simbelmynë* niemals kommen bis zum Ende der Welt«, murmelte er. »Neun Hügelgräber und sieben sind jetzt grün von Gras, und während all der langen Jahre hat er an der Tür gelegen, die er nicht aufschließen konnte. Wohin führt sie? Warum wollte er hindurchgehen? Niemand wird es je wissen!«

»Aber das ist nicht mein Auftrag!« rief er, wandte sich um und sprach zu der flüsternden Dunkelheit hinten. »Behaltet eure Schätze und eure Geheimnisse, die ihr verborgen habt in den Verfluchten Jahren! Schnelligkeit fordern wir nur. Laßt uns vorbei, und dann kommt! Ich rufe euch zum Stein von Erech!«

Es kam keine Antwort, es sei denn, das tiefe Schweigen, das entsetzlicher war als das Flüstern vorher, wäre eine Antwort gewesen; und dann kam ein kühler Windstoß, in dem die Fackeln flackerten und dann erloschen und nicht wieder angezündet werden konnten. Von der Zeit, die dann folgte, eine Stunde oder viele, erinnerte Gimli wenig. Die anderen eilten voran, aber er war immer der hinterste, verfolgt von einem tastenden Entsetzen, das immer gerade im Begriff zu sein schien, ihn zu packen; und ein Geräusch kam hinter ihm her wie der Schemen-Klang vieler Füße. Er stolperte vorwärts, bis er wie ein Tier auf dem Boden kroch und spürte, daß er es nicht mehr ertragen könne: entweder mußte er ein Ende finden oder entfliehen oder in Wahnsinn verfallen, zurückrennen, um dem nachfolgenden Schrecken zu begegnen.

Plötzlich hörte er das Plätschern von Wasser, ein harter und klarer Klang wie von einem Stein, der in einen dunkelschattigen Traum fällt. Es wurde hell, und siehe da! die Gruppe durchschritt ein zweites Tor, hochgewölbt und breit, und neben ihnen rann ein Bächlein daraus hervor; und dahinter, steil abfallend, war ein Weg zwischen jähen Felsen, die sich hoch oben messerscharf gegen den Himmel abhoben. So tief und schmal war die Schlucht, daß der Himmel dunkel war und kleine Sterne an ihm glitzerten. Doch wie Gimli später erfuhr, war es noch zwei Stunden vor

Sonnenuntergang des Tages, an dem sie von Dunharg aufgebrochen waren; obwohl es damals für ihn genausogut das Zwielicht späterer Jahre oder in einer anderen Welt hätte sein können.

Die Schar saß wieder auf, und Gimli kehrte zu Legolas zurück. Sie ritten hintereinander, und der Abend senkte sich herab und eine dunkelblaue Dämmerung kam; und immer noch wurden sie von Furcht verfolgt. Legolas, der sich umwandte, um mit Gimli zu sprechen, blickte zurück, und der Zwerg sah vor sich das Glitzern in den strahlenden Augen des Elben. Hinter ihnen ritt Elladan, der letzte der Schar, aber nicht der letzte derer, die die Straße hinabzogen.

»Die Toten folgen uns«, sagte Legolas. »Ich sehe Gestalten von Männern und Pferden, und bleiche Banner wie Wolkenfetzen und Speere wie Winterdickichte in einer nebligen Nacht. Die Toten folgen uns.«

»Ja, die Toten reiten hinterher. Sie wurden gerufen«, sagte Elladan.

Schließlich kam die Schar aus der Schlucht heraus, so plötzlich, als ob sie aus der Spalte einer Felswand herausgetreten wären; und da lagen vor ihnen die Hochlande eines großen Tals, und der Bach neben ihnen sprang mit einem kalten Ton über viele Wasserfälle.

»Wo in Mittelerde sind wir?« fragte Gimli; und Elladan antwortete: »Wir sind herabgekommen von der Quelle des Morthond, des langen kühlen Flusses, der zuletzt in das Meer fließt, das die Mauern von Dol Amroth bespült. Du wirst hernach nicht zu fragen brauchen, woher sein Name kommt: Schwarzgrund nennen ihn die Menschen.«

Das Morthondtal bildete eine große Mulde, die sich bis an die nach Süden jäh abfallenden Gebirgskämme hinzog. Seine steilen Hänge waren grasbewachsen; aber alles war grau in dieser Stunde, denn die Sonne war untergegangen, und tief unten schimmerten Lichter in den Heimstätten der Menschen. Das Tal war fruchtbar, und viel Volk wohnte dort.

Dann rief Aragorn, ohne sich umzuwenden und so laut, daß alle es hören konnten: »Freunde, vergeßt eure Müdigkeit! Reitet nun, reitet! Wir müssen zum Stein von Erech kommen, ehe dieser Tag vergeht, und lang ist noch der Weg.« Ohne einen Blick zurück ritten sie über die Bergwiesen, bis sie zu einer Brücke über den angeschwollenen Wildbach kamen und eine Straße fanden, die hinunter ins Land führte.

Die Lichter erloschen in Haus und Hof, als sie kamen, die Türen wurden geschlossen, und die Leute, die auf den Feldern waren, schrien vor Angst und rannten davon wie gejagtes Wild. Überall erhob sich derselbe Schrei in der sinkenden Nacht: »Der König der Toten! Der König der Toten kommt über uns!«

Glocken läuteten weit unten, und alle Menschen flohen vor Aragorns Antlitz; doch wie Jäger ritt die Graue Schar in ihrer Hast, bis ihre Pferde vor Müdigkeit stolperten. Und so, gerade vor Mitternacht und in einer Dunkelheit, die schwarz war wie die Höhlen im Gebirge, kamen sie endlich zum Berge Erech.

Lange hatte der Schrecken der Toten auf diesem Berg und den verlassenen Feldern ringsum gelastet. Denn auf dem Gipfel stand ein schwarzer Stein, rund wie eine große Kugel, mannshoch, obwohl er halb in den Boden eingegraben war. Unirdisch sah er aus, als sei er vom Himmel gefallen, wie manche glaubten; doch diejenigen, die sich noch der Kunde von Westernis erinnerten, sagten, er sei aus den Trümmern von Númenor hergebracht und von Isildur bei seiner Landung dort aufgestellt worden. Keiner von dem Volk im Tal wagte es, dort hinzugehen, und sie wollten auch nicht in seiner Nähe wohnen; denn sie sagten, das sei ein Treffpunkt der Schatten-Menschen, und dort würden sie sich in Zeiten der Angst versammeln, sich um den Stein drängen und flüstern.

Zu diesem Stein kam die Schar und hielt an in tiefer Nacht. Elrohir gab dann Aragorn ein silbernes Horn, und er blies darauf; und es schien jenen, die in der Nähe standen, daß sie den Klang antwortender Hörner hörten, als ob es ein Echo sei in tiefen Höhlen weit in der Ferne. Kein anderes Geräusch hörten sie, und doch merkten sie, daß sich ein großes Heer rings auf dem Berg sammelte, auf dem sie standen; und ein kühler Wind wie der Atem von Gespenstern kam herab vom Gebirge. Doch Aragorn saß ab, stellte sich neben den Stein und rief mit lauter Stimme:

»Eidbrecher, warum seid ihr gekommen?«

Und eine Stimme war zu hören in der Nacht, die ihm antwortete, als käme sie von ferne:

»Um unseren Eid zu erfüllen und Frieden zu haben.«

Dann sagte Aragorn: »Die Stunde ist endlich gekommen. Ich gehe jetzt nach Pelargir am Anduin, und ihr sollt mir nachkommen. Und wenn dieses ganze Land befreit ist von Saurons Dienern, dann werde ich den Eid als erfüllt ansehen, und ihr sollt Frieden haben und auf immer dahingehen. Denn ich bin Elessar, Isildurs Erbe von Gondor.«

Und damit bat er Halbarad, das große Banner zu entrollen, das er mitgebracht hatte, und siehe! es war schwarz, und wenn es irgendein Wahrzeichen trug, dann war es verborgen in der Dunkelheit. Dann war Stille, und kein Flüstern und kein Seufzen war die ganze lange Nacht mehr zu hören. Die Gruppe lagerte neben dem Stein, aber sie schliefen wenig wegen des Schreckens der Schatten, die sie umgaben.

Doch als die Dämmerung anbrach, kalt und bleich, erhob sich Aragorn in Eile, und er führte die Schar weiter auf der Fahrt, die von größerer Hast und Beschwerlichkeit war als irgendeiner von ihnen es je erlebt hatte, außer ihm allein, und nur sein Wille brachte sie dazu, weiterzugehen. Keine anderen sterblichen Menschen hätten diese Fahrt ertragen, keine außer den Dúnedain aus dem Norden, und mit ihnen Gimli der Zwerg und Legolas von den Elben.

Sie kamen vorbei an Tarlangs Hals und hinein nach Lamedon; und das Schattenheer drängte sich hinter ihnen, und Schrecken ging ihnen voraus, bis sie nach Calembel am Ciril kamen, und wie Blut ging die Sonne hinter Pinnath Gelin fern im Westen hinter ihnen unter. Das Dorf und die Furten des Ciril fanden sie verlassen, denn viele Männer waren in den Krieg gezogen, und alle, die zurückgeblieben waren, flohen in die Berge, als das Gerücht ging, der König der Toten komme. Doch am nächsten Tag gab es keine Morgendämmerung, und die Graue Schar zog weiter in die Dunkelheit des Sturms von Mordor und entschwand dem Blick der Sterblichen; nur die Toten folgten ihr.

DRITTES KAPITEL

DIE HEERSCHAU VON ROHAN

Jetzt liefen alle Wege gemeinsam gen Osten, dem kommenden Krieg und dem Ansturm des Schattens entgegen. Und gerade als Pippin am Großen Tor der Stadt stand und den Fürsten von Dol Amroth mit seinen Bannern heranreiten sah, kam der König von Rohan herab von den Bergen.

Der Tag verging. In den letzten Strahlen der Sonne warfen die Reiter lange, spitze Schatten, die vor ihnen herzogen. Schon war die Dunkelheit unter den murmelnden Tannenwald gekrochen, der die steilen Berghänge bedeckte. Jetzt, am Ende des Tages, ritt der König langsam. Plötzlich zog sich der Pfad um eine gewaltige, kahle Felsschulter herum und tauchte ein in das Dunkel leise seufzender Bäume. Hinunter und immer weiter hinunter ritten sie einer hinter dem anderen auf dem gewundenen Weg. Als sie endlich unten in der Schlucht angekommen waren, fanden sie, daß sich der Abend auf die tiefliegenden Bereiche herabgesenkt hatte. Die Sonne war untergegangen. Zwielicht lag über den Wasserfällen.

Den ganzen Tag lang war weit unter ihnen ein sprudelnder Bach von dem hohen Paß herabgeronnen und hatte sich seinen schmalen Weg zwischen kieferbestandenen Hängen gebahnt; und jetzt floß er durch eine steinerne Pforte hinaus in ein breiteres Tal. Die Reiter folgten ihm, und plötzlich lag das Hargtal vor ihnen, erfüllt von dem Plätschern des Wassers am Abend. Der weiße Schneeborn, dem sich der kleinere Bach angeschlossen hatte, floß dort brausend und stäubend über die Steine, hinunter nach Edoras und zu den grünen Hügeln und in die Ebene. Fern zur Rechten am oberen Ausgang des großen Tals ragte das mächtige Starkhorn empor über seinen gewaltigen Vorsprüngen, die in Wolken gehüllt waren; aber sein gezackter Gipfel, mit ewigem Schnee bedeckt, schimmerte hoch über der Welt, blauschattig gen Osten, rotgefleckt vom Sonnenuntergang gen Westen.

Merry schaute voll Staunen auf dieses fremde Land, von dem er auf ihrem langen Weg viele Geschichten gehört hatte. Es war eine himmellose Welt, in der sein Auge über düsteren Abgründen von schattiger Luft nur unaufhörlich aufsteigende Hänge, eine große Felswand hinter der anderen und von Nebel umschlungene finstere Klippen sah. Er saß einen

Augenblick halb träumend da und lauschte dem Plätschern des Wassers, dem Flüstern dunkler Bäume, dem Krachen von Steinen und der gewaltigen, abwartenden Stille, die hinter jedem Geräusch lauerte. Er liebte Berge, oder er hatte sie sich gern vorgestellt, wenn sie am Rande von Geschichten auftauchten, die von weit her kamen. Doch nun fühlte er sich bedrückt von dem unerträglichen Gewicht von Mittelerde. Er sehnte sich danach, in einem friedlichen Zimmer am Feuer zu sitzen und die Unendlichkeit auszusperren.

Er war sehr müde, denn obwohl sie langsam geritten waren, hatten sie sehr wenig Rast gemacht. Stunde um Stunde seit fast drei beschwerlichen Tagen war er hinauf und hinunter getrabt, über Pässe und durch lange Täler und über viele Bäche. Manchmal, wenn der Weg breiter war, war er an des Königs Seite geritten und hatte nicht bemerkt, daß viele der Reiter lächelten, wenn sie die beiden zusammen sahen: den Hobbit auf seinem kleinen, struppigen Pony und den Herrn von Rohan auf seinem großen, weißen Roß. Dann hatte er sich mit Théoden unterhalten, ihm von seiner Heimat erzählt und von dem Tun und Treiben des Auenland-Volks, oder er hatte Erzählungen über die Mark und ihre mächtigen Männer von einst gelauscht. Doch die meiste Zeit, besonders an diesem letzten Tag, war Merry für sich allein hinter dem König geritten, hatte nichts gesagt und versucht, die getragene klangvolle Sprache von Rohan zu verstehen, in der die Männer hinter ihm redeten. Es war eine Sprache, in der viele Wörter vorzukommen schienen, die er kannte, obwohl sie volltönender und kräftiger ausgesprochen wurden als im Auenland, und dennoch konnte er die Wörter nicht aneinanderreihen. Dann und wann erhob irgendein Reiter seine klare Stimme zu einem aufrüttelnden Lied, und Merry spürte, wie ihm das Herz aufging, obgleich er nicht wußte, wovon das Lied handelte.

Trotzdem hatte er sich einsam gefühlt, und niemals einsamer als jetzt am Ende des Tages. Er fragte sich, wo in all dieser fremden Welt Pippin wohl hingeraten sein mochte; und was aus Aragorn und Legolas und Gimli würde. Dann war es wie ein kalter Griff nach seinem Herzen, als er plötzlich an Frodo und Sam dachte. »Ich vergesse sie!« sagte er sich vorwurfsvoll. »Und doch sind sie wichtiger als wir alle. Und ich bin mitgekommen, um ihnen zu helfen; aber nun müssen sie Hunderte von Meilen fern sein, wenn sie noch leben.« Ein Schauer überlief ihn.

»Hargtal, endlich!« sagte Éomer. »Unsere Fahrt ist fast zu Ende.« Sie hielten an. Die Pfade, die aus der schmalen Schlucht herausführten, fielen steil ab. Nur einen flüchtigen Blick, wie durch ein hohes Fenster, erhaschte man von dem großen Tal in dem Zwielicht unten. Ein einziges kleines Licht konnte man am Fluß schimmern sehen.

»Diese Fahrt ist vielleicht vorüber«, sagte Théoden, »aber ich habe noch weit zu gehen. Letzte Nacht war der Mond voll, und am Morgen werde ich nach Edoras reiten zur Versammlung der Mark.«

»Doch wenn Ihr meinen Rat annehmen würdet«, sagte Éomer leise, »dann würdet Ihr hierher zurückkehren, bis der Krieg vorbei ist, ob er nun verloren oder gewonnen wird.«

Théoden lächelte. »Nein, mein Sohn, denn so will ich dich nennen, flüstere mir nicht Schlangenzunges schmeichelnde Worte in meine alten Ohren!« Er richtete sich auf und blickte zurück auf die lange Reihe seiner Mannen, die hinten in der Dämmerung verschwamm. »Vor Jahr und Tag, scheint es, bin ich gen Westen geritten; aber niemals wieder will ich mich auf einen Stab stützen. Wenn der Krieg verloren wird, was nützt es dann, mich in den Bergen zu verstecken? Und wenn er gewonnen wird, ist es dann ein Unglück, selbst wenn ich falle, meine letzte Kraft aufgewandt zu haben? Aber davon wollen wir jetzt nicht reden. Heute nacht werde ich in der Feste Dunharg schlafen. Ein friedlicher Abend bleibt uns wenigstens noch. Laß uns weiterreiten!«

In der zunehmenden Dämmerung kamen sie hinunter ins Tal. Hier floß der Schneeborn nahe der westlichen Wand des Tals, und bald führte der Pfad sie zu einer Furt, wo das seichte Wasser laut auf den Steinen plätscherte. Die Furt war bewacht. Als der König sich näherte, sprangen viele Mannen aus dem Schatten der Felsen hervor, und als sie den König sahen, riefen sie mit froher Stimme: »König Théoden! König Théoden! Der König der Mark kehrt zurück!«

Dann blies einer ein langes Signal auf einem Horn. Es hallte wider im Tal. Andere Hörner antworteten, und Lichter leuchteten auf jenseits des Flusses.

Und plötzlich erschallte von hoch oben, aus einer Mulde, wie es schien, ein großer Chor von Trompeten, die ihren Klang zu einem Ton vereinten, und brausend und tosend prallte er auf die Felswände.

So kehrte der König der Mark siegreich aus dem Westen zurück nach Dunharg unter dem Fuß des Weißen Gebirges. Dort fand er die zurückgebliebene Streitmacht seines Volkes schon versammelt; denn sobald sein Kommen bekannt geworden war, ritten Hauptleute ihm zur Furt entgegen und brachten ihm Botschaften von Gandalf. Dúnhere, der Anführer des Volks von Hargtal, war an ihrer Spitze.

»Bei Morgengrauen vor drei Tagen, Herr«, sagte er, »kam Schattenfell wie der Wind aus dem Westen nach Edoras, und Gandalf brachte Nachricht von Eurem Sieg, um unsere Herzen zu erfreuen. Doch brachte er auch den Bescheid von Euch, daß wir rascher die Reiter versammeln sollen. Und dann kam der geflügelte Schatten.«

»Der geflügelte Schatten?« sagte Théoden. »Wir sahen ihn auch, aber das war mitten in der Nacht, ehe Gandalf uns verließ.«

»Vielleicht, Herr«, sagte Dúnhere. »Doch derselbe oder ein ähnlicher wie er, eine fliegende Dunkelheit in Gestalt eines ungeheuerlichen Vogels, flog an jenem Morgen über Edoras, und alle Männer zitterten vor Angst. Denn er stieß herab auf Meduseld, und als er ganz tief kam, fast bis zum Giebel, stieß er einen Schrei aus, der uns das Herz erstarren ließ. Da war es dann, daß Gandalf uns riet, wir sollten uns nicht auf den Feldern sammeln, sondern Euch hier im Tal unter dem Gebirge treffen. Und er bat uns, nicht mehr Lichter oder Feuer anzuzünden, als die dringendste Not erforderte. So ist es geschehen. Gandalf sprach mit großer Bestimmtheit. Wir hoffen, daß es so ist, wie Ihr wünschtet. Nichts ist im Hargtal von diesen üblen Geschöpfen gesehen worden.«

»Es ist gut«, sagte Théoden. »Ich werde jetzt zur Feste reiten, und ehe ich zur Ruhe gehe, will ich dort die Marschälle und Hauptleute sehen. Laß sie sobald als möglich zu mir kommen!«

Die Straße führte jetzt ostwärts geradenwegs durch das Tal, das an dieser Stelle wenig mehr als eine halbe Meile breit war. Ebene Flächen und Wiesen mit rauhem Gras, grau jetzt in der sinkenden Nacht, lagen ringsum, aber vor sich an der anderen Seite des Tals sah Merry eine drohende Felswand, die letzte Klippe des großen Fußes des Starkhorns, abgespalten durch den Fluß in längst vergangenen Zeiten.

Auf allen ebenen Strecken standen Menschenmengen. Manche drängten sich am Wegrand und jubelten dem König und den Reitern aus dem Westen mit frohen Rufen zu; doch bis weit in die Ferne erstreckten sich ordentliche Reihen von Zelten und Hütten, Pferde waren angepflockt, und große Waffenvorräte waren da und in den Boden gerammte Speere, stachlig wie Dickichte frisch gepflanzter Bäume. Jetzt versank die große Versammlung im Schatten, und obwohl der Nachtwind kalt von der Höhe herabblies, glühten keine Laternen, wurden keine Feuer angezündet. Wachposten in schweren Mänteln schritten auf und ab.

Merry fragte sich, wie viele Reiter dort wohl waren. In der zunehmenden Dunkelheit konnte er ihre Zahl nicht erraten, doch schien es ihm ein großes Heer zu sein, viele tausend Mann stark. Während er von einer Seite zur anderen schaute, kam das Gefolge des Königs unter der hoch aufragenden Klippe an der Ostseite des Tals heraus; und dort begann der Pfad plötzlich zu steigen, und Merry blickte verwundert hinauf. Es war eine Straße, wie er ihresgleichen noch nie gesehen hatte, ein großes Werk von Menschenhand aus den Jahren, die kein Lied besingt. Hinauf zog sie, gewunden wie eine Schlange, und bahnte sich ihren Weg über den jähen Felsenhang. Steil wie eine Treppe war sie und stieg in vor- und zurückgehenden Schleifen: Auf ihr konnten Pferde gehen, und Wagen konnten langsam gezogen werden; aber kein Feind vermochte über diese Straße zu kommen, wenn sie von oben verteidigt wurde, es sei denn aus der Luft. An jeder Kehre der Straße standen große Steine, die in Gestalt von Menschen behauen waren, riesig und grobgliederig, mit gekreuzten Beinen kauernd, die stämmigen Arme über fetten Bäuchen zusammengelegt. Einige hatten im Laufe der Jahre alle Gesichtszüge verloren mit Ausnahme der dunklen Höhlen ihrer Augen, die die Vorübergehenden immer noch traurig anstarrten. Die Reiter schauten sie kaum an. Die Puckelmänner nannten sie sie und schenkten ihnen wenig Beachtung: keine Macht oder kein Schrecken war ihnen geblieben; aber Merry betrachtete sie voll Staunen und mit einem Gefühl, das fast Mitleid war, als sie so trauervoll aus dem Dunkel auftauchten.

Nach einer Weile blickte er zurück und sah, daß er schon einige hundert Fuß über dem Tal war, aber immer noch konnte er tief unten undeutlich eine sich windende Schlange von Reitern sehen, die die Furt überquerten und die Straße entlangzogen zu dem für sie vorbereiteten Lager. Nur der König und seine Wache ritten hinauf zur Feste.

Schließlich kam des Königs Gruppe zu einem scharfen Grat, und hier verschwand die ansteigende Straße in einem Durchstich zwischen Felswänden, und so ging es einen kurzen Hang hinauf und hinaus auf ein weites Hochland. Das Firienfeld nannten es die Menschen, eine grüne Bergwiese mit Gras und Heide, hoch über dem tief eingegrabenen Lauf des Schneeborn, und es lag auf dem Schoß der großen Berge dahinter: des Starkhorns im Süden und des Gebirgsstocks Irensaga im Norden, zwischen dessen Zinnen, den Reitern gegenüber, sich die finstere schwarze Wand des Dwimorbergs, des Geisterbergs, aus steilen, kieferbestandenen Hängen erhob. Eine doppelte Reihe unbehauener, senkrecht stehender Steine, die das Hochland in zwei Teile zerschnitt, verschwand in der Dunkelheit und verlor sich zwischen Bäumen. Diejenigen, die es wagten, dieser Straße zu folgen, kamen bald zu dem schwarzen Dimholt unter dem Dwimorberg und der Drohung der steinernen Säule und dem gähnenden Schatten des verbotenen Tors.

So sah es aus am dunklen Dunharg, dem Werk längst vergessener Menschen. Ihren Namen kannte niemand mehr, und kein Lied und keine Sage hatte ihn überliefert. Zu welchem Zweck sie diesen Platz angelegt hatten, wußte niemand. Hier hatten sie sich in den Dunklen Jahren geplagt, ehe überhaupt ein Schiff zu den westlichen Küsten kam oder das Gondor der Dúnedain errichtet wurde; und jetzt waren sie verschwunden, und nur die alten Puckelmänner waren noch da und saßen an den Kehren der Straße.

Merry starrte auf die sich hinziehenden Reihen von Steinen: verwittert und schwarz waren sie; manche hatten sich geneigt, manche waren umgestürzt, geborsten oder zerbrochen; wie Reihen alter und hungriger Zähne sahen sie aus. Er fragte sich, was sie wohl sein könnten, und er hoffte, der König würde ihnen nicht folgen in die Dunkelheit dort hinten. Dann sah er, daß auf beiden Seiten des steinernen Weges Zelte und Hütten in Gruppen beieinanderstanden; aber nicht in der Nähe der Bäume, sondern sie schienen sich eher von ihnen fortzudrängen bis zum Rand der Klippe. Die meisten lagen zur Rechten, wo das Firienfeld breiter war; und zur Linken war ein kleineres Lager, in dessen Mitte ein hohes Zelt stand. Von dieser Seite kam jetzt ein Reiter auf sie zu, um sie zu begrüßen, und sie verließen die Straße.

Als er näherkam, sah Merry, daß der Reiter eine Frau war mit langem, geflochtenen Haar, das im Zwielicht schimmerte, doch trug sie einen Helm, und bis zur Taille war sie wie ein Krieger gekleidet und mit einem Schwert gegürtet.

»Heil, Herr der Mark!« rief sie. »Eure Rückkehr erfreut mein Herz.«

»Und du, Éowyn«, sagte Théoden, »steht alles gut bei dir?«

»Alles ist gut«, antwortete sie; doch schien es Merry, daß ihre Stimme sie Lügen strafte, und er hätte geglaubt, daß sie geweint hatte, wenn man das bei einer so stolzen Frau hätte annehmen können. »Alles ist gut. Es war ein mühseliger Weg, den das Volk zurücklegen mußte, das plötzlich aus seinen Heimen herausgerissen wurde. Es fielen harte Worte, denn es ist lange her, seit uns der Krieg aus den grünen Feldern vertrieb; aber es gab keine bösen Taten. Alles ist nun wohlgeordnet, wie Ihr seht. Und Eure Unterkunft ist für Euch bereitet; denn ich habe genaue Nachricht über Euch erhalten und wußte die Stunde Eures Kommens.«

»Dann ist Aragorn also gekommen«, sagte Éomer. »Ist er noch hier?«

»Nein, er ist fort«, sagte Éowyn, wandte sich ab und schaute zum Gebirge, das im Osten und Süden dunkel aufragte.

»Wohin ist er gegangen?« fragte Éomer.

»Ich weiß es nicht«, antwortete sie. »Er kam des Nachts und ritt gestern morgen fort, ehe die Sonne über die Berggipfel kletterte. Er ist fort.«

»Du bist bekümmert, Tochter«, sagte Théoden. »Was ist geschehen? Sage es mir, hat er von jenem Weg gesprochen?« Er zeigte über die dunklen Reihen der Steine hinweg auf den Dwimorberg. »Von den Pfaden der Toten?«

»Ja, Herr«, sagte Éowyn. »Und er ist in die Schatten gegangen, aus denen keiner zurückkehrt. Ich konnte es ihm nicht ausreden. Er ist fort.«

»Dann trennen sich unsere Wege«, sagte Éomer. »Er ist verloren. Wir müssen ohne ihn reiten, und unsere Hoffnung schwindet.«

Langsam ritten sie über die niedrige Heide und das Hochlandgras und sprachen nicht mehr, bis sie zum Zelt des Königs kamen. Dort fand Merry, daß alles vorbereitet war, und auch er war nicht vergessen worden. Neben dem Zelt des Königs war ein kleineres für ihn aufgeschlagen worden; und dort saß er allein, während unaufhörlich Männer vorbeikamen, die zum König hineingingen und mit ihm berieten. Die Nacht brach herein, und die halb sichtbaren Berggipfel im Westen waren mit Sternen bekrönt, doch der Osten war dunkel und kahl. Die stehenden Steine entschwanden langsam dem Blick, aber noch hinter ihnen, schwärzer als die Dunkelheit, ragte der riesige, hockende Schatten des Dwimorbergs auf.

»Die Pfade der Toten«, murmelte er vor sich hin. »Die Pfade der Toten? Was bedeutet das wohl? Jetzt haben mich alle verlassen. Alle sind sie irgendeinem Schicksal entgegengegangen: Gandalf und Pippin sind in den Krieg im Osten gezogen; Sam und Frodo sind nach Mordor gegangen; und Streicher und Legolas und Gimli sind auf den Pfaden der Toten. Aber auch ich werde bald an der Reihe sein, nehme ich an. Ich frage mich, worüber sie alle reden, und was der König vorhat. Denn ich muß jetzt dorthin gehen, wo er hingeht.«

Inmitten dieser düsteren Gedanken fiel es ihm plötzlich ein, daß er sehr hungrig war, und er stand auf, um zu sehen, ob es irgend jemandem in diesem seltsamen Lager genauso erging. Aber in eben diesem Augenblick erklang eine Trompete, und ein Mann kam, um ihn, des Königs Knappen, zu rufen, damit er dem König bei Tisch aufwarte.

In dem inneren Teil des Zelts war ein kleiner Raum, der durch bestickte Vorhänge abgeteilt und mit Fellen ausgelegt war; und dort an einem kleinen Tisch saß Théoden mit Éomer und Éowyn und Dúnhere, dem Herrn des Hargtals. Merry stand neben des Königs Hocker und bediente ihn, bis der alte Mann, plötzlich aus tiefen Gedanken auffahrend, sich zu ihm umwandte und lächelte.

»Komm, Herr Meriadoc«, sagte er. »Du sollst nicht stehen. Du sollst neben mir sitzen, solange ich noch in meinem eigenen Lande bin, und du sollst mir mit Geschichten das Herz erfreuen.«

Linker Hand vom König wurde für den Hobbit Platz gemacht, aber niemand wollte eine Geschichte hören. Es wurde überhaupt wenig gesprochen, und die meiste Zeit aßen und tranken sie schweigend, bis Merry schließlich seinen ganzen Mut zusammennahm und die Frage stellte, die ihn quälte.

»Zweimal, Herr, habe ich jetzt von den Pfaden der Toten gehört«, sagte er. »Was ist das? Und wo ist Streicher, ich meine, der Herr Aragorn hingegangen?«

Der König seufzte, antwortete aber nicht, und schließlich sprach Éomer. »Wir wissen es nicht, und das Herz ist uns schwer«, sagte er. »Aber was die Pfade der Toten betrifft, so hast du selbst die ersten Schritte darauf getan. Nein, ich spreche keine Worte von böser Vorbedeutung! Die Straße, die wir heraufgekommen sind, ist der Zugang zu dem Tor, drüben im Dimholt. Aber was dahinter liegt, weiß kein Mensch.«

»Es weiß kein Mensch«, sagte Théoden. »Doch eine alte Sage, die heute selten erzählt wird, berichtet etwas. Wenn diese alten Geschichten, die in Eorls Haus der Vater dem Sohn überlieferte, die Wahrheit sprechen, dann geht von dem Tor unter dem Dwimorberg ein geheimer Weg aus, der unter dem Gebirge zu einem vergessenen Ort führt. Aber niemand hat es je gewagt, seine Geheimnisse zu erforschen, seit Baldor, Bregos Sohn, das Tor durchschritt und niemals wieder unter den Menschen gesehen wurde. Ein unbesonnenes Gelübde legte er ab, als er das Horn leerte bei dem Fest, das Brego gab, um das neu erbaute Meduseld einzuweihen, und niemals bestieg er den Herrschersitz, dessen Erbe er war.

Das Volk sagt, daß Tote Menschen aus den Dunklen Jahren den Weg bewachen und nicht dulden, daß ein lebender Mensch in ihre verborgenen Hallen kommt; doch zuweilen sieht man sie, wenn sie wie Schatten aus dem Tor heraus und die steinerne Straße herabkommen. Dann versperren die Leute im Hargtal ihre Türen und verhängen die Fenster und fürchten sich. Doch die Toten kommen selten heraus und nur zu Zeiten, da große Unruhen und Tod bevorstehen.«

»Dennoch heißt es im Hargtal«, sagte Éomer leise, »daß in den mondlosen Nächten vor gar nicht langer Zeit ein großes Heer in seltsamer Aufmachung vorbeizog. Woher sie kamen, wußte keiner, aber sie gingen die steinerne Straße hinauf und verschwanden im Berg, als ob sie eine Verabredung einhalten müßten.«

»Warum ist dann Aragorn diesen Weg gegangen?« fragte Merry. »Wißt Ihr nichts, was das erklären würde?«

»Sofern er nicht zu dir als seinem Freund Worte gesprochen hat, die wir nicht gehört haben«, sagte Éomer, »kann keiner im Land der Lebenden seine Absicht erkennen.«

»Stark verändert erschien er mir, seit ich ihn zuerst in des Königs Haus sah«, sagte Éowyn. »Düsterer, älter. Todgeweiht kam er mir vor, und wie einer, den die Toten rufen.«

»Vielleicht ist er gerufen worden«, sagte Théoden, »und mein Herz sagt mir, daß ich ihn nicht wiedersehen werde. Doch ist er ein Mann von königlicher Art und hoher Bestimmung. Und schöpfe Trost daraus, Tochter, da du Trost zu brauchen scheinst in deinem Kummer um diesen Gast. Es heißt, als die Eorlingas aus dem Norden kamen und schließlich den Schneeborn hinaufzogen auf der Suche nach sicheren Zufluchtsorten in Zeiten der Not, da erklommen Brego und sein Sohn Baldor die Treppe der Feste und kamen so zu dem Tor. Auf der Schwelle saß ein Greis, so alt, daß man die Zahl seiner Jahre nicht schätzen konnte; hochgewachsen und königlich war er gewesen, doch nun verwittert wie ein alter Stein. Tatsächlich hielten sie ihn für einen Stein, denn er bewegte sich nicht und sprach kein Wort, bis sie versuchten, an ihm vorbei hineinzugehen. Und dann sprach er mit einer Stimme, die klang, als ob sie aus der Erde komme, und zu ihrer Verwunderung sagte er in der westlichen Sprache: *Der Weg ist versperrt.*

Dann blieben sie stehen und schauten ihn an und sahen, daß er noch lebte; er aber blickte sie nicht an. *Der Weg ist versperrt,* wiederholte er. *Er wurde angelegt von jenen, die tot sind, und die Toten halten ihn, bis die Zeit gekommen ist. Der Weg ist versperrt.*

Und wann wird diese Zeit sein? fragte Baldor. Doch nie erhielt er eine Antwort. Denn der alte Mann starb in jener Stunde und fiel auf sein Gesicht; und nichts sonst hat unser Volk je über die alten Bewohner des Gebirges erfahren. Indes ist vielleicht endlich die vorausgesagte Zeit gekommen, und Aragorn darf hindurch.«

»Aber wie soll ein Mann erkennen, ob die Zeit gekommen ist oder nicht, es sei denn, er wagt es, das Tor zu durchschreiten?« fragte Éomer. »Und diesen Weg würde ich nicht gehen, auch wenn alle Heere Mordors vor mir stünden und ich allein wäre und keine andere Zuflucht hätte. Wehe, daß in dieser Stunde der Not ein so todbringender Gedanke einen so beherzten Mann befällt! Gibt es nicht ringsum genug böse Wesen, ohne daß man sie unter der Erde suchen muß? Der Krieg ist nahe.

Er hielt inne, denn in diesem Augenblick hörte man ein Geräusch draußen, eine Männerstimme rief Théodens Namen, und der Wachtposten fragte nach Feldruf und Losung.

Plötzlich schob der Hauptmann der Wache den Vorhang beiseite. »Ein Mann ist hier, Herr«, sagte er, »ein reitender Bote von Gondor. Er bittet, sofort zu Euch vorgelassen zu werden.«

»Laß ihn kommen«, sagte Théoden.

Ein hochgewachsener Mann trat ein, und Merry unterdrückte einen Schrei; denn einen Augenblick lang schien es ihm, als sei Boromir wieder am Leben und zurückgekehrt. Dann sah er, daß dem nicht so war. Der Mann war ein Fremder, wenngleich Boromir so ähnlich, als ob er von seiner Sippe sei, kühn und grauäugig und stolz. Er war wie ein Reiter gekleidet mit einem dunkelgrünen Mantel über einem schönen Panzerhemd. Die Stirnseite seines Helms war mit einem kleinen silbernen Stern verziert. In der Hand trug er einen einzigen Pfeil, schwarz gefiedert und mit stählernen Widerhaken, doch die Spitze war rot angemalt.

Er ließ sich auf ein Knie nieder und reichte Théoden den Pfeil. »Heil, Herr der Rohirrim, Freund von Gondor!« sagte er. »Hirgon bin ich, reitender Bote von Denethor, und bringe Euch dieses Zeichen des Krieges. Gondor ist in großer Not. Oft haben die Rohirrim uns geholfen, doch nun bittet Herr Denethor um all Eure Streitmacht und all Euren Beistand, damit Gondor nicht zuletzt falle.«

»Der rote Pfeil!« sagte Théoden und hielt ihn wie einer, der eine Aufforderung erhält, die er lange erwartet und die ihn doch erschreckt, wenn sie kommt. Seine Hand zitterte. »Der Rote Pfeil ist in all meinen Jahren nicht in der Mark gesehen worden! Ist es wirklich so weit gekommen? Und was, glaubt Herr Denethor, mag all meine Streitmacht und all mein Beistand sein!«

»Das wißt Ihr selbst am besten, Herr«, sagte Hirgon. »Doch binnen kurzem mag es leicht geschehen, daß Minas Tirith umzingelt ist, und sofern Ihr nicht stark genug seid, die Belagerung durch viele Heere zu durchbrechen, bittet mich Herr Denethor, Euch zu sagen, daß seiner Ansicht nach die starken Waffen der Rohirrim besser innerhalb als außerhalb seiner Mauern wären.«

»Aber er weiß doch, daß wir ein Volk sind, das eher auf dem Rücken der Pferde und in freiem Gelände kämpft, und daß wir auch ein verstreut lebendes Volk sind und es Zeit braucht, unsere Reiter zu sammeln. Stimmt es nicht, Hirgon, daß der Herr von Minas Tirith mehr weiß, als er in seiner Botschaft angibt? Denn wir sind bereits im Krieg, wie Ihr vielleicht gesehen habt, und Ihr findet uns nicht ganz unvorbereitet. Gandalf der Graue war bei uns, und eben jetzt sammeln wir uns für die Schlacht im Osten.«

»Was Herr Denethor von all diesen Dingen weiß oder vermutet, kann ich nicht sagen«, antwortete Hirgon. »Doch unsere Lage ist wahrlich verzweifelt. Mein Herr erteilt Euch keinerlei Befehl, er bittet Euch nur, alter Freundschaft und vor langer Zeit geleisteter Schwüre eingedenk zu sein und zu Eurem eigenen Vorteil alles zu tun, was Ihr vermögt. Uns wird berichtet, daß viele Könige aus dem Osten herbeigeritten sind, um Mordor zu dienen. Vom Norden bis zur Walstatt von Dargoland gibt es Scharmützel und Kriegsgerüchte. Im Süden sind die Haradrim auf dem Marsch, und Furcht hat alle unsere Küstenländer befallen, so daß uns wenig Hilfe von dort zuteil werden wird. Eilt Euch! Denn vor den Mauern von Minas Tirith wird sich das Schicksal unserer Zeit entscheiden, und wird die Flut dort nicht aufgehalten, dann wird sie sich über die schönen Felder von Rohan ergießen, und selbst in dieser Feste in den Bergen wird es keine Zuflucht geben.«

»Schlimme Kunde«, sagte Théoden, »doch nicht völlig unvermutet. Aber sagt Denethor, daß wir ihm, auch wenn Rohan selbst die Gefahr nicht verspürte, dennoch zu Hilfe kommen würden. Bei unseren Kämpfen mit Saruman dem Verräter haben wir allerdings schwere Verluste erlitten und müssen immerhin auch an unsere Grenzen im Norden und Osten denken, was ja Denethors Botschaft deutlich macht. Eine so große Streitmacht, wie sie der Dunkle Herrscher jetzt einzusetzen scheint, wird uns vielleicht schon in eine Schlacht verwickeln, ehe wir die Stadt erreichen, und wird dennoch jenseits des Tors der Könige starke Kräfte über den Fluß werfen können.

»Aber wir wollen nicht länger weise Reden führen. Wir werden kommen. Der Waffenempfang war für morgen angesetzt. Wenn alles geordnet ist, werden wir aufbrechen. Zehntausend Speerträger hätte ich zum Schrecken unserer Feinde über die Ebene schicken können. Aber jetzt werden es weniger sein, fürchte ich; denn ich will meine Festungen nicht ganz unbewacht lassen. Doch zumindest sechstausend werden hinter mir reiten. Denn sagt Denethor, daß in dieser Stunde der König der Mark selbst hinunterkommen wird in das Land Gondor, obwohl es sein mag, daß er nicht zurückreitet. Aber es ist ein weiter Weg, und Mann und Tier müssen, wenn sie ihn zurückgelegt haben, noch Kraft zum Kämpfen haben. Eine Woche ab morgen früh mag vergehen, bis ihr das Kriegsgeschrei von Eorls Söhnen, von Norden kommend, hören werdet.«

»Eine Woche!« sagte Hirgon. »Wenn es so sein muß, dann muß es sein. Doch in sieben Tagen werdet Ihr wahrscheinlich nur zerstörte Mauern vorfinden, sofern nicht andere unerwartete Hilfe kommt. Immerhin mögt Ihr zumindest die Orks und die Schwarzen Menschen bei ihrem Festmahl im Weißen Turm stören.«

»Zumindest das werden wir tun«, sagte Théoden. »Aber ich selbst bin eben erst von Kampf und langer Fahrt gekommen und will nun zur Ruhe gehen. Bleibt hier heute nacht. Dann werdet Ihr die Heerschau von Rohan sehen und um so froher über den Anblick und um so schneller dank der

Rast von dannen reiten. Guter Rat kommt über Nacht, und am Morgen sieht manches anders aus.«

Damit stand der König auf, und alle erhoben sich. »Jeder gehe nun zur Ruhe«, sagte er, »und schlafe wohl. Und dich, Herr Meriadoc, brauche ich heute abend nicht mehr. Doch sei bereit, wenn ich dich rufe, sobald die Sonne aufgegangen ist.«

»Ich werde bereit sein«, sagte Merry, »selbst wenn Ihr mir gebietet, mit Euch auf den Pfaden der Toten zu reiten.«

»Sprich keine Worte von böser Vorbedeutung aus!« sagte der König. »Denn es mag mehr Wege geben, die diesen Namen tragen könnten. Aber ich habe nicht gesagt, daß ich dir gebieten würde, auf irgendeinem Weg mit mir zu reiten. Gute Nacht!«

»Ich will nicht zurückgelassen und dann bei der Rückkehr abgeholt werden!« sagte Merry. »Ich will nicht zurückgelassen werden, ich will nicht.« Das wiederholte er sich in seinem Zelt immer wieder und wieder, bis er schließlich einschlief.

Er wurde von einem Mann geweckt, der ihn rüttelte. »Wacht auf, wacht auf, Herr Holbytla!« rief er; und endlich schüttelte Merry die tiefen Träume ab, es scheint noch sehr dunkel zu sein, dachte er.

»Was ist los?« fragte er.

»Der König ruft Euch.«

»Aber die Sonne ist ja noch nicht aufgegangen«, sagte Merry.

»Nein, und sie wird heute auch nicht aufgehen, Herr Holbytla. Und überhaupt nie mehr, würde man bei dieser Wolke denken. Aber die Zeit steht nicht still, auch wenn die Sonne verloren sein mag. Eilt Euch!«

Während er sich ein paar Kleider überwarf, schaute Merry hinaus. Die Welt lag im Dunkeln. Selbst die Luft schien düster zu sein, und alle Dinge ringsum waren schwarz und grau und schattenlos; es herrschte eine große Stille. Kein Wolkenumriß ließ sich erkennen, es sei denn, weit im Westen, wo die fernsten tastenden Finger der großen Düsternis noch vorwärtskrochen und ein wenig Licht zwischen ihnen hindurchdrang. Über ihm hing ein schweres Wolkendach, dunkel und formlos, und das Tageslicht schien eher schwächer zu werden als zuzunehmen.

Merry sah viele Leute herumstehen, die hinaufschauten und murrten; ihre Gesichter waren grau und traurig, und manche schienen Angst zu haben. Beklommen machte er sich auf den Weg zum König. Hirgon, der Reiter von Gondor, war dort, und neben ihm stand jetzt noch ein Mann, ihm ähnlich und gleich gekleidet, aber untersetzter und stämmiger. Als Merry eintrat, sprach er mit dem König.

»Sie kommt von Mordor, Herr«, sagte er. »Es begann gestern abend bei Sonnenuntergang. Von den Bergen im Ostfold Eures Reiches sah ich, wie sie aufstieg und über den Himmel kroch, und die ganze Nacht, während ich ritt, kam sie hinter mir her und verschlang die Sterne. Jetzt hängt die große Wolke über dem ganzen Land von hier bis zum Schattengebirge; und sie wird dunkler. Der Krieg hat bereits begonnen.«

Eine Weile saß der König schweigend da. »Nun sind wir also schließlich so weit gekommen«, sagte er. »Der große Kampf unserer Zeit, bei dem viele Dinge vergehen werden. Aber wenigstens ist es nicht länger nötig, daß wir uns verstecken. Wir werden geradenwegs und auf offener Straße reiten und so schnell wir nur können. Die Heerschau soll sofort beginnen, und wir werden auf keinen warten, der säumt. Habt ihr ausreichende Vorräte in Minas Tirith? Denn wenn wir jetzt in aller Hast reiten müssen, dann müssen wir mit leichter Last reiten und können nur so viel Verpflegung und Wasser mitnehmen, daß es uns bis zur Schlacht reicht.«

»Wir haben schon lange sehr große Vorräte angelegt«, antwortete Hirgon. »Reitet nun mit so wenig Last und so schnell wie möglich.«

»Dann rufe die Herolde, Éomer«, sagte Théoden. »Laß die Reiter antreten.«

Éomer ging hinaus, und gleich darauf erschallten Trompeten in der Festung, und viele andere antworteten ihnen von weiter unten; aber sie klangen nicht länger hell und trotzig, wie es Merry am Abend zuvor erschienen war. Dumpf war ihr Ton und schrill in der schweren Luft, und sie gellten unheilverkündend.

Der König wandte sich an Merry. »Ich ziehe in den Krieg, Herr Meriadoc«, sagte er. »Noch eine kleine Weile, dann bin ich unterwegs. Ich entlasse dich aus meinem Dienst, aber nicht aus meiner Freundschaft. Du sollst hierbleiben, und wenn du willst, sollst du der Frau Éowyn dienen, die an meiner Statt über das Volk herrschen soll.«

»Aber, aber, Herr«, stammelte Merry. »Ich bot Euch mein Schwert an. Ich möchte nicht auf diese Weise von Euch getrennt werden, König Théoden. Und da alle meine Freunde in die Schlacht gezogen sind, würde ich mich schämen, zurückzubleiben.«

»Aber wir reiten auf großen und schnellen Rössern«, sagte Théoden. »Und so mutig dein Herz auch sein mag, auf solchen Tieren kannst du nicht reiten.«

»Dann bindet mich auf einem Pferderücken fest oder laßt mich am Steigbügel hängen oder sonst was«, sagte Merry. »Es ist ein weiter Weg, wenn man ihn laufen soll; aber laufen werde ich, wenn ich nicht reiten kann, und wenn ich mir die Füße ablaufe und Wochen zu spät komme.«

Théoden lächelte. »Dann würde ich dich schon lieber zu mir auf Schneemähne nehmen«, sagte er. »Aber zumindest sollst du mit mir nach Edoras reiten und Meduseld sehen; denn dorthin gehe ich jetzt. So weit kann Stybba dich tragen: das große Rennen beginnt erst, wenn wir die Ebene erreichen.«

Dann stand Éowyn auf. »Kommt nun, Meriadoc«, sagte sie. »Ich will Euch die Rüstung zeigen, die ich für Euch vorbereitet habe.« Sie gingen zusammen hinaus. »Nur diese Bitte hat Aragorn an mich gerichtet«, sagte Éowyn, als sie zwischen den Zelten hindurchgingen, »daß Ihr für die Schlacht ausgerüstet werdet. Ich habe der Bitte entsprochen, so gut ich konnte. Denn mein Herz sagt mir, daß Ihr eine solche Rüstung braucht, ehe das Ende kommt.«

Nun führte sie Merry zu einer Hütte zwischen den Unterkünften der Wache des Königs; und dort brachte ihr ein Waffenmeister einen kleinen Helm, einen runden Schild und andere Waffen.

»Keinen Harnisch haben wir, der Euch paßt«, sagte Éowyn, »und keine Zeit, einen solchen Panzer zu schmieden; aber hier sind noch ein festes Lederwams, ein Gürtel und ein Messer. Ein Schwert habt Ihr ja.«

Merry verbeugte sich, und die Herrin zeigte ihm den Schild; er war wie der Schild, den Gimli bekommen hatte, und trug als Wappen das weiße Pferd. »Nehmt alle diese Dinge«, sagte sie, »und mögen sie Euch Glück bringen! Lebt nun wohl, Herr Meriadoc! Indes mag es sein, daß wir uns wiedertreffen, Ihr und ich.«

So machte sich der König der Mark in einer zunehmenden Finsternis bereit, alle seine Reiter gen Osten zu führen. Das Herz war ihnen schwer, und manche verzagten im Schatten. Doch war es ein unbeugsames Volk, seinem Herrn ergeben, und wenig Weinen oder Murren war zu hören, nicht einmal in dem Lager in der Festung, wo die Flüchtlinge aus Edoras untergebracht waren, Frauen und Kinder und alte Männer. Ein schweres Schicksal lastete auf ihnen, aber sie blickten ihm schweigend ins Auge.

Zwei Stunden waren rasch vergangen, und jetzt saß der König auf seinem weißen Pferd, das im Dämmerlicht schimmerte. Stolz und kühn sah er aus, obwohl das Haar, das unter seinem hohen Helm flatterte, wie Schnee war; und viele staunten über ihn und schöpften Mut, als sie ihn so ungebeugt und furchtlos sahen.

Dort auf den weiten Grasflächen neben dem brausenden Fluß hatten sich in vielen Scharen gut an die fünfundfünfzighundert voll bewaffnete

Reiter aufgestellt, und viele hundert andere Mannen mit überzähligen und nur leicht beladenen Pferden. Eine einzelne Trompete erschallte. Der König hob die Hand, und schweigend setzte sich das Herr der Mark in Bewegung. An der Spitze zogen zwölf Mann aus der Gefolgschaft des Königs, berühmte Reiter. Dann folgte der König mit Éomer zu seiner Rechten. Er hatte Éowyn oben in der Festung Lebewohl gesagt, und die Erinnerung daran war schmerzlich; doch jetzt richtete er seine Gedanken auf den vor ihm liegenden Weg. Hinter ihm ritt Merry auf Stybba mit den reitenden Boten von Gondor, und hinter ihnen kamen noch zwölf Mann von der Gefolgschaft des Königs. Sie ritten vorbei an den langen Reihen der wartenden Männer mit unbeugsamen und unbewegten Gesichtern. Aber als sie fast an das Ende der Reihen gekommen waren, blickte einer auf und schaute den Hobbit scharf an. Ein junger Mann, dachte Merry, als er den Blick erwiderte, nicht so groß und schmächtiger als die anderen. Er sah das Funkeln grauer Augen; und dann lief ihm ein Schauer über den Rücken, denn ihm wurde plötzlich klar, daß es das Gesicht eines Menschen ohne Hoffnung war, der den Tod suchte.

Weiter ging es die graue Straße hinunter entlang dem Schneeborn, der über Steine brauste; durch die Dörfer Unterharg und Hochborn, wo viele Frauen mit traurigen Gesichtern aus dunklen Türen herausschauten; und so begann ohne Horn und Harfe oder den Gesang von Männerstimmen der große Ritt in den Osten, der in den Liedern von Rohan noch viele Menschenleben lang besungen wurde.

Aus dem dunklen Dunharg im Morgengrauen
Mit seinen Mannen ritt Thengels Sohn,
Erreichte Edoras, die uralten Hallen
Der Mark-Statthalter, nebelumsponnen,
Goldnes Gebälk in Trauer verhangen.
Abschied nahm er von seinem Volke,
Herd und Thron und geheiligten Stätten,
Wo Freude geherrscht, eh das Licht verlosch.
Aus zog der König, Furcht im Rücken,
Vor sich Geschick. Die Treue trieb ihn;
Was er geschworen, erfüllte er alles.
Aus zog Théoden. Fünf Nächte und Tage
Ritten ostwärts die Eorlinger
Durch Folde und Fenmark und Firienwald,
Sechstausend Speere nach Sunlending,
Mundburg die mächtige unter Mindolluin,

Seekönigs Stadt im Reich des Südens,
Schicksal trieb sie. Im Dunkel entschwanden sie,
Fanden sie feind- und feuerumzingelt.
Roß und Reiter; ferner Hufschlag
Verscholl in der Nacht: so künden's die Lieder.

Tatsächlich wurde es immer düsterer, als der König nach Edoras kam, obwohl es der Stunde nach noch nicht Mittag war. Dort hielt er nur eine kleine Weile an und verstärkte sein Heer um einige sechzig Reiter, die zum Waffenempfang zu spät gekommen waren. Nun, nachdem er gegessen hatte, machte er sich bereit, wieder aufzubrechen, und er wünschte seinem Knappen freundlich Lebewohl. Aber Merry bat zum letzten Mal, er möge nicht von ihm getrennt werden.

»Das ist keine Fahrt für ein solches Streitroß wie Stybba, wie ich dir schon gesagt habe«, antwortete Théoden. »Und in einer solchen Schlacht, wie wir sie auf den Feldern von Gondor zu liefern gedenken, was würdest du da tun, Herr Meriadoc, obgleich du Schwert-Than bist und dein Mut größer ist als dein Wuchs?«

»Was das betrifft, wer kann es wissen?« antwortete Merry. »Aber warum, Herr, habt Ihr mich als Schwert-Than zu Euch genommen, wenn nicht, um an Eurer Seite zu bleiben? Und ich möchte nicht, daß es von mir im Liede heißt, ich sei immer zurückgelassen worden!«

»Ich habe dich zu mir genommen, um dich zu beschützen«, erwiderte Théoden, »und auch, damit du tust, was ich dich heiße. Keiner meiner Reiter kann sich mit dir belasten. Wäre die Schlacht vor meinen Toren, dann würden vielleicht die Sänger deiner Taten gedenken; aber es sind einhundertundzwei Wegstunden nach Mundburg, wo Denethor der Herr ist. Das ist mein letztes Wort.«

Merry verbeugte sich und ging unglücklich davon, und er starrte auf die Reihe der Reiter. Schon bereiteten die Scharen den Aufbruch vor: die Männer zogen ihre Sattelgurte fest, richteten die Sättel, streichelten ihre Pferde; einige blickten beunruhigt auf den finster drohenden Himmel. Unbemerkt von den anderen kam ein Reiter heran und sprach dem Hobbit leise ins Ohr:

»*Wo der Wille nicht fehlt, öffnet sich ein Weg,* heißt es bei uns«, flüsterte er, »und das habe ich selbst erfahren.« Merry schaute auf und sah, daß es der junge Reiter war, den er am Morgen bemerkt hatte. »Du willst dort hingehen, wo der Herr der Mark hingeht: ich sehe es an deinem Gesicht.«

»Ja«, sagte Merry.

»Dann sollst du mit mir gehen«, sagte der Reiter. »Ich werde dich vor mich setzen, unter meinem Mantel verborgen, bis wir weit fort sind und diese Dunkelheit noch dunkler ist. Solch guter Wille sollte nicht zurückgewiesen werden. Sage nichts mehr zu irgend jemandem, sondern komm!«

»Ich danke Euch wirklich sehr«, sagte Merry. »Vielen Dank Herr, obwohl ich Euren Namen nicht weiß.«

»Den weißt du nicht?« sagte der Reiter leise. »Dann nenne mich Dernhelm.«

So geschah es, daß Meriadoc der Hobbit vor Dernhelm saß, als der König aufbrach; und dem großen grauen Roß Windfola machte die Last wenig aus; denn Dernhelm war leichter als viele Männer, obschon gelenkig und kräftig gebaut.

Weiter hinein in den Schatten ritten sie. In den Weidendickichten, wo der Schneeborn in die Entwasser floß, zwölf Wegstunden östlich von Edoras, lagerten sie in jener Nacht. Und dann ging es weiter durch die Folde; und durch die Fenmark, wo sich zu ihrer Rechten große Eichenwälder bis zum Saum der Berge im Schatten des dunklen Halifirien an Gondors Grenzen hinaufzogen; doch weit zu ihrer Linken lag Nebel über den von den Mündungen der Entwasser gespeisten Mooren. Und als sie ritten, kamen Gerüchte über den Krieg im Norden. Einzelne Männer, die verstört herbeiritten, brachten Nachrichten, daß Feinde die Ostgrenzen angriffen und Orkheere durch das Ödland von Rohan marschierten.

»Reitet weiter! Reitet weiter!« rief Éomer. »Es ist zu spät, uns zur Seite zu wenden. Die Fenne der Entwasser müssen unsere Flanke schützen. Eile tut uns jetzt not. Reitet weiter!«

Und so schied König Théoden von seinem eigenen Reich, Meile um Meile trug ihn der Weg davon, und die Leuchtfeuerberge zogen vorbei: Calenhad, Min-Rimmon, Erelas, Nardol. Aber ihre Feuer waren gelöscht. All die Lande waren grau und still; und immer dunkler wurde der Schatten vor ihnen, und die Hoffnung schwand in jedem Herz.

VIERTES KAPITEL

DIE BELAGERUNG VON GONDOR

Pippin wurde von Gandalf geweckt. Kerzen brannten in ihrem Zimmer, denn nur ein düsteres Zwielicht drang durch die Fenster; die Luft war drückend, als ob ein Gewitter aufziehe.

»Wie spät ist es?« fragte Pippin gähnend.

»Die zweite Stunde ist vorbei«, sagte Gandalf. »Zeit, aufzustehen und sich in Schale zu werfen. Du bist zum Herrn der Stadt gerufen worden und sollst über deine neuen Pflichten unterrichtet werden.«

»Und wird er für Frühstück sorgen?«

»Nein! Dafür habe ich gesorgt: das hier ist alles, was du bis zum Mittag bekommst. Es ist ein Befehl ergangen, das Essen jetzt sparsam auszuteilen.«

Wehmütig blickte Pippin auf den kleinen Laib Brot und das (wie er fand) sehr unzulängliche Klümpchen Butter, die neben einem Becher dünner Milch vor ihm standen. »Warum hast du mich bloß hierher gebracht?« fragte er.

»Das weißt du ganz genau«, sagte Gandalf. »Damit du kein Unheil anrichtest; und wenn es dir nicht gefällt, hier zu sein, dann denke daran, daß du es dir selbst eingebrockt hast.« Pippin sagte nichts mehr.

Es dauerte nicht lange, da ging er wiederum mit Gandalf den kalten Gang entlang zur Tür der Turmhalle. Dort saß Denethor in grauer Düsternis, wie eine alte geduldige Spinne, dachte Pippin; er schien sich seit gestern nicht gerührt zu haben. Er winkte Gandalf, er solle Platz nehmen, aber er ließ Pippin eine Weile stehen, ohne ihn zu beachten. Plötzlich wandte sich der alte Mann zu ihm um:

»Nun, Herr Peregrin, ich hoffe, du hast den gestrigen Tag zu deinem Nutzen und nach deinem Geschmack verbracht. Obwohl ich fürchte, daß die Tafel in dieser Stadt kärglicher ist, als du dir wünschtest.«

Pippin hatte das unbehagliche Gefühl, daß das meiste von dem, was er gesagt oder getan hatte, dem Herrn der Stadt bekannt sei, und auch viel von dem, was er dachte, erraten wurde. Er antwortete nicht.

»Was willst du tun in meinem Dienst?«

»Ich dachte, Herr, daß Ihr mir meine Pflichten nennen würdet.«

»Das werde ich, wenn ich erfahre, wofür du geeignet bist«, sagte Denethor. »Aber das werde ich am ehesten erfahren, wenn ich dich bei mir behalte. Mein Kammerjunker hat um die Erlaubnis gebeten, zu den Außenposten versetzt zu werden, so sollst du eine Weile seine Stelle einnehmen. Du sollst mir aufwarten, Botengänge erledigen und mich unterhalten, wenn Krieg und Beratungen mir Muße dazu lassen. Kannst du singen?«

»Ja«, sagte Pippin. »Nun ja, gut genug für mein eigenes Volk. Aber wir haben keine Lieder, die für große Hallen und schlimme Zeiten passend sind, Herr. Wir singen selten von etwas Schrecklicherem als Wind oder Regen. Und bei den meisten meiner Lieder handelt es sich um Dinge, die uns zum Lachen bringen; oder um Essen und Trinken, natürlich.«

»Und warum sollten solche Lieder für meine Hallen unpassend sein, oder für solche Stunden wie diese? Wir, die wir lange unter dem Schatten gelebt haben, dürfen doch gewiß den Klängen aus einem Lande lauschen, das noch nicht von ihm beunruhigt wurde? Dann können auch wir das Gefühl haben, daß unsere Wache nicht fruchtlos war, auch wenn sie uns nicht gedankt wurde.«

Pippin sank der Mut. Ihm gefiel der Gedanke gar nicht, dem Herrn von Minas Tirith irgendwelche Lieder aus dem Auenland vorzusingen, und gewiß nicht die komischen, die er am besten konnte; sie waren zu — nun ja, zu bäurisch für eine solche Gelegenheit. Indes blieb ihm die Prüfung im Augenblick erspart. Es wurde ihm nicht befohlen zu singen. Denethor wandte sich an Gandalf und stellte ihm Fragen über die Rohirrim und ihr Staatswesen und die Stellung von Éomer, des Königs Neffen. Pippin staunte, wieviel der Herr zu wissen schien über ein Volk, das so weit entfernt lebte, obwohl es, wie er glaubte, viele Jahre her sein mußte, daß Denethor selbst ins Ausland geritten war.

Plötzlich winkte Denethor Pippin zu und entließ ihn wieder für eine Weile. »Geh zur Waffenmeisterei der Veste«, sagte er, »und hole dir dort die Hoftracht und die Waffen des Turms. Es wird alles bereitliegen. Es wurde gestern angeordnet. Komm wieder, wenn du angekleidet bist!«

Es war, wie er gesagt hatte; und Pippin sah sich bald mit seltsamen Gewändern geschmückt, alle in Schwarz und Silber. Er hatte ein kleines Panzerhemd, dessen Ringe vielleicht aus Stahl geschmiedet, aber tiefschwarz waren; einen hochgewölbten Helm mit kleinen Rabenflügeln an beiden Seiten und einem silbernen Stern in der Mitte des Stirnreifs. Über dem Panzerhemd trug er einen kurzen schwarzen Überwurf, der auf der Brust in Silberstickerei das Wahrzeichen des Baums zeigte. Seine alten Kleider wurden zusammengefaltet und weggelegt, doch durfte er den grauen Mantel aus Lórien behalten, ihn allerdings im Dienst nicht tragen. Er sah jetzt, hätte er es gewußt, wahrlich wie der *Ernil i Pheriannath* aus, der Fürst der Halblinge, wie das Volk ihn nannte; aber er fühlte sich unbehaglich. Und die Finsternis bedrückte allmählich sein Gemüt.

Den ganzen Tag war es dunkel und düster. Von der sonnenlosen Morgendämmerung bis zum Abend hatte sich der bleierne Schatten immer mehr verstärkt, und allen in der Stadt war das Herz schwer. Hoch oben zog von dem Schwarzen Land eine große Wolke langsam westwärts, von einem Wind des Krieges getrieben, und verschlang das Licht; aber darunter war die Luft still und windlos, als ob das Tal des Anduin auf den Ausbruch eines verheerenden Sturms warte.

Um die elfte Stunde kam Pippin, der eine Weile dienstfrei hatte, heraus und machte sich auf die Suche nach Essen und Trinken, um sein schweres Herz aufzumuntern und seine Aufgabe des Wartens erträglicher zu machen. In den Eßräumen traf er Beregond wieder, der gerade von einem Auftrag zurückgekehrt war, der ihn über den Pelennor zu den Wachtürmen am Damm geführt hatte. Gemeinsam schlenderten sie hinaus zu den Wällen; denn Pippin kam sich in den Häusern eingekerkert vor und glaubte selbst in der hochragenden Veste ersticken zu müssen. Jetzt saßen sie nebeneinander bei den Schießscharten, wo sie am Tage zuvor gegessen und sich unterhalten hatten.

Es war die Stunde des Sonnenuntergangs, aber die große Wolke hatte sich nun weit in den Westen ausgedehnt, und erst, als die Sonne schließlich im Meer versank, entrann sie ihr und konnte vor der Nacht noch einen kurzen Abschiedsstrahl aussenden, den auch Frodo am Scheidewege sah und der auf den Kopf des umgestürzten Königs fiel. Aber auf die Felder des Pelennor, im Schatten des Mindolluin, drang kein Strahl: sie waren dunkel und öde.

Schon kam es Pippin vor, als sei es Jahre her, daß er hier gesessen habe in einer halbvergessenen Zeit, als er noch ein Hobbit war, ein fröhlicher Wanderer, wenig berührt von den Gefahren, die er bestanden hatte. Jetzt war er nur ein kleiner Kriegsmann in einer Stadt, die sich auf einen großen Angriff vorbereitete, und er trug die stolze, aber düstere Tracht des Turms der Wacht.

Zu einer anderen Zeit und an einem anderen Ort hätte sich Pippin vielleicht über seine neue Ausstattung gefreut, aber jetzt wußte er, daß er nicht an einem Spiel teilnahm; er war in tödlichem Ernst der Diener eines strengen Herrn in größter Gefahr. Das Panzerhemd war lästig, und der Helm drückte ihn. Seinen Mantel hatte er neben sich auf den Sitz geworfen. Er wandte seinen müden Blick von den dunklen Feldern unten ab und gähnte, und dann seufzte er.

»Seid Ihr erschöpft von diesem Tag?« fragte Beregond.

»Ja«, sagte Pippin. »Sehr: ermüdet vom Nichtstun und Warten. Viele lange Stunden habe ich mir an der Tür zum Gemach meines Herrn die Beine in den Bauch gestanden, während er sich mit Gandalf und dem Fürsten und anderen wichtigen Leuten beraten hat. Und ich bin es nicht gewöhnt, Herr Beregond, anderen beim Essen aufzuwarten, wenn ich selbst hungrig bin. Für einen Hobbit ist das eine schwere Prüfung. Zweifellos werdet Ihr glauben, ich sollte die Ehre höher schätzen. Aber was nützt solche Ehre? Was nützt überhaupt Essen und Trinken unter diesem kriechenden Schatten? Was bedeutet er? Sogar die Luft scheint undurchdringlich und dunkel zu sein. Habt ihr oft solche Düsternis, wenn der Wind von Osten kommt?«

»Nein«, sagte Beregond, »das ist kein irdisches Wetter. Es ist irgendeine Ausgeburt seiner Bosheit; irgendein dunstiger Brodem vom Feurigen Berg, den er ausschickt, um Herzen und Pläne zu verdunkeln. Und das tut er wirklich. Ich wünschte, der Herr Faramir käme zurück. Er wäre nicht entmutigt. Aber wer weiß, ob er jetzt aus der Dunkelheit jemals über den Fluß zurückkommen wird?«

»Ja«, sagte Pippin, »auch Gandalf ist besorgt. Er war enttäuscht, glaube ich, daß er Faramir nicht hier traf. Und wo ist er überhaupt hingegangen? Er verließ den Rat des Herrn vor dem Mittagsmahl, und in keiner guten Stimmung, fand ich. Vielleicht hat er irgendeine Vorahnung von schlechten Nachrichten.«

Plötzlich, während sie redeten, verschlug es ihnen die Sprache, sie erstarrten gleichsam zu lauschenden Steinen. Pippin duckte sich und hielt sich mit den Händen die Ohren zu; aber Beregond, der über die Brustwehr hinausgeschaut hatte, als er von Faramir sprach, blieb steif stehen und starrte hinaus mit erschreckten Augen. Pippin kannte den schauerlichen Schrei, den er gehört hatte: es war derselbe, den er vor langer Zeit im Bruch des Auenlandes gehört hatte, aber jetzt hatte er an Kraft und Haß zugenommen und durchbohrte das Herz mit giftiger Verzweiflung.

Endlich sprach Beregond mühsam: »Sie sind gekommen«, sagte er. »Schöpft Mut und schaut! Da sind grausame Wesen unten.«

Widerstrebend kletterte Pippin auf den Sitz und blickte über die Mauer. Der Pelennor lag düster unter ihm und zog sich verschwommen hin bis zu dem kaum erkennbaren Lauf des Anduin. Doch nun sah er auf halber Höhe unter sich, schnell über das Land hinwegfliegend wie Schatten einer verfrühten Nacht, fünf vogelähnliche Gestalten, entsetzlich wie Aasgeier, aber größer als Adler, grausam wie der Tod. Bald stießen sie nahebei hinab und wagten sich fast in Bogenschußweite vor die Mauern, bald zogen sie ihre Kreise weiter entfernt.

»Schwarze Reiter«, murmelte Pippin. »Schwarze Reiter der Luft! Aber schaut, Beregond!« rief er. »Sie suchen doch gewiß etwas? Schaut, wie sie kreisen und hinabstoßen, immer zu diesem Punkt dort drüben! Und könnt Ihr sehen, daß sich etwas auf dem Boden bewegt? Dunkle kleine Wesen. Ja, Menschen auf Pferden, vier oder fünf. Ach! Ich kann es nicht aushalten! Gandalf! Gandalf, rette uns!«

Noch ein gellender Schrei erhob sich und verging, und Pippin ließ sich wieder von der Mauer herabfallen und keuchte wie ein gejagtes Tier. Schwach und anscheinend von ferne hörte er durch den schauerlichen Schrei von unten herauf den Klang einer Trompete, der mit einem langen, hohen Ton endete.

»Faramir! Der Herr Faramir! Es ist sein Ton!« rief Beregond. »Tapferer Recke! Aber wie kann er das Tor erreichen, wenn diese widerlichen Höllengeier noch andere Waffen als Schrecken haben? Doch schaut! Sie reiten weiter! Sie werden zum Tor kommen. Nein, die Pferde scheuen! Schaut! Die Männer sind abgeworfen worden; sie laufen zu Fuß. Nein, einer ist noch oben, aber er reitet zurück zu den anderen. Das wird der Heermeister sein: er hat Macht über Tiere und über Menschen. Ach! Eins dieser widerlichen Geschöpfe beugt sich über ihn. Hilfe! Hilfe! Will keiner zu ihm hinausgehen? Faramir!«

Damit sprang Beregond davon und rannte hinaus in die Düsternis. Beschämt über seine Angst, während Beregond von der Wache zuerst an den Heermeister dachte, den er liebte, stand Pippin auf und spähte hinaus. In diesem Augenblick sah er ein Aufleuchten von Weiß und Silber, das von Norden kam, wie ein kleiner Stern unten auf den düsteren Feldern. Er bewegte sich mit der Geschwindigkeit eines Pfeils und wurde größer, als er herankam und rasch dieselbe Richtung wie die Gruppe von vier Männern einschlug, zum Tor. Es schien Pippin, daß ein bleiches Licht von ihm ausging und die Schatten zurückwichen; und als er näherkam, glaubte er, wie ein Echo in den Mauern, eine laute Stimme rufen zu hören.

»Gandalf!« rief er. »Gandalf! Immer erscheint er, wenn die Not am größten ist! Voran, voran, Weißer Reiter! Gandalf! Gandalf!« schrie er so aufgeregt wie ein Zuschauer bei einem großen Rennen, der einen Läufer anspornt, obwohl er gar keiner Ermutigung bedarf.

Doch nun hatten die dunklen, herabstoßenden Schatten den Neuankömmling bemerkt. Einer hielt auf ihn zu; aber es schien Pippin, daß

Gandalf die Hand hob und ein Strahl von weißem Licht emporschoß. Der Nazgûl stieß einen langen Klageruf aus und wich seitlich aus; und daraufhin begannen auch die vier anderen schwankend zu werden, und schwangen sich, rasche Kreise ziehend, empor und verschwanden gen Osten in der drohenden Wolke oben; und unten auf dem Pelennor schien es eine Weile weniger dunkel zu sein.

Pippin beobachtete alles und sah, wie der Reitersmann und der Weiße Reiter sich trafen und anhielten, um auf jene zu warten, die zu Fuß kamen. Jetzt eilten Männer aus der Stadt heraus; und bald waren sie durch die äußeren Mauern dem Blick entzogen, und Pippin wußte, daß sie das Tor erreicht hatten. Da er vermutete, daß sie sofort zum Turm und zum Truchseß kommen würden, eilte er zum Eingang der Veste. Dort schlossen sich ihm viele andere an, die von den hohen Wällen aus das Rennen und die Rettung beobachtet hatten.

Es dauerte nicht lange, da hörte man Geschrei in den Straßen, die von den äußeren Ringen heraufführten, es wurde gejubelt, und die Namen von Faramir und Mithrandir wurden gerufen. Plötzlich sah Pippin Fackeln, und gefolgt von einer Menschenmenge ritten zwei Reiter langsam heran: der eine in Weiß, aber nicht länger schimmernd, sondern bleich im Zwielicht, als ob er sein Feuer verausgabt oder verhüllt habe; der andere war dunkel, und er hielt den Kopf gesenkt. Sie saßen ab, und als Pferdeknechte Schattenfell und das andere Pferd nahmen, gingen sie zu Fuß weiter zu dem Wachtposten am Tor: Gandalf mit festem Schritt, den grauen Mantel zurückgeschlagen, und noch immer flammten seine Augen; der andere, ganz in Grün gekleidet, ging langsam und schwankte ein wenig wie ein müder oder verwundeter Mann.

Pippin drängte sich nach vorn, als sie unter der Lampe am Torbogen vorbeikamen, und als er Faramirs bleiches Gesicht sah, hielt er den Atem an. Es war das Gesicht eines Menschen, der von einem großen Schrecken oder einem großen Schmerz ergriffen worden war, aber es überwunden hat und jetzt ruhig ist. Stolz und ernst blieb er einen Augenblick stehen und sprach mit dem Wachtposten, und als Pippin ihn betrachtete, sah er, wie sehr er seinem Bruder Boromir ähnelte – den Pippin von Anfang an gemocht und dessen gebieterisches, aber freundliches Wesen er bewundert hatte. Doch für Faramir wurde sein Herz plötzlich von einem Gefühl ergriffen, das er vorher nicht gekannt hatte. Hier war ein Mann, dessen Gebaren von hohem Adel zeugte, so wie er bei Aragorn zuzeiten sichtbar wurde, vielleicht weniger adelig, doch auch weniger unberechenbar und ungewöhnlich: einer der Könige der Menschen, in eine spätere Zeit hineingeboren, aber mit den Spuren der Weisheit und Traurigkeit des Älteren Geschlechts. Jetzt verstand er, warum Beregond seinen Namen mit Liebe aussprach. Er war ein Führer, dem die Menschen folgten, dem auch er folgen würde, selbst unter dem Schatten der schwarzen Schwingen.

»Faramir!« rief er laut mit den anderen. »Faramir!« und Faramir, der seine fremde Stimme unter den Zurufen der Mannen der Stadt heraushörte, wandte sich um, schaute ihn an und war erstaunt.

»Woher kommt Ihr?« fragte er. »Ein Halbling, und in der Hoftracht des Turms! Woher ...?«

Aber da trat Gandalf an seine Seite und sprach. »Er kam mit mir aus dem Land der Halblinge«, sagte er. »Er kam mit mir. Doch wollen wir uns hier nicht aufhalten. Es gibt viel zu sagen und zu tun, und Ihr seid müde. Er soll mit uns kommen. Das muß er fürwahr, denn wenn er seine neuen Pflichten nicht leichter vergißt als ich, dann muß er seinem Herrn noch in dieser Stunde aufwarten. Komm, Pippin, folge uns.«

So kamen sie schließlich zu dem Wohngemach des Herrn der Stadt. Dort waren tiefe Sessel um ein Kohlenbecken aufgestellt; und Wein wurde gebracht; und dort stand Pippin, kaum beachtet, hinter Denethors Stuhl und spürte seine Müdigkeit wenig, so eifrig lauschte er auf alles, was gesagt wurde.

Als Faramir weißes Brot zu sich genommen und einen Schluck Wein getrunken hatte, setzte er sich auf einen niedrigen Stuhl zur linken Hand seines Vaters. Etwas entfernt auf der anderen Seite saß Gandalf auf einem Stuhl aus geschnitztem Holz; und zuerst schien es, als schliefe er. Denn zu Anfang sprach Faramir nur von dem Auftrag, zu dem er vor zehn Tagen entsandt worden war, und er brachte Nachrichten aus Ithilien und über die Bewegungen des Feindes und seiner Verbündeten; und er berichtete von dem Kampf auf der Straße, bei dem die Menschen aus Harad und ihr großes Tier überwältigt wurden: ein Heerführer, der seinem Herrn Dinge berichtet, wie sie schon oft zu hören waren, kleine Taten des Grenzkrieges, die nun sinnlos und unwichtig erschienen und ihres Ruhm beraubt.

Dann sah Faramir plötzlich Pippin an. »Doch nun kommen wir zu seltsamen Dingen«, sagte er. »Denn dies ist nicht der erste Halbling, den ich aus den Sagen des Nordens in die Südlichen Lande habe wandern sehen.«

Da setzte Gandalf sich auf und packte die Armlehnen seines Sessels; aber er sagte nichts, und mit einem Blick gebot er dem Ausruf Einhalt, den Pippin schon auf den Lippen hatte. Denethor betrachtete ihre Gesichter und nickte mit dem Kopf, gleichsam zum Zeichen, daß er viel erraten hatte, ehe es ausgesprochen war. Während die anderen still und schweigend dasaßen, erzählte Faramir langsam seine Geschichte und hielt die

Augen zumeist auf Gandalf gerichtet, obwohl sein Blick dann und wann zu Pippin schweifte, als wolle er seine Erinnerung an andere, die er gesehen hatte, auffrischen.

Als er in seiner Erzählung seine Begegnung mit Frodo und seinem Diener und die Ereignisse in Henneth Annûn geschildert hatte, merkte Pippin, daß Gandalfs Hände, die das geschnitzte Holz umklammerten, zitterten. Weiß sahen sie jetzt aus und sehr alt, und als Pippin sie betrachtete, erkannte er plötzlich mit Schrecken, daß Gandalf, selbst Gandalf beunruhigt war, ja, sogar Angst hatte. Die Luft im Zimmer war schwül und still. Als Faramir schließlich von seinem Abschied von den Wanderern sprach und von ihrem Entschluß, nach Cirith Ungol zu gehen, wurde seine Stimme leise, er schüttelte den Kopf und seufzte. Da sprang Gandalf auf.

»Cirith Ungol? Das Morgul-Tal?« sagte er. »Wann, Faramir, wann? Wann habt Ihr Euch von ihnen getrennt? Wann können sie das verfluchte Tal erreicht haben?«

»Ich trennte mich von ihnen am Morgen vor zwei Tagen«, sagte Faramir. »Es sind fünfzehn Wegstunden von dort zum Tal des Morgulduin, wenn sie geradenwegs nach Süden gegangen sind; und dann wären sie immer noch fünfzehn Wegstunden westlich des verfluchten Turms gewesen. Im günstigsten Fall könnten sie nicht vor heute dorthin kommen, und vielleicht sind sie noch gar nicht da. Ich weiß allerdings, was Ihr befürchtet. Doch die Dunkelheit ist nicht eine Folge ihres Wagnisses. Sie begann gestern abend, und ganz Ithilien war in der letzten Nacht unter dem Schatten. Mir ist klar, daß der Feind schon lange einen Angriff auf uns geplant hat, und die Stunde war schon bestimmt, ehe ich die Wanderer aus meiner Obhut entließ.«

Gandalf ging auf und ab. »Am Morgen vor zwei Tagen, fast drei Tage unterwegs! Wie weit entfernt ist der Ort, wo Ihr Euch getrennt habt?«

»Etwa fünfundzwanzig Wegstunden, wie ein Vogel fliegt«, antwortete Faramir. »Aber ich konnte nicht schneller herkommen. Gestern abend lag ich bei Cair Andros, der langen Insel im Fluß, nördlich von hier, die wir verteidigten; und Pferde sind dort auf dem diesseitigen Ufer untergebracht. Als die Dunkelheit heraufzog, wußte ich, daß Eile not tat, deshalb ritt ich dorthin mit drei anderen, für die wir Pferde hatten. Die übrigen von meiner Schar schickte ich nach Süden, um die Besatzung an den Furten von Osgiliath zu verstärken. Ich hoffe, ich habe nichts Unrechtes getan?« Er sah seinen Vater an.

»Unrechtes?« rief Denethor, und seine Augen blitzen plötzlich. »Warum fragst du? Die Leute waren dir unterstellt. Oder fragst du nach meiner Meinung über all deine Taten? Dein Betragen ist demütig in meiner Gegenwart, doch seit langem schon gehst du deine eigenen Wege gegen meinen Willen. Schau, du hast vernünftig gesprochen, wie immer; aber glaubst du, ich habe nicht gesehen, daß dein Blick stets auf Mithrandir gerichtet war und forschte, ob du es gut gesagt hast oder zu viel? Er hat dein Herz schon lange gewonnen.

Mein Sohn, dein Vater ist alt, aber nicht kindisch. Ich kann sehen und hören wie eh und je; und wenig von dem, was du nur halb gesagt oder ungesagt gelassen hast, ist mir verborgen. Für mich sind viele Rätsel jetzt gelöst. Wehe, wehe um Boromir!«

»Wenn das, was ich getan habe, dir mißfällt, mein Vater«, sagte Faramir ruhig, »dann wünschte ich, ich hätte deine Meinung gekannt, ehe mir die Last einer so gewichtigen Entscheidung auferlegt wurde.«

»Hätte das genützt, um deine Entscheidung zu ändern?« sagte Denethor. »Du hättest es dennoch genauso gemacht, schätze ich. Ich kenne dich gut. Immer ist es dein Wunsch, großmütig und großzügig zu erscheinen wie ein König von einst, gnädig und gütig. Das mag einem von hohem Geblüt wohl anstehen, wenn er Macht besitzt und Frieden hat. Aber in hoffnungslosen Stunden mag Güte mit dem Tode bezahlt werden.«

»So sei es«, sagte Faramir.

»So sei es!« rief Denethor. »Aber nicht allein mit deinem Tod, Herr Faramir: auch mit dem Tod deines Vaters und deines ganzen Volkes, das zu schützen nun deine Aufgabe ist, da Boromir nicht mehr da ist.«

»Dann wünschst du also«, sagte Faramir, »daß unsere Plätze vertauscht gewesen wären?«

»Ja, das wünsche ich fürwahr!« sagte Denethor. »Denn Boromir war mir treu und kein Zauberlehrling. Er hätte der Not seines Vaters gedacht und nicht vergeudet, was das Geschick gab. Er hätte mir ein gewaltiges Geschenk gebracht.«

Einen Augenblick ließ Faramirs Zurückhaltung nach. »Ich möchte dich bitten, mein Vater, dich zu erinnern, warum ich und nicht er in Ithilien war. Bei einer Gelegenheit wenigstens vor nicht langer Zeit hat deine Meinung den Ausschlag gegeben. Es war der Herr der Stadt, der ihm den Auftrag gab.«

»Rühre nicht an die Bitterkeit des Kelchs, den ich mir selbst zusammengebraut habe«, sagte Denethor. »Habe ich sie nicht jetzt in vielen Nächten auf meiner Zunge geschmeckt und geahnt, daß mir noch Schlimmeres bevorsteht, wenn ich ihn bis zur Neige leere? Wie ich jetzt tatsächlich feststelle. Ich wünschte, es wäre nicht so! Ich wünschte, dieses Ding wäre zu mir gekommen!«

»Beruhigt Euch«, sagte Gandalf. »In keinem Fall hätte Boromir es Euch gebracht. Er ist tot, und er starb gut. Möge er in Frieden schlafen! Dennoch täuscht Ihr Euch. Er hätte die Hand nach diesem Ding ausgestreckt und wäre, wenn er es genommen hätte, gestrauchelt. Er hätte es für sich behalten, und wäre er zurückgekehrt, Ihr würdet Euren Sohn nicht wiedererkannt haben.«

Denethors Gesicht wurde hart und kalt. »Ihr fandet Boromir weniger handsam, nicht wahr?« sagte er leise. »Aber ich, der ich sein Vater war, sage, daß er es mir gebracht haben würde. Ihr seid vielleicht klug, Mithrandir, und dennoch besitzt Ihr bei all Eurem Scharfsinn nicht alle Klugheit. Es können Entschlüsse gefaßt werden, die weder von Zauberern ausgelegte Netze sind, noch die Voreiligkeit von Narren. Ich habe in dieser Sache mehr Gelehrsamkeit und Klugheit, als Ihr glaubt.«

»Und was sagt Eure Klugheit?« fragte Gandalf.

»Genug, um zu erkennen, daß zwei Torheiten zu vermeiden sind. Das Ding zu verwenden ist gefährlich. Es in dieser Stunde in den Händen eines einfältigen Halblings in das Land des Feindes selbst zu schicken, wie Ihr es getan habt und dieser mein Sohn, das ist Verrücktheit.«

»Und was hätte der Herr Denethor getan?«

»Keins von beiden. Doch ganz gewiß hätte er unter gar keinen Umständen dieses Ding einer Gefahr ausgesetzt, die zu bestehen nur ein Narr hoffen kann, und die unsere völlige Vernichtung bedeuten mag, wenn der Feind wiederbekommt, was er verloren hat. Nein, das Ding hätte man behalten und verstecken sollen, geheim und verborgen. Nicht verwenden, sage ich, es sei denn in der höchsten Not, aber außerhalb seiner Reichweite, außer bei einem so endgültigen Sieg, daß das, was dann geschähe, uns nicht mehr kümmert, weil wir tot sind.«

»Ihr denkt, Herr, wie eh und je nur an Gondor«, sagte Gandalf. »Indes gibt es noch andere Menschen und anderes Leben, und zukünftige Zeiten. Und was mich betrifft, so dauern mich selbst seine Sklaven.«

»Und woher sollen andere Menschen Hilfe erhalten, wenn Gondor fällt?« antwortete Denethor. »Wenn ich dieses Ding jetzt in den tiefen Gewölben dieser Veste hätte, dann würden wir nicht vor Angst zittern unter dieser Düsternis und das Schlimmste befürchten, und unsere Pläne würden nicht gestört. Wenn Ihr mir nicht zutraut, die Prüfung zu bestehen, dann kennt Ihr mich noch nicht.«

»Trotzdem traue ich Euch nicht«, sagte Gandalf. »Hätte ich es getan, dann hätte ich dieses Ding hierherschicken und in Eure Obhut geben können und hätte mir und anderen viel Pein erspart. Und da ich Euch nun reden höre, traue ich Euch noch weniger, nicht mehr als Boromir. Nein, zügelt Euren Zorn! Ich traue mir selbst nicht in dieser Sache, und ich habe das Ding zurückgewiesen, als man es mir sogar freiwillig geben wollte. Ihr seid stark und vermögt Euch immer noch bei manchen Fragen zu beherrschen, Denethor; doch hättet Ihr dieses Ding erhalten, es hätte Euch überwältigt. Wenn es tief verborgen wäre unter dem Fuß des Mindolluin, würde es dennoch Euren Sinn vergiften, wenn die Dunkelheit zunimmt und die noch schlimmeren Dinge folgen, die bald über uns kommen werden.«

Einen Augenblick lang funkelten Denethors Augen wieder, als er Gandalf ansah, und Pippin spürte wiederum die Spannung zwischen Denethors und Gandalfs Willen; doch nun schien es fast, als seien ihre Blicke Schwerter von einem Auge zum anderen, die aufflammten, während sie fochten. Pippin zitterte, denn er fürchtete irgendeinen furchtbaren Hieb. Aber plötzlich entspannte sich Denethor und wurde ruhig. Er zuckte die Schultern.

»Wenn ich hätte! Wenn Ihr hättet!« sagte er. »Solche Wenn und Aber sind eitel. Das Ding ist in den Schatten gegangen, und nur die Zeit wird erweisen, welches Schicksal es und uns erwartet. Die Zeit wird nicht lang sein. Solange sie währt, sollen alle, die den Feind auf ihre Weise bekämpfen, einig sein und die Hoffnung aufrechterhalten, solange sie können, und wenn keine Hoffnung mehr besteht, sollen sie kühn genug sein, in Freiheit zu sterben.« Er wandte sich an Faramir. »Was hältst du von der Besatzung in Osgiliath?«

»Sie ist nicht stark«, sagte Faramir. »Ich habe die Schar aus Ithilien hingeschickt, um sie zu verstärken, wie ich gesagt habe.«

»Nicht genug, schätze ich«, sagte Denethor. »Dort wird der erste Schlag fallen. Sie werden irgendeinen beherzten Hauptmann dort brauchen.«

»Dort und anderswo an vielen Orten«, sagte Faramir und seufzte. »Wehe um meinen Bruder Boromir, den auch ich liebte!« Er stand auf. »Darf ich mich mit deiner Erlaubnis verabschieden, Vater?« Und dann schwankte er und stützte sich auf seines Vaters Stuhl.

»Du bist müde, wie ich sehe«, sagte Denethor. »Du bist schnell und weit geritten, und unter bösen Schatten in der Luft, wurde mir gesagt.«

»Laß uns nicht davon sprechen!« sagte Faramir.

»Dann wollen wir es nicht tun«, sagte Denethor. »Geh nun, ruhe dich aus, wenn du kannst. Die Anforderungen morgen werden härter sein.«

Alle verabschiedeten sich jetzt vom Herrn der Stadt und gingen zur Ruhe, solange sie noch konnten. Draußen war eine sternenlose Schwärze, als Gandalf mit Pippin neben sich, der eine kleine Fackel trug, zu seiner

Unterkunft ging. Sie redeten nicht, bis sie die Tür hinter sich geschlossen hatten. Dann endlich nahm Pippin Gandalfs Hand.

»Sage mir«, fragte er, »gibt es irgendwelche Hoffnung? Für Frodo, meine ich; oder zumindest vor allem für Frodo.«

Gandalf legte Pippin die Hand auf den Kopf. »Es bestand niemals viel Hoffnung«, antwortete er. »Nur die Hoffnung eines Narren, wie mir gesagt wurde. Und als ich von Cirith Ungol hörte ...« Er brach ab und ging zum Fenster, als ob er durch die Nacht bis in den Osten schauen könnte. »Cirith Ungol!« murmelte er. »Warum auf diesem Wege, frage ich mich?« Er wandte sich um. »Mir hätte fast das Herz stillgestanden, Pippin, als ich den Namen hörte. Und dennoch glaube ich in Wirklichkeit, daß die Nachrichten, die Faramir gebracht hat, einige Hoffnung enthalten. Denn es scheint klar, daß unser Feind den Krieg endlich eröffnet und den ersten Schritt getan hat, solange Frodo noch frei war. So wird er jetzt auf viele Tage sein Auge hierhin und dorthin richten, fort von seinem eigenen Land. Und dennoch, Pippin, spüre ich von ferne seine Hast und Angst. Er hat früher angefangen, als er wollte. Irgend etwas ist geschehen, das ihn aufgerüttelt hat.«

Gandalf blieb einen Augenblick in Gedanken vertieft stehen. »Vielleicht«, murmelte er, »vielleicht hat sogar deine Torheit genützt, mein Junge. Laß mich überlegen: vor etwa fünf Tagen wird er entdeckt haben, daß wir Saruman überwältigt und den Stein genommen haben. Doch was soll's? Wir konnten ihn nicht mit großem Erfolg verwenden, oder ohne daß er es merkte. Ach! Das möchte ich mal wissen! Aragorn? Seine Zeit nähert sich. Er ist stark und innerlich unbeugsam, Pippin; kühn, standhaft und fähig, selbst einen Entschluß zu fassen und notfalls große Gefahren auf sich zu nehmen. Das kann es sein. Vielleicht hat er den Stein verwendet und sich selbst dem Feind gezeigt, ihn herausgefordert zu eben diesem Zweck. Ich bin gespannt. Nun, wir werden die Antwort nicht erfahren, ehe die Reiter von Rohan kommen, wenn sie nicht zu spät kommen. Schlimme Tage stehen bevor. Laß uns schlafen, solange wir können.«

»Aber«, sagte Pippin.

»Was aber?« sagte Gandalf. »Nur ein *Aber* werde ich heute abend zulassen.«

»Gollum«, sagte Pippin. »Wie um alles in der Welt konnten sie *mit* ihm gehen, sich sogar von ihm führen lassen? Und ich merkte, daß Faramir die Gegend, wo er sie hinbringen wollte, ebensowenig gefiel wie dir. Was stimmt da nicht?«

»Das kann ich jetzt nicht beantworten«, sagte Gandalf. »Dennoch hatte mein Herz geahnt, daß Frodo und Gollum sich treffen würden, ehe alles zu Ende ist. Auf Gedeih und Verderb. Aber von Cirith Ungol will ich heute abend nicht sprechen. Verrat, Verrat, fürchte ich, Verrat von diesem elenden Geschöpf. Aber wir können es nicht ändern. Laß uns daran denken, daß ein Verräter sich selbst verraten und Gutes tun mag, das er nicht beabsichtigt. Das kommt vor, manchmal. Gute Nacht!«

Der nächste Tag begann mit einem Morgen wie eine düstere Abenddämmerung, und die Leute, denen Faramirs Rückkehr neuen Mut gemacht hatte, verzagten wieder. Die geflügelten Schatten wurden an diesem Tage nicht gesehen, doch dann und wann ertönte hoch über der Stadt ein schwacher Schrei, und viele, die ihn hörten, wurden von einem flüchtigen Schrecken gepackt, während die weniger Beherzten zitterten und weinten.

Und nun war Faramir wieder fort. »Sie lassen ihm keine Ruhe«, murmelten einige. »Der Herr schindet ihn, und nun muß er Dienst für zwei tun, seinen eigenen und für den, der nicht zurückkehrt.« Und immer schauten die Leute gen Norden und fragten: »Wo sind die Reiter von Rohan?«

In Wirklichkeit war Faramir nicht aus freier Entscheidung gegangen. Doch der Herr der Stadt beherrschte seinen Rat und an jenem Tag war er nicht in Stimmung, sich anderen zu beugen. Früh am Morgen war der Rat einberufen worden. Alle Heerführer waren der Meinung gewesen, daß angesichts der Bedrohung im Süden ihre Streitmacht zu schwach sei, als daß sie von sich aus irgendeinen Angriff unternehmen könnten, es sei denn, daß vielleicht die Reiter von Rohan noch kämen. Derweil müßten sie die Mauern bemannen und abwarten.

»Indes«, sagte Denethor, »sollten wir nicht leichtfertig die äußeren Verteidigungswerke preisgeben, den mit so großer Mühe angelegten Rammas. Und der Feind muß teuer bezahlen, wenn er über den Fluß setzt. Das kann er nicht in großer Stärke tun, um die Stadt anzugreifen, weder nördlich von Cair Andros wegen der Sümpfe noch südlich in Richtung auf Lebennin wegen der Breite des Flusses, die viele Boote erfordert. Bei Osgiliath wird er mit seiner ganzen Wucht angreifen, wie damals, als Boromir ihm den Übergang verwehrte.«

»Das war nur ein Versuch«, sagte Faramir. »Heute werden wir vielleicht dem Feind unseren Verlust am Übergang zehnmal heimzahlen und doch den Waffengang bereuen. Denn der Feind kann es sich eher leisten, ein Heer zu verlieren, als wir eine einzige Schar. Und der Rückzug derjenigen, die wir weit vorn als Feldwache aufstellen, wird gefährlich sein, wenn der Feind in großer Stärke übersetzt.«

»Und was ist mit Cair Andros?« fragte der Fürst. »Auch das muß gehalten werden, wenn Osgiliath verteidigt wird. Laßt uns nicht die Gefahr zu unserer Linken vergessen. Die Rohirrim mögen kommen, oder auch nicht. Aber Faramir hat uns berichtet, daß große Streitkräfte zum Schwarzen Tor gezogen sind. Mehr als ein Heer mag von dort ausschwärmen und auf mehr als einen Übergang vorstoßen.«

»Viel muß im Krieg gewagt werden«, sagte Denethor. »Cair Andros ist bemannt, mehr Leute kann ich nicht so weit schicken. Aber ich will den Fluß und den Pelennor nicht kampflos preisgeben – nicht wenn hier ein Heerführer ist, der noch den Mut hat, den Wunsch seines Herrn zu erfüllen.«

Dann schwiegen alle. Aber schließlich sagte Faramir: »Ich widersetze mich deinem Wunsch nicht, Vater. Da du Boromirs beraubt bist, will ich gehen und tun, was ich an seiner Statt vermag – wenn du es befiehlst.«

»Das tue ich«, sagte Denethor.

»Dann lebe wohl«, sagte Faramir. »Aber wenn ich zurückkehren sollte, denke besser von mir!«

»Das hängt von der Art deiner Rückkehr ab«, sagte Denethor.

Gandalf war es, der zuletzt mit Faramir sprach, ehe er gen Osten ritt. »Setzt Euer Leben nicht unbesonnen oder in Bitterkeit aufs Spiel«, sagte er. »Ihr werdet hier gebraucht, für andere Dinge als den Krieg. Euer Vater liebt Euch, Faramir, und wird sich dessen erinnern, ehe das Ende kommt. Lebt wohl!«

So war nun der Herr Faramir wieder hinausgezogen und hatte so viel Mannen mitgenommen, wie bereit waren zu gehen oder entbehrt werden konnten. Auf den Wällen blickten manche durch die Düsternis nach der zerstörten Stadt, und sie fragten sich, was sich dort ereignete, denn nichts war zu sehen. Und andere schauten beständig nach Norden und zählten die Wegstunden bis zu Théoden in Rohan. »Wird er kommen? Wird er sich unseres alten Bündnisses erinnern?« sagten sie.

»Ja, er wird kommen«, sagte Gandalf, »selbst wenn er spät kommt. Aber bedenkt doch! Bestenfalls kann ihn der Rote Pfeil vor nicht mehr als zwei Tagen erreicht haben, und der Meilen sind viele von Edoras.«

Es war wieder Nacht, ehe Nachrichten eintrafen. Ein Mann kam in Eile von den Furten geritten und sagte, ein Heer sei von Minas Morgul gekommen und nähere sich schon Osgiliath; und ihm haben sich Verbände aus dem Süden angeschlossen, Haradrim, grausam und kühn. »Und wir haben erfahren«, sagte der Bote, »daß der Schwarze Heermeister sie wieder führt, und die Furcht vor ihm ist ihm schon über den Fluß vorausgeeilt.«

Mit diesen unheilverkündenden Worten endete der dritte Tag, seit Pippin nach Minas Tirith gekommen war. Wenige nur gingen zur Ruhe, denn gering war die Hoffnung, daß selbst Faramir die Furten würde lange halten können.

Am nächsten Tag lastete die Dunkelheit, obwohl sie ihren Höhepunkt erreicht hatte und nicht stärker wurde, schwer auf den Herzen der Männer, und große Furcht lag auf ihnen. Bald kamen wieder schlechte Nachrichten. Der Feind hatte den Übergang über den Anduin erzwungen. Faramir zog sich zur Mauer des Pelennor zurück und sammelte seine Mannen an den Festungen des Dammes; aber er hatte eine zehnfache Übermacht gegen sich.

»Wenn er überhaupt über den Pelennor gelangt, werden ihm seine Feinde auf den Fersen sein«, sagte der Bote. »Sie haben teuer bezahlt für das Übersetzen, aber weniger teuer, als wir gehofft hatten. Der Plan war gut vorbereitet. Es zeigt sich jetzt, daß sie seit langem heimlich eine große Zahl von Flößen und Barken in Ost-Osgiliath gebaut haben. Sie schwärmten herüber wie Käfer. Aber der Schwarze Heermeister ist es, der uns besiegt. Wenige werden standhalten und auch nur das Gerücht von seinem Kommen ertragen. Seine eigenen Leute zittern vor ihm und würden sich selbst töten, wenn er es verlangte.«

»Dann werde ich dort mehr gebraucht als hier«, sagte Gandalf und ritt sogleich davon, und sein Schimmer entschwand rasch dem Blick. Und die ganze Nacht stand Pippin allein und schlaflos auf der Mauer und starrte gen Osten.

Die Glocken des Tages waren kaum wieder verklungen, ein Hohn in dem lichtlosen Dunkel, als er in der Ferne Feuer aufzüngeln sah, drüben in der düsteren Weite, wo die Mauern des Pelennor standen. Die Wachtposten schrien laut auf, und alle Männer in der Stadt griffen zu den Waffen. Dann und wann gab es einen roten Blitz, und langsam drang durch die schwere Luft dumpfes Grollen herüber.

»Sie haben die Mauer genommen!« riefen Männer. »Sie sprengen Breschen hinein. Sie kommen!«

»Wo ist Faramir?« rief Beregond voll Entsetzen. »Sagt nicht, er sei gefallen!«

Gandalf war es, der die ersten Nachrichten brachte. Mit einer Handvoll Reiter kam er am Vormittag als Begleitung für eine Reihe von Wagen. Sie brachten die Verwundeten, alle, die aus den Trümmern der Damm-Festungen gerettet werden konnten. Sogleich ging er zu Denethor. Der Herr der Stadt saß jetzt in einem hohen Gemach über der Halle des Weißen Turms, und Pippin war an seiner Seite; und durch die düsteren Fenster starrte er mit dunklen Augen gen Norden, Süden und Osten, als ob er die Schatten des Verhängnisses durchbohren wolle, die ihn umringten. Am meisten schaute er nach Norden und hielt zuweilen inne, um zu lauschen, als ob durch eine Zauberkunst von einst seine Ohren das Donnern von Hufen auf den weit entfernten Ebenen hören könnten.

»Ist Faramir gekommen?« fragte er.

»Nein«, sagte Gandalf. »Aber er lebte noch, als ich ihn verließ. Indes ist er entschlossen, bei der Nachhut zu bleiben, damit der Rückzug über den Pelennor nicht eine wilde Flucht werde. Vielleicht kann er seine Männer lange genug zusammenhalten, aber ich bezweifle es. Er steht einem zu mächtigen Feind gegenüber. Denn einer ist gekommen, den ich fürchtete.«

»Doch nicht – nicht der Dunkle Herr?« rief Pippin und vergaß vor Schreck, was sich für ihn ziemte.

Denethor lachte bitter. »Nein, noch nicht, Herr Peregrin! Er wird nicht kommen, es sei denn, um seinen Sieg über mich auszukosten, wenn alles erreicht ist. Er verwendet andere als seine Waffe. Das tun alle großen Herren, wenn sie klug sind, Herr Halbling. Oder warum sollte ich sonst hier in meinem Turm sitzen und nachdenken und beobachten und warten und sogar meine Söhne opfern? Denn auch ich kann noch eine Klinge führen.«

Er erhob sich und schlug seinen schwarzen Mantel auf, und siehe! er trug ein Panzerhemd darunter und war mit einem langen Schwert gegürtet, mit einem großen Heft in einer Scheide aus Schwarz und Silber. »So bin ich einhergegangen, und so habe ich nun schon seit vielen Jahren geschlafen«, sagte er, »damit der Körper mit dem Alter nicht verweichliche und zaghaft werde.«

»Doch jetzt ist der grausamste aller Heerführer des Herrn von Barad-dûr schon Gebieter über Eure äußeren Wälle«, sagte Gandalf. »König von Angmar vor langer Zeit, Hexenmeister, Ringgeist, Herr der Nazgûl, eine Lanze des Schreckens in Saurons Hand, der Schatten der Verzweiflung.«

»Dann, Mithrandir, hattet Ihr einen Feind, der Euch ebenbürtig war«, sagte Denethor. »Ich meinerseits wußte schon lange, wer der oberste Heerführer des Dunklen Turms ist. Ist das alles, weshalb Ihr zurückgekommen seid, um es mir zu sagen? Oder habt Ihr Euch womöglich zurückgezogen, weil Ihr besiegt wurdet?«

Pippin zitterte, denn er fürchtete, Gandalf würde sich zu plötzlichem Zorn hinreißen lassen, aber seine Befürchtung war grundlos. »Das könnte sein«, antwortete Gandalf ruhig. »Aber unsere Kraftprobe ist noch nicht gekommen. Und wenn einstmals gesprochene Worte sich bewahrheiten, dann wird er nicht durch die Hand eines Mannes fallen, und verborgen ist den Weisen noch das Schicksal, das ihn erwartet. Wie immer dem sein mag, der Heerführer der Verzweiflung drängt noch nicht vorwärts. Er leitet den Kampf eher gemäß der Klugheit, von der Ihr eben gesprochen habt, von einem rückwärtigen Punkt aus, und treibt seine Hörigen in Raserei voran.

Nein, ich kam eigentlich, um die Verwundeten zu beschützen, die noch geheilt werden können; denn der Rammas ist weit und breit durchbrochen, und bald wird das Heer von Morgul an vielen Stellen hereindringen. Und hauptsächlich kam ich, um folgendes zu sagen. Bald wird die Schlacht auf den Feldern beginnen. Ein Ausfall muß vorbereitet werden. Laßt ihn von berittenen Mannen machen. Auf ihnen beruht unsere flüchtige Hoffnung, denn in einer Beziehung ist der Feind noch schlecht ausgerüstet: er hat wenig Reiter.«

»Und auch wir haben wenige. Jetzt wäre der richtige Augenblick für das Kommen von Rohan.«

»Wahrscheinlich werden wir andere Ankömmlinge zuerst sehen«, sagte Gandalf. »Flüchtlinge aus Cair Andros haben uns schon erreicht. Die Insel ist gefallen. Ein weiteres Heer ist aus dem Schwarzen Tor gekommen und zieht von Nordosten heran.«

»Manche haben Euch beschuldigt, Mithrandir, es bereite Euch Vergnügen, schlechte Nachrichten zu überbringen«, sagte Denethor. »Aber für mich ist das keine Neuigkeit mehr: es war mir schon gestern vor Einbruch der Nacht bekannt. Was den Ausfall betrifft, so hatte ich bereits daran gedacht. Laßt uns hinuntergehen.«

Die Zeit verging. Schließlich konnten die Wächter auf den Mauern den Rückzug der Vorposten beobachten. Kleine Gruppen von müden Männern, von denen viele verwundet waren, kamen zuerst, und nicht gerade in guter Ordnung; manche rannten wie wild, als ob sie verfolgt würden. Fern im Osten flackerten die Feuer; und jetzt schien es, daß sie hier und dort über die Ebene krochen. Häuser und Scheunen brannten. Dann kamen von vielen Stellen kleine Ströme von roten Flammen herangeeilt, zogen sich durch die Düsternis hin und liefen alle auf die breite Straße zu, die vom Stadttor nach Osgiliath führte.

»Der Feind«, murmelten die Männer. »Der Damm ist gefallen. Hier kommen sie durch die Breschen geströmt! Und sie tragen Fackeln, wie es scheint. Wo sind denn unsere Leute?«

Der Stunde nach wurde es nun Abend, und das Licht war so trübe, daß selbst die Männer auf der Veste mit scharfen Augen draußen auf den Feldern wenig genau erkennen konnten, abgesehen von den Bränden, die sich vermehrten, und den Feuerlinien, die an Länge und Geschwindigkeit zunahmen. Weniger als eine Meile von der Stadt kam schließlich eine besser geordnete Schar in Sicht, die marschierte und nicht rannte und noch zusammenblieb.

Die Wächter hielten den Atem an. »Faramir muß dort sein«, sagten sie. »Er kann Mensch und Tier leiten. Er wird es noch schaffen.«

Jetzt war der Hauptrückzug kaum hundert Ruten entfernt. Aus der Düsternis preschte eine kleine Reiterschar heran, alles, was von der Nachhut noch übrig war. Noch einmal stellten sie sich zum Kampf und wandten sich zu den anstürmenden Feuerlinien um. Dann plötzlich erhob sich ein Getöse wütender Schreie. Reiter des Feindes fegten heran. Die Feuerlinien wurden zu reißenden Sturzbächen, eine Reihe flammentragender Orks nach der anderen kam heran, und wilde Südländer mit roten Fahnen, die in ihrer rauhen Sprache schrien, drängten vor und überholten den Rückzug. Und mit einem durchdringenden Schrei stürzten aus dem düsteren Himmel die geflügelten Schatten herab, die Nazgûl, die niederstießen, um zu töten.

Der Rückzug wurde zur Flucht. Schon machten sich Männer davon, flohen verwirrt und kopflos hierhin und dorthin, schleuderten ihre Waffen fort, schrien vor Angst und warfen sich zu Boden.

Und dann erklang eine Trompete von der Veste, und Denethor befahl endlich den Ausfall. Im Schatten des Tores und unter den hochaufragenden Wällen hatten die Männer draußen auf sein Zeichen gewartet: alle Berittenen, die noch in der Stadt waren. Nun preschten sie in guter Ordnung vor, beschleunigten ihren Schritt und griffen mit lautem Kriegsgeschrei an. Und von den Mauern wurde ihr Ruf beantwortet; denn zuvorderst auf dem Feld ritten die Schwanenritter von Dol Amroth mit ihrem Fürsten und seinem blauen Banner an der Spitze.

»Amroth für Gondor!« riefen sie. »Amroth zu Faramir!« Wie ein Gewitter brachen sie auf beiden Seiten des Rückzugs über den Feind herein; aber ein Reiter überholte sie alle, geschwind wie der Wind im Gras: Schattenfell trug ihn, schimmernd, unverhüllt wiederum, und ein Licht ging aus von seiner erhobenen Hand.

Die Nazgûl kreischten und fegten davon, denn ihr Heerführer war noch nicht gekommen, um das weiße Feuer seines Feindes herauszufordern. Die Heere von Morgul, auf ihre Beute erpicht, in vollem Galopp überrascht, lösten sich auf und zerstoben wie Funken in einem Sturm. Jubelnd wandten sich die Besatzungen der Feldposten um und streckten ihre Verfolger nieder. Die Jäger wurden die Gejagten. Der Rückzug wurde ein Angriff. Das Schlachtfeld war übersät mit Orks und Menschen, und ein Qualm stieg auf von den weggeworfenen Fackeln und versprühte zu wirbelndem Rauch. Die Reiterei griff weiter an.

Doch Denethor erlaubte ihnen nicht, weit zu reiten. Obwohl dem Feind Einhalt geboten und er für den Augenblick zurückgetrieben war, strömten starke Kräfte von Osten heran. Wieder erklang die Trompete und blies zum Rückzug. Die Reiterei von Gondor hielt an. In ihrem Schutz wurden die Besatzungen der Feldposten neu aufgestellt. Jetzt marschierten sie wohlgeordnet zurück. Sie erreichten das Tor und zogen stolzen Schritts in die Stadt ein; und voll Stolz schaute das Volk der Stadt auf sie und empfing sie mit Hochrufen, und doch waren ihre Herzen beklommen. Denn die Reihen hatten sich schmerzlich gelichtet. Ein Drittel seiner Leute hatte Faramir verloren. Und wo war er?

Als letzter von allen kam er. Seine Mannen zogen hinein. Die Ritter zu Pferde kehrten zurück, und in ihrer Nachhut das Banner von Dol Amroth und der Fürst. Und in seinen Armen vor sich auf seinem Roß hielt er seinen Vetter, Faramir, Denethors Sohn, den man auf dem Schlachtfeld gefunden hatte.

»Faramir! Faramir!« riefen die Leute weinend auf den Straßen. Aber er antwortete nicht, und sie trugen ihn die gewundene Straße hinauf zur Veste und zu seinem Vater. Gerade als die Nazgûl vor dem Angriff des Weißen Reiters zurückwichen, kam ein tödlicher Pfeil geflogen, und Faramir, der einen berittenen Kämpen aus Harad in Schach hielt, war zu Boden gestürzt. Nur der Angriff von Dol Amroth hatte ihn vor den roten Südlandschwertern gerettet, die ihn zerstückelt hätten, als er dort lag.

Fürst Imrahil brachte Faramir zum Weißen Turm, und er sagte: »Euer Sohn ist zurückgekehrt, Herr, nach großen Taten«, und er berichtete alles, was er gesehen hatte. Doch Denethor stand auf und betrachtete das Gesicht seines Sohns und schwieg. Dann bat er, ein Bett in dem Gemach zu bereiten und Faramir dort hinzulegen und wegzugehen. Er selbst aber stieg allein hinauf in das geheime Zimmer unter dem First des Turms; und viele, die zu dieser Zeit hinaufschauten, sahen ein bleiches Licht, das eine Weile von dem schmalen Fenster aus schimmerte und flackerte und dann aufblitzte und erlosch. Und als Denethor wieder herunterkam, ging er zu Faramir und setzte sich neben ihn, ohne zu reden, aber das Gesicht des Herrn war grau, totenähnlicher als das seines Sohns.

Und so war nun die Stadt belagert, eingeschlossen in einem Ring von Feinden. Der Rammas war zerstört und der ganze Pelennor dem Feind preisgegeben. Die letzte Nachricht, die von draußen kam, brachten Männer, die über die Nordstraße geflohen waren, ehe das Tor geschlossen wurde. Sie waren die Überreste der Wache, die den Punkt gehalten hatte, an dem der Weg von Anórien und Rohan das Stadtgebiet erreichte. Ingold war ihr Führer, derselbe, der vor weniger als fünf Tagen Gandalf und Pippin hereingelassen hatte, als die Sonne noch aufging und der Morgen Hoffnung brachte.

»Wir haben keine Nachrichten von den Rohirrim«, sagte er. »Rohan wird jetzt nicht kommen. Oder wenn sie kommen, wird es uns nichts nützen. Das neue Heer, von dem wir gehört haben, ist zuerst gekommen, von jenseits des Flusses, über Andros, wie es heißt. Es sind starke Kräfte: Scharen von Orks des Auges und zahllose Verbände von Menschen einer neuen Art, denen wir bisher nicht begegnet sind. Nicht groß, aber stämmig und zäh, bärtig wie Zwerge und große Äxte schwingend. Aus irgendeinem wilden Land im fernen Osten kommen sie, nehmen wir an. Sie haben die Nordstraße besetzt; und viele sind nach Anórien weitergezogen. Die Rohirrim können nicht kommen.«

Das Tor wurde geschlossen. Die ganze Nacht hörten die Wächter auf den Mauern den Lärm der Feinde, die draußen herumstreiften, Feld und Baum verbrannten und auf jeden Menschen einhieben, den sie unterwegs fanden, lebendig oder tot. Wie viele schon über den Fluß übergesetzt hatten, ließ sich in der Dunkelheit nicht erraten, aber als sich der Morgen oder sein düsterer Schatten über die Ebene stahl, sah man, daß die nächtliche Angst sie kaum überschätzt hatte. Die Ebene war dunkel von marschierenden Scharen, und so weit die Augen in der Düsternis blicken konnten, schossen rings um die belagerte Stadt große Zeltlager wie Schimmelpilze aus dem Boden, schwarz oder dunkelrot.

Geschäftig wie Ameisen und eilig gruben die Orks, sie gruben Reihen tiefer Gräben in einem riesigen Ring, genau außer Bogenschußweite von den Mauern; und als die Gräben angelegt waren, wurde jeder mit Feuer gefüllt, obwohl niemand sehen konnte, wie es angezündet oder in Gang gehalten wurde, durch Zauberkunst oder Teufelei. Den ganzen Tag ging die Arbeit voran, während die Männer von Minas Tirith zuschauten und sie nicht zu hindern vermochten. Und als alle Grabenstücke fertig waren, sahen sie große Wagen heranfahren; und bald stellten immer neue Scharen des Feindes, jede im Schutze eines Grabens, große Wurfmaschinen für Geschosse auf. Auf den Mauern der Stadt gab es keine, die eine solche

Reichweite hatten, oder den Aufbau der Maschinen verhindern konnten.

Zuerst lachten die Leute und fürchteten diese Geräte nicht sehr. Denn der Hauptwall der Stadt war sehr hoch und erstaunlich dick, und er war erbaut worden, ehe Númenors Macht und Kunstfertigkeit in der Verbannung dahinschwanden; und seine Außenseite war wie die des Turms von Orthanc, hart und dunkel und glatt, uneinnehmbar durch Stahl oder Feuer, unzerstörbar, es sei denn durch ein Erdbeben, das den Boden aufrisse, auf dem er stand.

»Nein«, sagten sie, »nicht einmal, wenn der Namenlose selbst käme, könnte er hier eindringen, solange wir noch am Leben sind.« Doch einige antworteten: »Solange wir noch am Leben sind? Wie lange? Er hat eine Waffe, die viele Festungen niedergeworfen hat, seit die Welt begann. Der Hunger. Die Straßen sind abgeschnitten. Rohan wird nicht kommen.«

Doch die Wurfmaschinen gaben auf die unbezwingbare Mauer keinen Schuß nutzlos ab. Es war kein Straßenräuber oder Orkhäuptling, der den Angriff gegen den größten Feind des Herrn von Mordor befahl. Die Macht und der Geist des Bösen leiteten ihn. Kaum waren die großen Wurfmaschinen aufgestellt, da begannen sie, begleitet von schrillen Schreien und dem Knirschen von Seilen und Winden, Geschosse so unwahrscheinlich hoch zu schleudern, daß sie über die Festungsmauer hinwegflogen und dumpf aufschlagend in den ersten Ring der Stadt fielen; und durch irgendeine geheime Zauberkunst gingen viele von ihnen in Flammen auf, als sie herabstürzten.

Bald bestand hinter der Mauer große Feuersgefahr, und alle, die entbehrt werden konnten, waren damit beschäftigt, die Brände zu löschen, die an vielen Stellen ausbrachen. Dann prasselte zwischen den großen Geschossen ein anderer Hagel herab, weniger zerstörerisch, aber grauenhafter. Überall auf den Straßen und den Wegen hinter dem Tor fiel dieser Hagel, kleine, runde Kugeln, die nicht brannten. Aber wenn die Leute hinliefen, um zu sehen, was es sein könnte, dann schrien sie laut oder weinten. Denn der Feind schleuderte in die Stadt all die Köpfe derjenigen, die in Osgiliath oder auf den Rammas oder auf den Feldern gefallen waren. Schaurig waren sie anzusehen; denn obwohl sie zermalmt und formlos waren, konnte man dennoch die Gesichtszüge von vielen erkennen, und es schien, daß sie unter Schmerzen gestorben waren; und alle waren gebrandmarkt mit dem schändlichen Zeichen des Lidlosen Auges. Doch obwohl sie verunstaltet und entehrt waren, geschah es oft, daß ein Mann das Gesicht von jemandem wiedersah, den er gekannt hatte, der einst stolz seine Waffen getragen oder die Felder bestellt hatte oder an einem Feiertag aus den grünen Bergtälern in die Stadt geritten war.

Vergeblich erhoben die Menschen drohend die Fäuste gegen die erbarmungslosen Feinde, die sich vor dem Tor drängten. Flüche beachteten sie nicht, oder verstanden die Sprache der westlichen Menschen nicht, und sie kreischten mit rauhen Stimmen wie Tiere oder Aasvögel. Doch bald gab es nur noch wenige in Minas Tirith, die den Mut hatten, den Heeren von Mordor entgegenzutreten und Widerstand zu leisten. Denn noch eine andere Waffe, die schneller wirkte als Hunger, hatte der Herr des Dunklen Turms: Furcht und Verzweiflung.

Die Nazgûl kamen wieder, und da ihr Dunkler Herrscher nun stärker wurde und seine Kraft zeigte, waren ihre Stimmen, die nur seinen Willen und seine Bosheit ausdrückten, erfüllt von Unheil und Schrecken. Immer kreisten sie über der Stadt, wie Aasgeier, die darauf warteten, sich am Fleisch verurteilter Menschen gütlich zu tun. Außer Sicht- und Schußweite flogen sie, und doch waren sie immer da, und ihre grausigen Stimmen zerrissen die Luft. Immer unerträglicher wurden sie, nicht erträglicher, bei jedem neuen Schrei. Schließlich warfen sich auch die Beherztesten auf den Boden, wenn die verborgene Drohung über sie hinwegzog, und sie dachten nicht mehr an den Krieg, sondern nur daran, sich zu verstecken und wegzukriechen, und an den Tod.

Während dieses schwarzen Tages lag Faramir in schweren Fieberträumen in dem Gemach des Weißen Turms; im Sterben, sagte irgend jemand, und bald sagten alle auf den Mauern und auf den Straßen »im Sterben«. Und bei ihm saß sein Vater und sagte nichts, sondern schaute ihn an und schenkte der Verteidigung keine Aufmerksamkeit mehr.

Niemals hatte Pippin so dunkle Stunden erlebt, nicht einmal in den Klauen der Uruk-hai. Es war sein Pflicht, dem Herrn aufzuwarten, und warten tat er auch, vergessen, wie es schien, als er an der Tür des unbeleuchteten Gemachs stand und seine eigene Angst beherrschte, so gut er konnte. Und als Pippin ihn beobachtete, schien es ihm, daß Denethor vor seinen Augen alterte, als ob irgend etwas in seinem stolzen Willen zerbrochen und sein unbeugsamer Sinn überwältigt sei. Kummer hatte das vielleicht bewirkt, und Reue. Er sah Tränen auf dem einst tränenlosen Gesicht, und das war unerträglicher als Zorn.

»Weint nicht, Herr«, stammelte er. »Vielleicht wird er wieder gesund. Habt Ihr Gandalf gefragt?«

»Tröste mich nicht mit Zauberern!« sagte Denethor. »Die Hoffnung des Narren ist vernichtet. Der Feind hat das Ding gefunden, und jetzt wächst seine Macht. Er erkennt unsere Gedanken, und alles, was wir tun, ist verhängnisvoll.

»Ich schickte meinen Sohn fort, ohne Dank, ohne ihm Glück zu wünschen, hinaus in unnötige Gefahr, und hier liegt er jetzt mit Gift in den Adern. Nein, nein, was immer nun im Krieg geschehen mag, auch mein Geschlecht endet, sogar das Haus der Truchsesse stirbt aus. Unedle Leute werden nun den letzten Rest der Könige der Menschen beherrschen und in den Bergen lauern, bis alle hinausgejagt sind.«

Männer kamen an die Tür und riefen nach dem Herrn der Stadt. »Nein, ich will nicht hinunterkommen«, sagte er. »Ich muß bei meinem Sohn bleiben. Vielleicht spricht er noch vor dem Ende. Aber das ist nahe. Folgt, wem ihr wollt, sogar dem Grauen Narren, obwohl seine Hoffnung gescheitert ist. Hier bleibe ich.«

So kam es, daß Gandalf bei der letzten Verteidigung der Stadt von Gondor den Befehl übernahm. Wohin auch immer er kam, überall schöpften die Menschen wieder Mut, und die geflügelten Schatten verschwanden aus ihrer Erinnerung. Unermüdlich eilte er von der Veste zum Tor, von Norden nach Süden an der Mauer entlang; und mit ihm ging der Fürst von Dol Amroth in seiner schimmernden Rüstung. Denn er und seine Ritter hielten sich immer noch wie Herren, in denen das Geschlecht von Númenor unverfälscht war. Männer, die sie sahen, flüsterten: »Vielleicht haben die alten Erzählungen recht; es fließt elbisches Blut in den Adern dieser Leute, denn das Volk von Nimrodel wohnte einst vor langer Zeit in diesem Land.« Und dann begann einer inmitten der Düsternis ein paar Verse des Nimrodel-Liedes zu singen oder anderer Lieder aus dem Tal des Anduin aus entschwundenen Jahren.

Und dennoch drangen die Schatten, als sie fort waren, wieder auf die Menschen ein, und ihre Herzen wurden kalt, und Gondors Tapferkeit zerfiel zu Asche. Und so ging ein düsterer Tag der Ängste langsam in die Dunkelheit einer hoffnungslosen Nacht über. Brände wüteten jetzt ungehindert im ersten Ring der Stadt, und der Besatzung auf der äußeren Mauer war schon an vielen Stellen der Rückzug abgeschnitten. Aber der Pflichttreuen, die in ihren Stellungen blieben, waren nur wenige; die meisten hatten sich jenseits des zweiten Tors in Sicherheit gebracht.

Weit hinter der Schlacht waren rasch Brücken über den Fluß geschlagen worden, und den ganzen Tag waren neue Streitkräfte und Kriegsgerät herübergeströmt. Nun, mitten in der Nacht, brach der Angriff endlich los. Die Vorhut ging zwischen den Feuergräben vor auf vielen gewundenen Gassen, die zwischen ihnen freigelassen worden waren. Unbekümmert um die Verluste, die sie beim Vorgehen erlitten, immer noch in Gruppen und gesammelt, kamen sie in die Reichweite der Bogenschützen auf dem Wall. Doch waren dort jetzt zu wenige, um ihnen großen Schaden zuzufügen, obwohl der Feuerschein so manche Zielscheibe enthüllte für die Bogenschützenkunst, deren Gondor sich einst rühmte. Als er dann gewahr wurde, daß die Tapferkeit der Stadt schon zerrüttet war, zeigte der verborgene Heerführer seine Kraft. Langsam rollten die großen, in Osgiliath gebauten Belagerungstürme durch die Dunkelheit.

Wiederum kamen Boten zu dem Gemach im Weißen Turm, und Pippin ließ sie eintreten, denn sie bestanden darauf. Denethor wandte seinen Blick langsam von Faramirs Gesicht ab und schaute sie schweigend an.

»Der erste Ring der Stadt brennt, Herr«, sagten sie. »Was befehlt Ihr? Noch seid Ihr der Herr und Truchseß. Nicht alle wollen Mithrandir folgen. Die Leute fliehen von den Mauern und lassen sie unbemannt.«

»Warum? Warum fliehen die Narren?« sagte Denethor. »Besser früher als spät verbrennen, denn verbrennen müssen wir. Geht zurück zu eurem Feuer! Und ich? Ich werde jetzt zu meinem Scheiterhaufen gehen. Zu meinem Scheiterhaufen! Keine Gruft für Denethor und Faramir. Keine Gruft! Kein langer dumpfer Todesschlaf, einbalsamiert. Wir werden brennen wie die eingeborenen Könige, ehe je ein Schiff hierher segelte aus dem Westen. Der Westen ist gescheitert. Geht zurück und verbrennt!«

Ohne Verbeugung oder Antwort wandten sich die Boten um und flohen.

Jetzt stand Denethor auf und ließ Faramirs fiebrige Hand los, die er gehalten hatte. »Er brennt, er brennt schon«, sagte er traurig. »Das Haus seiner Seele stürzt ein.« Dann ging er ruhig auf Pippin zu und schaute auf ihn herab.

»Lebe wohl!« sagte er. »Lebe wohl, Peregrin, Paladins Sohn! Dein Dienst war kurz, und nun nähert er sich seinem Ende. Ich entlasse dich aus dem Wenigen, was noch bleibt. Geh nun und stirb auf die Weise, die dir die beste deucht. Und mit wem du willst, selbst mit jenem Freund, dessen Torheit dir diesen Tod eingetragen hat. Schicke nach meinen Dienern und gehe dann. Lebe wohl!«

»Ich will nicht Lebewohl sagen, Herr«, sagte Pippin kniend. Und dann plötzlich, wieder nach Hobbit-Art, stand er auf und sah dem alten Mann in die Augen. »Ich gehe, mit Eurer Erlaubnis, Herr«, sagte er, »denn ich möchte Gandalf wirklich sehr gerne sehen. Aber er ist kein Narr; und ich will nicht ans Sterben denken, ehe er nicht am Leben verzweifelt. Doch von meinem Eid und Eurem Dienst möchte ich nicht entbunden werden, solange Ihr lebt. Und wenn sie schließlich zur Veste kommen, dann hoffe ich hier zu sein und neben Euch zu stehen und vielleicht die Waffen zu verdienen, die Ihr mir gegeben habt.«

»Tu, was du willst, Herr Halbling«, sagte Denethor. »Aber mein Leben ist zerstört. Schicke nach meinen Dienern!« Er wandte sich wieder zu Faramir.

Pippin verließ ihn und rief nach den Dienern, und sie kamen: sechs Männer des Gefolges, stark und schön; dennoch zitterten sie, als sie gerufen wurden. Aber Denethor befahl ihnen mit ruhiger Stimme, warme Decken auf Faramirs Bett zu legen und es aufzunehmen. Und sie taten es, hoben das Bett hoch und trugen es aus dem Gemach. Langsam gingen sie, um den fiebernden Mann so wenig als möglich zu stören, und Denethor, jetzt auf einen Stab gestützt, folgte ihnen; und als letzter kam Pippin.

Hinaus aus dem Weißen Turm gingen sie, wie zu einem Begräbnis, hinaus in die Dunkelheit, wo die über der Stadt hängende Wolke von unten durch dunkelrot aufflackernde Flammen beleuchtet wurde. Leise schritten sie durch den großen Hof, und auf ein Wort von Denethor hielten sie neben dem Verdorrten Baum.

Alles war still bis auf den Kriegslärm unten in der Stadt, und sie hörten, wie das Wasser traurig von den Toten Zweigen in den dunklen Weiher tropfte. Dann gingen sie weiter durch das Tor der Veste, wo die Wache sie verwundert und bestürzt anstarrte, als sie vorbeikamen. Dann wandten sie sich nach Westen und gelangten schließlich zu einer Tür in der rückwärtigen Mauer des sechsten Ringes. Fen Hollen wurde sie genannt, denn sie wurde immer verschlossen gehalten außer zu Begräbniszeiten, und nur der Herr der Stadt durfte diesen Weg benutzen oder jene, die das Zeichen der Grüfte trugen und die Häuser der Toten betreuten. Hinter dieser Tür führte ein gewundener Weg mit vielen Kehren hinunter zu dem schmalen Streifen Landes im Schatten des Steilhangs von Mindolluin, wo die Behausungen der toten Könige und ihrer Truchsesse standen.

Ein Pförtner saß in einem kleinen Haus am Weg, und mit erschreckten Augen kam er heraus, eine Laterne in der Hand. Auf Befehl des Herrn schloß er die Tür auf, und leise öffnete sie sich; und sie gingen hindurch und nahmen die Laterne aus seiner Hand. Es war dunkel auf dem abschüssigen Weg zwischen uralten Mauern und Geländern aus vielen Säulen, die hoch aufragten in dem schwankenden Lichtstrahl der Laterne. Ihre langsamen Schritte hallten wider, als sie hinunter gingen, immer hinunter, bis sie schließlich zur Stillen Straße kamen, Rath Dínen, zwischen bleichen Kuppeln und leeren Hallen und Bildsäulen längst verstorbener Menschen; sie betraten das Haus der Truchsesse und setzten ihre Last ab.

Beklommen schaute Pippin sich um und sah, daß er in einem weitläufigen, gewölbten Gemach war, gleichsam ausgekleidet mit den großen Schatten, die die kleine Laterne auf seine verhängten Wände warf. Und undeutlich waren viele Reihen von Tischen zu sehen, aus Marmor gemeißelt; und auf jedem Tisch lag eine schlafende Gestalt, die Hände gefaltet, den Kopf auf Stein gebettet. Doch ein Tisch nahebei stand wuchtig und kahl da. Auf ein Zeichen von Denethor legten sie Faramir und seinen Vater Seite an Seite dort hin, bedeckten sie mit einer einzigen Decke und standen dann mit gesenkten Köpfen wie Trauernde neben einem Totenbett. Dann sprach Denethor mit leiser Stimme.

»Hier werden wir warten«, sagte er. »Aber schickt nicht nach den Einbalsamierern. Bringt uns Holz, das rasch brennt, und legt es rings um uns und unter uns; und gießt Öl darüber. Und wenn ich es befehle, werft eine Fackel hinein. Tut das und sprecht nicht mehr mit mir. Lebt wohl!«

»Mit Eurer Erlaubnis, Herr«, sagte Pippin, wandte sich ab und floh aus dem Todeshaus. »Der arme Faramir!« dachte er. »Ich muß Gandalf suchen. Der arme Faramir! Höchstwahrscheinlich braucht er eher Arznei als Tränen. Oh, wo kann ich Gandalf finden? Im dichtesten Gewühl, nehme ich an. Und er wird keine Zeit übrig haben für sterbende Männer oder Verrückte.«

An der Tür wandte er sich an einen der Diener, der dort als Wache geblieben war. »Euer Herr ist nicht bei sich«, sagte er. »Macht langsam! Bringt kein Feuer hierher, solange Faramir lebt. Tut nichts, ehe Gandalf kommt!«

»Wer ist der Gebieter von Minas Tirith?« antwortete der Mann. »Der Herr Denethor oder der Graue Wanderer?«

»Der Graue Wanderer oder niemand, scheint's«, sagte Pippin, und er eilte zurück und den gewundenen Weg hinauf, so schnell ihn seine Füße tragen wollten, an dem verwunderten Pförtner vorbei, durch die Tür und weiter, bis er zum Tor der Veste kam. Die Wache grüßte ihn, als er vorbeiging, und er erkannte Beregonds Stimme.

»Wohin rennt Ihr, Herr Peregrin?« rief er.

»Um Mithrandir zu suchen«, antwortete Pippin.

»Die Aufträge des Herrn sind dringend und sollten nicht durch mich gehindert werden«, sagte Beregond, »aber sagt mir rasch, wenn Ihr könnt: was geht vor? Wohin ist mein Herr gegangen? Ich bin gerade erst zum Dienst gekommen, aber ich hörte, er ging durch die Verschlossene Tür, und Männer trugen Faramir vor ihm her.«

»Ja«, sagte Pippin, »zur Stillen Straße.«

Beregond senkte den Kopf, um seine Tränen zu verbergen. »Es heißt, er lag im Sterben«, seufzte er, »und nun ist er tot.«

»Nein«, sagte Pippin, »noch nicht. Und noch jetzt könnte sein Tod verhindert werden, glaube ich. Aber der Herr der Stadt, Beregond, hat sich ergeben, ehe seine Stadt eingenommen ist. Er ist todgeweiht und gefährlich.« Rasch berichtete er von Denethors seltsamen Reden und Taten. »Ich muß Gandalf sofort suchen.«

»Dann müßt Ihr hinuntergehen, zur Schlacht.«

»Ich weiß. Der Herr hat mir Erlaubnis gegeben. Aber, Beregond, wenn Ihr könnt, dann tut etwas, um alles Schreckliche, was geschehen mag, zu verhindern.«

»Der Herr erlaubt nicht, daß jene, die das Schwarz und Silber tragen, aus irgendeinem Grund ihren Posten verlassen, es sei denn auf seinen Befehl.«

»Nun, Ihr müßt Euch entscheiden zwischen Befehl und Faramirs Leben«, sagte Pippin. »Und was den Befehl betrifft, so habt Ihr es, glaube ich, mit einem Verrückten zu tun, und nicht mit einem Herrn. Ich muß laufen. Ich komme zurück, wenn ich kann.«

Er lief weiter, hinunter, immer hinunter zur äußeren Stadt. Männer, die vor den Bränden flüchteten, kamen an ihm vorbei, und manche, die seine Tracht sahen, wandten sich um und riefen, aber er achtete ihrer nicht. Schließlich war er durch das Zweite Tor gekommen, hinter dem starke Flammen zwischen den Mauern züngelten. Dennoch schien alles seltsam still zu sein. Kein Kampfeslärm oder Kriegsgeschrei oder Waffengeklirr war zu hören. Dann plötzlich gab es einen entsetzlichen Schrei und einen starken Schlag und ein tiefes, widerhallendes Dröhnen. Gegen einen Ansturm von Angst und Entsetzen ankämpfend, der ihn fast auf die Knie zwang, ging Pippin um eine Ecke und kam auf den breiten Platz hinter dem Stadttor. Er blieb stehen. Gandalf hatte er gefunden; aber er schreckte zurück und verbarg sich im Schatten.

Unaufhörlich war seit Mitternacht der große Angriff weitergegangen. Die Trommeln dröhnten. Im Norden und Süden stürmte eine Schar des Feindes nach der anderen gegen die Mauern an. Große Tiere kamen dort heran, wie wandelnde Häuser in dem roten, flackernden Licht, die *mûmakil* aus Harad, und sie zogen riesige Türme und Wurfmaschinen durch die Gassen zwischen den Bränden. Dennoch war es ihrem Heerführer ziemlich gleichgültig, was sie taten oder wie viele erschlagen würden: ihr Zweck war nur, die Stärke der Verteidigung auf die Probe zu stellen und die Männer von Gondor an vielen Stellen in Kämpfe zu verwickeln. Es war das Tor, gegen das er seinen schwersten Schlag führen wollte. Sehr stark mochte es sein, aus Stahl und Eisen geschmiedet und beschützt von

Türmen und Bollwerken aus unbezwinglichem Stein, und doch war es die Schlüsselstellung, der schwächste Punkt in dieser ganzen hohen und undurchdringlichen Mauer.

Die Trommeln dröhnten lauter. Brände züngelten auf. Große Wurfmaschinen krochen über das Feld; und in der Mitte war eine Ramme, groß wie ein Baum von hundert Fuß Länge, an mächtigen Ketten hängend. Lange war in den dunklen Schmieden von Mordor an ihr gearbeitet worden, und ihr abscheulicher Rammbär, aus schwarzem Stahl gegossen, war der Gestalt eines räuberischen Wolfs nachgebildet; Zaubersprüche der Vernichtung lagen auf ihr. Grond nannte man sie, zur Erinnerung an den Hammer der Unterwelt von einst. Große Tiere zogen sie, Orks umgaben sie, und hinterdrein kamen Bergtrolle, um sie zu schwingen.

Doch am Tor war der Widerstand noch tapfer, und dort setzten sich die Ritter von Dol Amroth und die Kühnsten der Besatzung zur Wehr. Ein Hagel von Geschossen und Pfeilen prasselte hernieder; Belagerungstürme stürzten krachend ein oder flammten plötzlich auf wie Fackeln. Überall vor den Mauern auf beiden Seiten des Tors war der Boden übersät mit Trümmern und den Leichen der Erschlagenen; doch wie von Raserei getrieben, stürmten immer wieder neue Streiter heran.

Grond kroch weiter. Ihr Aufbau fing kein Feuer; und obwohl dann und wann eines der großen Zugtiere scheute und stampfend Verheerung unter unzähligen Orks anrichtete, die sie bewachten, wurden ihre Leichen aus dem Weg geräumt und andere nahmen ihren Platz ein.

Grond kroch weiter. Die Trommeln dröhnten wie wild. Über den Bergen von Erschlagenen erschien eine abscheuliche Gestalt: ein Reiter, groß, in Kapuze und schwarzem Mantel. Über die Gefallenen hinwegtrampelnd, ritt er langsam voran und achtete nicht länger der Pfeile. Er hielt an und hob ein langes, bleiches Schwert. Und als er das tat, befiel alle eine große Furcht, Verteidiger und Feinde gleichermaßen; und die Hände der Menschen hingen kraftlos herab, und kein Bogen sang. Einen Augenblick war alles still.

Die Trommeln dröhnten und rasselten. Mit einem gewaltigen Schwung wurde Grond von riesigen Händen vorwärtsgeschleudert. Sie erreichte das Tor. Sie schwang hin und her. Ein tiefes Grollen rollte durch die Stadt wie Donner, der sich in den Wolken fortpflanzt. Aber die Türen aus Eisen und die Pfeiler aus Stahl widerstanden dem Aufprall.

Dann erhob sich der Schwarze Heerführer in den Steigbügeln und rief laut mit fürchterlicher Stimme, und er sprach Wörter der Macht und des Schreckens in einer vergessenen Sprache, um Herz und Stein zu zerreißen.

Dreimal rief er. Dreimal dröhnte die große Ramme. Und plötzlich beim letzten Schlag zersprang das Tor von Gondor. Wie von einem verheerenden Zauber getroffen, barst es: ein sengender Blitz flammte auf, und die Türen stürzten, in Stücke gerissen, zu Boden.

Hinein ritt der Herr der Nazgûl. Schwarz und groß ragte er vor den Bränden dahinter auf, zu einer gewaltigen Drohung der Verzweiflung angewachsen. Hinein ritt der Herr der Nazgûl, unter dem Torbogen hindurch, den kein Feind je durchschritten hatte, und alle flohen vor seinem Angesicht.

Alle außer einem. Wartend, schweigend und still saß Gandalf auf Schattenfell auf dem Platz vor dem Tor: Schattenfell, der allein unter allen freien Pferden der Welt den Schrecken ertrug, reglos, standhaft wie eine Bildsäule in Rath Dínen.

»Du kannst hier nicht hereinkommen«, sagte Gandalf, und der riesige Schatten hielt an. »Geh zurück zu dem Abgrund, der für dich bereitet ist! Geh zurück! Stürze in das Nichts, das deinen Herrn und dich erwartet! Geh!«

Der Schwarze Reiter warf seine Kapuze zurück, und siehe! er trug eine Königskrone; und doch saß sie auf keinem sichtbaren Kopf. Der rote Feuerschein leuchtete zwischen ihr und den vom Mantel bedeckten breiten, schwarzen Schultern hindurch. Ein unsichtbarer Mund stieß ein gräßliches Gelächter aus.

»Alter Narr!« sagte er. »Alter Narr! Das ist meine Stunde. Kennst du den Tod nicht, wenn du ihn siehst? Stirb jetzt und fluche vergebens!« Und damit hob er sein Schwert hoch, und Flammen liefen an der Klinge entlang.

Gandalf rührte sich nicht. Und in eben diesem Augenblick, fern in irgendeinem Hof der Stadt, krähte ein Hahn. Schrill und klar krähte er, unbekümmert um Zauberei oder Krieg, und er begrüßte den Morgen, der am Himmel hoch über den Schatten des Todes mit der Morgendämmerung heraufzog.

Und als ob es eine Antwort darauf sei, kam von ferne ein anderer Klang. Hörner, Hörner, Hörner. An den Hängen des dunklen Mindolluin hallten sie schwach wider. Große Hörner des Nordens, die laut geblasen wurden. Rohan war endlich gekommen.

FÜNFTES KAPITEL

DER RITT DER ROHIRRIM

Es war dunkel, und Merry, der in eine Decke eingerollt auf der Erde lag, konnte nichts sehen. Doch obgleich die Nacht ruhig und windstill war, seufzten rings um ihn verborgene Bäume. Er hob den Kopf. Dann hörte er es wieder: ein Klang wie entfernte Trommeln auf den bewaldeten Bergen und Höhen. Manchmal hörte das Pochen plötzlich auf und begann dann wieder an einer anderen Stelle, bald näher, bald ferner. Er fragte sich, ob die Wächter es wohl hörten.

Er konnte sie nicht sehen, aber er wußte, daß ringsum die Reiterscharen der Rohirrim lagen. Er roch die Pferde im Dunkeln und hörte, wie sie sich bewegten und leise auf dem mit Kiefernnadeln bedeckten Boden stampften. Das Heer lagerte in den Kiefernwäldern, die um das Leuchtfeuer von Eilenach wuchsen, einem hohen Berg, der sich aus den langen Hügelketten des Druadan-Waldes neben der großen Straße in Ost-Anórien erhob.

Obgleich er müde war, konnte Merry nicht schlafen. Er war jetzt vier Tage ununterbrochen geritten, und die immer dunkler werdende Düsternis bedrückte allmählich sein Herz. Er begann sich zu fragen, warum er so begierig gewesen war, mitzukommen, wenn sein Zurückbleiben doch durchaus gerechtfertigt gewesen wäre, zumal es ihm von seinem Herrn ja sogar befohlen worden war. Er fragte sich auch, ob der alte König wußte, daß er ihm nicht gehorcht hatte, und ob er ärgerlich sei. Vielleicht nicht. Es schien ein gewisses Einverständnis zwischen Dernhelm und Elfhelm zu bestehen, dem Marschalk, der die *éored* befehligte, in der sie ritten. Er und alle seine Leute übersahen Merry und taten so, als hörten sie ihn nicht, wenn er sprach. Er hätte genausogut irgendein Sack sein können, den Dernhelm bei sich trug. Dernhelm war auch kein Trost: er sprach niemals mit irgend jemandem. Merry war beschämt, denn er kam sich unerwünscht und verlassen vor. Jetzt war die Lage bedrohlich, und das Heer war in Gefahr. Sie waren weniger als einen Tagesritt von den Außenmauern von Minas Tirith entfernt, die die Stadtlande umschlossen. Späher waren vorausgeschickt worden. Einige waren nicht zurückgekehrt. Andere, die zurückgeeilt waren, hatten berichtet, die Straße sei vom Feind besetzt. Ein feindliches Heer hat auf ihr ein Lager aufgeschlagen, drei Meilen westlich von Amon Dîn, und einige Verbände stoßen bereits auf der Straße vor und sind nicht mehr als drei Wegstunden entfernt. Orks streiften durch die Berge und Wälder entlang der Straße. In den stillen Stunden der Nacht hielten der König und Éomer eine Beratung ab.

Merry wünschte, er könne mit jemandem reden, und er dachte an Pippin. Aber das verstärkte nur seine Unruhe. Der arme Pippin, eingesperrt in der großen, steinernen Stadt, einsam und verängstigt. Merry wünschte, er wäre ein kühner Reiter wie Éomer und könnte ein Horn blasen oder sonst was und herangaloppieren, um ihn zu retten. Er setzte sich auf und lauschte den Trommeln, die wieder schlugen, jetzt näher. Plötzlich hörte er leise Stimmen, und er sah trübe, halb verhängte Laternen zwischen den Bäumen. In der Nähe begannen Männer sich im Dunkeln unruhig zu bewegen.

Eine hohe Gestalt ragte auf, stolperte über ihn und fluchte auf die Baumwurzeln. Er erkannte die Stimme des Marschalks, Elfhelm.

»Ich bin keine Baumwurzel, Herr«, sagte er, »und auch kein Beutel, sondern ein geschundener Hobbit. Das Mindeste, was Ihr tun könntet, um es wiedergutzumachen, ist, daß Ihr mir erzählt, was eigentlich los ist.«

»Alles, was nicht angebunden ist in dieser teuflischen Finsternis«, sagte Elfhelm. »Aber mein Herr hat Bescheid sagen lassen, daß wir uns bereithalten sollten: es mag der Befehl ergehen zu einem plötzlichen Aufbruch.«

»Kommt denn der Feind?« fragte Merry ängstlich. »Sind das ihre Trommeln? Ich dachte schon, ich hätte sie mir eingebildet, da niemand sonst sie zu beachten schien.«

»Nein, nein«, sagte Elfhelm, »der Feind ist auf der Straße, nicht in den Bergen. Ihr hört die Wasa, die Wilden Menschen der Wälder: auf diese Weise reden sie miteinander von ferne. Sie hausen immer noch im Druadan-Wald, heißt es. Überreste einer älteren Zeit sind sie, leben zu wenigen zusammen und versteckt, wild und scheu wie Tiere. Sie ziehen nicht mit Gondor oder der Mark in den Krieg; aber jetzt sind sie beunruhigt über die Dunkelheit und das Kommen der Orks: sie fürchten, die Dunklen Jahre kommen wieder, was nicht so unwahrscheinlich ist. Laßt uns dankbar dafür sein, daß sie uns nicht jagen: denn sie verwenden vergiftete Pfeile, heißt es, und sie sind unvergleichliche Jäger. Aber sie haben Théoden ihre Dienste angeboten. Gerade eben wird einer ihrer Häuptlinge zum König gebracht. Dort drüben gehen die Lichter. Soviel habe ich gehört, nicht mehr. Und jetzt muß ich mich um die Befehle meines Herrn kümmern. Packt Euch, Herr Beutel!« Er verschwand in den Schatten.

Merry gefiel dies Gerede von wilden Menschen und vergifteten Pfeilen nicht, aber ganz abgesehen davon lastete eine schwere Furcht auf ihm.

Das Warten war unerträglich. Er wollte gern wissen, was geschehen würde. Er stand auf und schlich vorsichtig der letzten Laterne nach, ehe sie zwischen den Bäumen verschwand.

Plötzlich kam er zu einer Lichtung, wo unter einem großen Baum ein kleines Zelt für den König aufgeschlagen worden war. Eine oben abgedeckte große Laterne hing an einem Zweig und warf einen blassen Lichtkreis nach unten. Da saßen Théoden und Éomer, und vor ihnen auf dem Boden hockte ein untersetzter Mann, knorrig wie ein alter Stein, und die Haare seines schütteren Barts lagen wie trockenes Moos auf seinem klobigen Kinn. Er war kurzbeinig und hatte fette Arme, dick und stämmig, und seine Kleidung bestand nur aus Gras um die Körpermitte. Merry hatte das Gefühl, ihn schon irgendwo einmal gesehen zu haben, und plötzlich fielen ihm die Puckelmänner von Dunharg ein. Hier war eins dieser alten Standbilder wieder lebendig geworden, oder vielleicht war dieser Mann nach unendlichen Jahren ein echter Abkömmling jener Geschöpfe, die den vergessenen Künstlern vor langer Zeit als Vorbild gedient hatten.

Es herrschte Schweigen, als Merry näher kroch, und dann begann der Wilde Mensch zu sprechen, als Antwort auf eine Frage, wie es schien. Seine Stimme war tief und rauh, doch zu Merrys Verwunderung sprach er die Gemeinsame Sprache, wenn auch stockend und durchsetzt mit ungewohnten Wörtern.

»Nein, Vater der Pferdemenschen«, sagte er, »wir kämpfen nicht. Wir nur töten, jagen. *Gorgûn* in Wäldern, hassen Orkleute. Du haßt *gorgûn* auch. Wir helfen, wie wir können. Wilde Menschen haben lange Ohren und lange Augen; kennen alle Pfade. Wilde Menschen leben hier schon vor Steinhäusern; bevor Große Menschen aus dem Wasser kamen.«

»Aber wir brauchen Hilfe im Kampf«, sagte Éomer. »Wie willst du und dein Volk uns helfen?«

»Nachrichten bringen«, sagte der Wilde Mensch. »Wir halten Ausschau von Bergen. Wir klettern auf großes Gebirge und schauen hinunter. Steinstadt ist eingeschlossen. Feuer brennt draußen; jetzt auch drinnen. Ihr wollt da hin? Dann müßt ihr schnell sein. Aber *gorgûn* und Menschen von weit weg« — er zeigte mit einem kurzen, knorrigen Arm nach Osten — »sitzen auf Pferdestraße. Sehr viele, mehr als Pferdemenschen.«

»Woher weißt du das?« fragte Éomer.

Das plumpe Gesicht des alten Mannes und seine dunklen Augen ließen nichts erkennen, aber seine Stimme war mürrisch vor Verdruß. »Wilde Menschen sind wild und frei, aber keine Kinder«, antwortete er. »Ich bin großer Häuptling Ghân-buri-Ghân. Ich zähle viele Dinge: Sterne am Himmel, Blätter an Bäumen, Menschen im Dunkeln. Ihr habt eine Anzahl von zwanzig gerechnet zehnmal und fünf. Sie haben mehr. Großer Kampf, und wer wird gewinnen? Und noch viele mehr laufen um Mauern von Steinhäusern.«

»Wehe! Er spricht allzu klug«, sagte Théoden. »Und unsere Späher sagen, sie haben Gräben ausgehoben und Pfähle quer über die Straße aufgestellt. Wir können sie nicht mit einem plötzlichen Angriff hinwegfegen.«

»Und dennoch müssen wir uns sehr eilen«, sagte Éomer. »Mundburg brennt!«

»Laßt Ghân-buri-Ghân zu Ende sprechen«, sagte der Wilde Mensch. »Mehr als eine Straße kennt er. Er wird euch einen Weg führen, wo keine Gruben sind, keine *gorgûn* laufen, nur Wilde Menschen und Tiere. Viele Pfade wurden gemacht, als Steinhausleute mächtiger waren. Sie haben Berge zerschnitten, wie Jäger Tierfleisch zerschneiden. Wilde Menschen glauben, sie aßen Steine. Mit großen Wagen fuhren sie durch Druadan nach Rimmon. Sie fahren nicht mehr. Straße ist vergessen, aber nicht von Wilden Menschen. Über Berg und hinter Berg liegt sie immer noch unter Gras und Baum, drüben hinter Rimmon und hinunter nach Dîn, und zurück zur Straße von Pferdemenschen. Wilde Menschen werden euch diese Straße zeigen. Dann werdet ihr *gorgûn* töten und das böse Dunkel mit lichtem Eisen vertreiben, und Wilde Menschen können wieder in den wilden Wäldern schlafen gehen.«

Éomer und der König sprachen miteinander in ihrer eigenen Sprache. Schließlich wandte sich Théoden an den Wilden Menschen. »Wir wollen dein Angebot annehmen«, sagte er. »Denn obwohl wir ein Heer von Feinden hinter uns lassen, was macht es schon? Wenn die Steinstadt fällt, dann gibt es keine Rückkehr für uns. Wenn sie gerettet wird, dann wird das Orkheer selbst abgeschnitten sein. Wenn du aufrichtig bist, Ghân-buri-Ghân, dann werden wir dir reichen Lohn geben, und du sollst die Freundschaft der Mark auf immer haben.«

»Tote Menschen sind nicht Freunde von lebenden Menschen und machen ihnen keine Geschenke«, sagte der Wilde Mensch. »Aber wenn du noch lebst nach der Dunkelheit, dann laß die Wilden Menschen in Frieden in den Wäldern und jage sie nicht mehr wie Tiere. Ghân-buri-Ghân wird euch nicht in Falle führen. Er wird selbst mit Vater der Pferdemenschen gehen, und wenn er euch falsch führt, werdet ihr ihn töten.«

»So ist es«, sagte Théoden.

»Wie lange werden wir brauchen, den Feind zu umgehen und wieder auf die Straße zu kommen?« fragte Éomer. »Wir müssen im Schritt gehen, wenn ihr uns führt, und ich zweifle nicht, daß der Weg schmal ist.«

»Wilde Menschen gehen schnell zu Fuß«, sagte Ghân. »Weg ist breit für vier Pferde dort drüben im Steinkarrental«, er zeigte mit der Hand nach Süden, »aber schmal am Anfang und am Ende. Wilde Menschen können von hier nach Dîn laufen zwischen Sonnenaufgang und Mittag.«

»Dann müssen wir den Führern zumindest sieben Stunden zugestehen«, sagte Éomer. »Aber wir müssen eher mit zehn Stunden für alle rechnen. Unvorhergesehene Dinge mögen uns aufhalten, und wenn unser Heer ganz auseinandergezogen ist, wird es lange dauern, ehe es wieder richtig aufgestellt ist, wenn wir aus den Bergen herauskommen. Wie spät ist es jetzt?«

»Wer weiß?« sagte Théoden. »Alles ist Nacht jetzt.«

»Alles ist dunkel, aber nicht alles ist Nacht«, sagte Ghân. »Wenn Sonne kommt, spüren wir sie, selbst wenn sie verborgen ist. Schon steigt sie über Ostgebirge. Es ist der Beginn des Tages in den Himmelsfeldern.«

»Dann müssen wir aufbrechen, sobald wir können«, sagte Éomer. »Selbst so können wir nicht hoffen, Gondor heute zur Hilfe zu kommen.«

Merry wartete nicht ab, noch mehr zu hören, sondern machte sich davon, um für den Marschbefehl bereit zu sein. Das war nun der letzte Abschnitt vor der Schlacht. Es kam ihm nicht wahrscheinlich vor, daß viele sie überleben würden. Aber er dachte an Pippin und die Brände in Minas Tirith und verdrängte seine eigene Angst.

Alles ging gut an jenem Tag, und sie sahen und hörten nichts von dem Feind, der darauf wartete, sie abzufangen. Die Wilden Menschen hatten zur Tarnung umsichtige Jäger als Vorposten aufgestellt, damit kein Ork oder herumstreifender Späher von den Vorgängen in den Bergen etwas erführe. Das Licht war trüber denn je, als sie sich der belagerten Stadt näherten, und in langen Reihen zogen die Reiter wie dunkle Schatten von Menschen und Tieren dahin. Jede Reiterschar wurde von einem wilden Waldmenschen geführt; aber der alte Ghân ging neben dem König. Zu Beginn war es langsamer gegangen, als man gehofft hatte, denn es hatte die Reiter, die zu Fuß gingen und ihre Pferde führten, Zeit gekostet, Pfade über die dicht bewaldeten Grate hinter ihrem Lager und hinunter in das verborgene Steinkarrental zu finden. Es war spät am Nachmittag, als die Führer zu ausgedehnten grauen Dickichten kamen, die sich jenseits der Ostseite des Amon Dîn erstreckten und eine große Schlucht zwischen den Bergketten verbargen, die von Nardol bis Dîn von Ost nach West verlief. Durch die Schlucht hatte vor langer Zeit die vergessene Karrenstraße hinuntergeführt und dann zurück zu dem wichtigen Pferdeweg von der Stadt durch Anórien; aber seit vielen Menschenaltern hatten nun schon die Bäume ihr Wesen dort getrieben, und die Straße war verschwunden, verfallen und unter den Blättern unzähliger Jahre begraben. Doch die Dikkichte boten den Reitern die letzte Deckung, auf die sie hoffen konnten, ehe sie in die offene Schlacht zogen; denn jenseits der Dickichte lagen die Straße und die Ebene des Anduin, während die Abhänge nach Osten und Süden kahl und felsig waren, wo sich die gewundenen Berge zusammenzogen und wie ein Bollwerk über dem anderen hinaufstiegen zu dem Gebirgsstock und den Schultern des Mindolluin.

Die vorderste Schar wurde angehalten, und als die hinteren aus der Mulde des Steinkarrentals herangekommen waren, schwärmten sie aus und ritten zu Lagerplätzen unter den grauen Bäumen. Der König rief die Hauptleute zur Beratung zu sich. Éomer schickte Späher aus, um die Straße zu beobachten; aber der alte Ghân schüttelte den Kopf.

»Nicht gut, Pferdemenschen zu schicken«, sagte er. »Wilde Menschen haben schon alles gesehen, was in der schlechten Luft zu sehen ist. Sie werden bald kommen und hier mit mir sprechen.«

Die Hauptleute kamen; und dann krochen vorsichtig andere Puckelgestalten zwischen den Bäumen hervor, die dem alten Ghân so ähnlich waren, daß Merry sie kaum auseinanderhalten konnte. Sie sprachen mit Ghân in einer fremden, kehligen Sprache.

Plötzlich wandte sich Ghân an den König. »Wilde Menschen sagen viele Dinge«, sagte er. »Erstens, seid vorsichtig! Noch immer viele Menschen im Lager hinter Dîn, von hier eine Stunde zu Fuß dort drüben«, und er zeigte mit dem Arm auf den dunklen Leuchtfeuerberg. »Aber keine sind zu sehen zwischen hier und den neuen Mauern des Steinvolks. Viele sind dort beschäftigt. Die Mauern stehen nicht mehr: *gorgûn* haben sie zerschlagen mit Erddonner und Keulen aus schwarzem Eisen. Sie sind unvorsichtig und schauen sich nicht um. Sie glauben, ihre Freunde bewachen alle Straßen!« Dabei gab der alte Ghân einen seltsamen gurgelnden Laut von sich, und es schien, daß er lachte.

»Gute Nachrichten!« rief Éomer. »Selbst in dieser Düsternis schimmert wieder Hoffnung. Die Listen unseres Feindes nützen uns oft ihm zum Trotz. Selbst die verfluchte Dunkelheit ist ein Deckmantel für uns gewesen. Und jetzt, da es sie gelüstet, Gondor zu zerstören und Stein um Stein niederzureißen, haben seine Orks meine größte Befürchtung ausgeräumt. Die Außenmauer hätte lange gegen uns gehalten werden können. Jetzt können wir hindurchjagen — wenn wir erst einmal so weit gekommen sind.«

»Noch einmal danke ich dir, Ghân-buri-Ghân der Wälder«, sagte Théoden. »Glück begleite dich für deine Botschaften und deine Führung!«

»Tötet *gorgûn!* Tötet Orkvolk! Keine anderen Worte erfreuen Wilde Menschen«, antwortete Ghân. »Vertreibt schlechte Luft und Dunkelheit mit lichtem Eisen!«

»Um das zu tun, sind wir weit geritten«, sagte der König, »und wir werden es versuchen. Aber was wir vollbringen werden, wird erst der morgige Tag zeigen.«

Ghân-buri-Ghân hockte sich nieder und berührte die Erde mit seiner schwieligen Stirn zum Zeichen des Abschieds. Dann stand er auf, als ob er gehen wolle. Doch plötzlich blieb er stehen und schaute auf wie irgendein überraschtes Waldtier, das einen fremden Geruch wittert. Seine Augen leuchteten auf.

»Wind dreht sich!« rief er, und damit, im Handumdrehen, wie es schien, verschwanden er und seine Gefährten in der Düsternis und wurden nie wieder von irgendeinem Reiter von Rohan gesehen. Nicht lange danach schlugen fern im Osten die leisen Trommeln wieder. Doch in kein Herz in dem ganzen Heer schlich sich die Befürchtung, daß die Wilden Menschen treulos seien, wie seltsam und unschön sie auch aussahen.

»Wir brauchen jetzt keine Führung mehr«, sagte Elfhelm. »Denn es gibt Reiter im Heer, die in Tagen des Friedens nach Mundburg geritten sind. Ich zum Beispiel. Wenn wir zur Straße kommen, wird sie nach Süden abbiegen, und sieben Wegstunden werden dann noch vor uns liegen, ehe wir die Mauer der Stadtlande erreichen. Zum größten Teil wächst auf diesem Weg viel Gras auf beiden Seiten der Straße. Auf dieser Strecke glaubten die reitenden Boten von Gondor ihre größte Schnelligkeit zu erreichen. Wir können dort schnell reiten und ohne großen Lärm.«

»Da wir grausame Taten zu erwarten haben und all unsere Kraft gebraucht wird«, sagte Éomer, »rate ich, daß wir jetzt ruhen und des Nachts von hier aufbrechen und die Zeit so einrichten, daß wir auf die Felder kommen, wenn der morgige Tag so hell ist, wie er sein wird, oder wenn unser Herr das Zeichen gibt.«

Dem stimmte der König zu, und die Hauptleute gingen von dannen. Doch bald kam Elfhelm zurück. »Die Späher haben jenseits des grauen Waldes nichts Berichtenswertes gefunden, Herr«, sagte er, »abgesehen von zwei Menschen: zwei toten Männern und zwei toten Pferden.«

»Nun?« sagte Éomer. »Was soll's?«

»Folgendes, Herr: es waren reitende Boten von Gondor. Einer war vielleicht Hirgon. Zumindest hielt seine Hand noch den Roten Pfeil, aber sein

Kopf war abgeschlagen. Und auch folgendes: die Anzeichen deuten darauf hin, daß sie nach *Westen* flohen, als sie fielen. Wie ich es verstehe, fanden sie den Feind schon an der Außenmauer vor oder sie bestürmend, als sie zurückkamen, und das wäre vor zwei Nächten gewesen, wenn sie von den Posten aus mit frischen Pferden geritten sind, wie es ihre Gewohnheit war. Sie konnten nicht die Stadt erreicht haben und umgekehrt sein.«

»Wehe!« sagte Théoden. »Dann wird Denethor keine Nachricht über unseren Ritt erhalten und die Hoffnung auf unser Kommen aufgegeben haben.«

»Not duldet keinen Aufschub, doch spät ist besser denn niemals«, sagte Éomer. »Und vielleicht wird sich diesmal das alte Sprichwort wahrer erweisen als je zuvor, seit Menschen sprechen.«

Es war Nacht. Zu beiden Seiten der Straße ritt schweigend das Heer von Rohan. Nun führte die Straße an den Säumen des Mindolluin vorbei und wand sich nach Süden. Weit entfernt und fast genau geradeaus war ein roter Schimmer unter dem schwarzen Himmel, und die Hänge des großen Bergs ragten dunkel davor auf. Sie näherten sich dem Rammas des Pelennor; aber es war noch nicht Tag.

Der König ritt in der vordersten Schar, umgeben von seinen Gefolgsleuten. Elfhelms *éored* kam als nächste; und jetzt bemerkte Merry, daß Dernhelm seinen Platz verließ und in der Dunkelheit ständig vorrückte, bis er schließlich unmittelbar hinter der Wache des Königs ritt. Dann wurde angehalten. Merry hörte vorne Stimmen, die leise sprachen. Vorreiter waren zurückgekommen, die sich fast bis zu der Mauer vorgewagt hatten. Sie kamen zum König.

»Da sind große Brände, Herr«, sagte einer. »Die Stadt steht überall in Flammen, und das Feld ist voller Feinde. Doch alle scheinen für den Angriff abgezogen zu werden. Soweit wir es abschätzen konnten, sind nur wenige auf der Außenmauer zurückgeblieben, und die sind achtlos und mit der Zerstörung beschäftigt.«

»Erinnert Ihr Euch an die Worte des Wilden Menschen, Herr?« fragte ein anderer. »Ich lebe in Tagen des Friedens im offenen Ödland; Wídfara ist mein Name, und auch mir bringt die Luft Botschaften. Schon dreht sich der Wind. Es kommt eine Brise aus dem Süden; da ist Seetang dabei, wenn auch schwach. Der Morgen wird neue Dinge bringen. Über dem Dunst wird der Tag anbrechen, wenn Ihr an der Mauer vorbei seid.«

»Wenn du wahr sprichst. Wídfara, dann mögest du nach diesem Tage in glücklichen Jahren leben!« sagte Théoden. Er wandte sich an die Männer seines Gefolges, die um ihn waren, und er sprach jetzt mit einer klaren Stimme, so daß viele Reiter aus der ersten *éored* ihn hörten:

»Jetzt ist die Stunde gekommen, Reiter der Mark, Söhne von Eorl! Feinde und Feuer sind vor euch, und eure Heime liegen weit hinter euch. Indes, obwohl ihr auf einem fremden Feld kämpft, wird der Ruhm, den ihr erringt, euer eigener sein. Eide habt ihr geschworen: eurem Herrn und dem Land und dem Bündnis der Freundschaft. Nun erfüllt sie alle!«

Die Männer schlugen klirrend Speer auf Schild.

»Éomer, mein Sohn! Du führst die erste *éored*«, sagte Théoden. »Und sie soll hinter des Königs Banner in der Mitte kommen. Elfhelm, führe deine Schar nach rechts, wenn wir an der Mauer vorbei sind. Und Grimbold soll die seine nach links führen. Laßt die anderen Scharen diesen dreien folgen, wie sie es vermögen. Schlagt zu, wo immer der Feind sich sammelt. Andere Pläne können wir nicht machen, denn wir wissen nicht, wie die Lage auf dem Feld ist. Voran jetzt, und fürchtet keine Dunkelheit!«

Die vorderste Schar ritt los, so schnell sie konnte, denn es war immer noch stockdunkel, welchen Wetterumschlag Wídfara auch immer voraussah. Merry saß hinter Dernhelm, hielt sich mit der linken Hand fest und versuchte, mit der anderen sein Schwert in der Scheide zu lockern. Er erkannte jetzt schmerzlich, wie wahr Théodens Worte gewesen waren: *Und in einer solchen Schlacht, was würdest du da tun, Meriadoc?* »Genau das«, dachte er: »einen Reiter behindern und bestenfalls hoffen, auf meinem Sitz zu bleiben und nicht zu Tode gestampft werden von galoppierenden Hufen!«

Es war nicht mehr als eine Wegstunde bis dorthin, wo die Außenmauern gestanden hatten. Sie erreichten sie rasch; zu rasch für Merry. Wilde Schreie erschallten, und es gab einiges Waffengeklirr, aber es war kurz. Die mit den Mauern beschäftigten Orks waren nicht zahlreich und überrascht, und sie wurden rasch erschlagen oder davongetrieben. Vor den Trümmern des Nordtors im Rammas hielt der König wieder an. Die erste *éored* stellte sich hinter ihm und zu beiden Seiten auf. Dernhelm blieb nahe beim König, obwohl Elfhelms Schar weit rechts stand. Grimbolds Mannen wandten sich nach links und gingen durch eine große Lücke in der Mauer weiter nach Osten.

Merry schaute sich hinter Dernhelms Rücken um. Weit vorn, vielleicht zehn oder mehr Meilen entfernt, war ein großer Brand, aber zwischen ihm und den Reitern loderten Feuerlinien in einem weiten Halbkreis, an der dichtesten Stelle nicht mehr als drei Meilen entfernt. Sonst konnte er wenig auf der dunklen Ebene erkennen, und bis jetzt sah er weder irgendeine Hoffnung auf den Morgen, noch spürte er Wind, ob er nun gedreht hatte oder nicht.

Nun ging das Heer von Rohan vor und zog geräuschlos auf dem Feld von Gondor ein, langsam, aber stetig ergoß es sich wie die steigende Flut durch Einbruchstellen in einem Deich, den die Menschen für sicher gehalten hatten. Doch der Sinn und Wille des Schwarzen Heerführers war ganz und gar auf den Fall der Stadt gerichtet, und bis jetzt waren keine Nachrichten zu ihm gedrungen, die ihn warnten, daß seine Pläne einen Makel aufwiesen.

Nach einer Weile führte der König seine Mannen ein wenig weiter nach Osten, um zwischen die Belagerungsfeuer und die äußeren Felder zu gelangen. Noch immer waren sie unangefochten, und noch immer gab Théoden kein Zeichen. Schließlich hielt er wiederum an. Die Stadt war jetzt näher. Ein Brandgeruch lag in der Luft und geradezu ein Schatten des Todes. Die Pferde waren unruhig. Aber der König saß auf Schneemähne, reglos, und starrte auf den Todeskampf von Minas Tirith, als ob er plötzlich von Schmerz und Angst ergriffen sei. Er schien kleiner zu werden, vom Alter entmutigt. Merry selbst hatte das Gefühl, als ob Entsetzen und Zweifel wie eine schwere Last auf ihm ruhten. Sein Herz schlug langsam. Die Zeit schien in Ungewißheit zu verharren. Sie waren zu spät gekommen! Zu spät war schlimmer denn niemals! Vielleicht würde Théoden verzagen, seinen alten Kopf senken, sich abwenden, sich davonschleichen und in den Bergen verstecken.

Dann plötzlich spürte Merry es endlich, über jeden Zweifel erhaben: eine Veränderung. Wind war in seinem Gesicht! Licht schimmerte. Weit, weit im Süden sah man die Wolken undeutlich wie ferne graue Gebilde, die heranrollten und dahintrieben: der Morgen lag hinter ihnen.

Doch in demselben Augenblick gab es ein Aufleuchten, als ob ein Blitz aus der Erde aus der Stadt hervorgeschossen sei. Eine sengende Sekunde lang stand die ferne Stadt blendend in Schwarz und Weiß da, und ihr höchster Turm war wie eine glitzernde Nadel; und dann, als die Dunkelheit wieder herandrängte, rollte über die Felder ein Donnergrollen.

Bei diesem Geräusch richtete sich die gebeugte Gestalt des Königs plötzlich auf. Kühn und stolz erschien er wieder; und er erhob sich in den Steigbügeln und rief mit lauter Stimme, heller als jede, die je von einem Sterblichen gehört worden:

Auf! Auf! ihr Reiter Théodens!
Zu grimmen Taten: Feuer und Schlachten!
Speer wird zerschellen, Schild zersplittern,
Schwert-Tag, Blut-Tag, ehe die Sonne steigt!
Nun reitet! Reitet! Reitet nach Gondor!

Damit nahm er ein großes Horn von Guthláf, seinem Bannerträger, und er blies so schmetternd, daß es zerbarst. Und sogleich erschallten alle Hörner des Heeres in einem einzigen Wohllaut, und das Blasen der Hörner von Rohan in jener Stunde war wie ein Sturm über der Ebene und wie ein Donner im Gebirge.

Nun reitet! Reitet! Reitet nach Gondor!

Plötzlich spornte der König Schneemähne mit einem Zuruf an, und das Pferd preschte davon. Hinter dem König wehte sein Banner im Wind, das weiße Pferd auf einem grünen Feld, aber er war schneller. Hinter ihm donnerten die Ritter seines Hauses, doch war er immer vor ihnen. Éomer ritt dort so geschwind, daß der weiße Pferdeschweif an seinem Helm flatterte, und die erste *éored* brauste heran wie eine Sturzwelle, die an das Ufer brandet, aber keiner konnte Théoden überholen. Todgeweiht erschien er, oder die Kampfeswut seiner Väter rann wie ein neues Feuer in seinen Adern, und er wurde von Schneemähne davongetragen wie ein Gott von einst, wie Oromë der Große in der Schlacht der Valar, als die Welt jung war. Sein goldener Schild war unbedeckt, und siehe! er schimmerte wie ein Abbild der Sonne, und das Gras flammte grün auf unter den weißen Füßen seines Rosses. Denn der Morgen kam, der Morgen und ein Wind vom Meer; und die Dunkelheit verzog sich, und die Heerscharen von Mordor jammerten, und ein Schrecken ergriff sie, und sie flohen und starben, und die Hufe des Zorns ritten über sie hinweg. Und dann begann das ganze Heer von Rohan zu singen, und singend töteten sie, denn Kampfeslust war über sie gekommen, und ihr Gesang, der schön und schrecklich war, schallte sogar bis zur Stadt.

SECHSTES KAPITEL

DIE SCHLACHT AUF DEN PELENNOR-FELDERN

Aber es war kein Orkhäuptling oder Straßenräuber, der den Angriff auf Gondor führte. Die Dunkelheit wich zu früh, vor dem Zeitpunkt, den sein Herr festgesetzt hatte: das Glück ließ ihn für den Augenblick im Stich, und die Welt hatte sich gegen ihn gewandt; der Sieg entglitt ihm, als er eben die Hand ausstreckte, um ihn zu ergreifen. Doch sein Arm war lang. Noch befehligte er und besaß große Macht. Der König, Ringgeist, Herr der Nazgûl, hatte viele Waffen. Er verließ das Tor und verschwand.

König Théoden der Mark hatte die Straße erreicht, die vom Tor zum Fluß führte, und wandte sich der Stadt zu, die nun weniger als eine Meile entfernt war. Er verlangsamte seine Geschwindigkeit ein wenig und forschte nach neuen Feinden, und seine Ritter scharten sich um ihn, und unter ihnen war Dernhelm. Weiter vorn, den Mauern näher, waren Elfhelms Mannen zwischen den Belagerungsmaschinen, und sie metzelten und töteten und trieben ihre Feinde in die Feuergräben. Nahezu die ganze nördliche Hälfte des Pelennor war überrannt, die Lager brannten, und die Orks flohen zum Fluß wie Herden vor den Jägern. Und die Rohirrim gingen hierhin und dorthin, wie es ihnen beliebte. Aber das Belagerungsheer war noch nicht besiegt, und das Tor noch nicht erreicht. Viele Feinde standen davor, und auf der anderen Hälfte der Ebene waren weitere Heere, die noch nicht in den Kampf eingegriffen hatten. Im Süden jenseits der Straße lag die Hauptstreitmacht der Haradrim, und dort wurden ihre Reiter um die Fahne ihres Häuptlings gesammelt. Und er schaute sich um, und in dem zunehmenden Licht sah er das Banner des Königs, sah, daß es weit vor der Schlacht war und von wenigen Streitern umgeben. Da wurde er von einem rasenden Zorn erfüllt und schrie laut auf, entfaltete seine Fahne, schwarze Schlange auf Scharlachrot, und kam mit einer großen Schar dem weißen Pferd und dem Grün entgegen; und als die Südländer ihre Krummsäbel zogen, war es wie ein Glitzern von Sternen.

Dann wurde Théoden ihn gewahr und wollte seinen Angriff nicht erwarten, sondern spornte Schneemähne an und stürmte ihm entgegen, um ihn zu berennen. Krachend prallten sie aufeinander. Aber die Weißglut der Nordmannen war heißer, und erfahrener waren ihre Ritter mit langen und grausamen Speeren. Geringer an Zahl waren sie, aber sie fuhren durch die Südländer hindurch wie ein feuriger Blitz durch einen Wald. Stracks durch die Schar stieß Théoden, Thengels Sohn, und sein Speer zersplitterte, als er den Häuptling niederstreckte. Heraus fuhr sein Schwert, und er sprengte zu der Fahne, zerhieb die Stange und den Träger; und die schwarze Schlange sank zu Boden. Da machten alle von ihrer Reiterei, die nicht erschlagen waren, kehrt und flohen weit fort.

Doch siehe! inmitten des Siegs des Königs wurde plötzlich sein goldener Schild matt. Vom Himmel her verdunkelte sich der neue Morgen. Finsternis sank auf Théoden herab. Die Pferde bäumten sich auf und wieherten laut. Aus dem Sattel geworfene Männer lagen mit dem Gesicht nach unten auf dem Boden.

»Zu mir! Zu mir!« rief Théoden. »Auf, Eorlingas! Fürchtet keine Dunkelheit!« Aber rasend vor Angst stieg Schneemähne hoch auf, kämpfte mit der Luft und brach dann mit einem großen Schrei zusammen: ein schwarzer Pfeil hatte ihn durchbohrt. Der König fiel unter ihn.

Der große Schatten kam herab wie eine sich senkende Wolke. Und siehe! es war ein geflügeltes Wesen: wenn es ein Vogel war, dann größer als alle anderen Vögel, und es war nackt und hatte weder Schwungfedern noch Gefieder, und seine gewaltigen Fittiche waren wie Flughäute zwischen hornigen Fingern; und es stank. Ein Geschöpf einer älteren Welt war es vielleicht, dessen Gattung in vergessenen Gebirgen, kalt unter dem Mond, überlebt und seine Zeit überdauert und in einem abscheulichen Horst diese letzte, unzeitige Brut gezeugt hatte, zu Bösem bereit. Und der Dunkle Herr nahm es, fütterte es mit grausigem Fleisch, und es wuchs über das Maß aller anderen Wesen hinaus, die fliegen; und er gab es seinem Diener, damit es sein Schlachtroß sei. Herab kam es, herab, und dann faltete es seine gefiederten Flughäute, stieß einen krächzenden Schrei aus und ließ sich auf Schneemähnes Körper nieder, grub seine Klauen in ihn und beugte seinen langen, nackten Hals.

Auf dem Geschöpf saß eine Gestalt in schwarzem Mantel, gewaltig und bedrohlich. Eine Krone aus Stahl trug er, aber zwischen Reif und Gewand war nichts zu sehen außer einem tödlichen Funkeln von Augen: der Herr der Nazgûl. In die Luft war er zurückgekehrt, hatte sein Roß herbeigerufen, ehe die Dunkelheit verging, und nun war er wiedergekommen, brachte Verderben und verwandelte Hoffnung in Verzweiflung und Sieg in Tod. Eine große Keule schwang er.

Aber Théoden war nicht völlig verlassen. Die Ritter seines Hauses lagen erschlagen um ihn oder waren durch die Raserei ihrer Rösser weit davongetragen worden. Doch einer stand noch da: Dernhelm, der junge; seine Treue war über Furcht erhaben, und er weinte, denn er hatte seinen Herrn wie einen Vater geliebt. Unversehrt hatte Merry den ganzen Angriff hindurch hinter ihm gesessen, bis der Schatten kam; und dann hatte Windfola sie beide in seinem Schrecken abgeworfen und rannte jetzt wildgeworden über die Ebene. Merry kroch wie ein verstörtes Tier auf allen Vieren, und ein solches Entsetzen lag auf ihm, daß er blind und elend war.

»Gefolgsmann des Königs! Gefolgsmann des Königs!« rief ihm sein Herz zu. »Du mußt bei ihm bleiben. Wie ein Vater sollt Ihr für mich sein, hast du gesagt.« Aber sein Wille antwortete nicht, und sein Körper zitterte. Er wagte nicht, die Augen zu öffnen und aufzuschauen.

Obwohl seine Sinne umdunkelt waren, glaubte er dann Dernhelm sprechen zu hören; dennoch erschien ihm die Stimme seltsam und erinnerte ihn an eine andere Stimme, die er gekannt hatte.

»Fort mit dir, du abscheuliches Geistergeschöpf, Herr über Leichen! Laß die Toten in Frieden!«

Eine kalte Stimme antwortete: »Komm nicht zwischen den Nazgûl und seine Beute! Denn dich wird er nicht erschlagen. Dich wird er davontragen zu den Klagehäusern, jenseits aller Dunkelheit, wo dein Fleisch verzehrt und deine verdorrte Seele nackt dem Lidlosen Auge überlassen werden soll.«

Ein Schwert klirrte, als es gezogen wurde. »Tu, was du willst; aber ich werde es verhindern, wenn ich kann.«

»Mich hindern? Du Narr. Kein lebender Mann kann mich hindern!«

Dann hörte Merry von allen Geräuschen in dieser Stunde das seltsamste. Es schien, daß Dernhelm lachte, und die helle Stimme war wie der Klang von Stahl. »Aber kein lebender Mann bin ich! Du siehst eine Frau vor dir. Éowyn bin ich, Éomunds Tochter. Du stehst zwischen mir und meinem Herrn und Verwandten. Fort mit dir, wenn du nicht unsterblich bist! Denn ob du nun ein Lebender oder ein nicht toter Schatten bist, ich werde dich niederstrecken, wenn du ihn anrührst.«

Das geflügelte Geschöpf fauchte sie an, aber der Ringgeist gab keine Antwort, und er schwieg, als ob er plötzlich im Zweifel sei. Echte Verblüffung überwand für einen Augenblick Merrys Ängste. Er öffnete die Augen, und die Schwärze war von ihnen gewichen. Dort, ein paar Schritt vor ihm, saß das große Tier, und ringsum schien alles dunkel, und über ihm erhob sich der Herr der Nazgûl wie ein Schatten der Hoffnungslosigkeit. Ein wenig nach links stand ihnen gegenüber jene, die er Dernhelm genannt hatte. Doch der Helm ihrer Heimlichkeit war von ihr abgefallen, und ihr helles Haar, seiner Bande ledig, schimmerte in blassem Gold um ihre Schultern. Ihre Augen, grau wie das Meer, waren hart und grausam, und dennoch rannen Tränen über ihre Wangen. Ein Schwert war in ihrer Hand, und sie hob ihren Schild gegen die Entsetzlichkeit der Augen des Feindes.

Éowyn war es, und Dernhelm auch. Denn Merry entsann sich plötzlich des Gesichts, das er gesehen hatte, als sie von Dunharg losritten: das Gesicht eines Menschen, der den Tod sucht, weil er keine Hoffnung hat. Mitleid erfüllte sein Herz und großes Staunen, und plötzlich erwachte der schwerentflammbare Mut seines Geschlechts. Er ballte die Hände. Sie sollte nicht sterben, so schön, so verzweifelt! Zumindest sollte sie nicht allein sterben, ohne Hilfe.

Das Gesicht ihres Feindes war ihm nicht zugewandt, doch noch wagte er sich kaum zu rühren und fürchtete sich davor, daß sein tödlicher Blick auf ihn falle. Langsam, langsam begann er zur Seite zu kriechen; doch der Schwarze Heerführer, in Zweifel und seine Bosheit nur auf die Frau vor ihm gerichtet, beachtete ihn nicht mehr als einen Wurm im Schlamm.

Plötzlich schlug das große Tier mit seinen abscheulichen Flügeln, und der Luftzug von ihnen war verpestet. Wieder sprang es in die Luft und ließ sich dann geschwind auf Éowyn fallen, und es kreischte und schlug zu mit Schnabel und Klauen.

Noch wich sie nicht zurück: Maid der Rohirrim, Tochter von Königen, schlank wie eine Stahlklinge, schön und dennoch schreckenerregend. Einen raschen Hieb führte sie, geschickt und tödlich. Den ausgestreckten Hals spaltete sie, und der abgehauene Kopf fiel wie ein Stein. Zurück sprang sie, als der riesige Körper herabstürzte, die gewaltigen Schwingen ausgebreitet, und auf der Erde zusammenbrach; und zugleich mit seinem Sturz verschwand der Schatten. Ein Lichtschein fiel auf sie, und ihr Haar schimmerte im Sonnenaufgang.

Von dem Kadaver erhob sich der Schwarze Reiter, groß und drohend ragte er über Éowyn auf. Mit einem haßerfüllten Schrei, der wie Gift in den Ohren brannte, ließ er seine Keule niedersausen. Ihr Schild zersplitterte in viele Stücke, und ihr Arm war gebrochen; sie strauchelte und fiel auf die Knie. Wie eine Wolke beugte er sich über sie, und seine Augen funkelten; er hob die Keule, um sie zu töten.

Doch plötzlich strauchelte auch er mit einem bitteren Schmerzensschrei, sein Hieb verfehlte das Ziel und traf den Boden. Merrys Schwert hatte ihn von hinten angegriffen, den schwarzen Mantel zerschnitten und unter dem Panzerhemd die Sehne hinter seinem mächtigen Knie durchbohrt.

»Éowyn! Éowyn!« rief Merry. Da richtete sie sich wankend auf und stieß mit letzter Kraft ihr Schwert zwischen Krone und Mantel, als sich die großen Schultern vor ihr beugten. Das Schwert zerbarst funkensprühend in unzählige Bruchstücke. Die Krone rollte klirrend fort. Éowyn fiel nach vorn auf ihren gefallenen Feind. Doch siehe! der Mantel und das Panzerhemd waren leer. Gestaltlos lagen sie jetzt auf dem Boden, zerrissen und zerknüllt; und ein Schrei stieg auf in die erbebende Luft und verklang zu einem schrillen Klagelaut, den der Wind davontrug, eine körperlose und dünne Stimme, die erstarb und verschlungen wurde, und niemals wieder in diesem Zeitalter der Welt wurde sie gehört.

Und da stand Meriadoc der Hobbit inmitten der Erschlagenen und blinzelte wie eine Eule im Tageslicht, denn er hatte die Augen voll Tränen; und wie durch einen Nebel sah er Éowyns schönen Kopf, wie sie dalag und sich nicht regte; und er sah des Königs Gesicht, der inmitten seines Sieges gefallen war. Denn in seinem Todeskampf war Schneemähne wieder von ihm weggerollt; dennoch war er der Fluch seines Herrn.

Dann bückte sich Merry und nahm seine Hand, um sie zu küssen, und siehe! Théoden öffnete die Augen, und sie waren klar, und er sprach mit ruhiger Stimme, wenn auch mühsam.

»Leb wohl, Herr Holbytla!« sagte er. »Mein Köper ist zermalmt! Ich gehe zu meinen Vätern. Und selbst in ihrer erlauchten Gesellschaft brauche ich mich jetzt nicht zu schämen. Ich fällte die schwarze Schlange. Ein grimmer Morgen, ein froher Tag, ein goldener Sonnenuntergang!«

Merry konnte nicht sprechen, sondern weinte von neuem. »Vergebt mir, Herr«, sagte er schließlich, »daß ich Eurem Befehl nicht gehorchte, und doch habe ich in Eurem Dienst nicht mehr getan, als bei Eurem Scheiden zu weinen.«

Der alte König lächelte. »Gräme dich nicht! Es ist vergeben. Großmut wird nicht zurückgewiesen. Lebe nun in Glückseligkeit; und wenn du friedlich bei deiner Pfeife sitzt, denke an mich! Denn niemals werde ich nun mit dir in Meduseld sitzen, wie ich versprochen habe, oder deiner Kräuterkunde lauschen.« Er schloß die Augen, und Merry neigte sich neben ihn. Plötzlich sprach er wieder. »Wo ist Éomer? Denn meine Augen werden dunkel, und ich möchte ihn sehen, ehe ich gehe. Er muß nach mir König sein. Und ich möchte Éowyn Nachricht senden, sie, die nicht wollte, daß ich sie verließ, und nun werde ich sie nicht wiedersehen, die mir teurer ist als eine Tochter.«

»Herr, Herr«, begann Merry stockend, »sie ist ...« Aber in diesem Augenblick gab es ein großes Getöse, und ringsum bliesen die Hörner und Trompeten. Merry schaute sich um: er hatte den Krieg und die ganze Welt vergessen, und viele Stunden schienen vergangen, seit Théoden in seinen Tod ritt, aber in Wirklichkeit war es nur eine kleine Weile. Doch jetzt sah er, daß sie in Gefahr waren, mitten in die große Schlacht zu geraten, die bald beginnen würde.

Neue Verbände des Feindes eilten die Straße vom Fluß herauf; und von den Mauern her kamen die Scharen von Morgul; und von den südlichen Feldern kam Fußvolk aus Harad und vor ihnen Reiter, und hinter ihnen erhoben sich die riesigen Rücken der *mûmakil* mit Kriegstürmen darauf. Doch im Norden führte der weiße Helmbusch von Éomer den großen Aufmarsch der Rohirrim an, die wieder gesammelt und aufgestellt worden waren; und aus der Stadt kamen alle kampffähigen Männer, die in ihr waren, und der silberne Schwan von Dol Amroth wurde in der Vorhut getragen, und sie vertrieben den Feind vom Tor.

Einen Augenblick schoß Merry der Gedanke durch den Kopf: »Wo ist Gandalf? Ist er nicht hier? Hätte er nicht den König und Éowyn retten können?« Aber da ritt Éomer in Eile heran, und mit ihm kamen die Ritter des Gefolges, die noch am Leben waren und ihre Pferde wieder gebändigt hatten. Sie blickten voll Staunen auf den Kadaver des unheimlichen Tiers, der dort lag; und ihre Rösser wollten ihm nicht nahekommen. Aber Éomer sprang aus dem Sattel, und Kummer und Entsetzen befielen ihn, als er an des Königs Seite kam und schweigend dastand.

Dann nahm einer der Ritter des Königs Banner aus Guthláfs, des Bannerträgers Hand, der tot dort lag, und er hielt es hoch. Langsam öffnete Théoden die Augen. Als er das Banner sah, gab er ein Zeichen, daß es Éomer gegeben werden sollte.

»Heil, König der Mark!« sagte er. »Reite nun zum Sieg! Sage Éowyn Lebewohl!« Und so starb er, und er wußte nicht, daß Éowyn dicht bei ihm lag. Und diejenigen, die in der Nähe standen, weinten und riefen: »König Théoden! König Théoden!«

Aber Éomer sagte zu ihnen:

Nicht der Klage zu viel! Groß war der Gefallene,
Seiner würdig sein Tod. Wird ihm der Hügel geschichtet,
Mögen die Frauen weinen. Uns aber ruft der Krieg!

Doch er selbst weinte, als er sprach. »Laßt seine Ritter hierbleiben«, sagte er, »und seine Leiche in Ehren vom Schlachtfeld tragen, damit die

Schlacht nicht über ihn hinwegreitet! Ja, und all die anderen, die von des Königs Mannen hier liegen.« Und er schaute auf die Erschlagenen und rief noch einmal ihre Namen. Dann plötzlich erblickte er seine Schwester Éowyn, die dalag, und er erkannte sie. Er stand einen Augenblick da wie ein Mann, dem gerade, als etwas rief, ein Pfeil das Herz durchbohrte; und dann wurde sein Gesicht totenbleich, und eine kalte Wut stieg in ihm auf, so daß ihm eine Weile die Sprache versagte. Eine Todesstimmung ergriff ihn.

»Éowyn! Éowyn!« rief er schließlich. »Éowyn, wie kommst du hierher? Was für ein Wahnsinn oder eine Teufelei ist das? Tod! Tod! Tod! Wir alle sollen eine Beute des Todes sein!«

Ohne einen Plan zu machen oder auf die Ankunft der Mannen aus der Stadt zu warten, galoppierte er schnurstracks zurück an die Spitze des großen Heeres, und er blies ein Horn und rief laut zum Angriff auf. Über das Schlachtfeld schallte seine helle Stimme: »Tod! Reitet, reitet zur Vernichtung und zum Ende der Welt!«

Und damit setzte sich das Heer in Bewegung. Aber die Rohirrim sangen nicht mehr. *Tod* schrien sie mit lauter und entsetzlicher Stimme, und immer schneller werdend wie eine große Flut fegte ihre Schlachtreihe an ihrem gefallenen König vorbei und brauste nach Süden.

Und immer noch stand Meriadoc der Hobbit und blinzelte unter Tränen, und niemand sprach mit ihm, ja, niemand schien ihn überhaupt zu beachten. Er wischte sich die Tränen ab und bückte sich, um den grünen Schild aufzuheben, den Éowyn ihm gegeben hatte, und hängte ihn sich über den Rücken. Dann schaute er sich nach seinem Schwert um, das er fallengelassen hatte; denn gerade, als er seinen Stoß führte, wurde sein Arm empfindungslos, und jetzt konnte er nur seine linke Hand gebrauchen. Und siehe! dort lag seine Waffe, aber die Klinge rauchte wie ein trockener Zweig, der ins Feuer geworfen worden war; und während er hinschaute, krümmte sie sich und schrumpfte und wurde verzehrt.

So endete das Schwert von den Hügelgräberhöhen, das Werk von Westernis. Aber froh wäre er gewesen, sein Schicksal zu kennen, er, der es vor langer Zeit in dem Nördlichen Königreich geschmiedet hatte, als die Dúnedain jung waren und ihr Hauptfeind das Schreckensreich Angmar war und dessen Hexenmeister-König. Keine andere Klinge, und wäre sie auch von mächtigeren Händen geführt worden, hätte diesem Feind eine so schmerzhafte Wunde zufügen, in sein nicht totes Fleisch eindringen und den Zauber brechen können, der seine unsichtbaren Sehnen mit seinem Willen verband.

Die Männer hoben jetzt den König auf und deckten Mäntel auf Speerstümpfe, und so machten sie es möglich, ihn zur Stadt zu tragen; und andere hoben Éowyn sanft auf und trugen sie hinter dem König her. Aber die Mannen aus des Königs Gefolge konnten sie noch nicht vom Schlachtfeld wegbringen; denn sieben der Ritter des Königs waren dort gefallen, und Déorwine, ihr Anführer, war unter ihnen. So legten sie sie abseits von ihren Feinden und dem grausamen Tier und pflanzten Speere um sie auf. Und später, als alles vorüber war, kehrten die Männer zurück und entfachten dort ein Feuer und verbrannten den Kadaver des Tiers; aber für Schneemähne gruben sie ein Grab und setzten einen Stein darauf, auf dem in den Sprachen von Gondor und der Mark eingemeißelt war:

Schneemähne, Diener in größter Bedrängnis,
Schnellen Hufs, seines Herrn Verhängnis.

Grün und lang wuchs das Gras auf Schneemähnes Hügel, aber auf immer schwarz und kahl war der Boden, wo das Tier verbrannt worden war.

Jetzt ging Merry langsam und traurig neben den Trägern her, und er achtete nicht mehr auf die Schlacht. Er war erschöpft und hatte Schmerzen, und seine Glieder zitterten, als habe er Schüttelfrost. Ein großer Regen kam vom Meer her, und es schien, daß alle Lebewesen um Théoden und Éowyn weinten und mit grauen Tränen die Brände in der Stadt löschten. Durch einen Nebel sah er plötzlich die Vorhut der Mannen von Gondor herankommen. Imrahil, der Fürst von Dol Amroth, ritt heran und zog die Zügel an.

»Welche Last tragt ihr, Männer von Rohan?« rief er.

»König Théoden«, antworteten sie. »Er ist tot. Aber König Éomer reitet jetzt in die Schlacht: der mit dem weißen Helmbusch im Wind.«

Dann saß der Fürst von seinem Pferd ab und kniete an der Bahre nieder, um den König und seinen großen Angriff zu ehren; und er weinte. Und als er aufstand, da sah er Éowyn und war erstaunt. »Das ist doch gewiß eine Frau?« fragte er. »Sind selbst die Frauen der Rohirrim in den Krieg gezogen in unserer Not?«

»Nein, nur eine«, antworteten sie. »Frau Éowyn ist es, Éomers Schwester; und bis zu dieser Stunde wußten wir nichts von ihrem Ritt und bedauern ihn sehr.«

Als der Fürst dann ihre Schönheit sah, obwohl ihr Gesicht bleich und kalt war, berührte er ihre Hand, als er sich herabbeugte, um sie genauer anzusehen. »Männer von Rohan!« rief er. »Sind keine Feldscherer unter euch? Sie ist verwundet, vielleicht auf den Tod, aber ich glaube, sie lebt noch.« Und er hielt die blankgeschliffene Armberge, die er trug, vor ihre kalten Lippen, und siehe! ein leichter Nebel, kaum zu sehen, lag auf ihr.

»Eile tut nun not«, sagte er, und er schickte einen los, der rasch zur Stadt reiten sollte, um Hilfe zu holen. Aber er verneigte sich tief vor dem Gefallenen, sagte den Rohirrim Lebewohl und ritt von dannen in die Schlacht.

Und jetzt nahm die Kampfeswut auf den Feldern des Pelennor zu; und der Waffenlärm und die Schreie der Menschen und das Wiehern der Pferde wurden lauter. Hörner wurden geblasen, und Trompeten schmetterten, und die *mûmakil* brüllten, als sie zum Krieg aufgestachelt wurden. Unter den südlichen Mauern der Stadt stürmte jetzt das Fußvolk von Gondor gegen die Scharen aus Mordor, die dort immer noch in großer Zahl standen. Aber die Reiter ritten nach Osten zur Unterstützung von Éomer: Húrin der Kühne, Verwalter der Schlüssel, und der Herr von Lossarnach, und Hirluin aus den Grünen Bergen und Fürst Imrahil der Schöne, umgeben von seinen Rittern.

Nicht zu früh kam ihre Hilfe für die Rohirrim; denn das Glück hatte sich gegen Éomer gewandt, und sein Ungestüm war ihm zum Verhängnis geworden. Die mächtige Wut seines Angriffs hatte die Schlachtreihe seiner Feinde völlig durcheinandergebracht, und große Keile seiner Reiter waren durch die Reihen der Südländer hindurchgestoßen, hatten deren Reiter zersprengt und das Fußvolk niedergeritten. Aber wo immer die *mûmakil* auftauchten, da wollten die Rösser der Rohirrim nicht hingehen, sondern scheuten und brachen aus; und die großen Ungeheuer wurden nicht angegriffen und standen da wie Verteidigungstürme, und die Haradrim scharten sich um sie. Und wenn die Rohirrim zu Beginn eine dreifache Übermacht gegen sich hatten, als sie allein den Haradrim gegenüber gestanden hatten, so wurde ihre Lage bald schlimmer; denn neue Kräfte strömten nun aus Osgiliath auf das Schlachtfeld. Dort waren sie zusammengezogen worden, um die Stadt zu plündern und Gondor zu schänden, und sie hatten auf den Ruf ihres Heerführers gewartet. Er war jetzt vernichtet, aber Gothmog, der Statthalter von Mordor, hatte sie in den Kampf geschickt; Ostlinge mit Äxten und Variags aus Khand, Südländer in Scharlachrot, und aus Weit-Harad schwarze Menschen wie halbe Trolle mit weißen Augen und roten Zungen. Einige eilten nun herbei, um den Rohirrim in den Rücken zu fallen, während andere nach

Westen zogen, um die Streitkräfte von Gondor abzuschneiden und zu verhindern, daß sie sich mit Rohan vereinten.

Gerade, als der Tag sich so gegen Gondor zu wenden begann und die Hoffnung der Mannen ins Wanken geriet, da stieg ein neuer Schrei in der Stadt auf, am Vormittag, als ein starker Wind blies und den Regen nach Norden trieb und die Sonne schien. In dieser klaren Luft erblickten die Wächter auf den Mauern in der Ferne einen neuen Schrecken, und ihre letzte Hoffnung verließ sie.

Denn hinter der Schleife bei Harlond floß der Anduin so, daß man seinen Lauf von der Stadt aus auf mehrere Meilen verfolgen konnte, und wer scharfe Augen hatte, konnte alle Schiffe sehen, die sich näherten. Und als sie dort hinschauten, schrien sie vor Entsetzen; denn schwarz gegen den glitzernden Strom erblickten sie eine Flotte, vom Winde herangetragen: Schnellsegler und vielrudrige Schiffe mit großem Tiefgang und schwarzen Segeln, die sich im Winde blähten.

»Die Corsaren von Umbar!« schrien die Männer. »Die Corsaren von Umbar! Schaut! Die Corsaren von Umbar kommen! Also ist Belfalas genommen und Ethir auch, und Lebennin ist verloren. Die Corsaren sind über uns! Das ist der letzte Schicksalsschlag!«

Und ohne daß es ihnen befohlen war, denn niemand war da, der in der Stadt Befehle gab, rannten einige zu den Glocken und läuteten Sturm; und einige bliesen die Trompeten zum Rückzug. »Zurück zu den Mauern!« schrien sie. »Zurück zu den Mauern! Kommt zurück in die Stadt, ehe wir alle überwältigt sind!« Doch der Wind, der die Schiffe vorantrieb, trug auch ihr ganzes Geschrei davon.

Die Rohirrim allerdings brauchten weder Nachrichten noch Warnung. Allzu gut sahen sie selbst die schwarzen Segel. Denn Éomer war jetzt kaum eine Meile von Harlond entfernt, und eine große Schar seiner ersten Feinde war zwischen ihm und dem Hafen, während neue Feinde von hinten heranwirbelten und ihn von dem Fürsten abschnitten. Jetzt schaute er auf den Fluß, und die Hoffnung erstarb in seinem Herzen, und den Wind, den er gepriesen hatte, verfluchte er jetzt. Aber die Heere von Mordor waren ermutigt, und voll neuer Kampfeslust und -wut kamen sie mit schrillen Schreien zum Angriff heran.

Finster war jetzt Éomers Stimmung, und sein Kopf war wieder klar. Er ließ die Hörner blasen, um alle seine Mannen, die noch hierher kommen konnten, um sein Banner zu scharen; denn er wollte einen großen Schildwall bilden und dort zu Fuß kämpfen, bis alle fielen, und er wollte auf den Feldern des Pelennor Heldentaten vollbringen, die besungen werden würden, obwohl kein Mann im Westen übrigbleiben sollte, um sich des letzten Königs der Mark zu erinnern. So ritt er auf einen grünen Hügel und pflanzte dort sein Banner auf, und das Weiße Pferd wogte leise im Wind.

Aus Zweifel und Finsternis kam ich, singend
Mit blankem Schwert in der Morgensonne.
Ich ritt, bis Hoffnung und Herz zerbrachen:
Auf nun! Dies ist der Tag des Verderbens!

Diese Verse sprach er, doch lachte er dabei. Denn wiederum war die Kampfeslust über ihn gekommen; und er war noch unverletzt, und er war jung, und er war König: Herr über ein hartes Volk. Und siehe! als er noch über die Hoffnungslosigkeit lachte, schaute er wieder nach den Schiffen, und er hob sein Schwert, um sie zum Kampf herauszufordern.

Und dann überkam ihn Staunen und eine große Freude; und er warf sein Schwert hinauf in den Sonnenschein und sang, als er es wieder auffing. Und alle Augen folgten seinem Blick, und siehe da! auf dem vordersten Schiff entfaltete sich eine große Fahne, und der Wind breitete sie aus, als das Schiff auf Harlond drehte. Dort flatterte der Weiße Turm, und das war für Gondor; aber Sieben Sterne waren über ihm, und darüber eine hohe Krone, Elendils Wahrzeichen, die seit unzähligen Jahren kein Fürst getragen hatte. Und die Sterne flammten im Sonnenlicht, denn Arwen, Elronds Tochter, hatte sie mit Edelsteinen gestickt; und die Krone strahlte im Morgenlicht, denn sie war mit Mithril und Gold gestickt.

So kam Aragorn, Arathorns Sohn, Elessar, Isildurs Erbe, von den Pfaden der Toten, und der Wind hatte ihn vom Meer zum Königreich Gondor getragen; und die Fröhlichkeit der Rohirrim war ein Sturzbach von Gelächter und ein Blitzen von Schwertern, und die Freude und das Staunen in der Stadt war eine Musik von Trompeten und läutenden Glocken. Aber die Heere von Mordor waren in Verwirrung geraten, und eine große Zauberei schien es ihnen zu sein, daß ihre eigenen Schiffe voller Feinde sein sollten; und ein schwarzes Entsetzen befiel sie, denn sie wußten, daß das Glück sich gewendet hatte und ihr Untergang nahe war.

Nach Osten ritten die Ritter von Dol Amroth und trieben den Feind vor sich her: Trollmenschen und Variags und Orks, die das Sonnenlicht haßten. Nach Süden preschte Éomer, und die Menschen flohen vor seinem Gesicht, und sie waren zwischen Hammer und Amboß. Denn jetzt sprangen Männer von den Schiffen auf die Landeplätze von Harlond und fegten wie ein Sturm nach Norden. Da kamen Legolas und Gimli, der seine Axt schwang, und Halbarad mit dem Banner, und Elladan und Elrohir mit Sternen auf der Stirn, und die harthändigen Dúnedain, Waldläufer des Nordens, und hinter ihnen kam eine große Streitmacht des Volkes von Lebennin und Lamedon und aus den Lehen des Südens. Aber allen voran ging Aragorn mit der Flamme des Westens, Andúril, wie ein neu entfachtes Feuer, Narsil, neu geschmiedet und so tödlich wie einst; und auf seiner Stirn war der Stern von Elendil.

Und so trafen sich endlich Éomer und Aragorn inmitten der Schlacht, und sie stützten sich auf ihre Schwerter und sahen einander an und waren froh.

»So treffen wir uns wieder, obwohl alle Heere von Mordor zwischen uns lagen«, sagte Aragorn. »Habe ich es nicht auf der Hornburg gesagt?«

»So sprachet Ihr«, sagte Éomer, »aber Hoffnung täuscht oft, und ich wußte damals nicht, daß Ihr ein voraussehender Mann seid. Doch doppelt beglückend ist unerwartete Hilfe, und niemals war ein Treffen von Freunden froher.« Und sie reichten einander die Hand. »Und wahrlich niemals zu einer günstigeren Zeit«, sagte Éomer. »Ihr kommt nicht zu früh, mein Freund. Viel Leid und Kummer hat uns befallen.

»Dann laßt es uns rächen, ehe wir davon sprechen«, sagte Aragorn, und zusammen ritten sie zurück zur Schlacht.

Harte Kämpfe und lange Mühen hatten sie noch; denn die Südländer waren tapfere Männer und grimmig und verbissen in ihrer Verzweiflung; und die Ostlinge waren stark und harte Krieger und baten nicht um Schonung. So sammelten sie sich immer wieder hier oder dort, an einem niedergebrannten Wohnhaus oder einer Scheune, auf einem Hügel oder einer Anhöhe, und sie scharten sich zusammen und kämpften, bis der Tag sich neigte.

Dann ging die Sonne endlich hinter dem Mindolluin unter und erfüllte den ganzen Himmel mit einem großen Brand, so daß die Berge und das Gebirge wie mit Blut getränkt waren; Feuer glühte im Fluß, und das Gras des Pelennor lag rot da in der anbrechenden Nacht. Und in dieser Stunde war die große Schlacht auf dem Feld von Gondor vorüber; und nicht ein Feind war innerhalb des Rammas am Leben geblieben. Alle wurden erschlagen außer jenen, die flohen, um zu sterben oder in den roten Fluten des Flusses zu ertrinken. Wenige kamen jemals wieder in den Osten nach Morgul oder Mordor; und in das Land der Haradrim gelangte nur eine Erzählung von weit her: ein Gerücht von dem Zorn und Schrecken von Gondor.

Aragorn und Éomer und Imrahil ritten zurück zum Tor der Stadt, und sie waren jetzt so erschöpft, daß sie nicht Freude noch Leid verspürten.

Diese drei waren unversehrt, denn so groß war ihr Glück und die Geschicklichkeit und Macht ihrer Waffen, und wenige hatten fürwahr gewagt, sich ihnen entgegenzustellen oder ihnen ins Gesicht zu sehen in der Stunde ihres Zorns. Aber viele andere waren verwundet oder verstümmelt oder lagen tot auf dem Schlachtfeld. Äxte hatten Forlong niedergestreckt, als er allein und ohne Pferd kämpfte; und Duilin von Morthond und auch sein Bruder wurden zu Tode getrampelt, als sie die *mûmakil* angriffen und ihre Bogenschützen dicht heranführten, um den Ungeheuern in die Augen zu schießen. Weder würde Hirluin der Schöne nach Pinath Gelin zurückkehren noch Grimbold nach Grimslade und auch nicht Halbarad, der harthändige Waldläufer, in die Nordlande. Nicht wenige waren gefallen, berühmte und namenlose, Hauptleute oder einfache Krieger; denn es war eine große Schlacht, und eine genaue Beschreibung von ihr hat keine Erzählung überliefert. So sagte sehr viel später ein Dichter von Rohan in seinem Lied über die Hügelgräber von Mundburg:

Wir hörten von Hörnerklang in den Bergen,
Von blinkenden Schwertern im Reiche des Südens.
Rosse trugen Reiter nach Steinenland,
Gleich Wind in der Frühe. Krieg entbrannte.
Da fiel Théoden, der mächtige Thengling
Kehrte nie zu den goldenen Hallen,
Nie zu den grünenden Weiden des Nordens
Heim, der Heerführer. Harding und Guthláf,
Dúnher und Déowin, Grimbold der kühne,
Herfara und Herubrand, Horn und Fastred
Fochten und fielen dort in der Fremde:
Liegen unter den Grabhügeln
Von Mundburg, gesellt den Edlen von Gondor.
Nicht kehrte Hirluin ans Meer zu den Hügeln,
Noch zu den blühenden Tälern jemals
Forlong der Alte nach Arnach wieder
Siegesstolz, noch die Bogenschützen
Derufin und Duilin an die dunklen Wasser,
Die Moore von Morthond im Schatten der Berge.
Morgends und abends holte der Tod sich
Herren und Knechte. Lang nun schlafen sie
Unter dem Gras in Gondor am Strome,
Dem silberglänzenden, tränengrauen.

Rot rollten damals die Wogen,
Blut färbte das Wasser am Abend;
Als Meldefeuer brannten die Berge;
Rot fiel der Tau in Rammas Edor.

SIEBTES KAPITEL

DENETHORS SCHEITERHAUFEN

Als sich der dunkle Schatten am Tor zurückzog, saß Gandalf immer noch reglos da. Aber Pippin erhob sich, als ob ein großes Gewicht von ihm genommen sei; und er stand da und hörte die Hörner, und ihm schien, daß ihm das Herz vor Freude zerspringen würde. Niemals konnte er in späteren Jahren ein Horn in der Ferne blasen hören, ohne daß ihm die Tränen in die Augen traten. Aber jetzt fiel ihm plötzlich sein Auftrag wieder ein, und er rannte los. In diesem Augenblick rührte sich Gandalf und sprach mit Schattenfell, und gerade wollte er durch das Tor reiten.

»Gandalf! Gandalf!« rief Pippin, und Schattenfell blieb stehen.

»Was machst du denn hier?« fragte Gandalf. »Ist es nicht Vorschrift in der Stadt, daß diejenigen, die das Schwarz und Silber tragen, in der Veste bleiben müssen, sofern ihr Herr ihnen nicht Erlaubnis gibt?«

»Das hat er getan«, sagte Pippin. »Er hat mich weggeschickt. Aber ich habe Angst. Etwas Schreckliches kann da oben geschehen. Der Herr ist nicht bei Sinnen, glaube ich. Ich fürchte, er wird sich töten und auch Faramir töten. Kannst du nicht etwas tun?«

Gandalf blickte durch das offenstehende Tor, und er hörte den sich schon verstärkenden Schlachtenlärm auf den Feldern. Er ballte die Fäuste. »Ich muß gehen«, sagte er. »Der Schwarze Reiter ist unterwegs, und er wird noch Unheil über uns bringen. Ich habe keine Zeit.«

»Aber Faramir!« rief Pippin. »Er ist nicht tot, und sie werden ihn lebendig verbrennen, wenn nicht irgendeiner sie aufhält.«

»Lebendig verbrennen?« fragte Gandalf. »Was für eine Geschichte ist das? Mach schnell!«

»Denethor ist zu den Grüften gegangen«, sagte Pippin, »und er hat Faramir mitgenommen, und er sagt, wir müssen alle brennen, und er wolle nicht warten, und sie sollen einen Scheiterhaufen machen und ihn darauf verbrennen, und Faramir auch. Und er hat Männer ausgeschickt, um Holz und Öl zu holen. Und ich habe es Beregond erzählt, aber ich fürchte, er wagt nicht, seinen Posten zu verlassen: er ist auf Wache. Und was könnte er überhaupt tun?« So sprudelte Pippin seine Geschichte hervor, und er berührte Gandalfs Knie mit zitternden Händen. »Kannst du Faramir nicht retten?«

»Das kann ich vielleicht«, sagte Gandalf, »aber wenn ich es tue, werden andere sterben, fürchte ich. Nun, ich muß hingehen, wenn keine andere Hilfe kommt. Aber Unheil und Kummer wird daraus entstehen. Selbst mitten in unserer Festung besitzt der Feind die Macht, uns zu schlagen: denn sein Wille ist hier am Werk.«

Nachdem er sich einmal entschlossen hatte, handelte er dann schnell; er packte Pippin, setzte ihn vor sich und wendete Schattenfell mit einem Wort. Die steilen Straßen von Minas Tirith klapperten sie hinauf, während der Kriegslärm hinter ihnen anschwoll. Überall schüttelten die Männer ihre Verzweiflung und Angst ab, griffen zu den Waffen und riefen einander zu: »Rohan ist gekommen!« Hauptleute schrien, Scharen wurden aufgestellt; viele marschierten schon hinunter zum Tor.

Sie begegneten dem Fürsten Imrahil, und er rief ihnen zu: »Wohin nun, Mithrandir? Die Rohirrim kämpfen auf den Feldern von Gondor! Wir müssen alle Streitkräfte sammeln, die wir finden können.«

»Ihr werdet jeden Mann brauchen, und noch mehr«, sagte Gandalf. »Eilt Euch. Ich werde kommen, wenn ich kann. Aber ich habe etwas bei Herrn Denethor zu erledigen, das keinen Aufschub duldet. Übernehmt den Befehl in der Abwesenheit des Herrn!«

Sie ritten weiter; und als sie höher kamen und sich der Veste näherten, spürten sie den Wind auf ihren Gesichtern, und sie erblickten den Schimmer des Morgens in weiter Ferne, eine zunehmende Helligkeit am südlichen Himmel. Aber sie brachte ihnen wenig Hoffnung, denn sie wußten nicht, welches Unheil sie erwartete, und sie fürchteten zu spät zu kommen.

»Die Dunkelheit vergeht«, sagte Gandalf, »aber noch lastet sie schwer auf dieser Stadt.«

Am Tor der Veste fanden sie keine Wache. »Dann ist Beregond gegangen«, sagte Pippin hoffnungsvoller. Sie bogen in die Straße zur Geschlossenen Tür ein und eilten voran. Die Tür stand weit offen, und vor ihr lag der Pförtner. Er war erschlagen, und der Schlüssel war ihm abgenommen worden.

»Werk des Feindes!« sagte Gandalf. »Solche Taten liebt er: der Freund kämpft mit dem Freund; Zwiespalt der Treue in der Verwirrung der Herzen.« Nun saß er ab und bat Schattenfell, in seinen Stall zurückzukehren. »Denn, mein Freund,« sagte er, »du und ich hätten schon lange auf das Schlachtfeld reiten sollen, aber andere Dinge halten mich auf. Doch komm schnell, wenn ich rufe.«

Sie durchschritten die Tür und gingen die steile, gewundene Straße hinunter. Es wurde heller, und die hohen Säulen und Standbilder neben dem Weg zogen langsam vorüber wie graue Gespenster.

Plötzlich wurde die Stille unterbrochen, und sie hörten unten Schreie und das Klirren von Schwertern: solche Geräusche waren an den Weihestätten nicht vernommen worden, seit die Stadt erbaut wurde. Schließlich kamen sie nach Rath Dínen und eilten zum Haus der Truchsessen, das im Zwielicht unter seiner großen Kuppel aufragte.

»Haltet ein! Haltet ein!« rief Gandalf und sprang auf die Steintreppe vor der Tür. »Haltet ein mit diesem Wahnsinn!«

Denn da waren Denethors Diener mit Schwertern und Fackeln in der Hand; doch allein unter dem Vorbau auf der obersten Stufe stand Beregond, gekleidet in das Schwarz und Silber der Wache; er behauptete die Tür gegen sie. Zwei von ihnen waren schon unter seinem Schwert gefallen und befleckten die Weihestätten mit ihrem Blut; und die anderen verfluchten ihn und nannten ihn einen Gesetzesbrecher und Verräter an seinem Herrn.

Während Gandalf und Pippin noch zu ihnen rannten, hörten sie aus dem Haus der Toten Denethors Stimme, die rief: »Eilt euch! Eilt euch! Tut, was ich befohlen habe. Erschlagt mir diesen Abtrünnigen! Oder ich muß es selbst tun!« Daraufhin wurde die Tür, die Beregond mit der linken Hand zugehalten hatte, aufgerissen, und hinter ihm stand der Herr der Stadt, kühn und grimmig; flammend funkelten seine Augen, und er hatte sein Schwert gezogen.

Doch Gandalf sprang die Stufen hinauf, und die Männer wichen vor ihm zurück und bedeckten die Augen; denn sein Kommen war, wie wenn weißes Licht auf eine dunkle Stelle fällt, und er kam voller Zorn. Er hob die Hand, und Denethors Schwert flog mitten im Hieb hoch, entglitt seiner Hand und fiel hinter ihm in die Schatten des Hauses; und Denethor trat vor Gandalf zurück wie einer, der bestürzt ist.

»Was soll das, Herr?« fragte der Zauberer. »Die Häuser der Toten sind kein Ort für die Lebenden. Und warum kämpfen Männer hier an den Weihestätten, wenn vor dem Tor Krieg geführt wird? Oder ist unser Feind sogar nach Rath Dínen gekommen?«

»Seit wann ist der Herr von Gondor dir Rechenschaft schuldig?« sagte Denethor. »Oder darf ich meinen eigenen Dienern keine Befehle geben?«

»Das dürft Ihr«, sagte Gandalf. »Doch andere können sich Eurem Willen widersetzen, wenn er sich als Wahnsinn und Unheil erweist. Wo ist Euer Sohn Faramir?«

»Er liegt drinnen«, sagte Denethor. »Er brennt, er brennt schon. Sie haben sein Fleisch in Brand gesteckt. Aber bald werden wir alle verbrannt werden. Der Westen hat versagt. Er wird in einem großen Feuer aufgehen, und alles wird ein Ende nehmen. Asche! Asche und Rauch, den der Wind davontreibt!«

Als Gandalf den Wahnsinn sah, der ihn befallen hatte, fürchtete er, Denethor habe bereits irgendein Unheil angerichtet, und er drängte sich vor, Beregond und Pippin hinter ihm, während Denethor zurückwich, bis er drinnen neben dem Tisch stand. Aber dort fanden sie Faramir, immer noch in Fieberträumen, auf dem Tisch liegend. Holz war unter ihm und ringsum hoch aufgeschichtet, und alles war mit Öl getränkt, selbst Faramirs Kleider und die Decken; doch bis jetzt war noch kein Feuer gelegt. Dann ließ Gandalf die Kraft erkennen, die verborgen in ihm lag, ebenso wie das Leuchten seiner Macht unter seinem grauen Mantel verborgen war. Er sprang auf den Scheiterhaufen zu, hob den kranken Mann leicht auf und sprang wieder zurück und trug ihn zur Tür. Doch als er das tat, stöhnte Faramir und rief im Traum nach seinem Vater.

Denethor fuhr zusammen wie einer, der aus einem Zustand der Verzükkung wieder zu sich kommt, das Funkeln seiner Augen erlosch, und er weinte; und er sagte: »Nimm meinen Sohn nicht von mir. Er ruft mich.«

»Er ruft«, sagte Gandalf, »aber Ihr könnt noch nicht zu ihm kommen. Denn an der Schwelle des Todes muß er Heilung suchen, und vielleicht findet er sie nicht. Dagegen ist es Eure Aufgabe, hinauszugehen zum Kampf Eurer Stadt, wo Euch vielleicht der Tod erwartet. Das wißt Ihr im Grunde Eures Herzens.«

»Er wird nicht wieder aufwachen«, sagte Denethor. »Die Schlacht ist vergebens. Warum sollten wir uns wünschen, länger zu leben? Warum sollten wir nicht Seite an Seite in den Tod gehen?«

»Ihr seid nicht befugt, Truchseß von Gondor, die Stunde Eures Todes zu bestimmen«, antwortete Gandalf. »Und nur die götzendienerischen Könige unter der Herrschaft der Dunklen Macht verfuhren so, töteten sich selbst in Stolz und Verzweiflung, ermordeten ihre Sippe, um ihren eigenen Tod zu erleichtern.« Dann schritt er durch die Tür und brachte Faramir aus dem Todeshaus heraus und legte ihn auf die Bahre, auf der er hergetragen worden war und die jetzt unter dem Vorbau stand. Denethor folgte ihm, stand zitternd da und schaute sehnsüchtig auf das Gesicht seines Sohnes. Und einen Augenblick lang, während alle still und stumm waren und den Herrn in seinem Kampf beobachteten, schwankte er.

»Kommt!« sagte Gandalf. »Wir werden gebraucht. Es gibt vieles, was Ihr noch tun könnt.«

Da lachte Denethor plötzlich. Er stand wieder hochaufgerichtet und stolz da, trat rasch zu dem Tisch zurück und nahm ein Kissen hoch, auf dem sein Kopf geruht hatte. Als er dann zur Tür kam, zog er den Kissenbezug beiseite, und siehe! er hielt einen *palantír* in den Händen. Und wie er ihn hochhielt, schien es jenen, die zuschauten, daß die Kugel von einer inneren Flamme erglühte, so daß das hagere Gesicht des Herrn wie von einem roten Feuer beleuchtet war, und es schien aus hartem Stein geschnitten zu sein, scharf mit schwarzen Schatten, edel, stolz und entsetzlich. Seine Augen funkelten.

»Stolz und Verzweiflung!« rief er. »Glaubtest du, daß die Augen des Weißen Turms blind seien? Nein, ich habe mehr gesehen, als du weißt, Grauer Narr. Denn deine Hoffnung ist nur Unwissenheit. Gehe denn und bemühe dich zu heilen! Gehe hinaus und kämpfe! Eitel ist es! Für eine kleine Weile magst du auf dem Schlachtfeld siegen, für einen Tag. Aber gegen die Macht, die sich jetzt erhebt, gibt es keinen Sieg. Gegen diese Stadt ist nur der erste Finger seiner Hand ausgestreckt worden. Der ganze Osten ist in Bewegung. Und eben jetzt trügt dich der Wind deiner Hoffnung und trägt auf dem Anduin eine Flotte mit schwarzen Segeln heran. Der Westen hat versagt. Es ist Zeit für uns alle zu sterben, die wir nicht Hörige sein wollen.«

»Solche Entschlüsse werden den Sieg des Feindes fürwahr gewiß machen«, sagte Gandalf.

»Hoffe denn weiter!« lachte Denethor. »Kenne ich dich nicht, Mithrandir? Deine Hoffnung ist es, an meiner Statt zu herrschen, hinter jedem Thron zu stehen, im Norden, Süden oder Westen. Ich habe in deiner Seele gelesen und ihre Gedanken erraten. Weiß ich denn nicht, daß du diesem Halbling befohlen hast, Schweigen zu bewahren? Daß du ihn hierher gebracht hast, damit er sogar in meinem eigenen Gemach ein Späher sei? Und dennoch habe ich bei unseren Gesprächen die Namen und Absichten all deiner Gefährten erfahren. So! Mit der linken Hand wolltest du mich für eine kleine Weile als Schild gegen Mordor benutzen, und mit der rechten diesen Waldläufer aus dem Norden heranbringen, auf daß er mich verdränge.

Aber das sage ich dir, Gandalf Mithrandir, ich will nicht dein Werkzeug sein! Ich bin Truchseß aus dem Hause Anárions. Ich will mich nicht erniedrigen und der schwachsinnige Kämmerer eines Emporkömmlings sein. Selbst wenn mir sein Anspruch bewiesen würde, so stammt er dennoch nur aus Isildurs Geschlecht. Ich will mich nicht einem solchen beugen, dem letzten aus einem zerlumpten Hause, seit langem der Herrschaft und Würde beraubt.«

»Aber was würdet Ihr Euch denn wünschen«, fragte Gandalf, »wenn es nach Eurem Willen ginge?«

»Ich möchte, daß die Dinge so bleiben, wie sie zeit meines Lebens waren«, antwortete Denethor, »und in den Tagen meiner Ahnen vor mir: in Frieden der Herr dieser Stadt zu sein und nach mir meinen Herrschersitz einem Sohn zu hinterlassen, der sein eigener Herr wäre und kein Zauberlehrling. Doch wenn das Schicksal mir das verweigert, dann will ich *nichts* haben: weder ein erniedrigtes Leben noch geteilte Liebe oder verminderte Ehre.«

»Mir würde es nicht als eine Verminderung an Liebe oder Ehre erscheinen, wenn ein Truchseß das seiner Obhut Anvertraute zurückgibt«, sagte Gandalf. »Und zumindest solltet Ihr Euren Sohn nicht der Möglichkeit berauben, selbst eine Wahl zu treffen, solange sein Tod noch ungewiß ist.«

Bei diesen Worten flammten Denethors Augen wieder, und er klemmte sich den Stein unter den Arm, zog einen Dolch und ging auf die Bahre zu. Aber Beregond sprang herbei und stellte sich vor Faramir.

»So!« schrie Denethor. »Du hast schon die Hälfte der Liebe meines Sohnes gestohlen. Jetzt stiehlst du mir auch die Herzen meiner Ritter, so daß sie mich zuletzt völlig meines Sohnes berauben. Aber zumindest dabei sollst du dich meinem Willen nicht widersetzen: mein eigenes Ende zu bestimmen.«

»Kommt her!« rief er seinen Dienern zu. »Kommt, wenn ihr nicht alle treulos seid!« Da liefen zwei von ihnen die Stufen zu ihm hinauf. Rasch ergriff er die Fackel, die einer von ihnen in der Hand hatte, und stürzte zurück ins Haus. Ehe Gandalf ihn hindern konnte, warf er sie auf den Holzstoß, und im Nu prasselte er und stand in Flammen.

Dann sprang Denethor auf den Tisch, und als er dort von Feuer und Rauch umringt stand, nahm er den Stab seines Truchseßamtes auf, der zu seinen Füßen gelegen hatte, und zerbrach ihn auf seinem Knie. Er warf die Stücke in die Flammen, bückte sich und legte sich auf dem Tisch nieder, und mit beiden Händen hielt er den *palantír* auf der Brust. Und es hieß, daß jeder Mensch, der später in diesen Stein blickte, wenn er nicht eine große Willensstärke besaß, um ihn auf ein anderes Ziel zu richten, nur zwei gealterte Hände sah, die sich in Flammen verzehrten.

Mit Schmerz und Entsetzen wandte Gandalf sein Gesicht ab und schloß die Tür. Eine Weile stand er sinnend und schweigend auf der Schwelle, während jene, die draußen standen, hörten, wie das Feuer drinnen gierig wütete. Und dann stieß Denethor einen lauten Schrei aus, und danach sprach er nicht mehr und wurde niemals wieder von Sterblichen gesehen.

»So geht Denethor, Ecthelions Sohn, dahin«, sagte Gandalf. Dann wandte er sich an Beregond und die Diener des Herrn, die erschrocken dastanden. »Und so gehen auch die Tage des Gondors, das ihr gekannt habt, dahin; auf Gedeih und Verderb sind sie zu Ende. Böse Taten sind hier vollbracht worden; aber laßt nun alle Feindschaft, die zwischen euch liegt, beiseite, denn sie war das Werk des Feindes und vollstreckt seinen Willen. Ihr seid in einem Netz widerstreitender Pflichten gefangen worden, das ihr nicht geknüpft habt. Doch denkt daran, ihr Diener des Herrn, die ihr in eurem Gehorsam blind wart, daß ohne Beregonds Treubruch auch Faramir, Heermeister des Weißen Turms, jetzt verbrannt wäre.

Tragt von diesem unseligen Ort eure Gefährten fort, die gefallen sind. Und wir werden Faramir, Truchseß von Gondor, an einen Ort bringen, an dem er in Frieden schlafen oder sterben kann, wenn das sein Schicksal ist.«

Dann nahmen Gandalf und Beregond die Bahre auf und trugen sie zu den Häusern der Heilung, während Pippin mit gesenktem Kopf hinter ihnen ging. Doch die Diener des Herrn starrten niedergeschlagen auf das Haus der Toten; und gerade als Gandalf das Ende von Rath Dínen erreicht hatte, gab es ein großes Getöse. Als er sich umschaute, sah er, daß die Kuppel des Hauses barst und Rauch aus ihr aufstieg; und dann stürzte sie krachend und unter Steingepolter und stiebenden Funken ein; aber unvermindert tanzten und flackerten die Flammen noch in den Trümmern. Da flohen die Diener voll Schrecken und folgten Gandalf.

Endlich kamen sie zurück zur Tür des Truchsessen, und voll Schmerz schaute Beregond auf den Pförtner. »Diese Tat werde ich immer bereuen«, sagte er. »Aber ich war rasend in meiner Hast, und er wollte nicht hören, sondern zog das Schwert gegen mich.« Dann nahm er den Schlüssel, den er der Hand des Erschlagenen entrissen hatte, und verschloß die Tür. »Er sollte jetzt dem Herrn Faramir gegeben werden«, sagte er.

»Der Fürst von Dol Amroth hat in der Abwesenheit des Herrn den Befehl übernommen«, sagte Gandalf. »Aber da er nicht hier ist, muß ich darüber entscheiden. Ich bitte Euch, den Schlüssel zu behalten und aufzubewahren, bis in der Stadt wieder Ordnung eingekehrt ist.«

Nun endlich kamen sie in die oberen Ringe der Stadt, und im Morgenlicht setzten sie ihren Weg zu den Häusern der Heilung fort; und das waren schöne Häuser, die etwas abseits lagen, um Schwerkranke zu heilen, doch jetzt waren sie dafür eingerichtet worden, die im Kampf verwundeten Männer oder Sterbenden zu pflegen. Sie standen nicht weit vom Tor der Veste, im sechsten Ring, nahe an der Südmauer, und über ihnen lag ein Garten und eine Rasenfläche mit Bäumen, der einzige Ort dieser Art in der Stadt. Dort wohnten einige Frauen, denen erlaubt worden war, in Minas Tirith zu bleiben, da sie erfahren waren im Heilen oder im Dienst für die Heiler.

Doch gerade, als Gandalf und seine Begleiter mit der Bahre am Haupteingang der Häuser ankamen, hörten sie einen lauten Schrei, der vom Schlachtfeld vor dem Tor kam und schrill und durchdringend zum Himmel aufstieg und vom Wind davongetragen wurde. So entsetzlich war der Schrei, daß einen Augenblick lang alle stillstanden, und als er verhallt war, waren dennoch alle Herzen plötzlich von einer Hoffnung erfüllt, wie sie sie nicht gekannt hatten, seit die Dunkelheit aus dem Osten gekommen war; und es schien ihnen, daß das Licht hell wurde und die Sonne durch die Wolken brach.

Aber Gandalfs Gesicht war ernst und traurig; er bat Beregond und Pippin, Faramir in die Häuser der Heilung zu bringen, und er ging weiter hinauf zu den Wällen; und dort stand er wie eine in Weiß gemeißelte Gestalt in der neuen Sonne und schaute hinaus. Und mit der Sehkraft, die ihm gegeben war, erblickte er alles, was geschehen war; und als Éomer von der Spitze seiner Schlachtreihe heranritt und neben denen stand, die auf dem Feld lagen, da seufzte er, und er zog seinen Mantel wieder um sich und schritt hinab von den Wällen. Und Beregond und Pippin fanden ihn, in Gedanken versunken, vor der Tür der Häuser stehen, als sie herauskamen.

Sie schauten ihn an, und eine Weile schwieg er. Schließlich sprach er. »Meine Freunde«, sagte er, »und ihr alle, Volk dieser Stadt und der westlichen Lande! Betrübende und ruhmreiche Dinge sind geschehen. Sollen wir weinen oder froh sein? Entgegen aller Hoffnung ist der Heerführer unserer Feinde vernichtet worden, und den Widerhall seiner letzten Verzweiflung habt ihr gehört. Aber er ging nicht von dannen, ohne Leid und bitteren Verlust zu hinterlassen. Und das hätte ich abwenden können, wäre Denethors Wahnsinn nicht gewesen. So weit hat sich der Einfluß unseres Feindes ausgedehnt. Aber jetzt erkenne ich leider, wie sein Wille bis ins Herz der Stadt einzudringen vermochte.

Obwohl die Truchsessen glaubten, es sei ein nur ihnen bekanntes Geheimnis, habe ich lange gewußt, daß hier im Weißen Turm ebenso wie in dem von Orthanc einer der Sieben Steine aufbewahrt wurde. In den Tagen seiner Weisheit wagte Denethor nicht, ihn zu gebrauchen oder Sauron herauszufordern, denn er kannte die Grenzen seiner eigenen Kraft. Aber seine Weisheit schwand; und ich fürchte, als die Gefahr für sein Reich wuchs, blickte er in den Stein und wurde getäuscht: mehr als einmal, nehme ich an, seit Boromir starb. Er war zu groß, um von dem Willen der Dunklen Macht unterworfen zu werden, indes sah er nur die Dinge, die jene Macht ihm zu sehen erlaubte. Das Wissen, das er erlangte, war ihm zweifellos oft dienlich; doch das Bild von der großen Macht von Mordor, das ihm gezeigt wurde, nährte die Verzweiflung in seinem Herzen, bis sie sein Gemüt zerrüttete.«

»Jetzt verstehe ich, was mir so seltsam erschienen war«, sagte Pippin, und es schauderte ihm noch bei der Erinnerung, als er davon sprach. »Der Herr ging hinaus aus dem Zimmer, in dem Faramir lag; und als er zurückkehrte, fand ich ihn zum ersten Mal verändert, alt und gebrochen.«

»In eben der Stunde, da Faramir in den Turm gebracht wurde, sahen viele von uns ein seltsames Licht in dem obersten Gemach«, sagte Beregond. »Aber wir hatten dieses Licht schon früher gesehen, und seit langem ging das Gerücht in der Stadt, daß der Herr dann und wann in Gedanken mit seinem Feind ringe.«

»Wehe, dann habe ich richtig vermutet«, sagte Gandalf. »So ist Saurons Willen in Minas Tirith eingedrungen; und so bin ich hier aufgehalten worden. Und hier werde ich noch immer bleiben müssen, denn bald werde ich noch andere Aufgaben haben, nicht nur Faramir.

Jetzt muß ich hinunter und jenen entgegengehen, die kommen. Ich habe auf dem Schlachtfeld etwas gesehen, das meinem Herzen sehr schmerzlich war, und größeres Leid mag noch geschehen. Komm mit mir, Pippin! Aber Ihr, Beregond, solltet in die Veste zurückgehen und dem Führer der Wache dort sagen, was sich ereignet hat. Es wird seine Pflicht sein, fürchte ich, Euch aus der Wache zu entfernen; doch sagt ihm, wenn ich ihm einen Rat geben darf, dann solltet Ihr in die Häuser der Heilung geschickt werden, um der Wächter und Diener Eures Heermeisters zu sein, wenn er erwacht — wenn das je wieder sein wird. Denn durch Euch wurde er vor dem Feuer gerettet. Geht nun! Ich komme bald zurück.«

Nach diesen Worten ging er mit Pippin hinab zur unteren Stadt. Und gerade als sie sich eiligst auf den Weg machten, brachte der Wind einen grauen Regen, und alle Brände erloschen, und ein großer Rauch stieg vor ihnen auf.

ACHTES KAPITEL

DIE HÄUSER DER HEILUNG

Ein Nebel war vor Merrys Augen vor Tränen und Müdigkeit, als sie sich dem zerstörten Tor von Minas Tirith näherten. Er achtete wenig der Verheerungen und des Gemetzels ringsum. Feuer und Rauch und Gestank hingen in der Luft; denn viele Belagerungsmaschinen waren verbrannt oder in die Feuergräben geworfen worden, und auch viele der Erschlagenen, während hier und dort die Kadaver der großen Südland-Ungeheuer lagen, halbverbrannt oder durch Steinwürfe getötet oder durch die Augen geschossen von den tapferen Bogenschützen von Morthond. Der flüchtige Regen hatte eine Zeitlang aufgehört, und hoch oben schimmerte die Sonne; doch die ganze untere Stadt war in schwelenden Qualm gehüllt.

Schon waren Männer an der Arbeit, um einen Weg durch das Trümmerfeld der Schlacht zu bahnen; und jetzt kamen aus dem Tor einige Leute, die Bahren trugen. Behutsam legten sie Éowyn auf weiche Kissen; aber des Königs Leiche bedeckten sie mit einem großen Tuch aus Gold, und sie trugen Fackeln rings um ihn, und ihre Flammen, bleich im Sonnenlicht, flackerten im Wind.

So kamen Théoden und Éowyn in die Stadt von Gondor, und alle, die sie sahen, entblößten das Haupt und verneigten sich; und sie kamen durch die Asche und den Rauch des niedergebrannten Ringes und gingen weiter und hinauf auf den Straßen aus Stein. Merry kam der Aufstieg endlos vor, ein sinnloser Weg in einem abscheulichen Traum, weiter und weiter gehen zu irgendeinem düsteren Ende, das das Erinnerungsvermögen nicht fassen kann.

Langsam flackerten die Lichter der Fackeln vor ihm und erloschen, und er ging in Dunkelheit weiter und dachte: »Das ist ein unterirdischer Gang, der in eine Gruft führt; dort werden wir für immer bleiben.« Doch plötzlich tauchte in seinem Traum eine lebendige Stimme auf.

»Na, Merry, welch Glück, daß ich dich gefunden habe!«

Er schaute auf, und der Nebel vor seinen Augen hob sich ein wenig. Da war Pippin! Sie standen einander gegenüber in einer schmalen Gasse, und niemand außer ihnen war da. Er rieb sich die Augen.

»Wo ist der König?« fragte er. »Und Éowyn?« Dann strauchelte er und setzte sich auf eine Türschwelle und begann wieder zu weinen.

»Sie sind hinaufgebracht worden in die Veste«, sagte Pippin. »Ich glaube, du mußt beim Laufen eingeschlafen und in die falsche Straße eingebogen sein. Als wir merkten, daß du nicht bei ihnen warst, hat Gandalf mich ausgeschickt, um dich zu suchen. Armer Merry! Wie froh bin ich, dich wiederzusehen! Aber du bist erschöpft, und ich will dich nicht mit Reden quälen. Aber sage mir, bist du verletzt oder verwundet?«

»Nein«, sagte Merry. »Nein, ich glaube nicht. Aber ich kann meinen rechten Arm nicht gebrauchen, Pippin, seit ich meinen Hieb gegen ihn führte. Und mein Schwert ist völlig verbrannt wie ein Stück Holz.«

Pippins Gesicht war besorgt. »Na, am besten kommst du so schnell mit mir, wie du nur kannst«, sagte er. »Ich wünschte, ich könnte dich tragen. Du bist nicht imstande, weiterzulaufen. Sie hätten dich überhaupt nicht laufen lassen sollen; aber du mußt ihnen verzeihen. So viele entsetzliche Dinge sind in der Stadt geschehen, Merry, daß ein armer Hobbit, der von der Schlacht kommt, leicht übersehen wird.«

»Es ist nicht immer ein Unglück, übersehen zu werden«, sagte Merry. »Gerade eben bin ich übersehen worden von – nein, nein, ich kann nicht darüber sprechen. Hilf mir, Pippin. Es wird wieder alles dunkel, und mein Arm ist so kalt.«

»Stütze dich auf mich Merry, mein Junge«, sagte Pippin. »Komm nun! Ein Fuß nach dem anderen. Es ist nicht weit.«

»Wirst du mich beerdigen?« fragte Merry.

»Nein, wirklich nicht!« sagte Pippin und versuchte, fröhlich zu klingen, obwohl ihm das Herz schwer war vor Angst und Mitleid. »Nein, wir gehen zu den Häusern der Heilung.«

Sie kamen aus der Gasse heraus, die zwischen hohen Häusern und der Außenmauer des vierten Ringes verlief, und gelangten wieder auf die Hauptstraße, die zur Veste hinaufführte. Schritt um Schritt gingen sie, während Merry schwankte und wie im Schlaf murmelte.

»Ich werde ihn nie dort hinbringen«, dachte Pippin. »Ist denn niemand da, der mir hilft? Ich kann ihn doch nicht hier liegen lassen.« Gerade da kam zu seiner Überraschung ein Junge hinter ihnen hergelaufen, und als er vorbeirannte, erkannte er Bergil, Beregonds Sohn.

»Hallo, Bergil!« rief er. »Wo gehst du hin? Ich freue mich, dich wiederzusehen und noch am Leben.«

»Ich mache Botengänge für die Heiler«, sagte Bergil. »Ich kann nicht bleiben.«

»Sollst du auch nicht«, sagte Pippin. »Aber sage oben Bescheid, daß ich hier einen kranken Hobbit habe, einen *perian*, verstehst du, der vom

Schlachtfeld gekommen ist. Ich glaube nicht, daß er so weit laufen kann. Wenn Mithrandir da ist, wird er froh sein über die Nachricht.« Bergil rannte weiter.

»Ich werde lieber hier warten«, dachte Pippin. So ließ er Merry sanft auf das Pflaster gleiten, an einer Stelle, die von der Sonne beschienen war, dann setzte er sich neben ihn und legte Merrys Kopf auf seinen Schoß. Er tastete vorsichtig seinen Rumpf und die Glieder ab und nahm seines Freundes Hände in seine. Die rechte Hand fühlte sich eiskalt an.

Es dauerte nicht lange, da kam Gandalf selbst, um sie zu holen. Er beugte sich über Merry und strich ihm liebevoll über die Stirn; dann hob er ihn behutsam auf. »Er hätte mit allen Ehren in diese Stadt getragen werden sollen«, sagte er. »Er hat mein Vertrauen voll gerechtfertigt; denn hätte Elrond mir nicht nachgegeben, wäret ihr beide nicht mitgekommen; und dann wäre das Unheil dieses Tages noch viel schmerzlicher gewesen.« Er seufzte. »Und dennoch ist hier wieder eine neue Verantwortung in meine Hände gelegt, während die Schlacht die ganze Zeit in der Schwebe hängt.«

So wurden Faramir und Éowyn und Meriadoc schließlich in den Häusern der Heilung zu Bett gebracht; und sie wurden dort gut gepflegt. Denn obwohl alles Wissen in diesen späteren Tagen nicht mehr die Fülle von einst erreichte, war die Heilkunst in Gondor gelehrt und erfahren in der Behandlung von Wunden und Verletzungen und aller Krankheiten, denen sterbliche Menschen östlich des Meers unterworfen waren. Nur das Alter ausgenommen. Denn dagegen hatten sie kein Heilmittel; und die Spanne ihres Lebens war jetzt verkürzt auf nicht viel mehr als diejenige anderer Menschen, und die Zahl derer unter ihnen, die in voller Kraft die Hundert überschritten, war klein geworden, außer in manchen Geschlechtern von reinerem Blut. Doch nun versagten ihre Kunst und ihr Wissen; denn viele lagen an einer Krankheit darnieder, die nicht geheilt werden konnte; und sie nannten sie den Schwarzen Schatten, denn sie kam von den Nazgûl. Und diejenigen, die von ihr befallen wurden, versanken in einen immer tieferen Traum, und dann wurden sie still und tödlich kalt und starben. Und es schien den Krankenpflegern, daß auf dem Halbling und der Herrin von Rohan diese Krankheit schwer lastete. Immerhin sprachen sie, als der Morgen verging, noch dann und wann und murmelten in ihren Träumen; und die Wärter lauschten auf alles, was sie sagten, denn sie hofften, vielleicht etwas zu erfahren, das ihnen helfen würde, ihre Verletzungen zu verstehen. Aber bald begannen sie, ins Dunkel zu versinken, und als die Sonne sich nach Westen wandte, kroch ein grauer

Schatten über ihre Gesichter. Doch Faramir glühte in einem Fieber, das nicht nachlassen wollte.

Voller Sorge ging Gandalf von einem zum anderen, und ihm wurde alles berichtet, was die Wärter hatten hören können. Und so zog sich der Tag dahin, während draußen die große Schlacht tobte mit wechselnden Hoffnungen und seltsamen Botschaften. Und immer noch wartete Gandalf und beobachtete und ging nicht hinaus; bis schließlich der rote Sonnenuntergang den ganzen Himmel erfüllte und durch das Fenster das Licht auf die grauen Gesichter der Kranken fiel. Da schien es jenen, die dabeistanden, daß sich in dem Leuchten die Gesichter leicht röteten, als ob die Gesundheit zurückkehre, aber es war nur ein Blendwerk der Hoffnung.

Da sah ein altes Weib, Ioreth, die älteste der Frauen, die in dem Hause diente, auf Faramirs schönes Gesicht, und sie weinte, denn alles Volk liebte ihn. Und sie sagte: »Wehe, wenn er sterben sollte. Ich wünschte, es gäbe Könige in Gondor, wie es sie einstmals gegeben haben soll. Denn es heißt in alten Schriften: *Die Hände des Königs sind Hände eines Heilers.* Und so konnte der rechtmäßige König immer erkannt werden.«

Und Gandalf, der dabeistand, sagte: »Lange mögen sich die Menschen Eurer Worte erinnern, Ioreth! Denn es liegt Hoffnung in ihnen. Vielleicht ist wirklich ein König nach Gondor zurückgekehrt; oder habt Ihr die seltsamen Botschaften nicht gehört, die in die Stadt gelangt sind?«

»Ich war zu beschäftigt mit diesem und jenem, um auf all das Rufen und Schreien zu achten«, antwortete sie. »Ich hoffe nur, daß die mörderischen Teufel nicht in dieses Haus kommen und die Kranken stören.«

Dann ging Gandalf in aller Eile hinaus, und schon erlosch das Feuer am Himmel, und die schwelenden Berge verblaßten, während der aschgraue Abend über die Felder kroch.

Nun, da die Sonne unterging, zogen Aragorn und Éomer und Imrahil mit ihren Hauptleuten und Rittern zur Stadt, und als sie vor das Tor kamen, sagte Aragorn:

»Schaut, die Sonne geht in einem großen Brand unter. Es ist ein Zeichen für das Ende und den Niedergang vieler Dinge, und für einen Wandel im Lauf der Welt. Doch diese Stadt und dieses Reich sind seit vielen langen Jahren in der Obhut der Truchsessen gewesen, und ich fürchte, wenn ich ungebeten komme, könnten Zweifel und Hader entstehen, und das sollte nicht geschehen, solange dieser Krieg ausgefochten wird. Ich werde die Stadt nicht betreten oder irgendeinen Anspruch erheben, ehe sich ersehen läßt, wer die Oberhand behält, wir oder Mordor. Die Leute sollen meine Zelte auf dem Schlachtfeld aufschlagen, und hier will ich warten, bis der Herr der Stadt mich willkommen heißt.«

Aber Éomer sagte: »Schon habt Ihr die Fahne des Königs aufgezogen und die Wahrzeichen von Elendils Haus gezeigt. Wollt Ihr zulassen, daß sie in Zweifel gezogen werden?«

»Nein«, sagte Aragorn. »Aber ich halte die Zeit noch nicht für reif; und mir steht der Sinn nicht nach Kampf, außer mit unserem Feind und seinen Dienern.«

Und Fürst Imrahil sagte: »Eure Worte, Herr, sind weise, wenn einer, der ein Verwandter des Herrn Denethor ist, Euch in dieser Frage einen Rat geben darf. Er ist von großer Willenskraft und Stolz, aber alt; und seine Stimmung war seltsam, seit sein Sohn niedergestreckt wurde. Dennoch möchte ich nicht, daß Ihr wie ein Bettler an der Tür bleibt.«

»Nicht wie ein Bettler«, antwortete Aragorn. »Sagen wir, wie ein Hauptmann der Waldläufer, die an Städte und Steinhäuser nicht gewöhnt sind.« Und er gab Befehl, seine Fahne aufzurollen; er legte den Stern des Nördlichen Königreichs ab und gab ihn Elronds Söhnen in Verwahrung.

Dann verließen ihn Fürst Imrahil und Éomer von Rohan und gingen durch die Stadt und die Volksmenge und stiegen zur Veste hinauf; und dort kamen sie zu der Halle des Turms und suchten den Truchseß. Aber sie fanden seinen Sessel leer, und vor dem erhöhten Sitz lag Théoden, König der Mark, aufgebahrt; und zwölf Fackeln standen um sein Bett, und zwölf Ritter von Rohan und Gondor hielten die Totenwache. Und die Vorhänge des Bettes waren in Grün und Weiß, aber bis zu seiner Brust war über den König ein großes Tuch aus Gold gebreitet, und darauf lag sein blankes Schwert, und zu seinen Füßen sein Schild. Das Licht der Fakkeln schimmerte auf seinem weißen Haar wie Sonne im Sprühregen eines Springbrunnens, aber sein Gesicht war schön und jung, nur lag ein Frieden auf ihm, der für die Jugend unerreichbar ist; und es schien, daß er schlief.

Als sie eine Zeitlang stumm neben dem König gestanden hatten, fragte Imrahil: »Wo ist der Truchseß? Und wo ist Mithrandir?«

Und einer der Wächter antwortete: »Der Truchseß von Gondor ist in den Häusern der Heilung.«

Aber Éomer sagte: »Wo ist Frau Éowyn, meine Schwester; denn gewiß sollte sie doch neben dem König liegen und mit nicht geringerer Ehre? Wo hat man sie untergebracht?«

Und Imrahil sagte: »Aber Frau Éowyn lebte noch, als sie hierher getragen wurde. Wußtet Ihr das nicht?«

Da überfiel die unerwartete Hoffnung Éomers Herz so plötzlich, und gleichzeitig packten ihn von neuem Besorgnis und Furcht, so daß er nichts mehr sagte, sondern sich umwandte und rasch die Halle verließ; und der Fürst folgte ihm. Und als sie hinauskamen, hatte sich der Abend herabgesenkt, und viele Sterne standen am Himmel. Und da kam Gandalf zu Fuß, und mit ihm einer in einem grauen Mantel; und sie trafen sich vor den Türen der Häuser der Heilung. Und sie begrüßten Gandalf und sagten: »Wir suchen den Truchseß, und die Leute sagten, er sei in diesem Haus. Hat er irgendeine Verletzung erlitten? Und wo ist Frau Éowyn?«

Und Gandalf antwortete: »Sie liegt drinnen und ist nicht tot, aber dem Tode nahe. Aber Herr Faramir ist von einem bösen Pfeil verwundet worden, wie Ihr gehört habt, und er ist jetzt der Truchseß; denn Denethor ist verschieden, und sein Haus liegt in Asche.« Und sie waren voll Schmerz und Staunen über die Geschichte, die er ihnen erzählte.

Aber Imrahil sagte: »So ist der Sieg der Freude entkleidet, und er ist teuer erkauft, wenn beide Länder, Gondor und Rohan, an einem Tage ihrer Herren beraubt sind. Éomer befehligt die Rohirrim. Wer soll derweil in der Stadt befehligen? Sollen wir nicht jetzt nach Herrn Aragorn schikken?«

Und der Mann im Mantel sprach und sagte: »Er ist gekommen.« Und sie sahen, als er in den Lichtschein der Laterne an der Tür trat, daß es Aragorn war, gehüllt in den grauen Mantel aus Lórien über seinem Panzer, und er trug kein anderes Zeichen als den grünen Stein von Galadriel. »Ich bin gekommen, weil Gandalf mich darum bittet«, sagte er. »Aber vorläufig bin ich nur der Heerführer der Dúnedain von Arnor; und der Herr von Dol Amroth soll in der Stadt befehligen, bis Faramir erwacht. Doch ist es mein Rat, daß Gandalf in den kommenden Tagen und bei unseren Verhandlungen mit dem Feind über uns alle den Oberbefehl übernimmt.« Und damit waren alle einverstanden.

Dann sagte Gandalf: »Laßt uns nicht hier an der Tür stehen, denn die Zeit drängt. Laßt uns eintreten. Denn nur im Kommen von Aragorn liegt die Hoffnung, die den Kranken in diesem Hause noch bleibt. So sprach Ioreth, Wahrsagerin von Gondor: *Die Hände des Königs sind Hände eines Heilers, und so soll der rechtmäßige König erkannt werden.*«

Aragorn trat als erster ein, und die anderen folgten. Und dort an der Tür standen zwei Wächter in der Tracht der Veste: einer war von hohem Wuchs, aber der andere war kaum so groß wie ein Knabe; und als er sie sah, schrie er auf vor Überraschung und Freude.

»Streicher! Das ist ja herrlich! Weißt du, ich hatte schon vermutet, daß du es warst auf den schwarzen Schiffen. Aber sie schrien alle *Corsaren!* und wollten nicht auf mich hören. Wie hast du das nur gemacht?«

Aragorn lachte und nahm den Hobbit bei der Hand. »Ich freue mich wirklich, dich zu treffen!« sagte er. »Doch jetzt ist nicht die Zeit für Wandergeschichten.«

Aber Imrahil sagte zu Éomer: »Ist das die Art, wie wir mit unseren Königen reden? Vielleicht wird er noch seine Krone unter einem anderen Namen tragen!«

Und Aragorn hörte ihn und drehte sich um und sagte: »Fürwahr, in der Hochsprache von einst bin ich Elessar, der Elbenstein, und der Erneuerer.« Und er faßte nach dem grünen Stein, der an seiner Brust lag. »Aber Streicher soll der Name meines Hauses sein, wenn es je gegründet wird. In der Hochsprache wird es nicht übel klingen, und *Telcontar* werde ich sein und alle Erben meines Leibes.«

Und damit gingen sie in das Haus; und als sie weitergingen zu den Zimmern, wo die Kranken gepflegt wurden, berichtete Gandalf die Taten von Éowyn und Meriadoc. »Denn«, sagte er, »lange habe ich bei ihnen gestanden, und zuerst sprachen sie viel in ihren Träumen, ehe sie in die tödliche Dunkelheit versanken. Außerdem ist es mir gegeben, viele Dinge in weiter Ferne zu sehen.«

Aragorn ging zuerst zu Faramir, dann zu Frau Éowyn und zuletzt zu Merry. Als er die Gesichter der Kranken betrachtet und ihre Verletzungen gesehen hatte, seufzte er. »Hier muß ich alle Kraft und alles Können einsetzen, die mir gegeben sind«, sagte er. »Ich wünschte, Elrond wäre hier, denn er ist der Älteste unseres ganzen Geschlechts und besitzt die größere Kraft.«

Und als Éomer sah, daß er sowohl sorgenvoll als auch müde war, sagte er: »Gewiß müßt Ihr zuerst ruhen, und zumindest ein wenig essen?«

Aber Aragorn antwortete: »Nein, für diese drei, und am meisten für Faramir, geht die Zeit zu Ende. Höchste Eile tut nun not.«

Dann rief er Ioreth und sagte: »Habt Ihr in diesem Haus einen Vorrat an Heilkräutern?«

»Ja, Herr«, antwortete sie, »aber nicht genug, schätze ich, für alle, die sie brauchen. Doch ich weiß wirklich nicht, wo wir noch welche finden sollen; denn alles fehlt in diesen entsetzlichen Tagen, mit Feuer und Bränden, und so wenig Jungen, die Botengänge für uns erledigen, und alle Straßen sind versperrt. Ja, es ist schon unzählige Tage her, daß ein Fuhrmann aus Lossarnach auf den Markt kam! Aber wir tun in diesem Haus unser möglichstes mit dem, was wir haben, wie Euer Gnaden, dessen bin ich sicher, wissen werden.«

»Darüber werde ich urteilen, wenn ich es gesehen habe«, sagte Aragorn. »Noch etwas ist knapp, das ist Zeit zum Reden. Habt Ihr *athelas?*«

»Ich weiß es nicht, ich bin nicht sicher, Herr«, antwortete sie. »Zumindest nicht unter diesem Namen. Ich werde gehen und den Kräutermeister fragen, er kennt all die alten Namen.«

»Es wird auch *Königskraut* genannt«, sagte Aragorn. »Vielleicht kennt Ihr es unter diesem Namen, denn so nennt es das Landvolk in neuerer Zeit.«

»Ach das!« sagte Ioreth. »Nun, wenn Euer Gnaden es gleich so genannt hätten, dann hätte ich es Euch sagen können. Nein, das haben wir nicht, da bin ich sicher. Und ich habe nie gehört, daß es sehr wirksam ist; und tatsächlich habe ich oft zu meinen Schwestern gesagt, wenn wir im Wald darauf stießen, wo es wuchs: ›Königskraut‹, sagte ich, ›das ist ein seltsamer Name, und ich frage mich, warum es so genannt wird; denn wenn ich König wäre, dann hätte ich schönere Pflanzen in meinem Garten.‹ Immerhin riecht es süß, wenn es zerrieben wird, nicht wahr? Wenn süß das richtige Wort ist: heilsam kommt der Sache vielleicht näher.«

»Heilsam, fürwahr«, sagte Aragorn. »Und nun, gnädige Frau, wenn Ihr Herrn Faramir liebt, dann lauft so schnell wie Eure Zunge und holt mir Königskraut, wenn es ein Blatt davon in der Stadt gibt.«

»Und wenn nicht«, sagte Gandalf, »dann werde ich mit Ioreth hinter mir nach Lossarnach reiten, und sie soll mich in den Wald führen, aber nicht zu ihren Schwestern. Und Schattenfell soll ihr zeigen, was Eile heißt.«

Als Ioreth gegangen war, bat Aragorn die anderen Frauen, Wasser heiß zu machen. Dann nahm er Faramirs Hand in seine und legte die andere Hand dem kranken Mann auf die Stirn. Sie war schweißgebadet; aber Faramir rührte sich nicht und gab kein Zeichen von sich und schien kaum zu atmen.

»Er ist fast völlig entkräftet«, sagte Aragorn, zu Gandalf gewandt. »Aber das kommt nicht von der Wunde. Schau! Die heilt. Wäre er von irgendeinem Pfeil der Nazgûl niedergestreckt worden, wie du glaubtest, dann wäre er in derselben Nacht gestorben. Diese Wunde hat irgendein Südländer-Pfeil verursacht, möchte ich annehmen. Wer hat ihn herausgezogen? Ist er aufbewahrt worden?«

»Ich zog ihn heraus«, sagte Imrahil, »und stillte das Blut. Aber ich habe den Pfeil nicht aufbewahrt, denn wir hatten viel zu tun. Es war, wie ich mich erinnere, eben solch ein Pfeil, wie ihn die Südländer verwenden. Dennoch glaube ich, daß er oben aus den Schatten kam, sonst wären sein Fieber und seine Krankheit nicht zu verstehen; denn die Wunde war nicht tief oder lebensgefährlich. Wie erklärt Ihr Euch die Sache?«

»Erschöpfung, Kummer über die Stimmung seines Vaters und vor allem der Schwarze Atem«, sagte Aragorn. »Er ist ein Mann von starkem Willen, denn er war schon dicht unter den Schatten gekommen, ehe er zur Schlacht auf den Außenmauern ritt. Langsam muß sich das Dunkel an ihn herangeschlichen haben, als er noch kämpfte und darum rang, seinen Vorposten zu halten. Ich wünschte, ich hätte früher hier sein können!«

Daraufhin trat der Kräutermeister ein. »Euer Gnaden fragten nach *Königskraut*, wie es die Bauern nennen«, sagte er, »oder *athelas* in der edlen Sprache oder für jene, die etwas Valinorisch verstehen ...«

»Das tue ich«, sagte Aragorn, »und mir ist es einerlei, ob Ihr jetzt *asëa aranion* oder *Königskraut* sagt, solange Ihr welches habt.«

»Ich bitte um Vergebung, Herr«, sagte der Mann. »Ich sehe, Ihr seid ein Gelehrter, nicht bloß ein Heerführer. Aber leider, Herr, haben wir dieses Ding nicht in den Häusern der Heilung, wo nur die schwer Verwundeten oder Kranken gepflegt werden. Denn es besitzt keine Wirkungskraft, soweit wir wissen, abgesehen vielleicht davon, daß es verpestete Luft verbessert oder eine vorübergehende Benommenheit vertreibt. Es sei denn, natürlich, daß Ihr den Versen aus alter Zeit Beachtung schenkt, die von Frauen wie unserer guten Ioreth noch immer wiederholt werden, ohne daß sie sie verstehen.

Wenn der Schwarze Atem weht,
Todesschatten dräuend steht,
Löschen alle Lichter aus,
Athelas, komm du ins Haus,
Durch Königshand zu geben
Sterbenden das Leben!

Es ist nur ein Knittelvers, fürchte ich, verstümmelt im Gedächtnis alter Frauen. Seine Bedeutung zu beurteilen überlasse ich Euch, wenn er überhaupt eine hat. Aber alte Leute verwenden immer noch einen Aufguß von dem Kraut gegen Kopfschmerzen.«

»Dann geht, im Namen des Königs, und sucht irgendeinen alten Mann von weniger Gelehrsamkeit und größerer Weisheit, der etwas davon in seinem Haus hat!« rief Gandalf.

Jetzt kniete sich Aragorn neben Faramir nieder und legte eine Hand auf seine Stirn. Und diejenigen, die zuschauten, spürten, daß irgendein großer Kampf ausgefochten wurde. Denn Aragorns Gesicht wurde grau vor Erschöpfung; und immer wieder rief er Faramirs Namen, doch jedesmal hörten sie ihn leiser, als ob Aragorn selbst fern von ihnen sei und in irgendeinem dunklen Tal wandere und jemanden rufe, der sich verirrt hatte.

Und schließlich kam Bergil angerannt und brachte sechs Blätter in einem Tuch. »Es ist Königskraut, Herr«, sagte er, »aber nicht frisch, fürchte ich. Es muß schon vor mindestens zwei Wochen gepflückt worden sein. Ich hoffe, es wird nützlich sein, Herr.« Dann sah er Faramir an und brach in Tränen aus.

Aber Aragorn lächelte. »Es wird nützlich sein«, sagte er. »Das Schlimmste ist jetzt vorüber. Bleibe hier und sei getröstet.« Dann nahm er zwei Blätter, legte sie auf seine Hände und hauchte sie an, und dann zerrieb er sie, und sogleich war der Raum von einer lebendigen Frische erfüllt, als ob die Luft selbst erwacht sei und prickele und vor Freude sprühe. Und dann warf er die Blätter in die Schüsseln mit dampfendem Wasser, die ihm gebracht worden waren, und sofort wurden alle Herzen leichter. Denn der Duft, der zu jedem drang, war wie eine Erinnerung an tauige Morgen mit nicht verschatteter Sonne in irgendeinem Land, dessen schöne Frühlingswelt selbst nur eine flüchtige Erinnerung ist. Aber Aragorn stand auf wie einer, der erfrischt ist, und seine Augen lächelten, als er eine Schüssel vor Faramirs träumendes Gesicht hielt.

»Nun, wer hätte das geglaubt?« sagte Ioreth zu einer Frau, die neben ihr stand. »Das Kraut ist besser, als ich dachte. Es erinnert mich an die Rosen von Imloth Melui, als ich ein Mädchen war, und kein König könnte etwas Besseres verlangen.«

Plötzlich regte sich Faramir, und er öffnete die Augen und schaute Aragorn an, der sich über ihn beugte; und Erkennen und Liebe leuchteten in seinen Augen auf, und er sprach leise. »Mein Herr, Ihr riefet mich. Ich komme. Was befiehlt der König?«

»Wandelt nicht mehr in den Schatten, sondern erwacht!« sagte Aragorn. »Ihr seid erschöpft. Ruht eine Weile und nehmt ein wenig Nahrung zu Euch, und seid bereit, wenn ich zurückkomme.«

»Das werde ich, Herr«, sagte Faramir. »Denn wer wollte müßig im Bett liegen, wenn der König zurückgekehrt ist?«

»Lebt denn wohl für eine Weile«, sagte Aragorn. »Ich muß noch zu den anderen gehen, die mich brauchen.« Und er verließ das Zimmer mit Gandalf und Imrahil; doch Beregond und sein Sohn blieben da und vermochten ihre Freude nicht zurückzuhalten. Als Pippin Gandalf folgte und die Tür schloß, hörte er Ioreth ausrufen:

»König! Hast du das gehört? Was habe ich gesagt! Die Hände eines Heilers, sagte ich.« Und bald ging die Kunde von dem Haus aus, daß der

König wirklich unter ihnen sei und nach dem Krieg Heilung gebracht habe; und die Nachricht machte die Runde in der Stadt.

Aber Aragorn kam zu Éowyn, und er sagte: »Hier ist eine schlimme Verletzung und ein schweres Unglück. Der Arm, der gebrochen war, ist mit gebührender Sachkenntnis behandelt worden, und er wird mit der Zeit heilen, wenn sie die Kraft hat, zu leben. Es ist der Schildarm, der verletzt ist; aber das Hauptübel kommt vom Schwertarm. In ihm scheint jetzt kein Leben zu sein, obwohl er nicht gebrochen ist.

Leider stand sie einem Feind gegenüber, der für die Kraft ihrer Seele und ihres Körpers zu groß war. Und wer eine Waffe gegen einen solchen Feind erheben will, muß härter sein als Stahl, wenn nicht allein der Zusammenstoß ihn vernichten soll. Es war ein böses Geschick, das sie ihm in den Weg führte. Denn sie ist eine schöne Maid, die schönste Herrin aus einem Haus von Königinnen. Dennoch weiß ich nicht, was ich von ihr sagen soll. Als ich sie zuerst erblickte und erkannte, wie unglücklich sie war, schien es mir, als sehe ich eine weiße Blume, die aufrecht und stolz dastand, wie eine Lilie geformt, und doch wußte ich, daß sie hart war, als sei sie von Elben-Handwerkern aus Stahl gearbeitet. Oder war es vielleicht ein Frost, der ihren Lebenssaft in Eis verwandelte, so daß sie zwar stand, bittersüß, noch schön anzusehen, doch getroffen, um bald zu fallen und zu sterben? Ihre Krankheit begann schon lange vor diesem Tag, nicht wahr, Éomer?«

»Ich wundere mich, daß Ihr mich fragt, Herr«, antwortete er. »Denn ich halte Euch für schuldlos in dieser Sache, wie in allem anderen; dennoch wüßte ich nicht, daß Éowyn, meine Schwester, von irgendeinem Frost berührt worden war, ehe sie Euch zum erstenmal erblickte. Kummer und Angst hatte sie, und teilte sie mit mir, in den Tagen von Schlangenzunge und der Behexung des Königs; und sie pflegte den König in wachsender Besorgnis. Aber nicht das hat sie in diese Lage gebracht!«

»Mein Freund«, sagte Gandalf, »Ihr hattet Pferde und Waffentaten und die freien Felder; aber sie, mit dem Körper eines Mädchens geboren, besaß Geist und Mut, die zumindest den Euren ebenbürtig waren. Dennoch war sie dazu verurteilt, einem alten Mann aufzuwarten, den sie wie einen Vater liebte, und zuzusehen, wie er einem erbärmlichen, würdelosen Altersschwachsinn verfiel; und ihre Rolle erschien ihr schmählicher als die des Stabes, auf den er sich stützte.

Glaubt Ihr, daß Schlangenzunge nur Gift für Théodens Ohren hatte? *Schwachsinniger Greis! Was ist Eorls Haus anderes als eine strohgedeckte Scheune, wo Straßenräuber in stinkigem Rauch trinken und ihre Sprößlinge sich zwischen den Hunden auf dem Fußboden sielen?* Habt Ihr diese

Worte nicht schon gehört? Saruman sprach sie, der Lehrer von Schlangenzunge. Obwohl ich nicht zweifle, daß Schlangenzunge zu Hause ihren Sinn in arglistigere Ausdrücke kleidete. Herr, hätte nicht die Liebe Eurer Schwester zu Euch und der immer noch auf ihre Pflicht gerichtete Wille ihr die Lippen verschlossen, dann hättet Ihr Dinge wie diese von ihnen hören können. Aber wer weiß, was sie in der Dunkelheit aussprach, allein, in den bitteren, stillen Stunden der Nacht, wenn ihr ganzes Leben zusammenzuschrumpfen schien und sich die Wände ihres Bauers um sie schlossen, ein Verschlag, um wilde Tiere einzupferchen?«

Da schwieg Éomer und schaute auf seine Schwester, als ob er von neuem all die Tage ihres gemeinsam verbrachten Lebens überdenke. Aber Aragorn sagte: »Auch ich sah, was Ihr gesehen habt, Éomer. Unter all dem Unglück dieser Welt gibt es kaum einen Schmerz, der bitterer und beschämender ist für das Herz eines Mannes, als die Liebe einer so schönen und tapferen Frau zu erkennen, die nicht erwidert werden kann. Sorge und Mitleid haben mich immer begleitet, seit ich sie verzweifelt in Dunharg verließ und zu den Pfaden der Toten ritt; und keine Furcht auf diesem Weg war so gegenwärtig wie die Furcht, was ihr widerfahren könnte. Und dennoch, Éomer, sage ich zu Euch, daß sie Euch in Wirklichkeit mehr liebt als mich; denn Euch liebt und kennt sie; aber in mir liebt sie nur einen Schatten und einen Gedanken: eine Hoffnung auf Ruhm und große Taten und Länder weit entfernt von den Feldern von Rohan.

Vielleicht habe ich die Kraft, ihren Körper zu heilen und sie aus dem dunklen Tal zurückzurufen. Aber was sie erwartet, wenn sie erwacht: Hoffnung oder Vergessen oder Verzweiflung, das weiß ich nicht. Und wenn es Verzweiflung ist, dann wird sie sterben, es sei denn, andere Heilung kommt zu ihr, die ich nicht bringen kann. Wehe! Denn ihre Taten haben sie unter die Königinnen von großem Ruhm eingereiht.«

Dann bückte sich Aragorn und blickte in ihr Gesicht, und es war fürwahr weiß wie eine Lilie, kalt wie Frost und hart wie gemeißelter Stein. Aber er neigte sich über sie und küßte sie auf die Stirn, rief sie leise und sagte:

»Éowyn, Éomunds Tochter, erwacht! Denn Euer Feind ist dahingegangen.«

Sie regte sich nicht, aber jetzt begann sie wieder tief zu atmen, so daß sich ihre Brust unter dem weißen Leinen des Lakens hob und senkte. Wiederum zerrieb Aragorn zwei *athelas*-Blätter und warf sie in dampfendes Wasser; und damit benetzte er ihre Stirn und ihren rechten Arm, der kalt und kraftlos auf der Decke lag.

Ob Aragorn nun wirklich irgendeine vergessene Kraft von Westernis besaß, oder ob es nur seine Worte über Frau Éowyn waren, die sich auf die Umstehenden auswirkten, doch als der süße Balsam des Krauts durch das Zimmer strömte, war ihnen, als ob ein scharfer Wind durch das Fenster wehe, und er brachte keinen Duft, sondern es war eine völlig frische und saubere und junge Luft, als ob noch kein Lebewesen in ihr geatmet habe und sie neu erschaffen von schneeigen Bergen hoch unter der Sternkuppel herabgekommen sei, oder von silbernen Gestaden in weiter Ferne, bespült vom Meer.

»Erwacht, Éowyn, Herrin von Rohan«, sagte Aragorn noch einmal, und er nahm ihre rechte Hand in seine und fühlte, wie sie warm wurde, als das Leben in sie zurückkehrte. »Erwacht! Der Schatten ist fort, und alle Dunkelheit ist reingewaschen!« Dann legte er ihre Hand in Éomers und trat zurück. »Ruft sie!« sagte er, und verließ leise das Zimmer.

»Éowyn, Éowyn!« rief Éomer unter Tränen. Aber sie öffnete die Augen und sagte: »Éomer! Welche Freude ist das? Denn sie sagten, du seiest erschlagen. Nein, das waren nur die dunklen Stimmen in meinem Traum. Wie lange habe ich geträumt?«

»Nicht lange, meine Schwester«, sagte Éomer. »Doch denke nicht mehr daran!«

»Ich bin seltsam erschöpft«, sagte sie. »Ich muß ein wenig ruhen. Doch sage mir, was ist mit dem Herrn der Mark? Wehe! Sage mir nicht, daß das ein Traum war; denn ich weiß, es war keiner. Er ist tot, wie er es vorausgesehen hat.«

»Er ist tot«, sagte Éomer, »aber er bat mich, Éowyn, teurer als eine Tochter, Lebewohl zu sagen. Er liegt nun mit großen Ehren in der Veste von Gondor.«

»Das ist schmerzlich«, sagte sie. »Und dennoch ist es besser als alles, was ich in den dunklen Tagen zu hoffen wagte, als es schien, daß Eorls Haus an Ehre tiefer gesunken sei als die Hütte eines Hirten. Und was ist mit des Königs Knappen, dem Halbling? Éomer, du mußt ihn zum Ritter der Riddermark machen, denn er ist tapfer.«

»Er liegt nahebei in diesem Haus, und ich will zu ihm gehen«, sagte Gandalf. »Éomer soll eine Weile hierbleiben. Aber sprecht nicht von Krieg und Leid, ehe Ihr ganz wiederhergestellt seid. Eine große Freude ist es, Euch wieder zu Gesundheit und Hoffnung erwachen zu sehen, eine so tapfere Frau!«

»Zu Gesundheit?« sagte Éowyn. »Das mag sein. Zumindest, solange ein leerer Sattel von irgendeinem gefallenen Reiter da ist, den ich ausfüllen kann, und Taten zu vollbringen sind. Aber zu Hoffnung? Das weiß ich nicht.«

Gandalf und Pippin kamen in Merrys Zimmer, und da fanden sie Aragorn neben dem Bett stehen. »Der arme Merry!« rief Pippin und lief zum Bett, denn ihm schien, daß sein Freund schlechter aussah, und sein Gesicht war grau, als ob das Gewicht kummervoller Jahre auf ihm liege; und plötzlich wurde er von Angst gepackt, daß Merry sterben würde.

»Fürchte dich nicht«, sagte Aragorn. »Ich kam zur Zeit und habe ihn zurückgerufen. Er ist jetzt erschöpft und betrübt, und er hat eine Verletzung davongetragen wie Frau Éowyn, als er es wagte, einen Schwertstreich gegen dieses grausame Wesen zu führen. Aber diese Schäden können behoben werden, da ein so starker und heiterer Lebensgeist in ihm ist. Seinen Schmerz wird er nicht vergessen; aber er wird ihm nicht das Herz verdunkeln, sondern ihn Weisheit lehren.«

Dann legte Aragorn die Hand auf Merrys Kopf, fuhr ihm sanft durch die braunen Locken, berührte seine Lider und rief ihn beim Namen. Und als der Duft von *athelas* durch das Zimmer strömte, wie ein Geruch von Obstgärten und Heide im Sonnenschein voller Bienen, da erwachte Merry plötzlich und sagte:

»Ich bin hungrig. Wie spät ist es?«

»Die Abendessenszeit ist schon vorbei«, sagte Pippin, »obwohl ich glaube, daß ich dir noch etwas bringen könnte, wenn sie es erlauben.«

»Das tun sie wahrlich«, sagte Gandalf. »Und alles andere, was dieser Ritter von Rohan begehren mag, wenn es in Minas Tirith gefunden werden kann, wo sein Name in Ehren gehalten wird.«

»Gut«, sagte Merry. »Dann möchte ich zuerst Abendessen haben, und danach eine Pfeife.« Bei diesen Worten verdüsterte sich sein Gesicht. »Nein, keine Pfeife. Ich glaube nicht, daß ich je wieder rauchen werde.«

»Warum nicht?« fragte Pippin.

»Nun«, sagte Merry zögernd. »Er ist tot. Das hat es mir alles wieder ins Gedächtnis gerufen. Er sagte, es tue ihm leid, daß er niemals Gelegenheit hatte, mit mir über Kräuterkunde zu sprechen. Fast das letzte, was er überhaupt gesagt hat. Ich werde nie wieder rauchen können, ohne an ihn zu denken, und an jenen Tag, Pippin, als er nach Isengart ritt und so höflich war.«

»Dann rauche und denke an ihn!« sagte Aragorn. »Denn er war ein gütiger Mann und ein großer König und hielt seine Eide; und er erhob sich aus den Schatten zu einem letzten schönen Morgen. Obwohl dein Dienst für ihn kurz war, sollte er eine freudige und ehrenvolle Erinnerung bis ans Ende deiner Tage sein.«

Merry lächelte. »Nun gut«, sagte er, »wenn Streicher besorgt, was nötig ist, dann will ich rauchen und an ihn denken. Ich hatte etwas von

Sarumans bestem Tabak in meinem Beutel, aber was in der Schlacht damit geschehen ist, das weiß ich wirklich nicht.«

»Herr Meriadoc«, sagte Aragorn, »wenn du glaubst, daß ich mit Feuer und Schwert durch das Gebirge und das Reich Gondor gezogen bin, um einem sorglosen Krieger, der seine Ausrüstung weggeworfen hat, Kraut zu bringen, dann irrst du dich. Wenn dein Beutel nicht gefunden wird, dann mußt du nach dem Kräutermeister dieses Hauses schicken. Und er wird dir sagen, daß er nicht wußte, daß das Kraut, das du verlangst, irgendeine Wirkungskraft hat, doch daß es vom Volk *Westmannskraut* und von den Edlen *galenas* genannt wird und noch andere Namen in gelehrteren Sprachen hat, und dann wird er ein paar halbvergessene Reime hinzufügen, die er nicht versteht, und er wird dir bedauernd mitteilen, daß es in dem Haus keins gibt, und er wird dich verlassen, um über Sprachengeschichte nachzudenken. Und verlassen muß ich dich nun auch. Denn in einem solchen Bett wie diesem habe ich nicht geschlafen, seit ich von Dunharg fortritt, noch habe ich gegessen seit der Dunkelheit vor Tagesanbruch.«

Merry ergriff seine Hand und küßte sie. »Es tut mir entsetzlich leid«, sagte er. »Geh sofort! Immer seit jenem Abend in Bree sind wir eine Plage für dich gewesen. Aber es ist die Art meines Volkes, daß wir zu solchen Zeiten so leicht dahinreden und weniger sagen, als wir empfinden. Wir fürchten, zu viel zu sagen. Deshalb fehlt uns das richtige Wort, wenn ein Scherz nicht am Platze ist.«

»Das weiß ich sehr wohl, sonst würde ich nicht auf dieselbe Weise mit dir umgehen!« sagte Aragorn. »Möge es dem Auenland auf immerdar wohl ergehen!« Er küßte Merry und ging hinaus, und Gandalf ging mit ihm.

Pippin blieb da. »Hat es je einen wie ihn gegeben?« sagte er. »Außer Gandalf natürlich. Ich glaube, sie müssen verwandt sein. Du alter Esel, dein Beutel liegt neben deinem Bett, und du hattest ihn auf dem Rücken, als ich dich traf. Er hat ihn natürlich die ganze Zeit gesehen. Und außerdem habe ich sowieso auch etwas von dem Zeug. Doch komm nun! Es ist Langgrundblatt. Stopf dir die Pfeife, während ich loslaufe und mich nach etwas zum Essen umsehe. Und dann wollen wir es uns eine Weile gemütlich machen. Du meine Güte! Wir Tuks und Brandybocks können nicht lange unter Hochgestellten leben.«

»Nein«, sagte Merry. »Ich kann es nicht. Noch nicht, jedenfalls. Aber zumindest, Pippin, können wir sie jetzt verstehen und ehren. Es ist am besten, wenn man zuerst liebt, was zu lieben einem angemessen ist, nehme ich an: man muß irgendwo beginnen und Wurzeln haben, und der Boden des Auenlandes ist tief. Doch gibt es noch tiefere und höhere Lebewesen; und kein Ohm könnte in Frieden, wie er es nennt, seinen Garten bestellen, wenn sie nicht wären, ob er nun von ihnen weiß oder nicht. Ich bin froh, daß ich ein wenig von ihnen weiß. Aber ich weiß nicht, warum ich so rede. Wo ist das Blatt? Und hole mir meine Pfeife aus dem Beutel, wenn sie nicht zerbrochen ist.«

Aragorn und Gandalf gingen nun zu dem Vorsteher der Häuser der Heilung, und sie rieten ihm, daß Faramir und Éowyn noch viele Tage dort bleiben und sorgsam gepflegt werden sollten.

»Frau Éowyn«, sagte Aragorn, »wird bald aufstehen und fortgehen wollen; aber es sollte ihr nicht erlaubt werden, wenn Ihr sie auf irgendwelche Weise zurückhalten könnt, bis zumindest zehn Tage vergangen sind.«

»Was Faramir betrifft«, sagte Gandalf, »so muß er bald erfahren, daß sein Vater tot ist. Aber die ganze Geschichte von Denethors Wahnsinn sollte ihm nicht erzählt werden, ehe er völlig geheilt ist und Aufgaben zu erfüllen hat. Sorgt dafür, daß Beregond und der *perian*, die dabei waren, noch nicht mit ihm über diese Dinge sprechen.«

»Und der andere *perian*, Meriadoc, der in meiner Obhut ist, was ist mit ihm?« fragte der Vorsteher.

»Wahrscheinlich wird er morgen aufstehen können für eine kurze Weile«, sagte Aragorn. »Laßt ihn, wenn er will. Er darf ein wenig spazierengehen, wenn seine Freunde auf ihn aufpassen.«

»Ein bemerkenswertes Geschlecht sind sie«, sagte der Vorsteher und nickte mit dem Kopf. »Aus hartem Holz geschnitzt, glaube ich.«

An den Türen der Häuser der Heilung hatten sich viele Menschen versammelt, um Aragorn zu sehen, und sie gingen ihm nach; und nachdem er endlich zu Abend gegessen hatte, kamen Leute und baten, er möge ihre Verwandten oder Freunde heilen, die durch Verletzungen oder Wunden in Gefahr waren oder unter dem Schwarzen Schatten lagen. Und Aragorn stand auf und ging hinaus, und er schickte nach Elronds Söhnen, und gemeinsam mühten sie sich bis tief in Nacht. Und die Kunde verbreitete sich in der Stadt: »Der König ist wirklich zurückgekehrt.« Und sie nannten ihn Elbenstein wegen des großen grünen Steins, den er trug, und so wurde der Name, von dem ihm bei seiner Geburt geweissagt worden war, daß er ihn führen würde, von seinem eigenen Volk für ihn gewählt.

Und als er nicht mehr arbeiten konnte, warf er seinen Mantel über und schlüpfte hinaus aus der Stadt und ging zu seinem Zelt gerade vor der Morgendämmerung und schlief ein wenig. Und am Morgen flatterte das Banner von Dol Amroth, ein weißes Schiff wie ein Schwan auf blauem Wasser, vom Turm, und die Menschen schauten hinauf und fragten sich, ob das Kommen des Königs nur ein Traum gewesen sei.

NEUNTES KAPITEL

DIE LETZTE BERATUNG

Es wurde Morgen nach dem Tag der Schlacht, und er war schön, mit leichten Wolken, und der Wind hatte nach Westen gedreht. Legolas und Gimli waren früh auf, und sie baten um Erlaubnis, in die Stadt hinaufzugehen; denn sie waren begierig, Merry und Pippin zu sehen.

»Es ist gut, zu erfahren, daß sie noch am Leben sind«, sagte Gimli. »Denn sie haben uns große Mühen verursacht bei unserem Marsch durch Rohan, und ich hätte es nicht gern, daß all diese Mühen umsonst waren.«

Zusammen kamen der Elb und der Zwerg nach Minas Tirith, und das Volk, das sie vorbeigehen sah, wunderte sich, solche Gefährten zu sehen; denn Legolas war über alles menschliche Maß schön von Angesicht, und er sang mit heller Stimme ein Elbenlied, während er ging; aber Gimli schritt stolz neben ihm einher, strich sich den Bart und schaute sich neugierig um.

»Da sind einige gute Steinmetzarbeiten hier«, sagte er, als er die Wälle betrachtete. »Aber manches ist weniger gut, und die Straßen hätten besser angelegt werden können. Wenn Aragorn zu seinem Recht kommt, dann werde ich ihm die Dienste der Steinmetzen des Berges anbieten, und wir werden diese hier zu einer Stadt machen, auf die man stolz sein kann.«

»Sie brauchen mehr Gärten«, sagte Legolas. »Die Häuser sind öde, und es gibt hier zu wenig, das wächst und froh ist. Wenn Aragorn zu seinem Recht kommt, soll ihm das Volk des Waldes Vögel bringen, die singen, und Bäume, die nicht sterben.«

Schließlich kamen sie zu Fürst Imrahil, und Legolas blickte ihn an und verneigte sich tief. Denn er sah, daß hier wirklich einer war, der Elbenblut in den Adern hatte. »Heil, Herr«, sagte er. »Es ist lange her, seit das Volk von Nimrodel die Wälder von Lórien verließ, und dennoch kann man sehen, daß nicht alle von Amroths Hafen aus nach Westen über das Meer gesegelt sind.«

»So heißt es in der Überlieferung meines Landes«, sagte der Fürst, »doch seit unzähligen Jahren ist niemals einer des schönen Volkes dort gesehen worden. Und ich wundere mich, jetzt einen hier inmitten von Leid und Krieg zu sehen. Was suchet Ihr?«

»Ich bin einer der Neun Gefährten, die mit Mithrandir von Imladris aufbrachen«, sagte Legolas. »Und mit diesem Zwergen, meinem Freund, kam ich mit dem Herrn Aragorn. Doch nun möchten wir unsere Freunde Meriadoc und Peregrin sehen, die in Eurer Obhut sind, wie uns gesagt wurde.«

»Ihr werdet sie in den Häusern der Heilung finden, und ich will Euch dort hinbringen«, sagte Imrahil.

»Es wird genug sein, wenn Ihr uns einen schickt, der uns führt, Herr«, sagte Legolas. »Denn Aragorn sendet Euch diese Botschaft. Er möchte zu dieser Zeit die Stadt nicht wieder betreten. Dennoch ist es nötig, daß die Heerführer sogleich eine Beratung abhalten, und er bittet, daß Ihr und Éomer von Rohan sobald als möglich hinunter kommt zu seinen Zelten. Mithrandir ist schon dort.«

»Wir werden kommen«, sagte Imrahil; und sie trennten sich mit höflichen Worten.

»Das ist ein edler Herr und ein großer Führer der Menschen«, sagte Legolas. »Wenn Gondor in diesen Tagen des Niedergangs noch solche Männer hat, dann muß sein Glanz groß gewesen sein in den Tagen seines Aufstiegs.«

»Und zweifellos ist die gute Steinmetzarbeit die ältere und wurde bei der ersten Bebauung hergestellt«, sagte Gimli. »So ist es immer mit den Dingen, die die Menschen beginnen: es gibt Frost im Frühling oder Dürre im Sommer, und ihre Hoffnungen schlagen fehl.«

»Doch selten schlägt ihre Saat fehl«, sagte Legolas. »Sie liegt im Boden und vermodert, und zu unerwarteten Zeiten und an unerwarteten Orten geht sie dann auf. Die Taten der Menschen werden uns überdauern.«

»Und am Ende wird nichts dabei herauskommen, als daß es hätte noch besser sein können«, sagte der Zwerg.

»Darauf wissen die Elben keine Antwort«, sagte Legolas.

Nun kam der Diener des Fürsten und führte sie zu den Häusern der Heilung; und dort fanden sie ihre Freunde im Garten, und es war ein fröhliches Wiedersehen. Eine Weile gingen sie spazieren und unterhielten sich und erfreuten sich für kurze Zeit an dem Frieden und der Ruhe des Morgens hoch oben in den luftigen Ringen der Stadt. Dann, als Merry müde wurde, setzten sie sich auf die Mauer und hatten nur den grünen Rasen der Häuser der Heilung im Rücken; und weit südlich vor ihnen war der Anduin, in der Sonne glitzernd, wie er hinausfloß, selbst für Legolas außer Sicht, in die weiten Ebenen und den grünen Dunst von Lebennin und Süd-Ithilien.

Und jetzt schwieg Legolas, während die anderen redeten, und er blickte hinaus gegen die Sonne, und als er schaute, sah er weiße Seevögel den Fluß herauffliegen.

»Schaut!« rief er. »Möwen! Sie fliegen weit landeinwärts. Ein Wunder sind sie für mich und eine Beunruhigung für mein Herz. Nie in meinem ganzen Leben habe ich welche gesehen, bis wir nach Pelargir kamen, und dort hörte ich sie in der Luft kreischen, als wir zum Kampf um die Schiffe ritten. Da blieb ich stehen und vergaß den Krieg in Mittelerde; denn ihre klagenden Stimmen sprachen zu mir vom Meer. Das Meer! Ach, ich habe es noch nicht erblickt. Doch tief im Herzen unserer ganzen Sippe liegt die Meeressehnsucht, an die zu rühren gefährlich ist. Ach, diese Unglücksmöwen! Keinen Frieden werde ich wiederfinden unter Buche oder Ulme.«

»Sage das nicht«, sagte Gimli. »Denn unzählige Dinge gibt es noch in Mittelerde zu sehen und große Werke zu vollbringen. Doch wenn sich das ganze schöne Volk zu den Häfen aufmacht, wird die Welt langweiliger für jene, deren Schicksal es ist, hierzubleiben.«

»Fürwahr, langweilig und öde!« sagte Merry. »Du darfst nicht zu den Häfen gehen, Legolas. Es wird immer einige Leute geben, große oder kleine, und selbst ein paar kluge Zwerge wie Gimli, die dich brauchen. Zumindest hoffe ich das. Obwohl ich irgendwie das Gefühl habe, daß uns das Schlimmste an diesem Krieg noch bevorsteht. Wie sehr wünschte ich, daß alles vorbei und gutgegangen wäre!«

»Seid nicht so trübsinnig!« rief Pippin. »Die Sonne scheint, und hier sind wir zusammen, zumindest für ein oder zwei Tage. Ich möchte mehr über euch alle hören. Komm, Gimli! Du und Legolas, ihr habt eure seltsame Fahrt mit Streicher schon ungefähr ein dutzendmal heute morgen erwähnt. Aber ihr habt mir nichts davon erzählt.«

»Hier mag die Sonne scheinen«, sagte Gimli, »aber es gibt Erinnerungen an jenen Weg, die ich nicht aus der Dunkelheit wieder zurückrufen möchte. Hätte ich gewußt, was vor mir lag, dann glaube ich, daß ich um keiner Freundschaft willen die Pfade der Toten eingeschlagen hätte.«

»Die Pfade der Toten?« sagte Pippin. »Ich habe gehört, daß Aragorn das sagte, und ich fragte mich, was er damit meinen könne. Wollt ihr uns nicht etwas erzählen?«

»Nicht gern«, sagte Gimli. »Denn auf jenem Weg bin ich beschämt worden: Gimli, Glóins Sohn, der sich für zäher gehalten hatte als Menschen und mutiger unter der Erde als jeder Elb. Und keins von beiden bin ich gewesen; und nur der Wille von Aragorn hat mich auf diesem Weg gehalten.«

»Und die Liebe zu ihm auch«, sagte Legolas. »Denn alle, die ihn kennenlernen, lernen ihn auch auf ihre Weise zu lieben, selbst die kühle Maid der Rohirrim. Es war am frühen Morgen des Tages, ehe du dort hinkamst, Merry, daß wir Dunharg verließen, und eine solche Angst lag auf dem ganzen Volk, daß keiner es sehen wollte, als wir gingen, nur Frau Éowyn, die jetzt verwundet unten in dem Haus liegt. Dieser Abschied war schmerzlich, und es schmerzte mich, es zu sehen.«

»Ach«, sagte Gimli, »ich hatte nur Mitgefühl mit mir selbst. Nein, von dieser Fahrt will ich nicht sprechen.«

Er schwieg; aber Pippin und Merry waren so begierig, mehr zu hören, daß Legolas schließlich sagte: »Ich werde euch genug erzählen, damit ihr Ruhe gebt; denn ich spürte den Schrecken nicht und fürchtete mich nicht vor den Schatten der Menschen, da ich sie für machtlos und schwach hielt.«

Rasch erzählte er ihnen dann von dem Geisterweg unter dem Gebirge und der dunklen Zusammenkunft bei Erech, und dem großen Ritt von dort aus, dreiundneunzig Wegstunden nach Pelargir am Anduin. »Vier Tage und Nächte und bis hinein in den fünften ritten wir von dem Schwarzen Stein«, sagte er. »Und siehe! in der Dunkelheit von Mordor wuchs meine Hoffnung; denn in jener Düsternis schien das Schattenheer stärker zu werden und schrecklicher auszusehen. Manche sah ich reiten, manche laufen, doch alle kamen mit derselben großen Schnelligkeit voran. Stumm waren sie, doch ihre Augen funkelten. Im Hochland von Lamedon überholten sie unsere Pferde und fegten an uns vorbei und hätten uns hinter sich gelassen, wenn Aragorn es ihnen nicht verboten hätte.

Auf seinen Befehl blieben sie wieder zurück. ›Selbst die Schatten der Menschen gehorchen seinem Willen‹, dachte ich. ›Sie werden seinem Zweck vielleicht doch noch dienen.‹

An einem hellen Tag ritten wir, und dann kam der Tag ohne Morgendämmerung, und wir ritten immer noch weiter und überquerten Ciril und Ringló; und am dritten Tag kamen wir nach Linhir, oberhalb der Mündung des Gilrain. Dort kämpften Menschen aus Lamedon um die Furten mit üblem Volk aus Umbar und Harad, das den Fluß heraufgesegelt war. Aber Verteidiger und Feinde gleichermaßen gaben die Schlacht auf und flohen, als wir kamen, und sie riefen, der König der Toten sei über ihnen. Nur Angbor, Herr von Lamedon, hatte den Mut, uns zu erwarten; und Aragorn bat ihn, sein Volk zu sammeln und hinterherzukommen, falls sie es wagten, wenn das Graue Heer vorüber war.

›In Pelargir wird Isildurs Erbe euch brauchen‹, sagte er. So überquerten wir den Gilrain und trieben Mordors Verbündete in wilder Flucht vor uns her; und dann rasteten wir eine Weile. Aber Aragorn stand bald wieder auf und sagte: ›Seht! Schon wird Minas Tirith angegriffen. Ich fürchte, es wird fallen, ehe wir ihm zu Hilfe kommen.‹ So saßen wir wieder auf, ehe die Nacht vergangen war, und ritten weiter, mit aller Schnelligkeit, die unsere Pferde ertragen konnten, über die Ebenen von Lebennin.«

Legolas hielt inne und seufzte, und er wandte seinen Blick nach Süden und sang leise:

Silbern strömen die Wasser von Celos nach Erui
In den grünen Gründen Lebennins!
Hoch wächst dorten das Gras. Der Wind weht von der See,
Wiegt die weißen Lilien,
Läutet die goldenen Glocken von Malos und Alfirin
In den grünen Gründen Lebennins.
Der Wind weht von der See!

»Grün sind jene Felder in den Liedern meines Volkes; aber nun waren sie dunkel, graue Wüsten in der Schwärze vor uns. Und über das weite Land, achtlos Gras und Blumen niedertretend, jagten wir unsere Feinde einen Tag und eine Nacht lang, bis wir endlich am bitteren Ende zum Großen Strom kamen.

Dann glaubte ich im Grunde meines Herzens, daß wir uns dem Meer näherten; denn weit war das Wasser in der Dunkelheit, und unzählige Vögel kreischten an den Ufern. Ach, dieses unselige Wehklagen der Möwen! Hatte die Herrin mir nicht gesagt, ich solle mich vor ihnen hüten? Und jetzt kann ich sie nicht vergessen.«

»Ich für mein Teil achtete ihrer nicht«, sagte Gimli. »Denn nun gerieten wir endlich im Ernst in eine Schlacht. Dort in Pelargir lag die Hauptflotte von Umbar, fünfzig große Schiffe und unzählige kleinere Fahrzeuge. Viele von denen, die wir verfolgten, hatten die Häfen vor uns erreicht und brachten ihre Furcht mit; und einige der Schiffe hatten abgelegt und versuchten, flußabwärts zu entkommen oder das jenseitige Ufer zu erreichen; und viele der kleineren Fahrzeuge wurden in Brand gesteckt. Aber die Haradrim, die jetzt bis zum Ufer getrieben waren, stellten sich nun zum Kampf, und sie waren verbissen in ihrer Verzweiflung; und sie lachten, als sie uns anschauten, denn sie waren noch immer ein großes Heer.

Aber Aragorn hielt an und schrie mit lauter Stimme: ›Nun kommt! Beim Schwarzen Stein rufe ich euch!‹ Und plötzlich rollte das Schattenheer, das zuletzt zurückgeblieben war, wie eine graue Flut heran und fegte alles vor sich weg. Schwache Schreie hörte ich, und undeutlich Hörner blasen, und ein Murmeln wie von unzähligen fernen Stimmen: es war wie das Echo irgendeiner vergessenen Schlacht in den Dunklen Jahren vor langer Zeit. Bleiche Schwerter wurden gezogen; und ich weiß nicht, ob ihre Klingen noch scharf waren, denn die Toten brauchten keine anderen Waffen mehr als Furcht. Keiner wollte ihnen Widerstand leisten.

Zu jedem Schiff kamen sie, das an Land gezogen war, und dann fuhren sie über das Wasser zu denen, die dort ankerten; und alle Seeleute wurden wahnsinnig vor Angst und sprangen über Bord, abgesehen von den Sklaven, die an die Ruder gekettet waren. Unbekümmert ritten wir mitten zwischen unsere fliehenden Feinde und trieben sie vor uns her wie Blätter, bis wir zum Ufer kamen. Und dann schickte Aragorn zu jedem der großen Schiffe, die noch übrig waren, einen der Dúnedain, und sie sprachen den Gefangenen, die an Bord waren, Mut zu und sagten ihnen, sie sollten ihre Angst abschütteln und würden frei sein.

Ehe dieser dunkle Tag endete, war kein Feind mehr da, der uns Widerstand leistete; alle waren ertrunken oder nach Süden geflohen in der Hoffnung, ihr eigenes Land zu Fuß zu erreichen. Seltsam und wunderbar fand ich es, daß Mordors Pläne vereitelt wurden durch solche Gespenster der Furcht und Dunkelheit. Mit seinen eigenen Waffen wurde es überwältigt.«

»Seltsam fürwahr«, sagte Legolas. »In jener Stunde sah ich Aragorn an und dachte, ein wie großer und entsetzlicher Gebieter er mit seiner Willensstärke hätte werden können, wenn er den Ring für sich genommen hätte. Nicht umsonst fürchtet Mordor ihn. Aber edler ist seine Seele, als Sauron sich vorstellen kann; stammt er denn nicht von Lúthiens Kindern ab? Niemals wird dieses Geschlecht aussterben, wenn auch unzählige Jahre vergehen.«

»Die Augen der Zwerge vermögen nicht so weit vorauszusehen«, sagte Gimli. »Doch fürwahr gewaltig war Aragorn an jenem Tag. Siehe! Die ganze schwarze Flotte war in seiner Hand; und er erwählte das größte Schiff für sich und bestieg es. Dann ließ er eine große Menge Trompeten, die dem Feind abgenommen worden waren, erschallen, und das Schattenheer zog sich zum Ufer zurück. Dort standen sie stumm, kaum sichtbar, abgesehen von einem roten Schimmer in ihren Augen, in denen sich der Brand der Schiffe spiegelte. Und Aragorn sprach zu den Toten Menschen mit lauter Stimme und rief:

›Höret nun die Worte von Isildurs Erben! Euer Eid ist erfüllt. Geht zurück und sucht niemals wieder die Täler heim! Scheidet dahin und findet Ruhe!‹

Und daraufhin trat der König der Toten vor das Heer und zerbrach seinen Speer und warf ihn auf den Boden. Dann verneigte er sich tief und wandte sich ab, und rasch zog sich das ganze graue Heer zurück und verschwand wie ein Nebel, der von einem plötzlichen Wind zurückgetrieben wird; und mir schien, als erwache ich aus einem Traum.

In jener Nacht ruhten wir, während andere arbeiteten. Denn viele Gefangene wurden auf freien Fuß gesetzt und viele Sklaven freigelassen, die zum Volk von Gondor gehörten und bei Überfällen ergriffen worden waren; und bald sammelten sich auch viele Mannen aus Lebennin und Ethir, und Angbor von Lamedon kam herbei mit allen Reitern, die er aufbieten konnte. Jetzt, da die Angst vor den Toten ausgeräumt war, kamen sie, um uns zu helfen und Isildurs Erben zu sehen; denn das Gerücht über diesen Namen hatte sich wie ein Lauffeuer im Dunkeln verbreitet.

Und das ist nahezu das Ende unserer Geschichte. Denn an jenem Abend und in jener Nacht wurden viele Schiffe bereitgemacht und bemannt; und am Morgen lief die Flotte aus. Lange her scheint es jetzt zu sein, doch war es erst am Morgen des vorgestrigen Tages, des sechsten, seit wir von Dunharg losritten. Doch immer noch war Aragorn von der Angst getrieben, die Zeit sei zu kurz.

›Es sind zweiundvierzig Wegstunden von Pelargir bis zu den Anfurten von Harlond‹, sagte er. ›Doch nach Harlond müssen wir morgen kommen oder völlig scheitern.‹

An den Rudern waren jetzt freie Männer, und tapfer mühten sie sich ab; doch langsam kamen wir den Großen Fluß hinauf, denn wir kämpften gegen die Strömung, und obwohl sie unten im Süden nicht stark ist, hatten wir keine Hilfe durch den Wind. Schwer wäre mir ums Herz gewesen, trotz unseres Sieges in den Häfen, wenn Legolas nicht plötzlich gelacht hätte.

›Hinauf mit deinem Bart, Durins Sohn!‹ sagte er. ›Denn so lautet das Sprichwort: *Oft wird Hoffnung geboren, wenn alles ist verloren.*‹ Aber welche Hoffnung er von ferne sah, wollte er nicht sagen. Als die Nacht kam, verstärkte sich nur die Dunkelheit, und unsere Herzen waren heiß, denn fern im Norden sahen wir ein rotes Glühen unter der Wolke, und Aragorn sagte: ›Minas Tirith brennt.‹

Doch um Mitternacht wurde tatsächlich die Hoffnung neu geboren. Seekundige Männer aus Ethir schauten nach Süden und sprachen von einem Witterungsumschlag, der mit einem frischen Wind vom Meer kommen würde. Lange vor Tagesanbruch wurden an den Masten der Schiffe Segel gesetzt, und unsere Geschwindigkeit nahm zu, bis die Morgendämmerung den Schaum an unserem Bug weiß werden ließ. Und so kamen wir, wie ihr wißt, in der dritten Stunde des Morgens bei schönem Wind und entschleierter Sonne an, und wir entrollten die große Fahne in der Schlacht. Es war ein großer Tag und eine große Stunde, was immer danach kommen mag.«

»Was immer folgen mag, große Taten werden nicht im Wert vermindert«, sagte Legolas. »Eine große Tat war der Ritt auf den Pfaden der Toten, und groß wird er bleiben, wenn auch keiner mehr in Gondor wäre, um in kommenden Tagen davon zu singen.«

»Und das mag sehr wohl geschehen«, sagte Gimli. »Denn Aragorns und Gandalfs Gesichter sind ernst. Ich frage mich, was für Beschlüsse sie in den Zelten da unten fassen. Denn für mein Teil wünschte ich wie Merry, daß mit unserem Sieg der Krieg jetzt vorüber sei. Doch was immer noch zu tun ist, ich hoffe daran teilzuhaben, um der Ehre des Volks vom Einsamen Berg willen.«

»Und ich um des Volks des Großen Waldes willen«, sagte Legolas, »und um der Liebe zum Herrn des Weißen Baumes.«

Dann schwiegen die Gefährten, aber eine Weile saßen sie noch an dem hochgelegenen Platz, jeder mit seinen eigenen Gedanken beschäftigt, während die Heerführer berieten.

Als sich Fürst Imrahil von Legolas und Gimli getrennt hatte, schickte er sogleich nach Éomer, und mit ihm ging er hinunter aus der Stadt, und sie kamen zu Aragorns Zelten, die auf dem Feld aufgeschlagen waren nicht weit von der Stelle, wo König Théoden gefallen war. Und dort berieten sie zusammen mit Gandalf und Aragorn und Elronds Söhnen.

»Ihr Herren«, sagte Gandalf, »hört die Worte des Truchsessen von Gondor, ehe er starb: *Für einen Tag magst du auf den Feldern des Pelennor siegen, aber gegen die Macht, die sich jetzt erhebt, gibt es keinen Sieg*. Ich heiße Euch nicht verzweifeln, wie er es tat, sondern über die Wahrheit in diesen Worten nachzudenken.

Die Steine des Sehens lügen nicht, und nicht einmal der Herr von Barad-dûr kann sie dazu bringen. Er kann vielleicht kraft seines Willens auswählen, welche Dinge schwächere Gemüter sehen sollen, oder er kann bewirken, daß sie die Bedeutung dessen, was sie sehen, mißverstehen. Dennoch ist nicht daran zu zweifeln, daß Denethor, als er große Streitkräfte sah, die in Mordor gegen ihn aufgestellt wurden, und noch weitere, die zusammengezogen wurden, das sah, was wirklich ist.

Unsere Kraft hat kaum ausgereicht, um den ersten großen Angriff abzuschlagen. Der nächste wird größer sein. Dieser Krieg ist dann letztlich ohne Hoffnung, wie Denethor erkannt hat. Der Sieg kann nicht mit Waffen errungen werden, ob Ihr hier bleibt und eine Belagerung nach der anderen erduldet, oder hinausmarschiert, um jenseits des Flusses überwältigt zu werden. Ihr könnt nur zwischen zwei Übeln wählen; und die Vernunft würde Euch raten, jene Festungen zu verstärken, die Ihr habt, und dort den Angriff zu erwarten; denn so wird die Zeit vor Eurem Ende ein wenig verlängert.«

»Dann möchtet Ihr also, daß wir uns nach Minas Tirith oder Dol Amroth oder Dunharg zurückziehen und dort sitzen wie Kinder auf Sandburgen, wenn die Flut kommt?« fragte Imrahil.

»Das wäre kein neuer Rat«, sagte Gandalf. »Habt Ihr nicht das und wenig mehr in all den Tagen von Denethor getan? Nein! Ich sagte, das wäre vernünftig. Ich rate nicht zur Vernunft. Ich sagte, der Sieg könne nicht mit Waffen errungen werden. Ich hoffe immer noch auf den Sieg, aber nicht durch Waffen. Denn in den Mittelpunkt all dieser Überlegungen tritt nun der Ring der Macht, Barad-dûrs Grundstein und Saurons Hoffnung.

Über dieses Ding, Ihr Herren, wißt Ihr alle nun genug, um unsere Lage und die von Sauron zu verstehen. Wenn er ihn wiedererlangt, ist Eure Tapferkeit umsonst, und sein Sieg wird rasch und vollständig sein: so vollständig, daß niemand dessen Ende voraussehen kann, solange diese Welt besteht. Wird der Ring vernichtet, dann wird er stürzen; und er wird so tief stürzen, daß niemand voraussehen kann, ob er sich jemals wieder erhebt. Denn er wird den größten Teil der Kraft verlieren, die ihm innewohnte, als er begann, und alles, was mit dieser Macht vollbracht oder unternommen wurde, wird verfallen, und er wird auf immerdar verstümmelt sein und zu einem bloßen Geist des Bösen werden, der sich in den Schatten selbst verzehrt, aber nicht wieder wachsen oder Gestalt annehmen kann. Und so wird ein großes Übel der Welt beseitigt sein.

Andere Übel gibt es, die kommen mögen; denn Sauron selbst ist nur ein Diener oder Sendling. Doch ist es nicht unsere Aufgabe, alle Zeiträume der Welt zu lenken, sondern das zu tun, wozu wir fähig sind, um in den Jahren Hilfe zu leisten, in die wir hineingeboren sind, das Übel in den Feldern auszumerzen, die wir kennen, damit jene, die später leben, einen sauberen Boden zu bestellen haben. Auf das Wetter, das sie haben werden, können wir keinen Einfluß ausüben.

Nun, Sauron weiß all das, und er weiß, daß das kostbare Stück, das er verloren hat, wiedergefunden wurde; aber er weiß noch nicht, wo es ist, oder jedenfalls hoffen wir das. Und daher ist er jetzt in großem Zweifel. Denn wenn wir das Ding gefunden haben, dann gibt es unter uns einige, die stark genug sind, es zu handhaben. Auch das weiß er. Denn vermute ich richtig, Aragorn, daß du dich ihm in dem Stein von Orthanc gezeigt hast?«

»Das tat ich, ehe ich von der Hornburg ritt«, antwortete Aragorn. »Ich glaubte, daß die Zeit reif sei und der Stein zu eben diesem Zweck zu mir gekommen war. Es war damals zehn Tage her, daß der Ringträger von Rauros aus nach Osten ging, und Saurons Auge, fand ich, sollte von seinem eigenen Land abgelenkt werden. Allzu selten ist er herausgefordert worden, seit er in seinen Turm zurückkehrte. Hätte ich allerdings vorausgesehen, wie schnell er darauf mit einem Angriff antworten würde, hätte ich es vielleicht nicht gewagt, mich zu zeigen. Knapp war die Zeit, die mir gegeben war, um euch zu Hilfe zu kommen.«

»Aber wie ist das?« fragte Éomer. »Alles ist vergeblich, sagt Ihr, wenn er den Ring hat. Warum sollte er glauben, daß es nicht vergeblich sei, uns anzugreifen, wenn wir ihn haben?«

»Er ist noch nicht sicher«, sagte Gandalf, »und er hat seine Macht nicht dadurch aufgebaut, daß er abwartete, bis seine Feinde sich in Sicherheit wiegen, wie wir es getan haben. Auch könnten wir es nicht in einem Tag lernen, die ganze Macht auszuüben. Tatsächlich kann der Ring nur allein von einem Herrn verwendet werden; und er wird erwarten, daß eine Zeit des Haders kommt, bis einer der Großen unter uns sich zum Herrn aufwirft und die anderen unterdrückt. In dieser Zeit könnte ihm der Ring helfen, wenn er rasch handelte.

Er beobachtet. Er sieht viel und hört viel. Seine Nazgûl sind noch unterwegs. Vor Sonnenaufgang sind sie über dieses Feld geflogen, obwohl wenige der Müden und Schlafenden sie bemerkt haben. Er erforscht die Zeichen: das Schwert, das ihn seines Schatzes beraubt hat, ist neu geschmiedet; die Winde des Glücks drehen sich zu unseren Gunsten; und dann die unerwartete Niederlage bei seinem ersten Angriff; die Vernichtung seines großen Heerführers.

Sein Zweifel wird wachsen, während wir noch hier reden. Sein Auge ist jetzt auf uns gerichtet und fast blind für alles andere, was in Bewegung ist. Wir müssen dafür sorgen, daß es so bleibt. Darin liegt all unsere Hoffnung. Dies also ist mein Rat. Wir haben den Ring nicht. Aus Klugheit oder großer Torheit ist er fortgeschickt worden, um vernichtet zu werden, damit er uns nicht vernichtet. Ohne den Ring können wir seine Streitmacht nicht mit Gewalt niederwerfen. Aber um jeden Preis müssen wir sein Auge von seiner wahren Gefahr ablenken. Den Sieg können wir nicht mit Waffen erringen, aber mit Waffen können wir dem Ringträger die einzige Unterstützung bieten, wie gering die Aussichten auch sein mögen.

Wie Aragorn begonnen hat, so müssen wir fortfahren. Wir müssen Sauron in sein letztes Wagnis treiben. Wir müssen seine versteckte Streitmacht herauslocken, damit er sein Land entblößt. Wir müssen sofort losmarschieren, um uns ihm entgegenzustellen. Wir müssen uns zum Köder machen, auch wenn sich sein Rachen über uns schließen sollte. Er wird sich ködern lassen, voll Hoffnung und Gier, denn er wird glauben, in dieser Voreiligkeit den Stolz des neuen Herrn des Ringes zu erkennen. Und er wird sagen: ›So! Er wagt sich zu früh und zu weit vor, laß ihn herankommen, und siehe! dann werde ich ihn in einer Falle haben, aus der er nicht entkommen kann. Dort will ich ihn zerschmettern, und was er in seiner Unverschämtheit genommen hat, wird mein sein auf immer.‹

Wir müssen offenen Auges in diese Falle gehen, mit Mut, aber wenig Hoffnung für uns selbst. Denn, Ihr Herren, es mag sich sehr wohl erweisen, daß wir selbst in einer finsteren Schlacht fern der lebenden Lande vollends vernichtet werden; so daß wir selbst dann, wenn Barad-dûr niedergeworfen werden sollte, kein neues Zeitalter erleben werden. Doch das, glaube ich, ist unsere Pflicht. Und besser so, als nichtsdestoweniger vernichtet zu werden – und das werden wir gewiß, wenn wir hier sitzen bleiben –, und wenn wir sterben, zu wissen, daß es kein neues Zeitalter geben wird.«

Sie waren eine Weile stumm. Schließlich sprach Aragorn: »Wie ich begonnen habe, werde ich fortfahren. Wir sind jetzt so weit gekommen, daß Hoffnung und Hoffnungslosigkeit einander ähnlich sind. Schwanken bedeutet den Untergang. Laßt keinen jetzt Gandalfs Ratschläge verwerfen, dessen lange Mühen gegen Sauron endlich die Probe bestehen sollen. Ohne ihn wäre alles schon lange verloren gewesen. Dennoch erhebe ich noch nicht den Anspruch, irgend jemandem einen Befehl zu erteilen. Die anderen sollen sich entscheiden, wie sie wollen.«

Dann sagte Elrohir: »Vom Norden kamen wir mit diesem Ziel, und von Elrond, unserem Vater, brachten wir eben diesen Rat. Wir werden nicht umkehren.«

»Was mich betrifft«, sagte Éomer, »so weiß ich wenig von diesen dunklen Dingen; aber das brauche ich auch nicht. Ich weiß, und das ist genug, daß mein Freund Aragorn mir und meinem Volk Beistand leistete, und so will ich ihm helfen, wenn er ruft. Ich werde gehen.«

»Und ich«, sagte Imrahil, »halte den Herrn Aragorn für meinen Lehnsherrn, ob er den Anspruch erhebt oder nicht. Sein Wunsch ist mir Befehl. Ich werde auch gehen. Doch für eine Weile stehe ich auf dem Platz des Truchsessen von Gondor, und es liegt mir ob, zuerst an dessen

Volk zu denken. Die Vernunft muß immer noch beachtet werden. Denn wir müssen uns auf alle Möglichkeiten vorbereiten, gute wie schlechte. Nun, es mag sein, daß wir siegen, und solange noch Hoffnung darauf besteht, muß Gondor geschützt werden. Ich möchte nicht siegreich zurückkehren in eine Stadt in Schutt und Asche und in ein in unserem Rücken verwüstetes Land. Denn wir hören von den Rohirrim, daß an unserer Nordflanke immer noch ein Heer steht, das noch nicht in den Kampf eingegriffen hat.«

»Das ist richtig«, sagte Gandalf. »Ich rate Euch nicht, die Stadt ganz unbemannt zu lassen. Tatsächlich braucht die Streitmacht, die wir nach Osten führen, nicht so groß zu sein, daß sie einen ernstlichen Angriff auf Mordor durchführen kann, solange sie groß genug ist, es zum Kampf herauszufordern. Und sie muß bald ausrücken. Daher frage ich die Heerführer: welche Streitmacht können wir aufstellen und in spätestens zwei Tagen ins Feld führen? Und es müssen kühne Mannen sein, die willig gehen und ihre Gefahr kennen.«

»Alle sind erschöpft und sehr viele leicht oder schwer verwundet«, sagte Éomer, »und wir haben schwere Verluste an Pferden erlitten, und das ist schlecht zu ertragen. Wenn wir bald reiten müssen, kann ich nicht hoffen, auch nur zweitausend anzuführen und ebenso viele für die Verteidigung der Stadt zurückzulassen.«

»Wir brauchen nicht nur mit jenen zu rechnen, die auf diesem Schlachtfeld kämpften«, sagte Aragorn. »Eine neue Streitmacht ist unterwegs von den südlichen Lehen, da nun die Küsten befreit sind. Viertausend schickte ich vor zwei Tagen auf den Marsch von Pelargir durch Lossarnach; und Angbor der Furchtlose reitet ihnen voran. Wenn wir in zwei weiteren Tagen aufbrechen, werden sie nahe sein, wenn wir gehen. Überdies wurden viele aufgefordert, mir den Fluß hinauf mit allen Fahrzeugen zu folgen, die sie sammeln konnten; und bei diesem Wind werden sie bald da sein, tatsächlich sind schon mehrere Schiffe nach Harlond gekommen. Ich schätze, daß wir siebentausend Mann zu Pferde und zu Fuß hinausführen können und dennoch die Stadt in besserem Verteidigungszustand als zu Beginn des Angriffs zurücklassen.«

»Das Tor ist zerstört«, sagte Imrahil, »und wo gibt es jetzt die Sachkenntnis, es wieder aufzubauen und neu einzusetzen?«

»In Erebor in Dáins Königreich gibt es diese Sachkenntnis«, sagte Aragorn. »Und wenn nicht alle unsere Hoffnungen scheitern, dann werde ich zur rechten Zeit Gimli, Glóins Sohn, entsenden, um Handwerker von dem Berg zu erbitten. Aber Männer sind besser als Tore, und kein Tor wird gegen unseren Feind standhalten, wenn Männer es verlassen.«

Das war schließlich das Ergebnis der Beratungen der Herren: daß sie am zweiten Morgen nach diesem Tag mit siebentausend aufbrechen würden, wenn sie zusammengebracht werden könnten; und der größere Teil dieser Streitmacht sollte Fußvolk sein wegen der üblen Lande, in die sie gehen würden. Aragorn sollte etwa zweitausend, die er im Süden um sich gesammelt hatte, stellen; aber Imrahil sollte dreieinhalbtausend stellen; und Éomer fünfhundert der Rohirrim, die zwar keine Pferde hatten, aber selbst kriegstauglich waren, und er selbst sollte fünfhundert seiner besten Reiter zu Pferde anführen; und eine weitere Schar von fünfhundert sollte da sein, mit denen Elronds Söhne reiten sollten und die Dúnedain und die Ritter von Dol Amroth: insgesamt sechstausend zu Fuß und tausend zu Pferde. Aber die Hauptstreitmacht der Rohirrim, die noch Pferde hatte und kampffähig war, etwa dreitausend unter dem Befehl von Elfhelm, sollten an der Weststraße dem Feind auflauern, der in Anórien war. Und sogleich wurden schnelle Reiter nach Norden entsandt, um alle Nachrichten zu sammeln, die sie erhalten konnten; und nach Osten, um über Osgiliath und die Straße nach Minas Morgul etwas zu erfahren.

Und als sie ihre ganzen Streitkräfte zusammengezählt und sich überlegt hatten, welche Fahrten gemacht und welche Wege eingeschlagen werden sollten, da lachte Imrahil plötzlich laut auf.

»Gewiß«, rief er, »ist das der größte Witz in der ganzen Geschichte von Gondor: daß wir mit siebentausend ausreiten, kaum so viel wie die Vorhut von Gondors Heer in den Tagen seiner Macht, um das Gebirge und das unzugängliche Tor des Schwarzen Landes anzugreifen! So könnte ein Kind einen gepanzerten Ritter mit einem Bogen aus Schnur und grüner Weide bedrohen! Wenn der Dunkle Herrscher so viel weiß, wie Ihr sagt, Mithrandir, wird er dann nicht eher lächeln als sich fürchten, und uns mit seinem kleinen Finger zerquetschen wie eine Fliege, die ihn zu stechen versucht?«

»Nein, er wird versuchen die Fliege zu fangen, und den Stich auf sich nehmen«, sagte Gandalf. »Und es sind Namen unter uns, von denen jeder einzelne mehr wert ist als tausend gepanzerte Ritter. Nein, er wird nicht lächeln.«

»Und wir auch nicht«, sagte Aragorn. »Wenn das ein Witz sein soll, dann ist er zu bitter, als daß man über ihn lachen könnte. Nein, es ist der letzte Zug bei einem großen Wagnis, und für die eine oder andere Seite wird er das Ende des Spiels bringen.« Dann zog er Andúril und hob es hoch, und es glitzerte in der Sonne. »Du sollst nicht wieder in die Scheide gesteckt werden, bis die letzte Schlacht ausgefochten ist«, sagte er.

ZEHNTES KAPITEL

DAS SCHWARZE TOR ÖFFNET SICH

Zwei Tage später wurde das Heer des Westens auf dem Pelennor zusammengezogen. Die Rotten der Orks und Ostlinge hatten sich aus Anórien zurückgezogen, aber verfolgt und zerstreut durch die Rohirrim, waren sie durchgebrochen und ohne viel zu kämpfen nach Cair Andros geflohen; und nachdem diese Bedrohung beseitigt war und eine neue Streitmacht aus dem Süden heranzog, war die Stadt so gut bemannt wie nur möglich. Späher berichteten, daß auf den Straßen nach Osten bis zu der Wegscheide des Gefallenen Königs keine Feinde mehr seien. Alles war nun bereit für das letzte Wagnis.

Legolas und Gimli sollten wieder zusammen reiten, und zwar mit Aragorn und Gandalf, die mit den Dúnedain und Elronds Söhnen zur Vorhut gehörten. Aber zu seiner Beschämung sollte Merry nicht mitgehen.

»Du bist nicht gesund genug für eine solche Fahrt«, sagte Aragorn. »Aber sei nicht beschämt. Auch wenn du in diesem Krieg weiter nichts tust, so hast du doch schon große Ehren verdient. Peregrin soll mitgehen und das Auenlandvolk vertreten; und mißgönne ihm seine Gelegenheit nicht, eine Gefahr zu bestehen, denn obwohl er es so gut gemacht hat, wie sein Glück es ihm erlaubte, hat er immer noch etwas zu tun, was deiner Tat gleichkommt. Aber in Wirklichkeit sind wir alle in derselben Gefahr. Wenn es auch unser Schicksal sein mag, ein bitteres Ende vor dem Tor von Mordor zu finden, dann wirst auch du, wenn es uns so ergeht, einen letzten Verteidigungskampf führen müssen, entweder hier oder wo immer dich die schwarze Flut überrollt. Lebe wohl!«

Und nun stand Merry verzagt da und beobachtete die Aufstellung des Heers. Bergil war bei ihm, und auch er war niedergeschlagen. Denn sein Vater sollte eine Schar von Mannen der Stadt anführen: er konnte nicht wieder in die Wache aufgenommen werden, ehe sein Fall nicht abgeurteilt war. Zu derselben Schar sollte auch Pippin als Krieger von Gondor gehören. Merry konnte ihn sehen, nicht weit weg, eine kleine, aber aufrechte Gestalt zwischen den großen Menschen von Minas Tirith.

Endlich erschallten die Trompeten, und das Heer setzte sich in Bewegung. Reiterabteilung um Reiterabteilung und Schar um Schar machten eine Schwenkung und zogen nach Osten ab. Und noch lange, nachdem sie die große Straße zum Damm hinter sich gelassen hatten und außer Sicht waren, stand Merry da. Der letzte Schimmer der Morgensonne glitzerte auf Speer und Helm und verschwand, und immer noch blieb er mit gesenktem Kopf und bedrücktem Herzen stehen; er fühlte sich verlassen und einsam. Alle, die er gern hatte, waren davongegangen in die Düsternis, die über dem fernen östlichen Himmel hing; und wenig Hoffnung hatte er, wenn überhaupt welche, daß er einen von ihnen je wiedersehen würde.

Als ob seine verzweifelte Stimmung den Schmerz wieder wachgerufen habe, begann sein Arm ihn von neuem zu plagen, und er fühlte sich schwach und alt, und der Sonnenschein kam ihm fahl vor. Er schreckte auf, als Bergil ihn mit der Hand berührte.

»Kommt, Herr Perian!« sagte er. »Ihr habt noch Schmerzen, wie ich sehe. Ich werde Euch wieder zu den Heilern bringen. Aber habt keine Angst! Sie werden zurückkommen. Die Menschen von Minas Tirith werden niemals besiegt werden. Und jetzt haben sie den Herrn Elbenstein und auch Beregond von der Wache.«

Vor dem Mittag gelangte das Heer nach Osgiliath. Dort waren alle Arbeiter und Handwerker, die entbehrt werden konnten, beschäftigt. Einige verstärkten die Fähren und Schiffsbrücken, die der Feind angelegt und bei seiner Flucht teilweise zerstört hatte; einige sammelten Vorräte und Beute; und andere hoben auf der östlichen Seite jenseits des Flusses eilig Verteidigungswerke aus.

Die Vorhut zog weiter durch die Trümmer von Alt-Gondor und über den breiten Fluß und dann über die lange gerade Straße, die einstmals gebaut worden war, um den schönen Turm der Sonne mit dem hohen Turm des Mondes zu verbinden, der jetzt Minas Morgul war in seinem verfluchten Tal. Fünf Meilen hinter Osgiliath hielten sie an, und es war das Ende ihres ersten Tagesmarschs.

Doch die Reiter drängten weiter vor, und ehe es Abend wurde, kamen sie zu der Wegscheide und dem großen Kreis von Bäumen, und alles war still. Keine Spur eines Feindes hatten sie gesehen, keinen Schrei oder Ruf gehört, kein Pfeil war unterwegs von Fels oder Dickicht auf sie abgeschossen worden, doch während sie vorwärts gingen, hatten sie die ganze Zeit das Gefühl, daß die Wachsamkeit des Landes zunahm. Baum und Stein, Halm und Blatt lauschten. Die Dunkelheit hatte sich aufgelöst, und fern im Westen ging die Sonne über dem Tal des Anduin unter, und die weißen Gipfel des Gebirges erglühten in der blauen Luft, doch über dem Ephel Dúath schwebten ein Schatten und eine Düsternis.

Dann stellte Aragorn Trompeter auf jede der vier Straßen, die in dem Baumkreis zusammenliefen, und sie bliesen einen mächtigen Tusch, und die Herolde riefen laut: »Die Herren von Gondor sind zurückgekehrt und haben dieses ganze Land, das ihres ist, wiedergenommen.« Der abscheuliche Orkkopf, der auf das Standbild gesetzt worden war, wurde herumtergeholt und in Stücke geschlagen, und der Kopf des alten Königs wurde aufgehoben und wieder an seinen Platz gesetzt, und er war noch immer mit weißen und goldenen Blumen gekrönt; und die Männer machten sich daran, all die üblen Kritzeleien abzuwaschen und abzukratzen, mit denen die Orks den Stein verunziert hatten.

Bei ihrer Beratung hatten nun einige den Vorschlag gemacht, zuerst Minas Morgul anzugreifen, und wenn sie es einnehmen könnten, solle es völlig zerstört werden. »Und vielleicht«, sagte Imrahil, »erweist sich die Straße, die von dort zu dem Paß hinaufführt, als ein einfacherer Weg für den Angriff gegen den Dunklen Gebieter als sein nördliches Tor.«

Aber davor hatte Gandalf dringend gewarnt wegen des Bösen, das in diesem Tal hauste, wo der Verstand lebender Menschen sich in Wahnsinn und Entsetzen verwandelte, und auch wegen der Nachrichten, die Faramir gebracht hatte. Denn wenn der Ringträger es wirklich auf diesem Weg versucht hatte, dann sollten sie vor allem nicht das Auge von Mordor dorthin lenken. Also stellten sie am nächsten Tag, als das Hauptheer herankam, eine starke Wache am Scheideweg auf, die sich verteidigen könnte, wenn Mordor eine Streitmacht über den Morgul-Paß schicken oder mehr Menschen vom Süden heranbringen sollte. Für diese Wache wählten sie hauptsächlich Bogenschützen aus, die Weg und Steg in Ithilien kannten und sich in den Wäldern und an den Hängen in der Nähe der Wegkreuzung verstecken sollten. Aber Gandalf und Aragorn ritten mit der Vorhut bis zum Eingang des Morgul-Tals und schauten hinüber auf die unselige Stadt.

Sie war dunkel und ohne Leben; denn die Orks und geringeren Geschöpfe von Mordor, die dort gehaust hatten, waren in der Schlacht vernichtet worden, und die Nazgûl waren unterwegs. Doch war die Luft im Tal geschwängert mit Schrecken und Feindseligkeit. Dann zerstörten sie die üble Brücke und steckten die ungesunden Felder in roten Brand und ritten davon.

Am nächsten Tag, dem dritten, seit sie von Minas Tirith aufgebrochen waren, begann das Heer nach Norden auf der Straße zu marschieren. Auf diesem Wege waren es etwa hundert Meilen von der Wegscheide bis zum Morannon, und was ihnen widerfahren würde, ehe sie dort hinkamen, wußte keiner. Sie gingen ohne Deckung, aber achtsam, und vor ihnen auf der Straße waren berittene Späher, und andere zu Fuß auf beiden Seiten, besonders an der Ostflanke; denn dort lagen große Dickichte, und das abschüssige Land war voller Schluchten und Felsen, hinter denen die langen, düsteren Hänge des Ephel Dúath emporklommen. Das Wetter der Welt war schön geblieben, und der Wind wehte stetig von Westen, aber nichts konnte die Düsternis und die traurigen Nebel vertreiben, die um das Schattengebirge hingen; und dahinter stiegen zuweilen große Rauchwolken auf und schwebten in den oberen Winden.

Dann und wann ließ Gandalf die Trompeten blasen, und die Herolde riefen: »Die Herren von Gondor sind gekommen!« Aber Imrahil sagte: »Sagt nicht *Die Herren von Gondor.* Sagt *Der König Elessar.* Denn das ist wahr, selbst wenn er noch nicht auf dem Thron gesessen hat; und es wird dem Feind mehr zu denken geben, wenn die Herolde diesen Namen nennen.« Und danach kündeten die Herolde dreimal am Tag das Kommen des Königs Elessar an. Aber niemand antwortete auf die Herausforderung.

Obwohl sie in scheinbarem Frieden marschierten, waren die Herzen des ganzen Heeres, vom Höchsten bis zum Niedrigsten, bedrückt, und mit jeder Meile, die sie nach Norden gingen, lastete die Vorahnung von Unheil immer schwerer auf ihnen. Der zweite Tag ihres Marsches seit der Wegscheide näherte sich seinem Ende, als sie zum ersten Mal auf einen kampfbereiten Gegner stießen. Denn eine starke Rotte von Orks und Ostlingen versuchte, ihre Vorausabteilungen aus dem Hinterhalt zu überfallen; und es war genau an der Stelle, wo Faramir den Menschen aus Harad aufgelauert hatte und wo die Straße in einem tiefen Durchstich einen Ausläufer der östlichen Berge durchstieß. Aber die Heerführer des Westens waren durch ihre Späher, erfahrene Männer aus Henneth Annûn unter Führung von Mablung, rechtzeitig gewarnt worden; und so gerieten die im Hinterhalt Liegenden selbst in eine Falle. Denn Reiter beschrieben einen weiten Bogen nach Westen und griffen die Feinde an der Flanke und von hinten an, und sie wurden niedergemacht oder nach Osten in die Berge getrieben.

Doch der Sieg ermutigte die Heerführer nur wenig. »Es ist nur ein Scheinangriff«, sagte Aragorn, »und sein Hauptzweck, glaube ich, war eher, uns durch eine falsche Einschätzung der Schwäche unseres Feindes weiterzulocken, als uns großen Schaden zuzufügen.« Und seit diesem Abend kamen die Nazgûl und verfolgten jede Bewegung des Heeres. Sie flogen noch hoch und außer Sichtweite von allen außer Legolas, und doch war ihre Anwesenheit spürbar wie eine Verdunkelung der Schatten und eine Trübung der Sonne; und obwohl die Ringgeister noch nicht auf ihre

Feinde hinunterstießen und stumm waren und keinen Schrei von sich gaben, ließ sich das Grauen vor ihnen nicht abschütteln.

So verging die Zeit, und die hoffnungslose Fahrt zog sich weiter hin. Am vierten Tag, nachdem sie vom Scheideweg, und am sechsten Tag, nachdem sie von Minas Tirith aufgebrochen waren, kamen sie endlich ans Ende der lebenden Lande und zogen durch die Einöde, die vor den Toren des Passes von Cirith Gorgor lag; und von dort erblickten sie die Sümpfe und die Wüstenei, die sich nördlich und westlich des Emyn Muil erstreckten. So trostlos waren diese Orte und so abgrundtief der Schrecken, der auf ihnen lag, daß einige aus dem Heer den Mut verloren und nicht weiter nach Norden zu gehen oder zu reiten vermochten.

Aragorn sah sie an, und es war eher Mitleid in seinem Blick als Zorn; denn es waren junge Männer aus Rohan, aus dem fernen Westfold, oder Bauern aus Lossarnach, und für sie war Mordor von Kindheit an ein Name des Bösen gewesen, und dennoch unwirklich, eine Sage, die nichts mit ihrem einfachen Leben gemein hatte; und nun gingen sie wie Menschen in einem abscheulichen Traum, der Wirklichkeit geworden war, und sie verstanden weder diesen Krieg noch warum das Schicksal sie in eine so mißliche Lage brachte.

»Geht!« sagte Aragorn. »Aber behaltet so viel Ehre, wie ihr könnt, und flieht nicht! Und es gibt eine Aufgabe, die ihr versuchen könnt, damit ihr euch nicht nur zu schämen braucht. Schlagt den Weg nach Südwesten ein, bis ihr nach Cair Andros kommt, und wenn es noch vom Feind besetzt ist, wie ich glaube, dann erobert es zurück, wenn ihr könnt; und haltet es bis zuletzt zum Schutz von Gondor und Rohan!«

Da waren einige beschämt durch sein Mitleid, und sie überwanden ihre Angst und gingen weiter, und die anderen schöpften neue Hoffnung, als sie von einer mannhaften Tat im Rahmen ihrer Kräfte hörten, der sie sich zuwenden konnten, und sie gingen. Und da schon am Scheideweg viele Mannen zurückgelassen worden waren, hatten die Heerführer des Westens weniger als sechstausend Mann, als sie nun endlich das Schwarze Tor und die Macht von Mordor herausforderten.

Sie rückten jetzt langsam vor, denn sie erwarteten stündlich eine Antwort auf die Ankündigungen ihrer Herolde, und sie blieben jetzt zusammen, denn es wäre eine Vergeudung von Leuten gewesen, wenn sie Späher und kleine Gruppen vom Hauptheer getrennt hätten. Bei Einbruch der Nacht am fünften Tage des Marsches vom Morgul-Tal schlugen sie ihr letztes Lager auf und zündeten ringsum Feuer an mit so viel totem Holz und Heide, wie sie finden konnten. Sie verbrachten die Nachtstunden wachend und merkten, daß viele Wesen, die sie nur halb sahen, umherwanderten und sie umschlichen, und sie hörten das Heulen von Wölfen. Der Wind hatte sich gelegt, und die ganze Luft erschien still. Sie konnten wenig sehen, denn obwohl es wolkenlos und der zunehmende Mond vier Tage alt war, stiegen Rauch und Dunst von der Erde auf, und die weiße Mondsichel war verhüllt von den Nebeln aus Mordor.

Es wurde kalt. Als der Morgen kam, regte sich der Wind wieder, aber jetzt wehte er von Norden und verstärkte sich bald zu einer frischen Brise. Alle Nachtwandler waren fort, und das Land erschien leer. Nördlich lagen inmitten der stinkenden Gräben die ersten großen Haufen und Berge aus Schlacke und herausgesprengtem Feld und verbrannter Erde, ausgespien von dem Wühlervolk von Mordor; aber im Süden und jetzt ganz nahe erhob sich der große Wall von Cirith Gorgor und in seiner Mitte das Schwarze Tor, und zu beiden Seiten die zwei Türme der Wehr, hoch und dunkel. Denn bei ihrem letzten Marsch hatten die Heerführer die alte Straße dort, wo sie nach Osten abbog, verlassen und die Gefahr der lauernden Berge vermieden, und so näherten sie sich dem Morannon nun vom Nordwesten, wie es auch Frodo getan hatte.

Die drei riesigen Türflügel des Schwarzen Tors unter ihren drohenden Gewölbebögen waren fest verschlossen. Auf der Festungsmauer war nichts zu sehen. Alles war still, aber wachsam. Sie waren nun am letzten Ende ihrer Torheit angelangt und standen verloren und fröstelnd in dem grauen Licht des frühen Tages vor Türmen und Mauern, die ihr Heer nicht mit Hoffnung auf Erfolg angreifen konnte, nicht einmal, wenn sie sehr mächtige Kriegsmaschinen mitgebracht hätten und der Feind nicht mehr Streitkräfte hätte, als für die Bemannung des Tors und der Mauer allein genügen würden. Dennoch wußten sie, daß alle Berge und Felsen rings um den Morannon von verborgenen Feinden wimmelten und die schattige Talschlucht dahin durchbohrt und von der furchtbaren Brut böser Wesen mit unterirdischen Gängen versehen worden war. Und als sie dort standen, sahen sie alle Nazgûl beieinander, und wie Geier schwebten sie über den Türmen der Wehr; und sie wußten, daß sie beobachtet wurden. Aber immer noch gab der Feind kein Zeichen.

Es blieb ihnen keine andere Wahl, als ihre Rolle bis zu Ende zu spielen. Daher stellte Aragorn das Heer nun in der denkbar besten Schlachtordnung auf, und zwar auf zwei großen Bergen aus gesprengtem Gestein, die die Orks in jahrelanger Arbeit aufgetürmt hatten. Vor ihnen in Richtung auf Mordor lag wie ein Wallgraben ein Sumpf von stinkendem Schlamm und übelriechenden Tümpeln. Als alles geordnet war, ritten die Heerführer zum Schwarzen Tor mit einer großen Leibwache aus Reitern und dem Banner und Herolden und Trompetern. Da war Gandalf als oberster Abgesandter, und Aragorn mit Elronds Söhnen und Éomer von Rohan und Imrahil; und auch Legolas und Gimli und Peregrin wurden aufgefordert mitzugehen, damit alle Feinde von Mordor einen Zeugen haben sollten.

Sie kamen in Rufweite des Morannon, entrollten das Banner und bliesen die Trompeten; und die Herolde traten vor und ließen ihre Stimmen hinaufschallen zum Festungswall von Mordor.

»Kommt heraus!« riefen sie. »Laßt den Herrn des Schwarzen Landes herauskommen! Er soll seine gerechte Strafe erhalten. Denn unrechtmäßig hat er Gondor mit Krieg überzogen und seine Lande verwüstet. Daher verlangt der König von Gondor, daß er für seine Übeltaten büßen und dann auf immer fortgehen soll. Kommt heraus!«

Lange herrschte Stille, und von Mauer und Tor war kein Schrei oder Laut als Antwort zu hören. Aber Sauron hatte seine Pläne schon gemacht, und es gelüstete ihn, diese Mäuse erst grausam zappeln zu lassen, ehe er zuschlug, um sie zu töten. So kam es, daß gerade, als die Heerführer umkehren wollten, die Stille plötzlich unterbrochen wurde. Langanhaltend dröhnten Trommeln wie Donner im Gebirge, und dann kam ein Schmettern von Hörnern, das die Steine erbeben ließ und die Ohren der Menschen betäubte. Und dann wurde der mittlere Türflügel des Schwarzen Tors mit lautem Geklirr aufgestoßen, und heraus kam eine Gesandtschaft des Schwarzen Turms.

An ihrer Spitze ritt eine große und böse Gestalt auf einem schwarzen Pferd, wenn es ein Pferd war; denn es war riesig und häßlich, und sein Gesicht war eine gräßliche Maske, mehr ein Totenschädel denn ein lebender Kopf, und in seinen Augenhöhlen und Nüstern brannte eine Flamme. Der Reiter war ganz schwarz gekleidet, und schwarz war sein hoher Helm; doch war er kein Ringgeist, sondern ein lebendiger Mann. Der Befehlshaber des Turms von Barad-dûr war er, und sein Name wird in keiner Erzählung überliefert; denn er selbst hatte ihn vergessen, und er sagte: »Ich bin Saurons Mund.« Aber es wird erzählt, er sei ein Abtrünniger gewesen, aus dem Geschlecht derer, die die Schwarzen Númenorer genannt werden; denn sie schlugen in den Jahren von Saurons Herrschaft ihren Wohnsitz in Mittelerde auf, und sie verehrten ihn, von böser Freundschaft bezaubert. Und er trat in den Dienst des Dunklen Turms, als dessen Macht wieder zunahm, und wegen seiner Verschlagenheit stieg er immer höher in der Gunst des Herrschers; und er lernte die große Hexerei und wußte viel von Saurons Gedanken; und er war grausamer als jeder Ork.

Er war es, der jetzt herausritt, und mit ihm kam nur eine kleine Schar Krieger in schwarzen Rüstungen, und eine einzige Fahne, schwarz, aber darauf in Rot das Böse Auge. Nun hielt er ein paar Schritt von den Heerführern, sah sie von oben bis unten an und lachte.

»Ist hier irgendeiner in diesem wilden Haufen, der ermächtigt ist, mit mir zu verhandeln?« fragte er. »Oder der auch nur Verstand genug hat, um mich zu verstehen? Nicht du wenigstens!« höhnte er und wandte sich voll Verachtung an Aragorn. »Es braucht mehr, um einen König zu machen als ein Stück Elbenglas oder einen Pöbelhaufen wie diesen. Warum? Jeder Räuber aus den Bergen kann eine ebenso gute Gefolgschaft vorzeigen!«

Aragorn sagte nichts als Antwort, aber er sah dem anderen in die Augen und hielt seinen Blick fest, und einen Augenblick lang rangen sie so miteinander; doch bald, obwohl Aragorn sich nicht rührte und auch nicht die Hand nach der Waffe ausstreckte, zitterte der andere und fuhr zurück, als ob er mit einem Schlag bedroht worden sei. »Ich bin ein Herold und Botschafter und darf nicht angegriffen werden!« schrie er.

»Wo solche Gesetze gelten«, sagte Gandalf, »ist es auch Sitte, daß Botschafter weniger unverschämt sind. Aber niemand hat Euch bedroht. Ihr habt nichts von uns zu fürchten, bis Euer Auftrag erledigt ist. Doch sofern Euer Herz nicht zu neuer Einsicht gelangt ist, werdet Ihr und alle seine Diener dann in großer Gefahr sein.«

»So!« sagte der Bote. »Dann bist du der Sprecher, alter Graubart? Haben wir nicht zuweilen von dir gehört, von deinen Wanderungen und daß du immer in sicherer Entfernung Ränke geschmiedet und Unheil ausgebrütet hast? Aber diesmal hast du deine Nase zu weit vorgestreckt, Herr Gandalf; und du wirst sehen, was dem geschieht, der seine törichten Netze vor den Füßen Saurons des Großen stellt. Ich habe Beweise, die dir zu zeigen mir befohlen wurde – dir insbesondere, wenn du es wagen solltest, herzukommen.« Er winkte einem von seinen Leuten, und er brachte ein in schwarze Tücher eingewickeltes Bündel.

Der Bote zog die Umhüllung beiseite, und zur Verwunderung und zum Entsetzen aller Heerführer hielt er zuerst ein kurzes Schwert hoch, wie Sam es bei sich gehabt hatte, dann einen grauen Mantel mit einer Elben-Brosche, und zuletzt das Panzerhemd aus *mithril*, das Frodo getragen hatte, eingewickelt in seine zerfetzten Kleider. Es wurde ihnen schwarz vor Augen, und in einem Augenblick des Schweigens schien es ihnen, daß die Welt stillstand, aber ihre Herzen schlugen nicht mehr, und ihre letzte Hoffnung war dahin. Pippin, der hinter Fürst Imrahil stand, sprang mit einem Schmerzensschrei vor.

»Ruhe!« sagte Gandalf streng und stieß ihn zurück; aber der Bote lachte laut auf.

»So, ihr habt also noch einen von diesen Wichten bei euch!« rief er. »Was ihr an ihnen nützlich findet, kann ich mir nicht vorstellen; aber sie als Späher nach Mordor zu schicken, das übertrifft eure übliche Torheit. Immerhin danke ich ihm, denn es ist klar, daß dieser Knirps zumindest die Beweise schon früher gesehen hat, und es wäre vergeblich, wenn ihr sie jetzt verleugnen wolltet.«

»Ich will sie nicht verleugnen«, sagte Gandalf. »Fürwahr, ich kenne sie alle und ihre ganze Geschichte, und trotz Eures Spotts, Ihr widerlicher Mund von Sauron, könnt Ihr das nicht von Euch behaupten. Aber warum bringt Ihr sie her?«

»Zwergenpanzer, Elbenmantel, Klinge des gestürzten Westens, und ein Späher aus dem abtrünnigen Auenland – nein, fangt nicht wieder an! Wir wissen es genau – hier sind die Beweise für eine Verschwörung. Nun, vielleicht war er, der diese Dinge trug, ein Geschöpf, das zu verlieren euch nicht schmerzlich ist; und womöglich das Gegenteil: vielleicht einer, der euch teuer ist? Wenn ja, dann beratet schnell mit dem bißchen Verstand, der euch geblieben ist. Denn Sauron liebt keine Späher, und welches Schicksal ihn erwartet, hängt nun von eurer Entscheidung ab.«

Niemand antwortete ihm; aber er blickte in ihre Gesichter, grau vor Angst, und sah das Entsetzen in ihren Augen, und er lachte wieder, denn ihm schien, daß sein Spiel gut stand. »Gut, gut«, sagte er. Er war euch teuer, wie ich sehe. Oder war sein Auftrag einer, von dem ihr wünschtet, daß er nicht scheiterte? Er ist gescheitert. Und nun wird er die jahrelange Folterung erdulden, so lange und so langsam, wie unsere Erfindungsgabe im Großen Turm sie nur ersinnen kann, und niemals wird er freigelassen, es sei denn vielleicht, wenn er gewandelt und gezähmt ist, so daß er zu euch kommen darf und ihr sehen könnt, was ihr angerichtet habt. So wird es gewiß sein – es sei denn, ihr nehmt die Bedingungen meines Herrn an.«

»Nennt die Bedingungen«, sagte Gandalf unbewegt, aber diejenigen, die nahebei standen, sahen die Qual in seinem Gesicht, und nun erschien er wie ein alter und runzliger Mann, überwältigt, endlich besiegt. Sie zweifelten nicht, daß er annehmen würde.

»Dieses sind die Bedingungen«, sagte der Bote, und er lächelte, als er sie einen nach dem anderen ansah. »Der Pöbelhaufen von Gondor und seine irregeführten Verbündeten sollen sich sofort hinter den Anduin zurückziehen und zuvor den Eid ablegen, daß sie Sauron den Großen nie wieder mit Waffen angreifen werden, sei es offen oder geheim. Alle

Lande östlich des Anduin sollen Saurons sein auf immerdar, ausschließlich. Westlich des Anduin bis zum Nebelgebirge und der Pforte von Rohan sollen sie Mordor zinspflichtig sein, und die Männer dort sollen keine Waffen tragen, doch Erlaubnis haben, ihre Angelegenheiten selbst zu regeln. Doch werden sie helfen, Isengart wiederaufzubauen, das sie mutwillig zerstört haben, und das soll Saurons sein, und dort wird sein Statthalter wohnen: nicht Saruman, sondern ein vertrauenswürdigerer.«

Als sie dem Boten in die Augen schauten, errieten sie seinen Gedanken. Er sollte jener Statthalter sein und alles, was vom Westen blieb, in seine Gewalt bringen; er würde ihr Herrscher sein und sie seine Hörigen.

Aber Gandalf sagte: »Das ist zu viel gefordert für die Auslieferung eines einzigen Dieners: daß Euer Herr im Tausch erhalten soll, wofür er sonst viele Kriege führen müßte, um es zu erlangen! Oder hat das Schlachtfeld von Gondor seine Kriegshoffnung vernichtet, so daß er zu feilschen beginnt? Und wenn wir diesen Gefangenen wirklich so hoch einschätzten, welche Sicherheit haben wir, daß Sauron, der niederträchtige Meister des Treubruchs, seine Schuldigkeit erfüllen wird? Wo ist dieser Gefangene? Laßt ihn herbringen und uns übergeben, und dann werden wir diese Forderungen in Erwägung ziehen.«

Es schien Gandalf dann, als er ihn unverwandt beobachtete wie ein Mann, der mit einem gefährlichen Gegner ficht, daß der Bote einen Atemzug lang unsicher war; doch rasch lachte er wieder.

»Fangt in eurer Unverschämtheit keine Wortgefechte mit Saurons Mund an!« rief er. »Sicherheit erbittet ihr! Sauron gibt keine. Wenn ihr seine Gnade erfleht, dann müßt ihr erst tun, was er gebietet. Das sind seine Bedingungen. Nehmt sie an oder laßt es bleiben!«

»Diese werden wir nehmen!« sagte Gandalf plötzlich. Er warf seinen Mantel ab, und ein weißes Licht leuchtete auf an diesem dunklen Platz wie ein Schwert. Vor seiner erhobenen Hand wich der widerliche Bote zurück, und Gandalf ging auf ihn zu und nahm ihm die Beweise ab: Panzer, Mantel und Schwert. »Diese werden wir nehmen zur Erinnerung an unseren Freund«, rief er. »Aber was eure Bedingungen anbelangt, so weisen wir sie ganz und gar zurück. Macht Euch fort, denn Eure Gesandtschaft ist beendet und Euer Tod nahe. Wir sind nicht hierher gekommen, um bei Verhandlungen mit Sauron, dem treulosen und verfluchten, Worte zu verschwenden: noch weniger mit einem seiner Sklaven. Fort mit Euch!«

Da lachte der Bote von Mordor nicht mehr. Sein Gesicht verzerrte sich so vor Verblüffung und Wut, daß es Ähnlichkeit bekam mit einem wilden Tier, dem, wenn es vor seiner Beute kauert, mit einer scharfen Gerte auf die Schnauze geschlagen wird. Er wurde von Raserei gepackt, sein Mund geiferte, und ungestalte Laute der Wut kamen würgend aus seiner Kehle. Aber er sah die grimmigen Gesichter der Heerführer und ihre todbringenden Augen, und Angst trug den Sieg über seinen Zorn davon. Er stieß einen lauten Schrei aus, wandte sich um, sprang auf sein Roß und galoppierte mit seiner Schar wie wahnsinnig zurück nach Cirith Gorgor. Aber während sie ritten, bliesen seine Leute ihre Hörner als ein lange vereinbartes Zeichen; und ehe sie noch zum Tor kamen, ließ Sauron seine Falle zuschnappen.

Trommeln dröhnten und Feuer züngelte auf. Alle Torflügel des Morannon sprangen weit auf. Heraus strömte ein großes Heer so rasch wie wirbelndes Wasser, wenn eine Schleuse geöffnet wird.

Die Heerführer saßen wieder auf und ritten zurück, und das Heer von Mordor brach in ein Hohngeschrei aus. Staub stieg auf und machte die Luft stickig, als von nahebei ein Heer von Ostlingen heranmarschierte, das in den Schatten des Ered Lithui jenseits des hinteren Turms auf das Zeichen gewartet hatte. Auf beiden Seiten des Morannon kamen unzählige Orks von den Bergen herab. Die Menschen des Westens saßen in der Falle, und rings um die grauen Hügel, auf denen sie standen, schlossen Heerhaufen, die ihnen an Zahl zehnmal und mehr als zehnmal überlegen waren, sie in einem Meer von Feinden ein. Sauron hatte den angebotenen Köder mit einem Rachen aus Stahl geschluckt.

Wenig Zeit blieb Aragorn für seine Schlachtaufstellung. Auf dem einen Hügel stand er mit Gandalf, und schön und verzweifelt war dort das Banner mit dem Baum und den Sternen aufgepflanzt. Auf dem anderen Hügel dicht dabei standen die Banner von Rohan und Dol Amroth, das Weiße Pferd und der Silberne Schwan. Und um jeden Hügel wurde ein Ring gebildet, der nach allen Seiten schaute und von Speeren und Schwertern starrte. Aber Mordor gegenüber, wo der erste erbitterte Ansturm losbrechen würde, standen Elronds Söhne auf der Linken, umgeben von den Dúnedain, und auf der Rechten Fürst Imrahil mit den Mannen von Dol Amroth, kühn und schön, und mit ausgewählten Leuten des Turms der Wacht.

Der Wind wehte und die Trompeten sangen und Pfeile schwirrten; aber die Sonne, die jetzt den Süden erklomm, war verschleiert in dem Qualm von Mordor, und durch einen bedrohlichen Dunst schimmerte sie, fern, ein dunkles Rot, als sei es das Ende des Tages oder vielleicht das Ende der ganzen Welt des Lichts. Und aus der zunehmenden Düsternis kamen die Nazgûl mit ihren kalten Stimmen und schrien Worte des Todes; und da war alle Hoffnung erloschen.

Pippin hatte sich geduckt, von Entsetzen niedergeschmettert, als er hörte, daß Gandalf die Bedingungen ablehnte und Frodo zu der Folter des Turms verurteilte; aber nun hatte er sich wieder in der Gewalt und stand neben Beregond im ersten Glied von Gondor mit Imrahils Mannen. Denn ihm schien es das beste zu sein, schnell zu sterben und die bittere Geschichte seines Lebens abzuschließen, da doch alles verloren war.

»Ich wünschte, Merry wäre hier«, hörte er sich selbst sagen, und eilige Gedanken schossen ihm durch den Kopf, als er beobachtete, wie der Feind zum Angriff herankam. »Ja, ja, jetzt verstehe ich den armen Denethor jedenfalls ein bißchen besser. Wir könnten zusammen sterben, Merry und ich, und da wir doch sterben müssen, warum nicht? Nun, da er nicht hier ist, hoffe ich, er wird ein leichteres Ende finden. Aber jetzt muß ich mein Bestes tun.«

Er zog sein Schwert und schaute es an und die verschlungenen Formen in Rot und Gold; und die schwungvollen Schriftzeichen von Númenor glitzerten wie Feuer auf der Klinge. »Das war just für eine solche Stunde gemacht«, dachte er. Wenn ich nur diesen widerlichen Boten damit niederstrecken könnte, dann würde ich mit dem alten Merry fast gleichziehen. Na, ehe alles zu Ende ist, werde ich noch einige von dieser viehischen Brut niederstrecken. Ich wünschte, ich könnte noch einmal kühles Sonnenlicht und grünes Gras sehen!«

Und als er das eben dachte, prallte der erste Angriff auf sie. Die Orks, durch die vor den Hügeln liegenden Sümpfe behindert, waren stehengeblieben und hatten die Reihen der Verteidiger mit Pfeilen überschüttet. Aber zwischen ihnen hindurch kam, wie Tiere brüllend, eine große Schar Bergtrolle aus Gorgoroth. Größer und stämmiger als Menschen waren sie und nur mit einem engsitzenden Netz aus hornigen Schuppen bekleidet, oder vielleicht war das ihre abscheuliche Haut; aber sie trugen Rundschilde, die groß und schwarz waren, und hatten schwere Hämmer in ihren knorrigen Händen. Unbekümmert sprangen sie in die Tümpel und wateten hindurch und schrien laut, als sie herankamen. Wie ein Sturm brachen sie über die Reihen der Mannen von Gondor herein und hieben auf Helm und Kopf, Arm und Schild wie Schmiede, die auf glühendes Eisen schlagen. An Pippins Seite wurde Beregond getroffen, er sackte zusammen und stürzte zu Boden; und der große Trollhäuptling, der ihn niedergeschlagen hatte, beugte sich über ihn und streckte seine krallige Klaue aus, denn diese grausamen Geschöpfe beißen demjenigen, den sie niederstrecken, die Kehle durch.

Da führte Pippin einen Stoß nach oben, und die beschriftete Klinge von Westernis drang durch die Haut und tief hinein in die Weichteile des

Trolls, und sein schwarzes Blut sprudelte hervor. Er kippte nach vorn und krachte nieder wie ein stürzender Fels und begrub diejenigen, die unter ihm lagen. Schwärze und Gestank und ein zermalmender Schmerz überkamen Pippin, und seine Sinne schwanden in einer großen Dunkelheit.

»So endet es, wie ich es mir vorgestellt hatte«, sagte sein Denken, als es eben davonflatterte; und es lachte ein wenig in ihm, ehe es floh, fast fröhlich anscheinend, weil es endlich allen Zweifel und Sorge und Angst abschütteln konnte. Und als es sich eben emporschwang in Vergessenheit, hörte es Stimmen, und sie schienen in irgendeiner vergessenen Welt hoch oben zu schreien:

»Die Adler kommen! Die Adler kommen!«

Noch einen Augenblick verharrte Pippins Denken. »Bilbo«, sagte es. »Aber nein! Das war ja in seiner Geschichte, vor langer, langer Zeit. Dies hier ist meine Geschichte, und nun ist sie zu Ende. Lebt wohl!« Und sein Denken floh in weite Ferne, und seine Augen sahen nichts mehr.

SECHSTES BUCH

ERSTES KAPITEL

DER TURM VON CIRITH UNGOL

Sam rappelte sich mühsam vom Boden auf. Im ersten Augenblick wußte er gar nicht, wo er war, und dann fiel ihm all das Elend und die Hoffnungslosigkeit wieder ein. Er war in der tiefen Dunkelheit draußen vor dem unteren Tor der Orkfestung; seine ehernen Türflügel waren geschlossen. Er mußte bewußtlos hingefallen sein, als er sich dagegengeworfen hatte; aber wie lange er dort gelegen hatte, ahnte er nicht. Vorher war ihm in seiner Verzweiflung und Wut glühend heiß gewesen; jetzt zitterte er und fror. Er kroch zu dem Tor und preßte das Ohr dagegen. Weit drinnen hörte er undeutlich Orkstimmen schreien, aber bald hörten sie auf oder waren außer Hörweite, und alles war still. Sein Kopf tat ihm weh, und vor seinen Augen tanzten in der Dunkelheit gespenstische Lichter, doch er bemühte sich, ruhiger zu werden und nachzudenken. Jedenfalls war klar, daß keine Hoffnung bestand, durch dieses Tor in die Orkfestung zu kommen; tagelang könnte er warten, bis es geöffnet wurde, aber warten konnte er nicht: Zeit war verzweifelt kostbar. Er hatte keinen Zweifel mehr über seine Pflicht: er mußte seinen Herrn retten oder bei dem Versuch sterben.

»Das Sterben ist wahrscheinlicher und wird jedenfalls erheblich einfacher sein«, sagte er grimmig zu sich selbst, als er Stich in die Scheide steckte und den ehernen Türen den Rücken kehrte. Langsam tastete er sich in der Dunkelheit durch den unterirdischen Gang und wagte nicht, das Elbenlicht zu benutzen; und während er ging, versuchte er, die Ereignisse aneinanderzureihen, seit Frodo und er den Scheideweg verlassen hatten. Er hätte gern gewußt, wie spät es war. Irgendwie zwischen einem Tag und dem nächsten, nahm er an; aber sogar die Tage konnte er nicht mehr nachrechnen. Er war in einem Land der Dunkelheit, wo die Tage der Welt vergessen waren und wo alle, die hierher kamen, auch vergessen waren.

»Ich möchte mal wissen, ob sie überhaupt an uns denken«, sagte er, »und was mit ihnen allen da drüben geschieht.« Er deutete etwa in die Richtung vor ihm, aber in Wirklichkeit ging er nun, da er wieder zu Kankras Lauer zurückkam, nach Süden, nicht nach Westen. Draußen in der Welt, im Westen, ging es auf den Mittag des 14. März nach der Auenland-Zeitrechnung zu, und eben jetzt brachte Aragorn die schwarze Flotte aus Pelargir heran, und Merry ritt mit den Rohirrim durch das Steinkarrental, während in Minas Tirith Brände aufloderten und Pippin beobachtete, wie der Wahnsinn in Denethors Augen zunahm. Doch bei all ihren Sorgen und Ängsten kehrten die Gedanken ihrer Freunde immer wieder zu Frodo und Sam zurück. Sie waren nicht vergessen. Aber man konnte ihnen nicht beistehen, und kein Gedenken konnte Samweis, Hamfasts Sohn, Hilfe bringen; er war völlig allein.

Schließlich kam er wieder zu der Steintür des Orkganges, und da er immer noch weder Klinke noch Riegel entdecken konnte, kletterte er wie zuvor drüber weg und ließ sich sanft hinunterfallen. Dann schlich er behutsam zu dem Ausgang von Kankras Lauer, wo die Fetzen ihres großen Netzes immer noch in der kalten Luft hin- und herwehten. Denn kalt erschien Sam die Luft nach der stinkigen Dunkelheit weiter hinten; aber die leichte Brise belebte ihn wieder. Vorsichtig kroch er hinaus.

Alles war unheimlich still. Es war nicht heller als während der Dämmerung am Ende eines düsteren Tages. Die gewaltigen Dämpfe, die in Mordor aufstiegen, zogen niedrig über ihn hinweg nach Westen, dicht geballte Wolken und Rauch, die jetzt von unten wieder von einer dunkelroten Glut beleuchtet wurden.

Sam blickte hinauf zu dem Orkturm, und plötzlich starrten aus dessen schmalen Fenstern Lichter heraus wie kleine rote Augen. Er fragte sich, ob das irgendwelche Zeichen seien. Seine Angst vor den Orks, die er in seinem Zorn und seiner Verzweiflung eine Weile vergessen hatte, kehrte jetzt zurück. Soweit er sehen konnte, gab es für ihn nur eine Möglichkeit: er mußte weitergehen und versuchen, den Haupteingang zu diesem entsetzlichen Turm zu finden; aber seine Knie waren weich, und er merkte, daß er zitterte. Er wandte seinen Blick von dem Turm und den Hörnern der Schlucht vor ihm ab und zwang seine unwilligen Füße, ihm zu gehorchen, und langsam, mit beiden Ohren lauschend und in die dichten Schatten der Felsen neben dem Weg starrend, ging er wieder zurück, vorbei an der Stelle, wo Frodo gestürzt war und Kankras Gestank immer noch in der Luft hing, und dann weiter hinauf, bis er wieder in jener Schlucht stand, wo er den Ring aufgesetzt und Schagrats Rotte hatte vorbeigehen sehen.

Dort hielt er an und setzte sich hin. Im Augenblick konnte er sich nicht dazu bringen, weiterzugehen. Er ahnte, daß, wenn er den Paß an der höchsten Stelle überquerte und auch nur einen Schritt hinunter in das Land Mordor tat, dieser Schritt unwiderruflich sein würde. Er konnte niemals zurückkommen. Ohne eine klare Absicht zog er den Ring heraus und setzte ihn wieder auf. Sofort spürte er die schwere Last seines Gewichts und empfand von neuem, aber jetzt stärker und drängender denn je, die Bosheit des Auges von Mordor, das suchte und sich bemühte, die Schatten zu durchdringen, die es zu seiner eigenen Verteidigung erzeugt hatte, die es aber nun in seiner Unruhe und seinem Zweifel behinderten.

Wie zuvor merkte Sam, daß sein Gehör geschärft war, daß aber seine Augen die Dinge dieser Welt nur schwach und undeutlich wahrnahmen. Die felsigen Wände des Pfades waren fahl, als ob er sie durch einen Nebel sah, aber aus der Ferne hörte er Kankra noch in ihrem Jammer blubbern; und schrill und klar und sehr nahe anscheinend hörte er Schreie und das Klirren von Metall. Er sprang auf und drückte sich an die Wand neben der Straße. Er war froh über den Ring, denn hier kam wieder eine Horde Orks anmarschiert. Das glaubte er jedenfalls zuerst. Dann merkte er plötzlich, daß dem nicht so war, daß sein Gehör ihn getäuscht hatte: die Orkschreie kamen vom Turm, dessen höchstes Horn jetzt genau über ihm war, linker Hand von der Schlucht.

Sam erschauerte, und er versuchte, sich zum Weitergehen zu zwingen. Da war eindeutig irgendeine Teufelei im Gange. Vielleicht hatte die Grausamkeit der Orks trotz aller Befehle die Oberhand gewonnen, und sie folterten Frodo oder hackten ihn sogar grausam in Stücke. Er lauschte; und während er das tat, tauchte ein Hoffnungsschimmer auf. Es konnte wohl kaum ein Zweifel sein: im Turm wurde gekämpft, die Orks mußten untereinander Krieg führen, Schagrat und Gorbag waren sich in die Haare geraten. Schwach war die Hoffnung, die seine Vermutung ihm brachte, aber sie reichte, um ihn aufzurütteln. Das könnte eine Gelegenheit sein. Seine Liebe zu Frodo war über alle anderen Gedanken erhaben, und Sam vergaß seine Gefahr und rief laut: »Ich komme, Herr Frodo!«

Er rannte los zum höchsten Punkt des ansteigenden Pfades und drüber hinweg. Sogleich bog die Straße nach links und fiel steil ab. Sam hatte die Grenze von Mordor überschritten.

Er zog den Ring ab, vielleicht veranlaßt durch eine dunkle Vorahnung von Gefahr, obwohl er bei sich nur dachte, er wolle besser sehen können. »Lieber das Schlimmste sehen«, murmelte er. »Hat keinen Zweck, im Nebel herumzutappen!«

Hart und grausam und bitter war das Land, das sich jetzt seinem Blick darbot. Zu seinen Füßen fiel der höchste Kamm des Ephel Dúath über große Felsen steil ab in eine dunkle Schlucht, an deren anderer Seite sich ein weiterer Kamm erhob, der viel niedriger war, und sein Grat war eingekerbt und gezackt von spitzen Felsen, die wie Fänge aussahen und sich schwarz vor dem roten Leuchten dahinter abhoben: es war der grimmige Morgai, der innere Ring des Bollwerks des Landes. Weit dahinter, doch fast geradeaus, jenseits eines ausgedehnten Sees von Dunkelheit, der mit kleinen Feuern gesprenkelt war, sah Sam einen großen glühenden Brand; und vor ihm stieg in gewaltigen Säulen ein wirbelnder Rauch auf, dunkelrot an seinem Ausgangspunkt und schwarz oben, wo er in die Wolkenhülle eintauchte, die das ganze verfluchte Land überdachte.

Sam sah den Orodruin, den Feurigen Berg. Dann und wann wurden die Schlote weit unterhalb seines Aschenkegels heiß und stießen unter großem Brodeln und Beben Ströme von geschmolzenem Fels aus Spalten an seinen Flanken. Einige flossen lodernd in großen Rinnen in Richtung auf Barad-dûr; einige bahnten sich ihren Weg in die steinige Ebene, bis sie sich abkühlten und wie verzerrte Drachengestalten liegenblieben, ausgespien von der gefolterten Erde. In einer solchen Stunde der Tätigkeit erblickte Sam den Schicksalsberg, und sein Leuchten, das für jene, die den Pfad vom Westen heraufklommen, durch den hohen Rücken des Ephel Dúath verdeckt war, beschien jetzt die kahlen Felswände, so daß sie aussahen, als seien sie mit Blut getränkt.

Diese entsetzliche Beleuchtung machte Sam ganz bestürzt, denn als er jetzt nach links schaute, erblickte er den Turm von Cirith Ungol in all seiner Macht. Das Horn, das er von der anderen Seite gesehen hatte, war nur sein höchster Seitenturm. Seine Ostseite ragte in drei großen Stufen von einem Felsvorsprung in der Bergwand weit unten auf; in seinem Rükken hatte er eine große Felsklippe, über die er mit spitzen Basteien hinausragte, eine über der anderen, die nach oben kleiner wurden; ihre steilen Wände aus listig angelegtem Mauerwerk blickten nach Nordosten und Südosten. Um die tiefste Stufe, die zweihundert Fuß unter dem Punkt lag, wo Sam jetzt stand, zog sich eine mit Zinnen versehene Mauer, die einen schmalen Hof umschloß. Ihr Tor, auf der ihm zugewandten nordöstlichen Seite, führte auf eine breite Straße mit einer Art Brückenmauer, die am Rand eines jähen Abgrunds entlanglief, bis die Straße nach Süden abbog und sich dann durch die Dunkelheit hinzog und sich mit der Straße vereinigte, die über den Morgul-Paß kam. Dann ging sie weiter durch eine gezackte Spalte im Morgai und hinaus in das Tal von Gorgoroth und weiter nach Barad-dûr. Der schmale obere Weg, auf dem Sam stand, führte über Treppen und steile Pfade hinunter zur Hauptstraße unter den drohenden Mauern dicht am Tor zum Turm.

Als Sam diese Festung betrachtete, begriff er mit einem Mal, und es war fast ein Schlag für ihn, daß sie nicht gebaut worden war, um Feinde von Mordor fernzuhalten, sondern um sie drinnen zu behalten. Tatsächlich war sie ein Werk von Gondor vor langer Zeit, ein östlicher Vorposten der Verteidigungsanlagen von Ithilien, und sie war erbaut worden, als die Menschen von Westernis nach dem Letzten Bündnis Saurons böses Land scharf überwachten, wo sich seine Geschöpfe noch immer verborgen hielten. Aber ebenso wie bei Narchost und Carchost, den Türmen der Wehr, hatte auch hier die Wachsamkeit versagt, und durch Verrat war der Turm dem Herrn der Ringgeister ausgeliefert worden, und nun war er schon seit langen Jahren von bösen Wesen besetzt. Seit Sauron nach Mordor zurückgekehrt war, hatte er ihn nützlich gefunden; denn er hatte wenig Diener, aber viele, die ihm aus Angst hörig waren, und wie einstmalen war es noch immer der Hauptzweck des Turms, die Flucht aus Mordor zu verhindern. Wenn allerdings ein Feind so unbesonnen war zu versuchen, heimlich in dieses Land zu kommen, dann gab es immer noch eine letzte, unermüdliche Wache gegen jene, die vielleicht der Wachsamkeit von Morgul und Kankra entgangen waren.

Nur zu klar erkannte Sam jetzt, wie aussichtslos es für ihn sein würde, wenn er unter diesen vieläugigen Mauern hinunterkröche und durch das wachsame Tor ginge. Und selbst wenn er es schaffte, könnte er auf der bewachten Straße dahinter nicht weit kommen: nicht einmal die schwarzen Schatten an den tiefen Stellen, zu denen das rote Glühen nicht vordrang, würden ihn lange vor den nachtäugigen Orks schützen. Aber so hoffnungslos diese Straße auch sein mochte, seine Aufgabe war jetzt schlimmer: nicht das Tor vermeiden und entfliehen, sondern es durchschreiten, allein.

Nun dachte er an den Ring, aber auch das war kein Trost, sondern nur Grauen und Gefahr. Kaum war er in Sichtweite des Schicksalsberges gekommen, da hatte er gemerkt, daß sich seine Bürde veränderte. Als der Ring sich den großen Schmelzöfen näherte, wo er in grauer Vorzeit gestaltet und geschmiedet worden war, wuchs seine Macht, und er wurde unheimlicher, unzähmbarer außer durch einen starken Willen. Obwohl Sam den Ring nicht am Finger hatte, sondern ihn an einer Kette um den Hals trug, kam sich Sam, als er da stand, irgendwie vergrößert vor, als ob er in einen riesigen, verzerrten Schatten seiner selbst gekleidet sei, eine auf den Wällen von Mordor innehaltende gewaltige und unheilvolle Drohung. Er spürte, daß er von jetzt an nur zwischen zwei Möglichkeiten würde wählen können: dem Ring zu entsagen, obwohl ihn das quälen würde; oder ihn für sich in Anspruch zu nehmen und die Macht herauszufordern, die in ihrer dunklen Feste jenseits des Tals der Schatten saß.

Schon führte ihn der Ring in Versuchung, nagte an seinem Willen und Verstand. Wilde Hirngespinste tauchten in seinen Gedanken auf; und er sah Samweis den Großen, den Helden des Zeitalters, der mit flammendem Schwert durch die verfinsterten Lande zog, und Heere, die auf sein Gebot hin zusammenströmten, als er losmarschierte, um Barad-dûr zu vernichten. Und dann verzogen sich alle Wolken, und die weiße Sonne schien, und auf seinen Befehl würde das Tal von Gorgoroth ein fruchtbarer Garten mit Blumen und Bäumen. Er brauchte nur den Ring aufzustecken und ihn als sein Eigentum zu erklären, und all dies könnte geschehen.

In dieser Stunde der Anfechtung war es die Liebe zu seinem Herrn, die am meisten dazu beitrug, daß er fest blieb; aber tief in seinem Inneren war auch sein schlichter Hobbitverstand noch unbesiegt: er wußte im Grunde seines Herzens, daß er nicht stark genug war, um eine solche Last zu tragen, selbst wenn derartige Gaukelbilder nicht nur ein bloßer Schwindel wären, um ihn hereinzulegen. Der eine kleine Garten eines freien Gärtners war alles, was er brauchte und was ihm zustand, nicht ein Garten, der zu einem Reich angewachsen war; selbst Hand anzulegen, nicht den Händen anderer zu befehlen.

»Und all diese Gedanken sind sowieso nur ein Trick«, sagte er zu sich selbst. »Er würde mich entdecken und mich einschüchtern, ehe ich auch nur aufschreien könnte. Ganz schön schnell würde er mich entdecken, wenn ich jetzt hier in Mordor den Ring aufsetzen würde. Na, ich kann nur sagen: die Sache sieht so hoffnungslos aus wie ein Frost im Frühling. Gerade wenn es wirklich nützlich wäre, unsichtbar zu sein, kann ich den Ring nicht verwenden! Und wenn ich überhaupt weiterkomme, dann wird er bei jedem Schritt nur eine Behinderung und eine Last sein. Was also ist zu tun?«

In Wirklichkeit bestand für ihn gar kein Zweifel. Er wußte, daß er zum Tor hinuntergehen mußte und nicht mehr zögern durfte. Mit einem Schulterzucken, als wolle er die Schatten abschütteln und die Hirngespinste als erledigt ansehen, begann er langsam den Abstieg. Bei jedem Schritt schien er zu schrumpfen. Er war noch nicht weit gegangen, da war er wieder zu einem ganz kleinen und verschreckten Hobbit geworden. Jetzt ging er genau unter den Mauern des Turms vorbei und konnte die Schreie und Kampfgeräusche nun auch ohne Hilfe des Ringes hören. Im Augenblick schien der Lärm aus dem Hof hinter der äußeren Mauer zu kommen.

Sam war etwa auf halber Höhe des Pfades, als aus dem dunklen Tor zwei Orks in das rote Glühen hinausrannten. Sie kamen nicht auf ihn zu, sondern schlugen den Weg zur Hauptstraße ein; aber während sie noch liefen, stolperten sie und stürzten zu Boden und lagen still. Sam hatte keine Pfeile gesehen, aber er vermutete, daß die Orks von anderen erschossen worden waren, die auf der Festungsmauer oder im Schatten des Tors versteckt waren. Er ging weiter und hielt sich dicht an die Mauer zu seiner Linken. Ein Blick nach oben hatte ihm gezeigt, daß keine Hoffnung bestand, dort hinaufzuklettern. Das Mauerwerk stieg dreißig Fuß hoch ohne Ritze oder Absatz bis zu vorstehenden Mauerschichten, die wie umgekehrte Treppenstufen waren. Das Tor war der einzige Weg.

Er kroch weiter; und dabei fragte er sich, wie viele Orks wohl bei Schagrat im Turm wohnten und wie viele Gorbag hatte, und worüber sie wohl stritten, wenn das wirklich der Fall war. Schagrats Rotte schien aus etwa vierzig zu bestehen, und die von Gorbag war mehr als doppelt so stark; aber natürlich hatte Schagrat nicht alle seine Leute auf Streife geschickt. Es schien ihm fast gewiß, daß sie sich um Frodo stritten, und um die Beute. Eine Sekunde hielt Sam inne, denn plötzlich waren ihm die Dinge klar, als ob er sie mit eigenen Augen gesehen habe. Das Panzerhemd aus *mithril!* Natürlich, Frodo trug es ja, und sie würden es finden. Und nach dem, was Sam gehört hatte, würde es Gorbag danach gelüsten. Aber die Befehle vom Dunklen Turm waren zur Zeit Frodos einziger Schutz, und wenn sie nicht befolgt würden, könnte Frodo jeden Augenblick getötet werden.

»Weiter, du elender Faulpelz!« schrie er sich selbst an. »Nun los!« Er zog Stich und rannte auf das offene Tor zu. Aber gerade, als er unter dem großen Bogen durchgehen wollte, verspürte er einen Schlag: als ob er gegen irgendein Netz gelaufen wäre, wie das von Kankra, nur unsichtbar. Er konnte kein Hindernis sehen, aber irgend etwas, das zu stark war, als daß sein Wille es überwand, versperrte ihm den Weg. Er schaute sich um, und da sah er im Schatten des Tors die Zwei Wächter.

Sie waren wie große, auf Throne gesetzte Bildwerke. Jeder hatte drei miteinander verbundene Leiber und drei Köpfe, die nach draußen, nach drinnen und auf den Torbogen gerichtet waren. Die Köpfe hatten Geiergesichter, und auf den Knien der Gestalten lagen klauenartige Hände. Sie schienen aus riesigen Steinblöcken herausgemeißelt zu sein, unbeweglich, und doch waren sie auf der Hut: irgendein furchtbarer Geist böser Wachsamkeit wohnte in ihnen. Sie wußten, wer ein Feind war. Sichtbar oder unsichtbar, keiner könnte unbemerkt an ihnen vorbei. Sie würden ihm den Eintritt oder die Flucht verbieten.

Sam stählte seinen Willen, nahm noch einmal einen Anlauf und kam mit einem Ruck zum Stehen und taumelte, als habe er einen Schlag auf

Brust und Kopf erhalten. Dann wurde er tollkühn, denn ihm fiel nichts ein, was er sonst hätte tun können, und er führte einen Gedanken aus, der ihm plötzlich kam: langsam zog er Galadriels Phiole heraus und hielt sie hoch. Ihr weißes Licht entzündete sich rasch, und die Schatten unter dem dunklen Torbogen flohen. Die mißgestalteten Wächter saßen kalt und still da und wurden in all ihrer Häßlichkeit sichtbar. Einen Augenblick sah Sam ein Glitzern in den schwarzen Steinen ihrer Augen, deren Bosheit ihn erzittern ließ; aber langsam merkte er, wie ihr Willen ins Wanken geriet und sich in Angst verwandelte.

Er sprang an ihnen vorbei; aber gerade, als er das tat und die Phiole wieder in die Brusttasche steckte, merkte er, daß sie ihre Wachsamkeit wiedererlangten. Und aus diesen bösen Köpfen stieg ein lauter schriller Schrei auf, der an den hohen Mauern vor ihm widerhallte. Als ob es ein antwortendes Signal sei, tat hoch oben eine schrille Glocke einen einzigen Schlag.

»Eine schöne Bescherung!« sagte Sam. »Jetzt habe ich an der Haustür geklingelt! So, nun soll mal jemand kommen!« rief er. »Sagt Hauptmann Schagrat, daß der große Elbenkrieger da ist, und sein Elbenschwert auch!«

Es kam keine Antwort. Sam ging weiter. Stich schimmerte blau in seiner Hand. Der Hof lag in tiefem Schatten, aber er konnte sehen, daß das Pflaster mit Leichen übersät war. Unmittelbar vor seinen Füßen lagen zwei Ork-Bogenschützen, und Messer staken ihnen im Rücken. Dahinter lagen noch mehr Gestalten; einige einzeln, wie sie niedergehauen oder erschossen worden waren; andere paarweise, einander noch umklammernd, beim Zuhauen, Erwürgen und Beißen vom Tode ereilt. Die Steine waren glitschig von dunklem Blut.

Sam fiel auf, daß die Orks zwei verschiedene Trachten trugen, die eine gekennzeichnet durch das Rote Auge, die andere durch einen verzerrten Mond mit einem abscheulichen Totengesicht; aber er blieb nicht stehen, um genauer hinzuschauen. Auf der anderen Seite des Hofs stand eine große Tür am Fuß des Turms halb offen, und ein rotes Licht schien heraus; ein großer Ork lag tot auf der Schwelle. Sam sprang über die Leiche und ging hinein; und dann schaute er sich ratlos um.

Ein breiter und widerhallender Gang führte von der Tür nach hinten zum Berghang. Er war schwach erleuchtet von Fackeln, die in Wandarmen flackerten, aber weiter hinten verlor er sich in Düsternis. Viele Türen und Öffnungen an beiden Seiten waren zu sehen; aber der Gang war leer bis auf zwei oder drei weitere Leichen, die auf dem Boden lagen. Nach dem, was er von dem Gerede des Hauptmanns gehört hatte, wußte Sam, daß Frodo, tot oder lebendig, höchstwahrscheinlich in einem Gemach hoch oben im Turm zu finden wäre; aber er könnte einen Tag lang suchen, bis er den Weg dahin fand.

»Es wird in der Nähe der Rückseite sein, nehme ich an«, murmelte Sam. »Der ganze Turm klettert gleichsam rückwärts. Und jedenfalls wird es besser sein, wenn ich diesen Lichtern nachgehe.«

Er machte sich auf den Weg, den Gang entlang, aber langsam jetzt, jeder Schritt zögernder. Von neuem packte ihn Entsetzen. Nichts war zu hören als seine Fußtritte, die zu einem widerhallenden Geräusch anzuschwellen schienen, wie wenn große Hände auf Steine klopften. Die Leichen; die Leere; die feuchten schwarzen Wände, die im Fackellicht aussahen, als tropfe Blut von ihnen herab; die Angst vor einem plötzlichen Tod, der hinter einer Tür oder im Schatten lauern könnte; und hinter all seinen Gedanken die abwartende, wachsame Bosheit am Tor: es war fast mehr, als er glaubte ertragen zu können. Ein Kampf – mit nicht zu vielen Feinden auf einmal – wäre ihm lieber gewesen als diese häßliche lauernde Ungewißheit. Er zwang sich, an Frodo zu denken, der gefesselt oder in Qualen oder tot irgendwo an diesem schrecklichen Ort lag. Er ging weiter.

Er hatte die Fackeln hinter sich gelassen und war fast an einer großen gewölbten Tür am Ende des Ganges angelangt, der inneren Seite des Unteren Tors, wie er richtig vermutete, als von hoch oben ein entsetzlicher, erstickter Schrei kam. Sam blieb stehen. Dann hörte er Schritte. Irgend jemand rannte in großer Eile eine widerhallende Treppe über ihm herunter.

Sein Wille war zu schwach und zu langsam, um seine Hand zurückzuhalten. Sie zog an der Kette und umklammerte den Ring. Aber Sam setzte ihn nicht auf; denn gerade, als er ihn an die Brust drückte, kam ein Ork heruntergetrampelt. Er sprang aus der dunklen Öffnung rechter Hand heraus und rannte auf ihn zu. Er war nicht mehr als sechs Schritte entfernt, als er den Kopf hob und Sam sah; und Sam hörte seinen keuchenden Atem und sah das Funkeln seiner blutunterlaufenen Augen. Der Ork blieb entsetzt stehen. Denn was er sah, war nicht ein kleiner, verängstigter Hobbit, der versuchte, sein Schwert mit sicherer Hand zu halten: er sah eine große stumme Gestalt, in grauen Schatten gehüllt, drohend aufragend vor dem flackernden Licht dahinter; in der einen Hand hielt sie ein Schwert, dessen Leuchten ein bitterer Schmerz war, die andere hielt sie an die Brust gepreßt, aber sie verbarg irgendeine namenlose Drohung von Macht und Unheil.

Einen Augenblick duckte sich der Ork, und dann drehte er sich mit einem häßlichen Angstschrei um und floh dorthin zurück, wo er hergekommen war. Niemals war jemand ermutigter gewesen, wenn sein Feind

Fersengeld gab, als Sam bei dieser unerwarteten Flucht. Mit einem lauten Ruf nahm er die Verfolgung auf.

»Ja! Der Elbenkrieger läuft frei umher!« rief er. »Ich komme. Zeig du mir nur den Weg nach oben, sonst bring ich dich um!«

Aber der Ork war hier zu Hause, und er war flink und gut ernährt. Sam war hier fremd, und er war hungrig und müde. Die Treppen waren hoch und steil und gewendelt. Sam begann zu keuchen. Der Ork war bald außer Sicht, und jetzt war nur noch schwach das Tapsen seiner Füße zu hören, als er hoch und höher stieg. Ab und zu stieß er einen Schrei aus, dessen Widerhall sich an den Wänden fortpflanzte. Aber langsam erstarb jedes Geräusch.

Sam schleppte sich weiter. Er spürte, daß er auf dem richtigen Weg war, und seine Stimmung hob sich beträchtlich. Er steckte den Ring weg und zog sich den Gürtel fester. »Gut, gut«, sagte er. »Wenn sie nur alle so viel Abneigung gegen mich und Stich bezeugen, dann mag es besser gehen, als ich gehofft hatte. Und jedenfalls sieht es so aus, als ob Schagrat, Gorbag und Genossen mir fast die ganze Arbeit abgenommen haben. Abgesehen von dieser kleinen, erschreckten Ratte ist, glaube ich, hier keiner mehr am Leben!«

Und damit blieb er stehen, plötzlich zum Halten gebracht, als ob er mit dem Kopf gegen die Steinwand gestoßen sei. Die volle Bedeutung dessen, was er gesagt hatte, traf ihn wie ein Schlag. Niemand war am Leben! Wer hatte diesen entsetzlichen Todesschrei ausgestoßen? »Frodo! Frodo! Herr!« schrie er, halb schluchzend. »Wenn sie dich getötet haben, was soll ich dann machen? Na, ich komme endlich, bis ganz nach oben, um zu sehen, was ich sehen muß.«

Hinauf und immer weiter hinauf stieg er. Es war dunkel bis auf eine Fackel dann und wann, die an einer Kehre flackerte oder neben irgendeiner Öffnung, die zu den oberen Stockwerken des Turms führte. Sam versuchte, die Stufen zu zählen, aber als er bei zweihundert angelangt war, kam er durcheinander. Er ging jetzt ganz leise; denn er glaubte Stimmen zu hören, die irgendwo oben sprachen. Offenbar ist doch mehr als eine Ratte am Leben geblieben.

Mit einem Mal, als er merkte, daß ihm der Atem ausging und er seine Knie nicht mehr zwingen konnte, sich zu beugen, hörte die Treppe auf. Er blieb stehen. Die Stimmen waren jetzt laut und nahe. Sam schaute sich um. Er war bis zu dem flachen Dach der dritten und höchsten Stufe des Turms gekommen: eine offene Fläche, etwa dreißig Ellen breit, mit einer niedrigen Brustwehr. Hier war die Treppe in der Mitte des Dachs durch eine kleine, mit einer Kuppel versehenen Kammer geschützt, die niedrige Türen nach Osten und Westen hatte. Im Osten konnte Sam die Ebene von Mordor sehen, die riesig und dunkel unter ihm lag, und den brennenden Berg in der Ferne. Ein neuer Aufruhr tobte in seinen tiefen Schächten, und die Feuerströme loderten so grell, daß ihr Schein selbst bei dieser Entfernung von vielen Meilen die Turmspitze rot erglühen ließ. Nach Westen war die Sicht versperrt durch den Unterbau des großen Turms, der an der Rückseite dieses oberen Hofs stand und die Gipfel der umliegenden Berge hoch überragte. Licht schimmerte in einem Fensterschlitz. Seine Tür war kaum fünfzehn Ellen von Sam entfernt. Sie stand offen, war aber dunkel, und gerade aus ihrem Schatten kamen die Stimmen.

Zuerst hörte Sam nicht hin; er tat einen Schritt aus der östlichen Tür und schaute sich um. Sofort sah er, daß der Kampf hier am heftigsten gewesen war. Der ganze Hof war übersät mit toten Orks oder ihren abgeschlagenen Köpfen und Gliedern. Der ganze Ort stank nach Tod. Ein Knurren und dann ein Schlag und ein Schrei veranlaßten ihn, sich schleunigst wieder zu verstecken. Eine Stimme wurde laut vor Wut, und er erkannte sie sofort wieder, rauh, roh und kalt. Schagrat war es, der sprach, der Hauptmann des Turms.

»Du willst nicht wieder gehen, sagst du? Verflucht sollst du sein, Snaga, du kleiner Wurm! Wenn du glaubst, ich sei so lahm, daß es ungefährlich ist, mich zu verhöhnen, dann irrst du dich. Komm her, ich drücke dir die Augen raus, wie gerade bei Radbug. Und wenn ein paar neue Jungs kommen, dann rechne ich mit dir ab: zu Kankra werde ich dich schicken.«

»Sie werden nicht kommen, jedenfalls nicht, ehe du tot bist«, antwortete Snaga grob. Ich habe dir schon zweimal gesagt, daß Gorbags Schweine zuerst zum Tor kamen, und keiner von unseren ist rausgekommen. Lagduf und Muzgasch rannten durch, aber sie wurden erschossen. Ich habe es vom Fenster aus gesehen, das sage ich dir. Und sie waren die letzten.«

»Dann mußt du gehen. Ich muß jedenfalls hierbleiben. Aber ich bin verwundet. Die Schwarzen Verliese sollen diesen dreckigen, aufsässigen Gorbag holen!« Schagrats Stimme verlor sich in einer Reihe von Schimpfnamen und Flüchen. »Ich hab's ihm besser gegeben als er mir, aber er hat mich mit dem Messer verletzt, der Mistkerl, ehe ich ihn erwürgte. Du mußt gehen, oder ich fresse dich. Die Nachricht muß nach Lugbúrz, oder wir kommen beide in die Schwarzen Verliese. Ja, du auch. Dem wirst du nicht dadurch entgehen, daß du dich hier herumdrückst.«

»Diese Treppe gehe ich nicht wieder runter«, brummte Snaga, »ob du

Hauptmann bist oder nicht. Nee! Laß deine Hände vom Messer weg, oder ich schieß dir einen Pfeil in den Bauch. Du wirst nicht mehr lange Hauptmann sein, wenn *Sie* von all diesen Vorgängen erfahren. Ich habe für den Turm gegen diese stinkigen Morgul-Ratten gekämpft, aber das ist eine schöne Schweinerei, die ihr zwei feinen Hauptleute angerichtet habt, als ihr um die Beute kämpftet.«

»Jetzt reicht's mir aber«, knurrte Schagrat. »Ich hatte meine Befehle. Gorbag hat angefangen, als er versuchte, das hübsche Hemd zu klauen.«

»Na, du hast ihn auch gereizt, als du dich so aufgespielt hast. Und er hat jedenfalls mehr Verstand als du. Mehr als einmal hat er dir gesagt, daß der gefährlichste von diesen Spähern immer noch frei herumläuft, und du wolltest nicht hören. Und du willst auch jetzt nicht hören. Gorbag hatte recht, das sage ich dir. Hier ist einer von diesen blutrünstigen Elben oder einer von den dreckigen *tarks*. Er kommt her, das sage ich dir. Du hast die Glocke gehört. Er ist an den Wächtern vorbeigekommen, und das ist das Werk von *tarks*. Er ist auf der Treppe. Und ehe er da weg ist, gehe ich nicht runter. Und wenn ich ein Nazgûl wäre, täte ich's nicht.«

»So ist das also!« kreischte Schagrat. »Dies willst du tun und jenes willst du nicht tun? Und wenn er kommt, dann haust du ab und läßt mich hier sitzen? Nein, das wirst du nicht! Erst werde ich dir rote Madenlöcher in deinen Bauch machen.«

Aus der Turmtür kam ein kleinerer Ork herausgerannt. Hinter ihm kam Schagrat, ein großer Ork mit langen Armen, die, als er gebückt rannte, bis auf den Boden reichten. Aber ein Arm hing schlaff herunter und schien zu bluten; der andere hatte ein großes schwarzes Bündel umklammert. In dem roten Schein sah Sam, der hinter der Treppentür kauerte, flüchtig sein fieses Gesicht, als er vorbeikam: es war zerkratzt, als sei es von Krallen zerfetzt worden, und blutverschmiert; Geifer tropfte von seinen vorstehenden Fangzähnen; der Mund fauchte wie ein Tier.

Soweit Sam sehen konnte, jagte Schagrat Snaga über das ganze Dach, bis der kleinere Ork, sich duckend und ihm entwischend, mit einem Schrei wieder in den Turm schoß und verschwand. Dann blieb Schagrat stehen. Von der östlichen Tür aus konnte Sam ihn jetzt an der Brustwehr sehen, keuchend, seine linke Klaue ballend und schwach wieder öffnend. Er legte das Bündel auf den Boden und zog mit der rechten Klaue ein langes rotes Messer heraus und spuckte drauf. Dann ging er zur Brustwehr, beugte sich drüber und schaute hinunter in den äußeren Hof. Zweimal rief er, aber es kam keine Antwort.

Plötzlich, als Schagrat noch über die Brustwehr gebeugt war und dem Dach den Rücken kehrte, sah Sam zu seiner Verwunderung, daß sich einer der liegenden Körper bewegte. Er kroch. Er streckte eine Klaue aus und packte das Bündel. Er richtete sich taumelnd auf. In der anderen Hand hielt er einen Speer mit breiter Spitze und einem kurzen, abgebrochenen Heft. Er hielt ihn stoßbereit. Aber in eben diesem Augenblick entfuhr ihm ein Zischen, ein Keuchen vor Schmerz oder Haß. Flink wie eine Schlange schlüpfte Schagrat zur Seite, drehte sich um und stieß seinem Feind sein Messer in die Kehle.

»Habe ich dich, Gorbag!« schrie er. »Noch nicht ganz tot, wie? Na, jetzt werde ich dich fertigmachen.« Er sprang auf den liegenden Körper und stampfte und trampelte in seiner Wut auf ihm herum und bückte sich ab und zu, um ihn mit seinem Messer zu durchbohren und zu zerfetzen. Endlich befriedigt, warf er den Kopf zurück und stieß einen entsetzlichen, gurgelnden Siegesschrei aus. Dann leckte er sein Messer ab, hielt es zwischen den Zähnen, nahm das Bündel auf und kam mit großen Schritten zu der auf seiner Seite liegenden Treppentür.

Sam hatte keine Zeit zum Nachdenken. Er hätte aus der anderen Tür hinausschlüpfen können, aber kaum, ohne gesehen zu werden; und er hätte nicht lange mit diesem abscheulichen Ork Versteck spielen können. Er tat, was wahrscheinlich das Beste war, was er tun konnte. Mit einem Schrei sprang er Schagrat entgegen. Er hielt den Ring nicht mehr in der Hand, aber er war da, eine verborgene Macht, eine entmutigende Bedrohung für Mordors Diener; und in der Hand hielt er Stich, und sein Schimmern durchbohrte die Augen des Orks wie das Glitzern grausamer Sterne in den schrecklichen Elbenländern, deren Frohsinn alle von seiner Sorte mit kalter Furcht erfüllte. Und Schagrat konnte nicht gleichzeitig kämpfen und seinen Schatz festhalten. Er blieb knurrend stehen und entblößte seine Fangzähne. Dann sprang er nach Art der Orks wieder zur Seite, und als Sam auf ihn losstürzte, benutzte er das schwere Bündel gleichzeitig als Schild und Waffe und stieß es seinem Feind hart ins Gesicht. Sam taumelte, und ehe er sich wieder fangen konnte, schoß Schagrat an ihm vorbei und die Treppe hinunter.

Sam rannte ihm fluchend nach, aber nicht weit. Ihm fiel Frodo nun wieder ein, und er dachte daran, daß der andere Ork in den Turm zurückgegangen war. Hier war wiederum eine entsetzliche Entscheidung zu treffen, und er hatte keine Zeit, darüber nachzudenken. Wenn Schagrat entkam, dann würde er bald Hilfe holen und zurückkommen. Aber wenn Sam ihn verfolgte, könnte der andere Ork da oben etwas Entsetzliches anrichten. Und außerdem könnte es sein, daß er Schagrat verfehlte oder von ihm getötet würde. Er wandte sich rasch um und rannte zurück, die Treppen hinauf. »Wieder falsch gemacht, nehme ich an«, seufzte er. »Aber meine Aufgabe ist es, zuerst bis ganz nach oben zu gehen, was immer nachher geschehen mag.«

Weit unten sprang Schagrat mit seiner kostbaren Last die Treppe hinunter und hinaus über den Hof und durch das Tor. Wenn Sam ihn hätte sehen können und gewußt hätte, welches Leid seine Flucht bringen würde, dann hätte er vielleicht den Mut verloren. Aber jetzt war sein Sinn auf den letzten Abschnitt seiner Suche gerichtet. Vorsichtig kam er zur Turmtür und trat ein. Sie führte ins Dunkle. Aber bald bemerkten seine starrenden Augen ein trübes Licht zu seiner Rechten. Es kam von einer Öffnung, von der aus eine zweite Treppe, dunkel und schmal, ausging: sie schien sich an der Innenseite der runden Außenmauer des Turms hinaufzuwendeln. Eine Fackel schimmerte irgendwo da oben.

Leise begann Sam hinaufzusteigen. Er kam zu der tropfenden Fackel; sie war an einer Tür zu seiner Linken befestigt, die einem nach Westen gehenden Fensterschlitz gegenüberlag: einem der roten Augen, die er und Frodo von unten am Ausgang des unterirdischen Ganges gesehen hatte. Rasch ging Sam durch die Tür und eilte weiter zum zweiten Stockwerk und fürchtete, jeden Augenblick von hinten angegriffen zu werden und würgende Finger an seiner Kehle zu spüren. Als nächstes kam er zu einem Fenster, das nach Osten ging, und zu einer weiteren Fackel über der Tür zu einem Gang in der Mitte des Turms. Die Tür stand offen, der Gang war dunkel bis auf den Schimmer der Fackel und das rote Glühen draußen, das durch den Fensterschlitz hereindrang. Aber hier hörte die Treppe auf und ging nicht weiter. Sam schlich in den Gang. Auf beiden Seiten waren niedrige Türen; beide waren zu und verschlossen. Kein Laut war zu hören.

»Eine Sackgasse«, murmelte Sam, »und das nach so viel Kletterei! Das kann doch nicht die Spitze des Turms sein. Aber was mache ich jetzt?«

Er rannte zurück zum unteren Stockwerk und versuchte die Tür. Sie rührte sich nicht. Er rannte wieder hinauf, und der Schweiß begann ihm über das Gesicht zu rinnen. Er spürte, daß selbst Minuten kostbar seien, aber eine nach der anderen verging; und er konnte nichts tun. Er kümmerte sich nicht mehr um Schagrat oder Snaga oder alle anderen Orks, die je gezüchtet worden waren. Er sehnte sich jetzt nur nach seinem Herrn, wollte sein Gesicht sehen, seine Hand berühren.

Erschöpft und mit dem Gefühl, endgültig gescheitert zu sein, setzte er sich schließlich auf eine Stufe unter dem Gang und legte den Kopf in die Hände. Es war still, entsetzlich still. Die Fackel, die schon ziemlich heruntergebrannt war, als er kam, zischte und ging dann aus; und er hatte das Gefühl, daß ihn die Dunkelheit wie eine Flut überrollte. Und dann, zu seiner eigenen Überraschung, jetzt am vergeblichen Ende seiner langen Fahrt und in seinem Kummer, ohne sagen zu können, welcher Gedanke in seinem Herzen ihn dazu angeregt hatte, begann Sam leise zu singen.

Seine Stimme klang dünn und zittrig in dem kalten dunklen Turm: die Stimme eines unglücklichen und müden Hobbits, die kein lauschender Ork irrtümlich für den klaren Gesang eines Herrn der Elben hätte halten können. Er murmelte alte kindische Weisen aus dem Auenland und Bruchstücke von Herrn Bilbos Versen, die ihm in den Sinn kamen, gleichsam wie flüchtige Lichtblicke aus seinem Heimatland. Und dann plötzlich erwuchs eine neue Kraft in ihm, und seine Stimme erschallte laut, während Wörter, die er erfand und die zu der einfachen Weise paßten, sich ungeheißen einstellten.

Im hellen Westen blüht es schon,
Von Knospen schwillt der Baum,
Die Finken üben ihren Ton,
Der Wildbach quirlt im Schaum.
Vielleicht auch steht die klare Nacht
Den Buchen ins Gezweig,
Hat ihnen Sterne zugedacht
Als elbisches Geschmeid.

Lieg ich auch hier zu guter Letzt
In tiefster Finsternis
Wie ausgeblutet, wie zerfetzt,
Es ist mir doch gewiß:
Die Sonne zieht die hohe Bahn,
Der Stern den milden Lauf,
Solang der Tag noch nicht vertan
Geb ich den Sieg nicht auf.

»Im hellen Westen blüht es schon«, begann er wieder, und dann hielt er inne. Er glaubte, er habe eine schwache Stimme gehört, die ihm antwortete. Aber jetzt konnte er nichts mehr hören. Ja, er hörte etwas, doch keine Stimme. Fußtritte näherten sich. Jetzt wurde in dem Gang über ihm leise eine Tür geöffnet; die Angeln quietschten. Sam duckte sich und lauschte. Die Tür schloß sich mit einem dumpfen Bums; und dann ertönte eine knurrige Orkstimme.

»Heda! Du da oben, du Misthaufenratte! Hör auf zu quieken, sonst komm ich rauf und rechne mit dir ab. Hörst du?«

Es kam keine Antwort.

»Na gut«, brummte Snaga. »Aber ich werde trotzdem kommen und dich mal angucken und sehen, was du vorhast.«

Die Angeln quietschten wieder, und Sam, der jetzt über die Ecke der Gangschwelle spähte, sah ein Flackern von Licht in einer offenen Tür und undeutlich die Gestalt eines herauskommenden Ork. Er schien eine Leiter zu tragen. Plötzlich wurde ihm die Lösung des Rätsels klar: die oberste Kammer war durch eine Falltür in der Decke des Ganges zugänglich. Snaga stieß die Leiter hoch, stellte sie fest hin, kletterte hinauf und war nicht mehr zu sehen. Sam hörte, wie ein Riegel zurückgeschoben wurde. Dann hörte er die abscheuliche Stimme wieder.

»Du liegst still, oder du wirst es büßen. Du wirst nicht lange in Frieden leben, nehme ich an; aber wenn du nicht willst, daß der Spaß gleich beginnt, dann halte deine Klappe, verstanden? Hier hast du einen Denkzettel!« Man hörte ein Geräusch wie einen Peitschenknall.

Da entflammte sich der Zorn in Sams Herzen zu plötzlicher Raserei. Er sprang auf und kletterte wie eine Katze die Leiter hinauf. Sein Kopf tauchte in der Mitte des Fußbodens eines großen, runden Gemachs auf. Eine rote Lampe hing an der Decke; der westliche Fensterschlitz war hoch und dunkel. Irgend etwas lag auf dem Boden an der Wand unter dem Fenster, und darüber stand mit gespreizten Beinen ein schwarzer Ork. Er hob eine Peitsche ein zweites Mal, aber der Schlag fiel nie.

Mit einem Schrei sprang Sam über den Fußboden, Stich in der Hand. Der Ork fuhr herum, aber ehe er eine Bewegung machen konnte, schlug ihm Sam die Peitschenhand vom Arm ab. Heulend vor Schmerz und Angst, aber verzweifelt, ging der Ork mit gesenktem Kopf auf ihn los. Sams nächster Schlag ging daneben, er verlor das Gleichgewicht, fiel nach hinten und hielt sich an dem Ork fest, der über ihn stolperte. Ehe er sich aufrappeln konnte, hörte er einen Schrei und einen Bums. In seiner Hast war der Ork auf dem oberen Ende der Leiter ausgerutscht und durch die Falltür gestürzt. Sam verlor keinen Gedanken mehr an ihn. Er rannte zu der auf dem Boden zusammengekauerten Gestalt. Es war Frodo.

Er war nackt und lag wie in einer Ohnmacht auf einem Haufen schmutziger Lumpen; den einen Arm hatte er erhoben, um seinen Kopf zu schützen, und über seine Seite lief eine häßliche Peitschenstrieme.

»Frodo! Herr Frodo, mein Lieber!« rief Sam, fast blind vor Tränen. »Ich bin's, Sam, ich bin gekommen!« Er hob seinen Herrn halb hoch und drückte ihn an sich. Frodo öffnete die Augen.

»Träume ich noch?« murmelte er. »Aber die anderen Träume waren entsetzlich.«

»Du träumst ganz und gar nicht, Herr«, sagte Sam. »Es ist wirklich so. Ich bin es. Ich bin gekommen.«

»Ich kann es kaum glauben«, sagte Frodo und hielt sich an ihm fest. »Da war ein Ork mit einer Peitsche, und dann verwandelte er sich in Sam! Dann habe ich gar nicht geträumt, als ich das Singen von unten hörte, und zu antworten versuchte? Warst du das?«

»Ja, wirklich, Herr Frodo. Ich hatte fast die Hoffnung aufgegeben. Ich konnte dich nicht finden.«

»Na, nun hast du mich gefunden, Sam, lieber Sam«, sagte Frodo, und er legte sich zurück in Sams liebevolle Arme und schloß die Augen wie ein beruhigtes Kind, wenn die Ängste der Nacht durch irgendeine geliebte Stimme oder Hand vertrieben sind.

Sam hatte das Gefühl, daß er voller Glückseligkeit hier ewig sitzen bleiben könne; aber das durfte er nicht. Es war nicht genug, daß er seinen Herrn gefunden hatte, er mußte auch noch versuchen, ihn zu retten. Er küßte Frodo auf die Stirn. »Komm! Wach auf, Herr Frodo!« sagte er und bemühte sich, so fröhlich zu klingen wie einst, wenn er in Beutelsend an einem schönen Sommermorgen die Vorhänge aufzog.

Frodo seufzte und setzte sich auf. »Wo sind wir? Wie bin ich hierher gekommen?« fragte er.

»Jetzt ist keine Zeit für Geschichten, bis wir woanders sind, Herr Frodo«, sagte Sam. »Aber du bist in der Spitze von jenem Turm, den du und ich weit unten von dem unterirdischen Gang aus gesehen haben, ehe die Orks dich holten. Wie lange das her ist, weiß ich nicht. Mehr als einen Tag, nehme ich an.«

»Nur?« sagte Frodo. »Mir kam es wie Wochen vor. Du mußt mir alles erzählen, wenn wir Gelegenheit dazu haben. Irgend etwas hat mich verwundet, nicht wahr? Und ich sank in Dunkelheit und üble Träume, und ich wachte auf und merkte, daß das Aufwachen noch schlimmer war. Ringsum waren Orks. Ich glaube, sie hatten mir gerade irgendein scheußliches, brennendes Getränk eingeflößt. Mein Kopf wurde klar, aber mir tat alles weh, und ich war müde. Sie haben mich völlig ausgezogen; und dann kamen zwei große Rohlinge und verhörten mich, verhörten mich, bis ich glaubte, ich würde verrückt werden, als sie so über mir standen und mich anstierten und mit ihren Messern herumspielten. Ihre Klauen und Augen werde ich nie vergessen.«

»Bestimmt nicht, wenn du davon sprichst, Herr Frodo«, sagte Sam.

»Und wenn wir sie nicht wiedersehen sollen, dann ist es um so besser, je früher wir gehen. Kannst du laufen?«

»Ja, ich kann laufen«, sagte Frodo und richtete sich langsam auf. »Ich bin nicht verletzt, Sam. Ich bin bloß so müde und habe hier Schmerzen.« Er legte seine Hand auf den Nacken über der linken Schulter. Er stand auf, und es schien Sam, als ob er in Flammen gekleidet sei: seine nackte Haut war im Schein der Lampe scharlachrot. Zweimal ging er durch das Zimmer.

»Das ist besser«, sagte er, und seine Stimmung hob sich ein wenig. »Ich wagte mich nicht zu rühren, als ich allein geblieben war, oder wenn einer der Wächter kam. Bis das Schreien und Kämpfen begann. Die beiden großen Rohlinge: sie haben sich gestritten, glaube ich. Über mich und meine Sachen. Ich lag hier und hatte Angst. Und dann wurde plötzlich alles totenstill, und das war noch schlimmer.«

»Ja, sie haben sich offenbar gestritten«, sagte Sam. »Es müssen ein paar Hundert von diesen dreckigen Geschöpfen hier gewesen sein. Ein bißchen zu viele für Sam Gamdschie, wie man sagen könnte. Aber all das Töten haben sie selbst erledigt. Das war ein Glück, aber die Geschichte ist zu lang, um ein Lied daraus zu machen, bis wir hier draußen sind. Was ist jetzt zu tun? Du kannst nicht im Schwarzen Land spazierengehen mit nichts an als deiner Haut, Herr Frodo.«

»Sie haben mir alles weggenommen, Sam«, sagte Frodo. »Alles was ich hatte. Verstehst du? *Alles!*« Er kauerte sich auf den Fußboden und senkte den Kopf, als ihm bei seinen eigenen Worten die ganze Größe des Unglücks klar wurde, und Verzweiflung übermannte ihn. »Die Aufgabe ist gescheitert, Sam. Selbst wenn wir hier herauskommen, können wir nicht entfliehen. Nur Elben können entfliehen. Hinweg, hinweg aus Mittelerde, weit über das Meer. Wenn das überhaupt breit genug ist, um den Schatten fernzuhalten.«

»Nein, *nicht* alles, Herr Frodo. Und noch ist die Aufgabe nicht gescheitert, noch nicht. Ich habe ihn genommen, Herr Frodo, bitte um Entschuldigung. Und ich habe ihn sicher verwahrt. Jetzt hängt er um meinen Hals, und eine schreckliche Last ist er übrigens.« Sam tastete nach dem Ring und der Kette. »Aber ich nehme an, du mußt ihn zurückhaben.« Jetzt, da es soweit war, empfand Sam ein Widerstreben, den Ring herzugeben und ihn seinem Herrn wieder zu überlassen.

»Du hast ihn?« staunte Frodo. »Du hast ihn hier? Sam, du bist wunderbar!« Dann änderte sich sein Ton rasch und seltsam. »Gib ihn mir!« schrie er, stand auf und streckte zitternd die Hand aus. »Gib ihn mir sofort! Du kannst ihn nicht behalten.«

»Schon gut, Herr Frodo«, sagte Sam, einigermaßen verblüfft. »Hier ist er.« Langsam holte er den Ring heraus und zog sich die Kette über den Kopf. »Aber du bist jetzt im Land Mordor, Herr, und wenn du hinauskommst, siehst du den Feurigen Berg und alles. Du wirst merken, daß der Ring jetzt sehr gefährlich ist, und sehr schwer zu tragen. Wenn es zu mühsam für dich ist, könnte ich dir da nicht vielleicht helfen?«

»Nein, nein!« schrie Frodo und riß Sam Ring und Kette aus der Hand. »Das wirst du nicht, du Dieb!« Er keuchte und starrte Sam mit weit aufgerissenen Augen voll Angst und Feindseligkeit an. Dann umschloß er den Ring mit einer Hand und war plötzlich ganz bestürzt. Ein Nebel schien sich von seinen Augen zu heben, und er fuhr sich mit der Hand über seine schmerzende Stirn. Das abscheuliche Gaukelbild war ihm so wirklich vorgekommen, halb betäubt, wie er war durch seine Wunde und seine Angst. Sam hatte sich vor seinen Augen wieder in einen Ork verwandelt, der lüstern auf seinen Schatz blickte und nach ihm grapschte, ein widerliches kleines Geschöpf mit gierigen Augen und sabberndem Mund. Aber jetzt war das Gaukelbild verschwunden. Da war Sam, der vor ihm kniete, das Gesicht schmerzverzerrt, als ob er einen Dolchstich ins Herz bekommen habe; Tränen stürzten ihm aus den Augen.

»O Sam!« rief Frodo. »Was habe ich gesagt? Was habe ich getan? Verzeih mir! Nach allem, was du getan hast. Das ist die entsetzliche Macht des Ringes. Ich wünschte, er wäre niemals, niemals gefunden worden. Aber mach dir nichts draus, Sam. Ich muß die Last bis zu Ende tragen. Es läßt sich nicht ändern. Du kannst dich nicht zwischen mich und dieses Schicksal stellen.«

»Das ist schon recht, Herr Frodo«, sagte Sam und fuhr sich mit dem Ärmel über die Augen. »Das verstehe ich. Aber ich kann doch helfen, nicht wahr? Ich muß dich hier rausbringen. Sofort, verstehst du? Aber zuerst brauchst du Kleider und Ausrüstung, und dann etwas zu essen. Die Kleider werden das einfachste sein. Da wir in Mordor sind, putzen wir uns am besten auf Mordor-Art heraus; und wir haben sowieso keine Auswahl. Es wird Orkzeug für dich sein müssen, Herr Frodo, fürchte ich. Und für mich auch. Wenn wir zusammen gehen, ist es am besten, wenn wir gleich aussehen. Jetzt nimm das erst mal um.«

Sam löste die Schließe von seinem grauen Mantel und warf ihn Frodo um die Schultern. Dann schnallte er seinen Rucksack ab und legte ihn auf den Boden. Er zog Stich aus der Scheide. Kaum ein Flackern war auf der Klinge zu sehen. »Das habe ich vergessen, Herr Frodo«, sagte er. »Nein, sie haben nicht alles bekommen! Du hast mir Stich geliehen, wenn du dich erinnerst, und das Glas der Herrin. Ich habe sie beide noch. Aber leihe sie mir noch eine Weile, Herr Frodo. Ich muß gehen und sehen, was ich finden kann. Du bleibst hier. Geh ein bißchen auf und ab und vertritt dir die Beine. Ich bleibe nicht lange weg. Ich brauche nicht weit zu gehen.«

»Sei vorsichtig, Sam«, sagte Frodo. »Und mach schnell. Es können noch Orks am Leben sein und dir auflauern.«

»Ich muß es versuchen«, sagte Sam. Er ging zur Falltür und glitt die Leiter hinunter. Nach einer Minute erschien sein Kopf wieder. Er warf ein langes Messer auf den Fußboden.

»Das ist etwas, was nützlich sein könnte«, sagte er. »Er ist tot: der, der dich gepeitscht hat. Hat den Hals gebrochen, scheint es, in seiner Eile. Jetzt zieh die Leiter hoch, wenn du kannst, Herr Frodo; und laß sie nicht wieder herunter, ehe du von mir die Losung hörst. *Elbereth* werde ich rufen. Was die Elben sagen. Kein Ork würde das sagen.«

Frodo blieb eine Weile sitzen und fröstelte, und eine gräßliche Befürchtung nach der anderen ging ihm durch den Sinn. Dann stand er auf, zog den grauen Elbenmantel fest um sich und ging, um seinen Geist zu beschäftigen, auf und ab und stöberte und suchte in allen Winkeln seines Gefängnisses.

Es dauerte nicht lange, obwohl die Angst bewirkte, daß es ihm mindestens wie eine Stunde vorkam, da hörte er Sams Stimme, der leise von unten rief: *Elbereth, Elbereth.* Frodo ließ die leichte Leiter hinunter. Herauf kam Sam, schnaufend, ein großes Bündel mit dem Kopf hochhievend. Er ließ es mit einem Bums fallen.

»Nun rasch, Herr Frodo«, sagte er. »Ich habe ein bißchen suchen müssen, um etwas zu finden, das für unsereinen klein genug ist. Wir müssen uns damit behelfen. Aber wir müssen uns eilen. Ich habe nichts Lebendiges getroffen und nichts gesehen, aber mir ist nicht wohl dabei. Ich glaube, diese Festung wird beobachtet. Ich kann es nicht erklären, aber, na ja, mir kommt es so vor, als ob einer dieser widerlichen fliegenden Reiter in der Gegend ist, hoch oben in der Schwärze, wo man ihn nicht sehen kann.«

Er machte das Bündel auf. Frodo sah voll Abscheu auf den Inhalt, aber es blieb ihm nichts anderes übrig: er mußte die Sachen anziehen oder nackt gehen. Da waren lange haarige Kniehosen aus irgendeinem unsauberen Tierfell, und ein Wams aus dreckigem Leder. Er zog sie an. Über das Wams kam ein Panzerhemd aus kräftigen Ringen, kurz für einen ausgewachsenen Ork, zu lang und zu schwer für Frodo. Darüber schnallte er sich einen Gürtel, an dem eine kurze Scheide mit einem Stoßschwert mit breiter Klinge hing. Sam hatte mehrere Orkhelme mitgebracht. Einer davon paßte Frodo einigermaßen, eine schwarze Kappe mit Eisenkrempe und lederbezogenen Eisenreifen, auf die über dem schnabelartigen Nasenschutz das böse Auge in Rot aufgemalt war.

»Das Morgul-Zeug, Gorbags Ausrüstung, hätte besser gepaßt und war besser gearbeitet«, sagte Sam, »aber es geht wohl nicht, nehme ich an, seine Abzeichen nach Mordor zu bringen, jedenfalls nicht nach dieser Geschichte hier. So, da bist du nun, Herr Frodo. Ein vollendeter kleiner Ork, wenn ich mir das erlauben darf – zumindest wärst du es, wenn wir dein Gesicht mit einer Maske verdecken, dir längere Arme geben und dich krummbeinig machen könnten. Das hier wird einige der verräterischen Zeichen verdecken.« Er legte Frodo einen langen schwarzen Mantel über die Schultern. »Nun bist du fertig! Du kannst dir unterwegs noch einen Schild suchen.«

»Was ist, Sam?« fragte Frodo. »Wollten wir nicht gleich aussehen?«

»Nun, Herr Frodo, ich habe nachgedacht«, sagte Sam. »Es ist besser, wenn ich nichts von meinem Zeug hier zurücklasse, und wir könnten es nicht vernichten. Und ich kann nicht über all meinen Kleidern einen Orkpanzer tragen, nicht wahr? Ich kann mich bloß verhüllen.«

Er kniete nieder und faltete seinen Elbenmantel sorgfältig. Er ergab eine erstaunlich kleine Rolle. Die steckte er oben in seinen Rucksack, der auf dem Boden lag. Als er aufstand, schnallte er ihn sich auf den Rücken, setzte sich einen Orkhelm auf den Kopf und warf sich einen schwarzen Mantel über die Schultern. »So!« sagte er. »Jetzt sehen wir ziemlich gleich aus. Und nun müssen wir los.«

»Ich kann nicht den ganzen Weg rennen«, sagte Frodo mit einem verzerrten Lächeln. »Ich hoffe, du hast Erkundigungen eingezogen über Wirtshäuser an der Straße. Oder hast du Essen und Trinken ganz vergessen?«

»Wirklich und wahrhaftig, das habe ich«, sagte Sam. Er pfiff vor Schreck. »Du meine Güte, jetzt hast du mich ganz hungrig und durstig gemacht, Herr Frodo. Ich weiß nicht, wann mir der letzte Tropfen oder Krümel über die Lippen kam. Ich hab's vergessen, als ich versuchte, dich zu finden. Aber laß mich nachdenken! Das letzte Mal, als ich nachschaute, hatte ich noch genug von dieser Wegzehrung und von dem, was Heermeister Faramir uns gegeben hat, um mich notfalls noch ein paar Wochen auf den Beinen zu halten. Aber wenn noch ein Tropfen in meiner Flasche ist, dann gibt's nichts mehr. Das wird nicht genug sein für zwei, keinesfalls. Essen Orks denn nicht, und trinken sie nicht? Oder leben sie bloß von verpesteter Luft und Gift?«

»Nein, sie essen und trinken, Sam. Der Schatten, der sie gezüchtet hat, kann nur nachäffen, er kann nicht erschaffen: nicht wirklich eigene neue Dinge machen. Ich glaube nicht, daß er den Orks das Leben geschenkt hat, er hat sie nur verdorben und entartet. Und wenn sie überhaupt leben sollen, dann müssen sie wie andere Lebewesen leben. Stinkiges Wasser und stinkiges Fleisch führen sie sich zu Gemüte, wenn sie nichts Besseres bekommen können, aber kein Gift. Mir haben sie zu essen gegeben, und so bin ich besser dran als du. Irgendwo an diesem Ort muß es Wasser und Essen geben.«

»Aber wir haben keine Zeit, danach zu suchen«, sagte Sam.

»Nun, die Lage ist besser, als du glaubst«, sagte Frodo. »Ich habe ein bißchen Glück gehabt, als du fort warst. Sie haben tatsächlich nicht alles genommen. Unter ein paar Lumpen auf dem Fußboden habe ich meinen Brotbeutel gefunden. Natürlich haben sie ihn durchwühlt. Aber ich vermute, das Aussehen und den Geruch von *lembas* mögen sie gar nicht, noch weniger als Gollum. Die *lembas* waren überall verstreut, manche waren zertrampelt oder zerbrochen, aber ich habe sie aufgesammelt. Es ist nicht viel weniger als das, was du hast. Aber Faramirs Essen haben sie genommen und meine lederne Wasserflasche aufgeschlitzt.«

»Gut, dann brauchen wir nicht mehr darüber zu reden«, sagte Sam. »Für den Anfang haben wir genug. Aber mit dem Wasser wird es schlimm. Doch komm nun, Herr Frodo. Wir gehen jetzt los, sonst wird uns auch ein ganzer See nichts mehr nützen!«

»Nicht, ehe du einen Happen gegessen hast, Sam«, sagte Frodo. »Vorher rühre ich mich nicht von der Stelle. Hier, nimm diesen Elbenkuchen und trink den letzten Tropfen aus deiner Flasche! Die ganze Sache ist ziemlich hoffnungslos, da hat es keinen Zweck, sich über morgen Gedanken zu machen. Wahrscheinlich gibt es gar kein Morgen.«

Endlich brachen sie auf. Sie kletterten die Leiter hinunter, und dann nahm Sam sie und legte sie neben die zusammengesackte Leiche des heruntergefallenen Ork. Die Treppe war dunkel, aber oben auf dem Dach konnte man noch den Schein des Berges sehen, obwohl er jetzt zu einem dunklen Rot verblaßte. Sie nahmen sich zwei Schilde, um ihre Verkleidung zu vervollständigen, und gingen dann weiter.

Sie stapften die große Treppe hinunter. Die hohe Kammer im Turm, wo sie sich wiedergetroffen hatten, erschien ihnen jetzt fast anheimelnd: nun waren sie wieder im Freien, und Entsetzen ging von den Mauern aus. Vielleicht waren alle tot im Turm von Cirith Ungol, aber noch immer war er erfüllt von Schrecken und Unheil.

Schließlich kamen sie zu der Tür, die zum äußeren Hof führte, und sie hielten an. Selbst von dort, wo sie jetzt standen, spürten sie, wie die Bosheit der Wächter auf sie traf, schwarze, stumme Gestalten auf beiden Seiten des Tors, durch das der Schein von Mordor schwach hindurchschimmerte. Als sie sich ihren Weg durch die häßlichen Leichen der Orks bahnten, wurde jeder Schritt schwieriger. Ehe sie auch nur den Torbogen erreicht hatten, mußten sie stehenbleiben. Nur einen Zoll weiterzugehen, war eine Qual und Anstrengung für Willen und Glieder.

Frodo hatte keine Kraft für einen solchen Kampf. Er sank auf den Boden. »Ich kann nicht weitergehen, Sam«, murmelte er. »Ich werde ohnmächtig. Ich weiß nicht, was über mich gekommen ist.«

»Ich weiß es, Herr Frodo. Halte jetzt durch. Es ist das Tor. Da ist irgendeine Teufelei. Aber ich bin hereingekommen, und ich werde auch wieder hinauskommen. Es kann nicht gefährlicher sein als vorher. Nun los!«

Sam zog wieder das Elbenglas von Galadriel heraus. Als ob die Phiole seiner Kühnheit Ehre erweisen und seine treue braune Hobbithand, die solche Taten vollbracht hatte, mit Glanz verschönen wollte, strahlte sie plötzlich auf, so daß der ganze schattige Hof von einer blendenden Helligkeit wie von einem Blitz erleuchtet war; aber das Licht blieb hell und ging nicht aus.

»Gilthoniel, A Elbereth!« rief Sam. Denn ohne zu wissen, warum, dachte er mit einem Mal an die Elben im Auenland und an das Lied, das den Schwarzen Reiter vertrieben hatte, so daß er zwischen den Bäumen verschwand.

Aiya elenion ancalima!« rief Frodo, der jetzt wieder hinter ihm war.

Der Wille der Wächter wurde mit einer Plötzlichkeit gebrochen, als ob ein Strick riß, und Frodo und Sam stolperten vorwärts. Dann rannten sie. Durch das Tor und vorbei an den großen sitzenden Gestalten mit ihren glitzernden Augen. Dann kam ein Krachen. Der Mittelstein des Gewölbes brach heraus und stürzte ihnen fast auf die Fersen, und die Mauer darüber zerbröckelte und fiel in Trümmer. Nur um Haaresbreite waren sie entkommen. Eine Glocke schlug; und die Wächter stießen einen hohen und entsetzlichen Klageruf aus. Hoch oben in der Dunkelheit wurde er beantwortet. Aus dem schwarzen Himmel kam wie ein Pfeil eine geflügelte Gestalt herabgeschossen und zerriß die Wolken mit einem grausigen Kreischen.

ZWEITES KAPITEL

DAS LAND DES SCHATTENS

Sam hatte gerade noch genug Verstand, um die Phiole wieder in seine Brusttasche zu stecken. »Lauf, Herr Frodo!« rief er. »Nein, nicht da lang! Da geht's steil runter hinter der Mauer. Komm mir nach!«

Vom Tor aus flohen sie die Straße entlang. Als sie sich nach fünfzig Schritten um eine vorspringende Ausbuchtung des Felsens herumzog, konnten sie vom Turm nicht mehr gesehen werden. Für den Augenblick waren sie entkommen. Sie kauerten sich an den Fels und schöpften Luft, und dann blieb ihnen das Herz stehen. Der Nazgûl hockte jetzt auf der Mauer neben dem zerstörten Tor und stieß seine gräßlichen Schreie aus. Alle Felsen hallten davon wider.

Voller Schrecken stolperten sie weiter. Bald bog die Straße wieder scharf nach Osten ab und setzte sie für einen entsetzlichen Augenblick der Sicht vom Turm aus. Als sie hinüberflitzten, schauten sie sich um und sahen die große schwarze Gestalt auf der Festungsmauer; dann gelangten sie in einen Durchstich zwischen hohen Felswänden, der steil zu der Morgul-Straße hinunterführte. Sie kamen zur Wegkreuzung. Es war immer noch keine Spur von Orks zu sehen, noch kam eine Antwort auf den Schrei des Nazgûl; aber sie wußten, daß die Stille nicht lange anhalten würde. Jeden Augenblick konnte die Jagd jetzt beginnen.

»So geht es nicht, Sam«, sagte Frodo. »Wenn wir wirklich Orks wären, müßten wir jetzt zum Turm zurückstürzen, nicht wegrennen. Der erste Feind, den wir treffen, wird uns erkennen. Wir müssen irgendwie von dieser Straße runter.«

»Aber das können wir nicht«, sagte Sam, »nicht ohne Flügel.«

Die östlichen Hänge des Ephel Dúath waren steil und fielen in Klippen und Felswänden zu der schwarzen Schlucht ab, die zwischen ihnen und dem inneren Kamm lag. Ein kurzes Stück hinter der Wegkreuzung, nach einem weiteren jähen Gefälle, übersprang eine Behelfsbrücke den Abgrund, und über sie gelangte die Straße zu den zerklüfteten Hängen und engen Tälern des Morgai. Mit einer verzweifelten Anstrengung eilten Frodo und Sam über die Brücke; aber kaum hatten sie das andere Ende erreicht, da hörten sie, daß die Verfolgung begann. Weit hinter ihnen, jetzt hoch über dem Berghang, ragte der Turm von Cirith Ungol auf, seine

Steine glühten dunkel. Plötzlich schlug wiederum seine mißtönende Glocke an und ließ dann ein schmetterndes Geläute erschallen. Hörner bliesen. Und von jenseits der Brücke kamen nun Antwortschreie. Tief in der dunklen Schlucht, abgeschnitten von dem ersterbenden Schein des Orodruin, konnten Frodo und Sam nicht nach vorn sehen, aber schon hörten sie das Trampeln eisenbeschlagener Füße und auf der Straße das rasche Klappern von Hufen.

»Schnell, Sam!« rief Frodo. »Runter von der Straße!« Sie krabbelten weiter zu dem niedrigen Brückengeländer. Zum Glück ging es nicht mehr sehr tief hinunter in den Abgrund, denn die Hänge des Morgai waren schon fast bis zur Höhe der Straße aufgestiegen; aber es war zu dunkel, um die Tiefe des Falls zu erraten.

»Ich wage es, Herr Frodo«, sagte Sam. »Auf Wiedersehen!«

Er ließ los. Frodo folgte ihm. Und während sie noch fielen, hörten sie das Dröhnen von Reitern, die über die Brücke fegten, und das Trappeln von Orkfüßen, die hinterherliefen. Aber Sam hätte gelacht, wenn er es gewagt hätte. Halb hatten sie gefürchtet, einen halsbrecherischen Sturz auf unsichtbare Felsen zu tun, aber die Hobbits landeten, nach einem Fall von nicht mehr als ein Dutzend Fuß, mit einem dumpfen Aufschlag und Knirschen in etwas, was sie am wenigsten erwartet hatten; in einem dichten Dornengestrüpp. Da lag Sam nun ganz still und saugte leise an seiner zerkratzten Hand.

Als das Geräusch der Hufe und Füße vorüber war, wagte er ein Flüstern. »Du meine Güte, Herr Frodo, ich wußte gar nicht, daß in Mordor etwas wächst. Aber wenn ich's gewußt hätte, hätte ich genau das erwartet. Diese Dornen müssen einen Fuß lang sein, so wie sie sich anfühlen; sie haben durch alles durchgestochen, was ich anhabe. Ich wünschte, ich hätte dieses Panzerhemd angezogen.«

»Orkpanzer halten diese Dornen nicht ab«, sagte Frodo. »Nicht einmal ein Lederwams nützt etwas.«

Es war ein Kampf, aus dem Dickicht herauszukommen. Die Dornen und Ranken waren zäh wie Draht und hielten sie fest wie Klauen. Ihre Mäntel waren zerrissen und zerfetzt, als sie sich endlich befreit hatten.

»Jetzt gehen wir nach unten, Sam«, flüsterte Frodo. »Schnell hinunter in das Tal, und dann nach Norden, sobald wir können.«

In der Welt draußen wurde es wieder Tag, und weit jenseits der Düsternis von Mordor klomm die Sonne über den östlichen Rand von Mittelerde; aber hier war alles noch dunkel wie die Nacht. Der Berg schwelte, und sein Feuer ging aus. Der Schein auf den Felswänden verblaßte. Der Ostwind, der immer geweht hatte, seit sie Ithilien verlassen hatten, schien sich gelegt zu haben. Langsam und mühselig kletterten sie hinunter, tastend, stolpernd und auf allen Vieren kriechend über Felsen und Dornensträucher und totes Holz in den undurchsichtigen Schatten, hinunter und immer weiter, bis sie nicht mehr weitergehen konnten.

Schließlich hielten sie an und setzten sich nebeneinander, den Rücken an einen Findling gelehnt. Beide schwitzten. »Wenn selbst Schagrat mir ein Glas Wasser anbieten würde, würde ich ihm die Hand schütteln«, sagte Sam.

»Sage so etwas nicht«, sagte Frodo. »Das macht es nur schlimmer.« Dann streckte er sich aus, benommen und müde, und sprach eine Weile nicht mehr. Schließlich stand er mühsam auf. Zu seiner Überraschung stellte er fest, daß Sam schlief. »Wach auf, Sam«, sagte er. »Komm weiter. Es ist höchste Zeit, daß wir noch einen Versuch machen.«

Sam rappelte sich auf. »Na, so etwas!« sagte er. »Ich muß eingenickt sein. Es ist lange her, Herr Frodo, daß ich richtig geschlafen habe, und mir müssen die Augen einfach von selbst zugefallen sein.«

Frodo ging jetzt voran, so annähernd nach Norden, wie er glaubte, daß es Norden sein müsse, zwischen Steinen und Findlingen hindurch, die in Mengen auf dem Grund der großen Schlucht lagen. Aber mit einem Mal blieb er wieder stehen.

»Es nützt nichts, Sam«, sagte er. »Ich kann es nicht ertragen. Dieses Panzerhemd, meine ich. Nicht in meinem jetzigen Zustand. Selbst mein *mithril*-Panzer kam mir schwer vor, wenn ich müde war. Dieser hier ist viel schwerer. Und was für einen Zweck hat er überhaupt? Mit Kämpfen kommen wir doch nicht ans Ziel.«

»Aber vielleicht werden wir doch ein bißchen kämpfen müssen«, sagte Sam. »Und dann gibt's Messer und verirrte Pfeile. Dieser Gollum ist nicht tot, zum Beispiel. Der Gedanke gefällt mir nicht, daß zwischen dir und einem Dolchstoß im Dunkeln nichts ist als ein bißchen Leder.«

»Schau, Sam, mein lieber Junge«, sagte Frodo, »ich bin müde und erschöpft und habe gar keine Hoffnung mehr. Aber ich muß weitergehen und versuchen, zu diesem Berg zu kommen, solange ich mich noch fortbewegen kann. Der Ring ist genug. Dieses zusätzliche Gewicht bringt mich um. Es muß weg. Aber halte mich nicht für undankbar. Es ist mir gräßlich, wenn ich daran denke, was für eine widerliche Arbeit du bei den Leichen hattest, um es für mich zu finden.«

»Rede nicht davon, Herr Frodo. Du lieber Himmel! Ich würde dich auf dem Rücken tragen, wenn ich könnte. Trenn dich ruhig davon.«

Frodo legte seinen Mantel beiseite, zog den Orkpanzer aus und warf ihn weg. Er zitterte ein wenig. »Was ich wirklich brauche, ist etwas Warmes«, sagte er. »Es ist kalt geworden, oder ich habe mir einen Schnupfen geholt.«

»Du kannst meinen Mantel haben, Herr Frodo«, sagte Sam. Er schnallte seinen Rucksack ab und nahm den Elbenmantel heraus. »Wie ist es damit, Herr Frodo?« fragte er. »Du wickelst diesen Orkfetzen ganz fest um dich und machst den Gürtel nach außen. Dann ziehst du den hier drüber. Er sieht nicht gerade nach Orkkluft aus, aber er hält dich wärmer; und ich möchte annehmen, er wird dich besser vor Schaden bewahren als jede andere Kleidung. Die Herrin hat ihn gemacht.«

Frodo nahm den Mantel und befestigte die Brosche. »Das ist besser«, sagte er. »Ich fühle mich viel leichter. Jetzt kann ich weitergehen. Aber dieses undurchsichtige Dunkel scheint mir ins Herz zu dringen. Als ich im Gefängnis lag, Sam, versuchte ich, mir den Brandywein und Waldende und die Wässer in Erinnerung zu rufen, wie sie durch die Mühle in Hobbingen fließt. Aber jetzt kann ich sie nicht sehen.«

»Na, Herr Frodo, diesmal bist du es, der von Wasser redet!« sagte Sam. »Wenn nur die Herrin uns sehen oder hören könnte, dann würde ich zu ihr sagen: ›Euer Gnaden, alles, was wir wollen, ist Licht und Wasser: bloß klares Wasser und gewöhnliches Tageslicht, besser als alle Edelsteine, bitte um Entschuldigung.‹ Aber es ist ein weiter Weg nach Lórien.« Sam seufzte und machte eine Handbewegung zum Ephel Dúath, der sich jetzt nur als eine tiefere Schwärze vor dem schwarzen Himmel ahnen ließ.

Sie brachen wieder auf. Noch waren sie nicht weit gegangen, als Frodo anhielt. »Da ist ein Schwarzer Reiter über uns«, sagte er. »Ich spüre ihn. Wir verhalten uns besser eine Weile still.«

Zusammengekauert unter einem großen Findling saßen sie und blickten nach Westen und sprachen eine Zeitlang nicht. Dann stieß Frodo einen Seufzer der Erleichterung aus. »Er ist vorbei«, sagte er. Sie standen auf, und dann starrten sie beide vor Verwunderung. Weit zu ihrer Linken, im Süden, vor einem Himmel, der grau wurde, begannen die Gipfel und hohen Grate der großen Bergkette, dunkel und schwarz, als sichtbare Formen zu erscheinen. Hinter ihnen wurde es hell. Langsam kroch das Licht nach Norden. Da war ein Kampf hoch oben in den hohen Luftschichten. Die sich türmenden Wolken von Mordor wurden hinweggefegt, und ihre Ränder rissen in Fetzen, als ein Wind aus der lebenden Welt aufkam und Qualm und Rauch in ihr dunkles Heimatland zurücktrieb. Unter den sich hebenden Säumen des fürchterlichen Wolkendachs sickerte trübes Licht nach Mordor wie ein blasser Morgen durch das schmutzige Fenster eines Gefängnisses.

»Sieh dir das an, Herr Frodo«, sagte Sam. »Sieh dir das an! Der Wind hat gedreht. Irgend etwas geschieht. Es geht nicht alles so, wie er will. Seine Dunkelheit löst sich auf da draußen in der Welt. Ich wünschte, ich könnte sehen, was vor sich geht.«

Es war der Morgen des 15. März, und über dem Tal des Anduin stieg die Sonne über den östlichen Schatten, und der Südwestwind wehte. Théoden lag sterbend auf den Pelennor-Feldern.

Als Frodo und Sam dastanden und schauten, breitete sich der Rand des Lichts über die ganze Kette des Ephel Dúath aus, und dann sahen sie eine Gestalt, die sich mit großer Geschwindigkeit aus dem Westen näherte, zuerst nur ein schwarzer Fleck vor dem schimmernden Streifen über den Berggipfeln, aber sie wurde größer, bis sie wie ein Pfeil in die dunkle Wolkendecke eintauchte und hoch über ihnen vorbeizog. Sie stieß einen langen, schrillen Schrei aus, die Stimme eines Nazgûl; aber dieser Schrei versetzte sie nicht mehr in Angst und Schrecken: es war ein Schrei des Leides und der Verzweiflung, eine schlimme Botschaft für den Dunklen Turm. Den Herrn der Ringgeister hatte sein Schicksal ereilt.

»Was habe ich dir gesagt? Irgend etwas geschieht!« rief Sam. »›Der Krieg geht gut‹, sagte Schagrat; aber Gorbag war nicht so sicher. Und auch damit hatte er recht. Die Lage bessert sich, Herr Frodo. Hast du nicht jetzt etwas Hoffnung?«

»Ach nein, nicht viel, Sam«, seufzte Frodo. »Das ist weit jenseits des Gebirges. Wir gehen nach Osten, nicht nach Westen. Und ich bin so müde. Und der ist so schwer, Sam. Und ich fange an, ihn die ganze Zeit im Geist wie ein großes feuriges Rad zu sehen.«

Sams muntere Stimmung sank sofort wieder. Er sah seinen Herrn besorgt an und nahm seine Hand. »Komm, Herr Frodo«, sagte er. »Ich habe etwas bekommen, was ich wollte: ein bißchen Licht. Genug, um uns weiterzuhelfen, und doch ist es, nehme ich an, auch gefährlich. Versuch noch ein wenig weiterzugehen, und dann legen wir uns dicht beieinander hin und ruhen uns aus. Aber iß erst einen Happen, ein bißchen Elbennahrung; das wird dich vielleicht beleben.«

Frodo und Sam teilten sich eine *lembas*-Waffel und kauten sie, so gut sie mit ihren ausgetrockneten Mündern konnten, und schleppten sich weiter. Das Licht war zwar nicht mehr als eine graue Dämmerung, aber es reichte, um zu sehen, daß sie tief in dem Tal zwischen den beiden Bergketten waren. Es stieg leicht nach Norden an, und auf seinem Grund verlief das Bett eines jetzt ausgetrockneten Bachs. Hinter seinem steinigen Lauf sahen sie einen ausgetretenen Pfad, der sich unter dem Fuß der westlichen Felsen entlangzog. Hätten sie ihn gekannt, dann hätten sie ihn schneller erreichen können, denn es war ein Weg, der die große Morgul-Straße am westlichen Brückenende verließ und über eine lange, in den Fels gehauene Treppe auf die Talsohle führte. Er wurde von Meldegängern und Boten benutzt, die rasch zu kleineren Feldwachen und Festungen im Norden, zwischen Cirith Ungol und dem Engpaß von Isenmünde, dem eisernen Schlund von Carach Angren, gelangen mußten.

Es war gefährlich für die Hobbits, einen solchen Pfad zu benutzen, aber Eile tat not, und Frodo hatte das Gefühl, daß er die Plackerei, zwischen den Findlingen oder den pfadlosen Bergschluchten des Morgai herumzuklettern, nicht würde aushalten können. Und er war der Meinung, daß der Weg nach Norden vielleicht derjenige war, von dem die Verfolger am wenigsten erwarteten, daß sie ihn einschlagen würden. Die Straße nach Osten zur Ebene oder den Paß hinter ihnen im Westen würden sie sicher zuerst gründlich absuchen. Erst wenn er beträchtlich nördlich des Turms war, wollte er nach einem Weg forschen, der ihn nach Osten brächte, nach Osten zum letzten verwegenen Abschnitt seiner Fahrt. So überquerten sie nun das steinige Bett und schlugen den Orkpfad ein und blieben eine Zeitlang auf ihm. Die Klippen zu ihrer Linken hingen über, und von oben konnten sie nicht gesehen werden; aber der Weg machte viele Biegungen, und bei jeder Biegung packten sie das Heft ihrer Schwerter und gingen vorsichtig weiter.

Es wurde nicht heller, denn der Orodruin stieß immer noch dicke Schwaden aus, die von Gegenwinden aufwärtsgetrieben wurden und hoch und immer höher stiegen, bis sie eine Luftschicht über dem Wind erreichten und sich zu einem unermeßlichen Dach ausdehnten, dessen Mittelpfeiler aus den Schatten aufragte, die für sie nicht sichtbar waren. Sie waren mehr als eine Stunde gelaufen, als sie ein Geräusch hörten, das sie anhalten ließ. Unglaublich, aber unmißverständlich. Rieselndes Wasser. Aus einer Spalte zur Linken, die so scharf eingeschnitten und schmal war, daß es aussah, als sei der schwarze Felsen mit irgendeiner riesigen Axt gespalten worden, tröpfelte Wasser: die letzten Überbleibsel vielleicht eines köstlichen Regens, aufgestiegen aus sonnenbeschienenen Meeren, aber dazu verurteilt, schließlich auf die Wälle des Schwarzen Landes zu fallen und fruchtlos in den Staub zu rinnen. Hier kam er als ein Bächlein aus dem Felsen, floß über den Pfad, wandte sich nach Süden und verlor sich dann rasch zwischen dem toten Gestein.

Sam sprang darauf zu. »Wenn ich je die Herrin wiedersehe, werde ich es ihr erzählen!« rief er. »Licht, und jetzt Wasser!« Dann hielt er inne. »Laß mich zuerst trinken, Herr Frodo«, sagte er.

»Gut, aber es ist Platz genug für uns beide.«

»Das meinte ich nicht«, sagte Sam. »Ich meine: wenn es giftig ist oder irgend etwas, das seine Schädlichkeit bald zeigt, na, dann lieber ich als du, Herr, wenn du mich verstehst.«

»Das tue ich. Aber ich glaube, wir werden gemeinsam unser Glück versuchen, Sam, oder auf unser Glück vertrauen. Immerhin, sei vorsichtig, wenn es sehr kalt ist.«

Das Wasser war kühl, aber nicht eisig, und es hatte einen unangenehmen Geschmack, zugleich bitter und ölig, so hätten sie jedenfalls daheim gesagt. Hier schien es über alles Lob erhaben zu sein, und über Angst und Vorsicht. Sie tranken sich satt, und Sam füllte seine Flasche. Danach fühlte Frodo sich besser. Sie gingen noch mehrere Meilen weiter, bis die Verbreiterung des Weges und die Anfänge einer rohen Mauer an seinem Rand sie warnten, daß sie sich einer weiteren Orkfeste näherten.

»Hier biegen wir ab, Sam«, sagte Frodo. »Und zwar nach Osten.« Er seufzte, als er auf die düsteren Grate jenseits des Tals blickte. »Ich habe gerade noch genug Kraft, um irgendeine Höhle da oben zu finden. Und dann muß ich ein wenig ruhen.«

Das Bachbett lag jetzt ein Stück unterhalb des Weges. Sie kletterten hinunter und begannen es zu durchqueren. Zu ihrer Überraschung stießen sie auf schwarze Tümpel, gespeist von Wasseradern, die von irgendeiner Quelle weiter oben im Tal herabtröpfelten. An den äußeren Rändern des Bachbetts unter den westlichen Bergen war Mordor ein sterbendes Land, aber es war noch nicht tot. Und hier wuchsen noch Pflanzen, zäh, sich windend, erbittert um ihr Leben kämpfend. In den Talschluchten des Morgai auf der anderen Seite des Tals versteckten sich und klebten verkrüppelte Bäume, rauhe Grasbüschel wehrten sich gegen die Steine, und verwelktes Moos kroch über sie; und überall wucherte verschlungenes, dichtes Dornengestrüpp. Manche Büsche hatten lange, stechende Dornen, manche gekrümmte Stacheln, die wie Messer schnitten. Die dunklen, verwelkten Blätter eines vergangenen Jahres hingen noch an den Ranken und rasselten und raschelten in den traurigen Lüften, aber die madenzerfressenen Knospen öffneten sich gerade erst. Fliegen, bräunliche, graue oder schwarze, die wie die Orks mit einem roten, augenförmigen Fleck gezeichnet waren, summten und stachen; und über den Dornendickichten tanzten und schwirrten ganze Wolken von Mücken.

»Orkkleidung taugt nichts«, sagte Sam und fuchtelte mit den Armen. »Ich wünschte, ich hätte ein Orkfell.«

Schließlich konnte Frodo nicht weitergehen. Sie hatten eine allmählich ansteigende Schlucht erklommen, aber noch hatten sie einen weiten Weg zu gehen, ehe sie den letzten schroffen Grat auch nur würden sehen können. »Ich muß jetzt rasten, Sam, und schlafen, wenn ich kann«, sagte Frodo. Er schaute sich um, aber nichts schien es in diesem trostlosen Land zu geben, wo auch nur ein Tier hätte hineinkriechen können. Völlig erschöpft, schlichen sie sich endlich unter einen Vorhang aus Dornengestrüpp, der wie eine Matte über eine niedrige Felswand hing.

Da saßen sie und hielten eine Mahlzeit, so gut es ging. Weil sie die kostbarsten *lembas* für die vor ihnen liegenden üblen Tage aufheben wollten, aßen sie die Hälfte von dem, was in Sams Beutel von Faramirs Vorräten übriggeblieben war: etwas getrocknete Früchte und eine kleine Scheibe Pökelfleisch; und sie tranken ein paar Schluck Wasser. Sie hatten auch aus den Teichen unten im Tal getrunken, aber sie waren wieder sehr durstig. Es lag ein bitterer Geruch in der Luft von Mordor, der den Mund austrocknete. Als Sam an Wasser dachte, sank selbst sein hoffnungsvoller Mut. Jenseits des Morgai mußten sie die entsetzliche Ebene von Gorgoroth überqueren.

»Nun schläfst du zuerst, Herr Frodo«, sagte er. »Es wird wieder dunkel. Ich schätze, dieser Tag ist annähernd vorüber.«

Frodo seufzte und war fast eingeschlafen, ehe diese Worte gesprochen waren. Sam kämpfte mit seiner eigenen Müdigkeit, und er nahm Frodos Hand; und so saß er stumm da, bis die tiefe Nacht hereinbrach. Dann schließlich, um sich wach zu halten, kroch er aus dem Versteck heraus und schaute sich um. Das Land schien voller knisternder und knackender und heimlicher Geräusche zu sein, aber weder Stimmen noch Fußtritte waren zu hören. Hoch über dem Ephel Dúath im Westen war der Nachthimmel noch schwach erhellt und bleich. Dort, zwischem dem Gewölk über einem dunklen Felsen hoch oben im Gebirge, sah Sam eine Weile einen weißen Stern funkeln. Seine Schönheit griff ihm ans Herz, als er aufschaute aus dem verlassenen Land, und er schöpfte wieder Hoffnung. Denn wie ein Pfeil, klar und kalt, durchfuhr ihn der Gedanke, daß letztlich der Schatten nur eine kleine und vorübergehende Sache sei: es gab Licht und hehre Schönheit, die auf immer außerhalb seiner Reichweite waren. Sein Lied im Turm war eher Trotz als Hoffnung gewesen; denn da hatte er an sich gedacht. Jetzt, auf einen Augenblick, bekümmerte ihn sein Schicksal und auch das seines Herrn nicht mehr. Er kroch zurück in das Dornengestrüpp und legte sich an Frodos Seite, verbannte alle Ängste und sank in einen tiefen, ungestörten Schlaf.

Sie wachten zusammen auf, Hand in Hand. Sam war fast frisch, bereit für einen neuen Tag; aber Frodo seufzte. Sein Schlaf war unruhig gewesen, voller Träume von Feuer, und das Aufwachen brachte ihm keinen Trost. Dennoch war sein Schlaf nicht ohne heilende Wirkung gewesen: er war kräftiger, besser imstande, seine Last noch eine Wegstrecke weiterzutragen. Sie wußten nicht, wie spät es war oder wie lange sie geschlafen hatten; aber nach einem Frühstücksbissen und einem Schluck Wasser gingen sie weiter die Schlucht hinauf, bis sie in einem steilen Hang mit Geröll und rutschendem Gestein endete. Dort gaben die letzten Pflanzen den Kampf auf; die Gipfel des Morgai waren graslos, kahl, zerklüftet, unfruchtbar wie eine Schiefertafel.

Nach vielem Umherwandern und Suchen fanden sie einen Weg, den sie erklimmen konnten, und nach einer letzten Kletterei auf allen vieren von hundert Fuß waren sie oben. Sie kamen zu einer Spalte zwischen zwei dunklen Felsen, und als sie hindurchgingen, befanden sie sich genau am Rand der letzten Verteidigung von Mordor. Unter ihnen, etwa fünfhundert Fuß tiefer, lag die Binnenebene, und sie erstreckte sich bis zu einer gestaltlosen Düsternis, deren Ende nicht mehr sichtbar war. Der Wind der Welt wehte jetzt von Westen, und die großen Wolken stiegen auf und trieben nach Osten; doch immer noch fiel nur ein graues Licht auf die trostlosen Felder von Gorgoroth. Dort zogen Rauchfahnen über den Boden und sammelten sich in Mulden, und Dämpfe quollen aus Erdspalten.

Noch weiter entfernt, mindestens vierzig Meilen, sahen sie den Schicksalsberg, sein Fuß ruhte in aschgrauen Trümmern, sein gewaltiger Kegel stieg zu einer großen Höhe auf, und sein qualmender Gipfel war in Wolken gehüllt. Seine Feuer waren jetzt dunkler, und er stand in schwelendem Schlummer da. Hinter ihm hing ein riesiger Schatten, unheilvoll wie eine Gewitterwolke, die Schleier von Barad-dûr, das sich in weiter Ferne auf einem langen, von Norden vorstoßenden Ausläufer des Aschengebirges erhob. Die Dunkle Macht war tief in Gedanken, das Auge blickte nach innen und grübelte über Botschaften, die Zweifel erweckten und Gefahr beschworen: ein berühmtes Schwert und ein unnachgiebiges und königliches Gesicht sah es; und seine große Festung, Tor für Tor und Turm für Turm, war in nachdenkliche Finsternis gehüllt.

In einer Mischung von Abscheu und Staunen blickten Frodo und Sam auf dieses hassenswerte Land. Zwischen ihnen und dem rauchenden Berg und nördlich und südlich davon schien alles verheert und tot zu sein, eine verbrannte und erstickte Wüste. Sie fragten sich, wie der Herr dieses Reichs wohl seine Heere unterhielt und seine Hörigen ernährte. Denn

Heere hatte er. Soweit das Auge reichte, an den Säumen des Morgai und weiter im Süden, waren Lager, einige aus Zelten, einige wohlgeordnet wie kleine Städte. Eines der größten befand sich unmittelbar unter ihnen. Kaum eine Meile weit in der Ebene lag es da wie ein riesiges Insektennest mit geraden, öden Straßen, an denen Hütten und lange, niedrige, schmutzigbraune Gebäude standen. Ringsum wimmelte es von Leuten, die hierhin und dorthin gingen; eine breite Straße führte von hier nach Südosten, wo sie auf den Morgulweg traf, und auf ihr eilten viele Reihen kleiner schwarzer Gestalten dahin.

»Das gefällt mir überhaupt nicht«, sagte Sam. »Ziemlich hoffnungslos nenn ich das – abgesehen davon, daß es dort, wo so viel Leute sind, auch Brunnen oder Wasser geben muß, ganz zu schweigen von Lebensmitteln. Und diese da sind Menschen, keine Orks, oder meine Augen sind ganz verkehrt.«

Weder er noch Frodo wußten etwas von den großen Feldern weit im Süden dieses ausgedehnten Reichs, die von Hörigen bestellt wurden, jenseits des qualmenden Bergs an den dunklen, traurigen Gewässern des Núrnen-Meers; und sie wußten auch nichts von den großen Straßen, die nach Osten und Süden in die zinspflichtigen Länder führten, von wo die Krieger des Turms lange Wagenzüge mit Waren und Beute und neuen Hörigen brachten. Hier in den nördlichen Bereichen waren die Minen und Schmieden und die Aufgebote für den lange geplanten Krieg; und hier sammelte die Dunkle Macht ihre Heere, die sie wie Figuren auf einem Schachbrett hin- und herschob. Ihren ersten Zügen, den ersten Tastversuchen ihrer Stärke, war an ihrem westlichen Wall, nördlich und südlich, Einhalt geboten worden. Im Augenblick zog sie ihre Heere zurück, brachte neue Kräfte heran und zog sie bei Cirith Gorgor für einen Vergeltungsschlag zusammen. Und wenn es außerdem ihre Absicht gewesen wäre, den Berg vor jeder Annäherung des Feindes zu schützen, sie hätte kaum mehr tun können.

»Ja«, fuhr Sam fort, »was immer sie zu essen und trinken haben, wir können es nicht bekommen. Es gibt keinen Weg nach unten, soweit ich sehe. Und wir könnten dieses ganze offene Gelände, das von Feinden wimmelt, auch nicht überqueren, selbst wenn wir hinunter kämen.«

»Trotzdem werden wir es versuchen müssen«, sagte Frodo. »Es ist nicht schlimmer, als ich erwartet hatte. Ich habe nie die Hoffnung gehabt, hinüberzukommen. Aber immer noch muß ich es so gut machen, wie ich kann. Im Augenblick heißt das, solange als möglich zu vermeiden, daß wir gefangengenommen werden. Deshalb müssen wir weiter nach Norden gehen und sehen, wie es dort ist, wo die offene Ebene schmaler ist.«

»Ich kann mir vorstellen, wie es dort sein wird«, sagte Sam. »Wo es schmaler ist, da werden die Orks und Menschen nur dichter zusammengedrängt sein. Du wirst es sehen, Herr Frodo.«

»Das werde ich wohl, wenn wir je so weit kommen«, sagte Frodo und wandte sich ab.

Bald stellten sie fest, daß es unmöglich war, auf dem Kamm des Morgai weiterzugehen, oder irgendwo in den höheren Bereichen, die pfadlos waren und von tiefen Klüften durchschnitten. Zuletzt mußten sie wieder durch die Schlucht zurückgehen, in der sie heraufgekommen waren, und nach einem Weg entlang dem Tal suchen. Nach einer Meile oder mehr sahen sie, in einer Mulde am Fuß der Felswand kauernd, die Orkfeste, von der sie vermutet hatten, daß sie nahebei sei: eine Mauer und eine Gruppe von Steinhütten, die an dem dunklen Eingang einer Höhle standen. Es war dort keine Bewegung zu sehen, aber die Hobbits krochen vorsichtig vorbei und hielten sich, soweit sie konnten, zwischen den dichten Dornengebüschen, die an diesem Punkt zu beiden Seiten des alten Wasserlaufs wuchsen.

Sie gingen noch zwei oder drei Meilen weiter, und die Orkfeste hinter ihnen war dem Blick entzogen; aber kaum hatten sie begonnen, wieder ruhiger zu atmen, als sie harte und laute Orkstimmen hörten. Rasch schlichen sie hinter einen braunen, verkrüppelten Busch. Die Stimmen näherten sich. Plötzlich kamen zwei Orks in Sicht. Der eine war in zerfetztes Braun gekleidet und mit einem Bogen aus Horn bewaffnet; er gehörte zu einer kleineren Rasse, schwarzhäutig mit breiten und schnüffelnden Nüstern: offenbar ein Fährtenfinder irgendeiner Art. Der andere war ein großer Kampfork, wie die aus Schagrats Rotte, und trug das Abzeichen des Auges. Auch er hatte auf dem Rücken einen Bogen und trug einen kurzen Speer mit breiter Spitze. Die beiden stritten sich wie gewöhnlich, und da sie von verschiedener Rasse waren, bedienten sie sich der Gemeinsamen Sprache auf ihre Weise.

Kaum zwanzig Schritt vor dem Versteck der Hobbits blieb der kleinere Ork stehen. »Nee«, knurrte er, »ich gehe nach Hause.« Er zeigte über das Tal hinweg auf die Orkfeste. »Keinen Zweck, meine Nase noch weiter auf Steinen abzunutzen. Es ist keine Spur mehr da, sage ich. Ich habe die Fährte verloren, weil ich dir nachgegeben habe. Sie ging hinauf in die Berge, nicht im Tal weiter, das sage ich dir.«

»Ihr seid wohl nicht viel nutze, ihr kleinen Schnüffler?« sagte der große Ork. »Ich schätze, Augen sind besser als eure Rotznasen.«

»Warum hast du dann nichts gesehen?« knurrte der andere. »Quatsch! Du weißt nicht mal, was du suchst.«

»Wessen Schuld ist das?« sagte der Kämpfer. »Meine nicht. Das kommt von höher oben. Erst sagen sie, es ist ein großer Elb in strahlender Rüstung, dann ist es eine Art Zwergenmensch, dann muß es eine Horde aufrührerischer Uruk-hai sein; oder vielleicht ist es das alles zusammen.«

»Ach!« sagte der Fährtenfinder. »Sie haben den Kopf verloren, das ist es. Und einige der Führer wird's auch noch den Kragen kosten, nehme ich an, wenn das stimmt, was ich gehört habe: Turm überfallen und all das, und Hunderte von euch Jungs umgelegt, und der Gefangene ist weg. Wenn das die Art ist, wie ihr Kämpfer vorgeht, dann ist's kein Wunder, daß die Nachrichten von den Schlachtfeldern schlecht sind.«

»Wer sagt, daß sie schlecht sind?« brüllte der Kämpfer.

»Ach! Wer sagt, daß sie gut sind?«

»Das ist verfluchtes Aufrührer-Gerede, und ich werde dich erstechen, wenn du nicht die Klappe hältst, verstehst du?«

»Schon gut, schon gut«, sagte der Fährtenfinder. »Ich werde nichts mehr sagen und mir mein Teil denken. Aber was hat der schwarze Schnüffler damit zu tun? Der Vielfraß mit den Schlapphänden?«

»Das weiß ich nicht. Nichts, vielleicht. Aber er führt nichts Gutes im Schilde, da wett ich. Verflucht soll er sein! Kaum war er uns entschlüpft und weggelaufen, als Bescheid kam, er wird gesucht, lebendig, und zwar schnell.«

»Na, ich hoffe, sie kriegen ihn und machen ihn fertig«, brummte der Fährtenfinder. »Da hinten hat er die ganze Fährte verpfuscht, als er das weggeworfene Panzerhemd geklaut hat, das er gefunden hatte, und überall da herumgewatschelt ist, ehe ich hinkommen konnte.«

»Das hat ihm jedenfalls das Leben gerettet«, sagte der Kämpfer. »Ehe ich wußte, daß er gesucht wird, habe ich auf ihn geschossen, geschickt wie sonst was, auf fünfzig Schritt genau in den Rücken, aber er ist weitergelaufen.«

»Quatsch! Du hast ihn verfehlt«, sagte der Fährtenfinder. »Erst hast du danebengeschossen, dann bist du zu langsam gelaufen, und dann hast du nach den armen Fährtenfindern geschickt. Ich habe genug von dir.« Er trottete davon.

»Du kommst zurück«, brüllte der Kämpfer, »sonst melde ich dich!«

»Bei wem denn? Doch nicht bei deinem prachtvollen Schagrat? Der wird nicht länger Hauptmann sein.«

»Ich werde deinen Namen und deine Nummer den Nazgûl angeben«, sagte der Kämpfer und senkte seine Stimme zu einem Zischen. »Einer von *denen* befehligt jetzt auf dem Turm.«

Der andere blieb stehen, und seine Stimme war voll Angst und Wut.

»Du verfluchter petzender Strauchdieb!« brüllte er. »Du kannst deine Aufgabe nicht erfüllen, und nicht einmal bei deinen eigenen Leuten kannst du bleiben. Geh zu deinen dreckigen Kreischern, und mögen sie dir das Fleisch in Streifen abschneiden! Wenn der Feind sie nicht zuerst holt. Sie haben Nummer Eins umgebracht, wie ich gehört habe, und ich hoffe, es stimmt!«

Mit dem Speer in der Hand setzte der große Ork ihm nach, aber der Fährtenfinder sprang hinter einen Stein, jagte ihm einen Pfeil ins Auge, als er angerannt kam, und er stürzte krachend zu Boden. Der andere rannte durch das Tal und verschwand.

Eine Weile saßen die Hobbits schweigend da. Schließlich rührte sich Sam. »Na, das nenne ich saubere Arbeit«, sagte er. »Wenn diese hübsche Freundlichkeit sich über ganz Mordor verbreiten würde, wäre die Hälfte unserer Schwierigkeiten ausgestanden.«

»Ruhig, Sam, flüsterte Frodo. »Es könnten noch andere hier sein. Wir sind offenbar mit knapper Not entkommen, und die Verfolger waren uns dichter auf der Spur, als wir ahnten. Aber das *ist* der Geist von Mordor, Sam; und er hat sich in jeden Winkel verbreitet. Orks verhalten sich immer so, wenn sie sich selbst überlassen sind, jedenfalls sagen das alle Erzählungen. Aber daraus kannst du nicht viel Hoffnung schöpfen. Sie hassen uns weit mehr, allesamt und immerzu. Wenn diese beiden uns gesehen hätten, dann hätten sie mit ihrem Streit aufgehört, bis wir tot gewesen wären.«

Wieder trat ein langes Schweigen ein, und wiederum brach Sam es, aber diesmal flüsternd. »Hast du gehört, was sie über *diesen Vielfraß* sagten, Herr Frodo? Ich sagte dir ja, daß Gollum nicht tot ist, nicht wahr?«

»Ja, ich erinnere mich. Und ich fragte mich, woher du das wußtest«, sagte Frodo. »Paß mal auf. Ich glaube, wir sollten hier bleiben, bis es ganz dunkel geworden ist. So kannst du mir erzählen, woher du das weißt, und alles, was geschehen ist. Wenn du es leise tun kannst.«

»Ich werd's versuchen«, sagte Sam. »Aber wenn ich an diese Stinker denke, werde ich so wütend, daß ich brüllen könnte.«

Da saßen die Hobbits nun im Schutze des Dornenbusches, während das trübe Licht von Mordor langsam zu einer tiefen und sternlosen Nacht verblaßte; und Sam flüsterte Frodo alles ins Ohr, wofür er Worte finden konnte, von Gollums niederträchtigem Angriff, dem Schrecken von Kankra und seinen eigenen Abenteuern mit den Orks. Als er geendet hatte, sagte Frodo nichts, sondern nahm Sams Hand und drückte sie. Schließlich rührte er sich.

»Ja, ich glaube, wir müssen wieder weitergehen«, sagte er. »Ich möchte mal wissen, wie lange es noch dauert, bis wir wirklich geschnappt werden und die ganze Plackerei und das Umherschleichen vorbei ist und vergeblich gewesen sein wird.« Er stand auf. »Es ist dunkel, und wir können das Glas der Herrin nicht verwenden. Hebe es für mich auf, Sam. Ich wüßte nicht, wo ich es hinstecken sollte, und müßte es in der Hand behalten, und in dieser undurchdringlichen Nacht werde ich beide Hände brauchen. Aber Stich schenke ich dir. Ich habe eine Orkklinge, aber ich glaube nicht, daß es meine Rolle sein wird, je wieder einen Hieb zu führen.«

Es war schwierig und gefährlich, in diesem pfadlosen Land bei Nacht voranzukommen; aber langsam und mit viel Stolpern quälten sich die Hobbits Stunde um Stunde am östlichen Rand des steinigen Tals nach Norden. Als ein graues Licht wieder über die westlichen Höhen kroch, lange nachdem der Tag in den Landen dahinter gekommen war, versteckten sie sich wieder und schliefen abwechselnd ein wenig. In den Zeiten, da Sam wach war, beschäftigte er sich mit Ernährungsfragen. Als Frodo ihn schließlich weckte und davon sprach, daß sie etwas essen und sich für einen weiteren Versuch bereitmachen sollten, stellte er die Frage, die ihn am meisten bedrückte.

»Bitte um Entschuldigung, Herr Frodo«, sagte er, »aber hast du irgendeine Vorstellung, wie weit wir noch zu gehen haben?«

»Nein, keine klare Vorstellung, Sam«, antwortete Frodo. »In Bruchtal wurde mir, ehe ich aufbrach, eine Karte von Mordor gezeigt, die gezeichnet worden war, bevor der Feind wieder hierher zurückkehrte; aber ich erinnere mich nur undeutlich an sie. Am deutlichsten erinnere ich mich, daß es im Norden eine Stelle gab, wo sich die Ausläufer der westlichen und der östlichen Gebirgsketten fast berühren. Das muß mindestens zwanzig Wegstunden von der Brücke hinten an dem Turm sein. Es könnte ein guter Punkt zum Überqueren sein. Aber natürlich werden wir, wenn wir dort hinkommen, weiter von dem Berg entfernt sein als vorher, sechzig Meilen möchte ich annehmen. Ich schätze, daß wir von der Brücke aus jetzt zwölf Wegstunden nach Norden gegangen sind. Selbst wenn alles gut geht, könnte ich den Berg kaum in einer Woche erreichen. Ich fürchte, Sam, daß die Last sehr schwer werden wird, und ich werde immer langsamer gehen, je näher wir herankommen.«

Sam seufzte. »Das ist genau, was ich befürchtet hatte«, sagte er. »Ganz zu schweigen vom Wasser, müssen wir weniger essen, oder aber etwas schneller vorankommen, jedenfalls solange wir in diesem Tal sind. Noch ein Bissen, und wir haben nichts mehr außer der Wegzehrung der Elben.«

»Ich werde versuchen, etwas schneller zu sein, Sam«, sagte Frodo und holte tief Luft. »Also komm! Laß uns einen weiteren Marsch beginnen.«

Es war noch nicht wieder ganz dunkel. Sie schleppten sich voran, hinein in die Nacht. Die Stunden vergingen bei diesem mühseligen Marsch mit wenigen kurzen Unterbrechungen. Bei der ersten Andeutung von grauem Licht unter den Rändern des Schattendachs versteckten sie sich wieder in einer dunklen Mulde unter einem überhängenden Fels.

Langsam nahm das Licht zu, bis es klarer wurde, als es bisher je gewesen war. Ein starker Wind von Westen vertrieb nun den Rauch von Mordor aus den höheren Luftschichten. Es dauerte nicht lange, da konnten die Hobbits die Landschaft im Umkreis von einigen Meilen erkennen. Die Talmulde zwischen dem Gebirge und dem Morgai war ständig schmaler geworden, während sie anstieg, und der innere Grat war jetzt nicht mehr als ein Gesims in den Steilhängen des Ephel Dúath; aber östlich fiel sie so jäh nach Gorgoroth ab wie immer. Vor ihnen fand der Wasserlauf in unterbrochenen Felsstufen ein Ende; denn aus der Hauptkette stieß dort ein hoher kahler Ausläufer vor und zog sich wie eine Mauer nach Osten. Ihm entgegen streckte sich aus der grauen und nebligen Nordkette des Ered Lithui ein langer, vorspringender Arm; und zwischen den beiden Enden war eine schmale Kluft: Carach Angren, die Isenmünde, hinter der das tiefe Tal Udûn lag. In diesem Tal hinter dem Morannon waren die Stollen und tiefen Waffenkammern, die Mordors Diener für die Verteidigung des Schwarzen Tors ihres Landes angelegt hatten; und dort sammelte jetzt ihr Herr in großer Eile Streitkräfte, um dem Angriff der Heerführer des Westens zu begegnen. Auf den vorgeschobenen Ausläufern waren Festungen und Türme erbaut, und Wachtfeuer brannten; und über die ganze Kluft hinweg war ein Erdwall aufgeschüttet und ein tiefer Graben ausgehoben worden, der nur auf einer einzigen Brücke überquert werden konnte.

Einige Meilen weiter nördlich, hoch oben in dem Winkel, wo der westliche Ausläufer von der Hauptkette abzweigte, stand das alte Schloß Durthang, jetzt eine der vielen Orkfestungen, die sich über das Udûn-Tal verteilten. Eine Straße, die in dem zunehmenden Licht schon sichtbar war, schlängelte sich von Durthang herunter, bis sie, nur eine oder zwei Meilen von dem Punkt entfernt, wo die Hobbits lagen, nach Osten abbog und auf einem in den Hang des Ausläufers eingeschnittenen Gesims entlanglief und so hinunter in die Ebene und dann weiter zur Isenmünde führte.

Den Hobbits schien es, als sie dort hinblickten, daß ihre ganze Wanderung nach Norden nutzlos gewesen sei. Die Ebene zu ihrer Rechten war düster und rauchig, und sie konnten dort weder Lager noch marschierende Abteilungen sehen; aber das ganze Gebiet wurde von den Festungen von Carach Angren überwacht.

»Wir sind in eine Sackgasse geraten, Sam«, sagte Frodo. »Wenn wir weitergehen, werden wir nur zu diesem Orkturm kommen, aber der einzige Weg, den wir einschlagen können, ist die Straße, die von dort herunterkommt – es sei denn, wir gehen zurück. Wir können nicht nach Westen hinauf oder nach Osten hinunterklettern.«

»Dann müssen wir eben auf dieser Straße gehen, Herr Frodo«, sagte Sam. »Wir müssen auf ihr gehen und unser Glück versuchen, wenn es überhaupt in Mordor Glück gibt. Wir könnten uns ebensogut dem Feind ausliefern, wie weiter herumwandern oder versuchen zurückzugehen. Unser Essen wird nicht reichen. Wir müssen jetzt losflitzen.«

»In Ordnung, Sam«, sagte Frodo. »Geh du voraus, solange du noch etwas Hoffnung hast. Ich habe keine mehr. Aber ich kann nicht flitzen, Sam. Ich werde mich nur hinter dir herschleppen.«

»Aber ehe du mit dem Hinterherschleppen anfängst, brauchst du etwas Schlaf und etwas zu essen, Herr Frodo. Tu das erst.«

Er gab Frodo Wasser und eine zusätzliche Waffel von der Wegzehrung, und aus seinem Mantel machte er ein Kissen für den Kopf seines Herrn. Frodo war zu erschöpft, um über die Sache zu streiten, und Sam sagte ihm nicht, daß er den letzten Tropfen Wasser getrunken und Sams Anteil ebenso wie seinen eigenen gegessen hatte. Als Frodo schlief, beugte sich Sam über ihn, lauschte auf seinen Atem und betrachtete sein Gesicht forschend. Es war zerfurcht und hager, und dennoch sah es im Schlaf zufrieden und furchtlos aus. »Na, ich wage es, Herr!« murmelte Sam leise. »Ich muß dich eine Weile verlassen und vertraue auf mein Glück. Wasser brauchen wir, oder wir kommen nicht weiter.«

Sam kroch hinaus, und mit mehr als der üblichen Hobbit-Vorsicht von Stein zu Stein huschend, ging er hinunter und ein Stück an dem nach Norden ansteigenden Wasserlauf entlang, bis er zu den Felsstufen kam, wo zweifellos vor langer Zeit dessen Quelle als kleiner Wasserfall herabgeströmt war. Jetzt schien alles trocken und still zu sein; aber Sam wollte die Hoffnung nicht aufgeben, er bückte sich und lauschte, und zu seiner Freude hörte er ein tröpfelndes Geräusch. Er kletterte ein paar Stufen hinauf und fand dort ein winziges Rinnsal mit dunklem Wasser, das aus der Bergwand herauskam und sich in einem kleinen kahlen Tümpel sammelte, aus dem es dann wieder überlief und unter den öden Felsen verschwand.

Sam kostete das Wasser, und es schien ihm recht gut zu sein. Er trank sich satt, füllte seine Flasche und wollte wieder gehen. Gerade, als er sich umdrehte, sah er flüchtig eine schwarze Gestalt, die zwischen den Steinen dicht bei Frodos Versteck hindurchhuschte. Er unterdrückte einen Aufschrei, sprang von der Quelle herunter und rannte, von Stein zu Stein springend. Es war ein vorsichtiges Geschöpf, kaum zu sehen, aber Sam hatte wenig Zweifel, wer es sein könnte; es verlangte ihn, ihm den Hals umzudrehen. Aber es hörte ihn kommen und entschlüpfte rasch. Sam glaubte, einen letzten flüchtigen Blick von ihm zu erhaschen, ehe es sich duckte und verschwand.

»Na, das Glück hat mich nicht im Stich gelassen«, murmelte Sam. »Aber es hätte leicht schiefgehen können. Genügt es denn nicht, Tausende von Orks hier zu haben, ohne daß dieser stinkende Schuft noch herumschnüffelt? Ich wünschte, er wäre erschossen worden!« Er setzte sich neben Frodo und weckte ihn nicht; aber er selbst wagte nicht zu schlafen. Als er schließlich merkte, wie ihm die Augen zufielen, und wußte, daß er seinen Kampf, wachzubleiben, nicht lange durchhalten könnte, weckte er Frodo sanft.

»Dieser Gollum ist wieder in der Nähe, fürchte ich, Herr Frodo«, sagte er. »Wenigstens, wenn er's nicht war, dann gibt's zwei von ihm. Ich war weggegangen, um etwas Wasser zu suchen, und da sah ich ihn hier herumschnüffeln, als ich zurückkam. Ich schätze, es ist gefährlich, wenn wir beide zusammen schlafen, und bitte um Entschuldigung, aber ich kann meine Augen nicht mehr offenhalten.«

»Du armer Sam«, sagte Frodo. »Leg dich hin, jetzt bist du an der Reihe! Aber mir ist Gollum lieber als Orks. Jedenfalls würde er uns nicht an sie verraten, sofern er nicht selbst geschnappt wird.«

»Aber er könnte für sich selbst ein bißchen rauben und morden«, brummte Sam. »Halt die Augen offen, Herr Frodo. Da ist eine volle Flasche Wasser. Trink sie aus. Wir können sie wieder füllen, wenn wir weitergehen.« Und damit schlief Sam ein.

Das Licht verblaßte wieder, als er aufwachte. Frodo saß an den Felsen gelehnt, aber er war eingeschlafen. Die Wasserflasche war leer. Von Gollum war nichts zu sehen.

Die Mordor-Dunkelheit brach wieder herein, und die Wachtfeuer auf den Höhen brannten grimmig und rot, als die Hobbits zu dem gefährlichsten Abschnitt ihrer ganzen Fahrt aufbrachen. Zuerst gingen sie zu der kleinen Quelle, und dann kletterten sie vorsichtig hinauf und kamen an der Stelle auf die Straße, wo sie nach Osten abbog zu der zwanzig Meilen entfernten Isenmünde. Es war keine breite Straße, und es gab keine Mauer und kein Geländer am Straßenrand, und je weiter die Straße ging, um so tiefer wurde der jähe Abgrund an ihrer Seite. Die Hobbits hörten nichts, was sich bewegte, und nachdem sie eine Weile gelauscht hatten, machten sie sich mit gleichmäßigem Schritt auf den Weg nach Osten.

Nach etwa zwölf Meilen hielten sie an. Ein kleines Stückchen hinter ihnen war die Straße ein wenig nach Norden abgebogen, und die Strecke, die sie gegangen waren, war jetzt dem Blick entzogen. Das erwies sich als verhängnisvoll. Sie rasteten einige Minuten und gingen dann weiter; aber sie waren noch nicht weit gekommen, als sie plötzlich in der Stille der Nacht das Geräusch hörten, vor dem sie sich die ganze Zeit insgeheim gefürchtet hatten: marschierende Füße. Das Geräusch war noch ziemlich weit weg, aber als sie sich umschauten, sahen sie das Flackern von Fakkeln, die weniger als eine Meile entfernt um die Biegung kamen und sich schnell bewegten: zu schnell für Frodo, um durch eine Flucht nach vorn auf der Straße zu entkommen.

»Das habe ich gefürchtet, Sam«, sagte Frodo. »Wir haben auf unser Glück vertraut, und es hat uns im Stich gelassen. Wir sitzen in der Falle.« Er blickte verstört auf die finstere Felswand, die die Straßenbauer von einst auf viele Klafter über ihren Köpfen senkrecht abgeschlagen hatten. Er rannte zur anderen Seite und schaute über den Rand in einen dunklen, finsteren Abgrund. »Nun sitzen wir zuletzt in der Falle«, sagte er. Er sank auf den Boden und beugte den Kopf.

»Scheint so«, sagte Sam. »Na, wir können nur abwarten und sehen, was kommt.« Und damit setzte er sich neben Frodo unter den Schatten der Felswand.

Sie brauchten nicht lange zu warten. Die Orks gingen sehr schnell. Die in den vordersten Reihen trugen Fackeln. Heran kamen sie, rote Flammen im Dunkeln, und wurden rasch größer. Jetzt beugte auch Sam den Kopf und hoffte, dadurch würde sein Gesicht verdeckt, wenn der Fackelschein sie erreichte; und er stellte ihre Schilde vor ihre Knie, um ihre Füße zu verdecken.

»Wenn sie bloß in Eile sind und ein paar müde Krieger in Frieden lassen und weitergehen!« dachte er.

Und so schien es zuerst. Die vordersten Orks kamen angelaufen, keuchend und mit gesenkten Köpfen. Es war eine Rotte von der kleineren Rasse, die wider ihren Willen in den Krieg ihres Dunklen Herrschers getrieben wurden; ihnen lag nur daran, den Marsch hinter sich zu bringen und nicht gepeitscht zu werden. Neben ihnen, die Reihen auf und ab laufend, gingen zwei der großen grimmigen *uruks*, mit den Peitschen knallend und brüllend. Reihe um Reihe zog vorüber, und das verräterische Fackellicht war schon ein Stück voraus. Sam hielt den Atem an. Jetzt war schon die Hälfte der Gruppe an ihnen vorbei. Da plötzlich erspähte einer der Sklavenaufseher die beiden Gestalten am Wegrand. Er schlug mit der Peitsche nach ihnen und schrie: »He, ihr da, steht auf!« Sie antworteten nicht, und mit einem Ruf ließ er die ganze Schar anhalten.

»Los, ihr Faulpelze!« schrie er. »Jetzt ist nicht die Zeit, um herumzusitzen.« Er machte einen Schritt auf sie zu, und sogar in der Düsternis erkannte er die Abzeichen auf ihren Schildern. »Fahnenflüchtig, was?« knurrte er. »Oder habt es vor? Ihr Leute solltet alle schon vor gestern abend in Udûn sein. Das wißt ihr ganz genau. Auf mit euch, und tretet ins Glied, sonst lasse ich mir eure Nummern sagen und melde euch.«

Mühsam kamen sie auf die Beine, hielten sich gebückt, und wie fußwunde Krieger humpelnd, schlurften sie zurück zum letzten Glied. »Nein, nicht nach hinten!« schrie der Sklavenaufseher. »Drei Reihen weiter nach vorn. Und bleibt da, sonst werdet ihr's spüren, wenn ich die Reihen auf und ab gehe!« Er ließ seine lange Peitschenschnur über ihren Köpfen knallen; mit einem weiteren Knall und einem Schrei ließ er dann die ganze Gruppe in flottem Trab weitergehen.

Es war schlimm genug für den armen Sam, so müde wie er war. Aber für Frodo war es eine Qual und bald ein Albtraum. Er biß die Zähne zusammen und bemühte sich, nicht mehr zu denken, und stolperte weiter. Der Gestank der schwitzenden Orks um ihn herum war zum Ersticken, und er begann vor Durst zu keuchen. Immer weiter und weiter ging es, und er richtete seine ganze Willenskraft darauf, Luft zu holen und seine Beine dazu zu bringen, sich zu bewegen; und er wagte nicht daran zu denken, zu welchem bösen Ende er sich quälte und das alles erduldete. Es bestand keine Hoffnung, sich unbemerkt zu verdrücken. Immer wieder kam der Orkaufseher und verhöhnte sie.

»Nun wißt ihr's!« lachte er und schlug ihnen an die Beine. »Wo eine Peitsche ist, da ist ein Wille, ihr Faulpelze! Haltet euch ran! Ich würde euch ja jetzt eine nette kleine Auffrischung geben, nur werdet ihr so viel Hiebe kriegen, wie eure Haut nur aushält, wenn ihr zu spät in euer Lager kommt. Tut euch gut. Wißt ihr nicht, daß wir Krieg haben?«

Sie waren einige Meilen gegangen, und die Straße führte schließlich einen langen Abhang hinunter in die Ebene, als Frodos Kraft versagte und sein Wille nachließ. Er taumelte und stolperte. Verzweifelt versuchte Sam, ihm zu helfen und ihn aufrecht zu halten, obwohl er das Gefühl hatte, daß er selbst diese Geschwindigkeit kaum noch länger durchhalten würde: sein Herr würde ohnmächtig werden oder hinfallen, und alles würde entdeckt werden und ihre bitteren Mühen wären umsonst gewesen.

»Aber diesen teuflischen Sklavenaufseher werde ich jedenfalls kriegen«, dachte er.

Dann, als er gerade die Hand auf das Heft seines Schwertes legte, kam unerwartete Hilfe. Sie waren jetzt schon auf der Ebene und näherten sich dem Eingang von Udûn. Ein Stück Wegs vor ihnen, vor dem Tor am Ende der Brücke, lief die von Westen kommende Straße mit anderen von Süden und von Barad-dûr kommenden zusammen. Auf all diesen Straßen marschierten jetzt Kampfscharen. Denn die Heerführer des Westens rückten vor, und der Dunkle Herrscher warf seine Streitmacht nach Norden. So geschah es, daß mehrere Gruppen gleichzeitig zu der dunklen Wegkreuzung kamen, die von den Wachtfeuern auf der Mauer nicht erhellt wurde. Sofort gab es ein großes Gedränge und Fluchen, weil jede Schar versuchte, als erste das Tor und damit das Ende ihres Marschs zu erreichen. Obwohl die Aufseher schrien und ihre Peitschen gebrauchten, kam es zu Raufereien, und einige Schwerter wurden gezogen. Eine Schar schwer bewaffneter *uruks* aus Barad-dûr stürmte zwischen die Durthang-Gruppe und richtete Verwirrung unter ihnen an.

Obwohl Sam von Schmerzen und Müdigkeit halb betäubt war, wurde er hell wach und nahm rasch die Gelegenheit wahr, warf sich auf den Boden und zog Frodo mit hinunter. Orks fielen über sie, knurrend und fluchend. Auf Händen und Knien krochen die Hobbits langsam aus dem Wirrwarr heraus, bis sie sich schließlich unbemerkt über den hinteren Straßenrand fallen ließen. Die Straße hatte dort eine hohe Bordkante, die den Scharführern in dunkler Nacht und bei Nebel den Weg wies und einige Fuß höher aufgeschüttet war als das offene Land.

Dort lagen sie nun eine Weile still. Es war zu dunkel, um nach einem Versteck zu suchen, wenn es überhaupt eins gab; aber Sam hatte das Gefühl, daß sie wenigstens noch etwas weiter von der Straße weg und außerhalb des Lichtscheins der Fackeln gehen sollten.

»Komm, Herr Frodo«, flüsterte er. »Wir kriechen noch ein kleines Stückchen, und dann kannst du liegen bleiben.«

Mit einer letzten verzweifelten Anstrengung stützte sich Frodo auf die Hände und zog sich vielleicht zwanzig Ellen weiter. Dann fiel er kopfüber in eine flache Mulde, die sich unerwartet vor ihnen auftat, und da blieb er liegen wie ein Toter.

DRITTES KAPITEL

DER SCHICKSALSBERG

Sam legte seinem Herrn seinen zerfetzten Orkmantel unter den Kopf und deckte über sie beide das graue Gewand aus Lórien; und als er das tat, wanderten seine Gedanken in dieses schöne Land und zu den Elben, und er hoffte, der von ihrer Hand gewebte Stoff möge bewirken, daß sie über alle Hoffnung hinaus in dieser Wildnis des Schreckens verborgen bleiben würden. Er hörte, wie das Getümmel und Geschrei leiser wurden, als die Rotten durch die Isenmünde gingen. Es schien, daß man sie in der Verwirrung und dem Durcheinander der vielen Scharen verschiedener Arten nicht vermißt hatte, jedenfalls jetzt noch nicht.

Sam trank einen Schluck Wasser und ließ auch Frodo trinken, und als sein Herr sich ein wenig erholt hatte, gab er ihm eine ganze Waffel von ihrer kostbaren Wegzehrung und sorgte dafür, daß er sie aß. Zu erschöpft, um auch nur große Angst zu verspüren, streckten sie sich dann beide aus. Sie schliefen unruhig und mit Unterbrechungen; denn sie waren verschwitzt gewesen und wurden jetzt kalt, die harten Steine drückten sie, und sie froren. Vom Norden her, vom Schwarzen Tor Cirith Gorgor, zog wispernd eine dünne kalte Luft über den Boden.

Am Morgen kam wieder ein graues Licht, denn in den oberen Luftschichten blies noch der Westwind, aber unten auf den Steinen hinter den Bollwerken des Schwarzen Landes erschien die Luft fast tot, kalt und dennoch stickig. Sam schaute aus der Mulde hinaus. Das Land ringsum war trostlos, flach und düster. Auf den Straßen in der Nähe rührte sich jetzt nichts; aber Sam fürchtete die wachsamen Augen auf der Mauer von Isenmünde, die nicht mehr als eine Achtelmeile entfernt nördlich von ihnen lag. Fern im Südosten ragte wie ein dunkler stehender Schatten der Berg auf. Rauchfahnen entströmten ihm, und während jene, die bis in die höheren Luftschichten aufstiegen, nach Osten abzogen, wälzten sich große Wolken über seine Hänge herab und breiteten sich über das Land aus. Ein paar Meilen nach Nordosten standen die Vorberge des Aschengebirges wie dunkle graue Geister da, und hinter ihnen erhoben sich die nebligen nördlichen Höhenzüge wie eine ferne Wolkenlinie, die kaum dunkler war als der finster drohende Himmel.

Sam versuchte die Entfernungen abzuschätzen und sich klarzuwerden, welchen Weg sie einschlagen sollten. »Sieht aus wie ein Katzensprung von fünfzig Meilen«, murmelte er mißmutig und starrte auf den bedrohlichen Berg, »und wir werden eine Woche brauchen, wozu es einen Tag braucht, so wie Herr Frodo jetzt ist.« Er schüttelte den Kopf, und als er sich die Dinge überlegte, setzte sich allmählich ein neuer finsterer Gedanke in seinem Kopf fest. Niemals war die Hoffnung in seinem standhaften Herzen für lange Zeit erloschen, und bis jetzt hatte er sich immer Gedanken um ihren Rückweg gemacht. Aber die bittere Wahrheit wurde ihm endlich klar: bestenfalls würden ihre Vorräte bis zum Ziel reichen; und wenn die Aufgabe erfüllt war, dann würden sie dort ihr Ende finden, allein, obdachlos, ohne Nahrung inmitten einer entsetzlichen Wüstenei. Es konnte keinen Rückweg geben.

»So, das ist es also, wovon ich glaubte, daß ich es tun müsse, als ich aufbrach«, dachte Sam. »Herrn Frodo bis zum letzten Schritt helfen und dann mit ihm sterben? Na, wenn es das ist, dann muß ich es aber tun. Aber sehr gern würde ich Wasserau wiedersehen und Rosie Hüttinger und ihre Brüder und den Ohm und Goldblume und alle anderen. Irgendwie kann ich mir nicht vorstellen, daß Gandalf Herrn Frodo zu diesem Auftrag ausgeschickt hätte, wenn überhaupt keine Hoffnung bestanden hätte, daß er je zurückkommt. Alles ist schief gegangen, als er in Moria abstürzte. Ich wünschte, es wäre nicht geschehen. Er hätte etwas getan.«

Doch gerade, als Sams Hoffnung schwand oder zu schwinden schien, verwandelte sie sich in neue Kraft. Sams schlichtes Hobbitgesicht wurde streng, fast grimmig, als sein Wille erstarkte, und in all seinen Gliedern spürte er eine Spannung, als ob er sich in ein Geschöpf aus Stein und Stahl verwandelte, das weder von Verzweiflung noch von Erschöpfung oder endlosen Meilen unfruchtbaren Landes besiegt werden könne.

Mit einem neuen Verantwortungsgefühl wandte er seinen Blick wieder auf die unmittelbare Umgebung und überlegte sich den nächsten Schritt. Als es heller wurde, sah er zu seiner Überraschung, daß das Land, das ihm aus der Ferne wie eine weite, einförmige Fläche vorgekommen war, in Wirklichkeit uneben und zerklüftet war. Tatsächlich war die ganze Oberfläche der Ebene von Gorgoroth mit großen Löchern übersät, als ob sie, als sie noch eine Wüstenei aus weichem Schlamm war, von einem Hagel von Pfeilen und Schleudersteinen getroffen worden sei. Die größten dieser Löcher waren eingefaßt mit einem Wulst von rissigem Gestein, und breite Spalten liefen in alle Richtungen von ihnen aus. Es war ein Land, in dem es möglich sein würde, von einem Versteck zum anderen zu kriechen, ungesehen von allen außer den wachsamsten Augen: zumindest möglich für jemanden, der kräftig war und sich nicht zu eilen brauchte.

Für den Hungrigen und Erschöpften, der noch weit zu gehen hatte, ehe es mit seinem Leben zu Ende war, sah es böse aus.

Sam dachte an all diese Dinge und ging dann zu seinem Herrn. Er brauchte ihn nicht zu wecken. Frodo lag auf dem Rücken, hatte die Augen offen und starrte auf den wolkigen Himmel. »Ja, Herr Frodo«, sagte Sam, »ich habe mich ein bißchen umgeschaut und nachgedacht. Es ist niemand auf den Straßen, und wir machen uns am besten davon, solange wir Gelegenheit dazu haben. Kannst du es schaffen?«

»Ich kann es schaffen«, sagte Frodo. »Ich muß.«

Wiederum brachen sie auf, krochen von Loch zu Loch und huschten in Deckung, wann immer sie welche finden konnten, doch die ganze Zeit hielten sie schräg auf die Vorberge der nördlichen Kette zu. Eine Weile folgte die östlichste der Straßen ihrem Weg, bis sie abbog, sich am Saum des Gebirges entlangzog und in einer Mauer von schwarzen Schatten vor ihnen verschwand. Weder Mensch noch Ork war jetzt auf den grauen Flächen zu sehen; denn der Dunkle Herrscher hatte den Aufmarsch seiner Heere fast vollendet, und selbst in der Festung seines eigenen Reichs trachtete er nach der Heimlichkeit der Nacht, fürchtete die Winde der Welt, die sich gegen ihn gewandt und seine Schleier zerrissen hatten, und er war beunruhigt über die Nachrichten von kühnen Spähern, die durch seine Bollwerke hindurchgelangt waren.

Die Hobbits hatten einige mühselige Meilen zurückgelegt, als sie anhielten. Frodo schien fast ganz entkräftet zu sein. Sam sah, daß er auf diese Weise nicht lange würde weitergehen können, kriechend, gebückt, einmal einen bedenklichen Weg sehr langsam versuchend, dann wieder eilend und stolpernd rennend.

»Ich gehe zurück zur Straße, solange es hell ist, Herr Frodo«, sagte er. »Vertrauen wir wieder auf unser Glück. Letztes Mal hat es uns fast im Stich gelassen, aber nicht ganz. Noch ein paar Meilen in gleichmäßigem Schritt und dann eine Rast.«

Er nahm eine viel größere Gefahr auf sich, als er ahnte; aber Frodo war zu sehr mit seiner Last und seinem inneren Kampf beschäftigt, um sich in eine Erörterung einzulassen, und fast zu entmutigt, um sich noch Sorgen zu machen. Sie kletterten hinauf auf den Dammweg und schleppten sich dort weiter, auf dieser bitteren, grausamen Straße, die zum Dunklen Turm selbst führte. Aber ihr Glück hielt an, und für den Rest des Tages trafen sie kein lebendes oder sich bewegendes Wesen; und als die Nacht hereinbrach, verschwanden sie in der Dunkelheit von Mordor. Das ganze Land war in ängstlicher Erwartung wie vor einem großen Sturm: denn die

Heerführer des Westens hatten die Wegscheide überschritten und die Totenfelder von Imlad Morgul entflammt.

So ging die verzweifelte Wanderung weiter; der Ring zog nach Süden, und die Königsbanner ritten nach Norden. Für die Hobbits war jeder Tag und jede Meile bitterer als die vorangegangenen, je mehr ihre Kraft nachließ und je unheimlicher das Land wurde. Bei Tage begegneten sie keinen Feinden. Des Nachts, wenn sie sich in irgendeinem Versteck neben der Straße niederkauerten oder unruhig schlummerten, hörten sie Schreie und das Geräusch vieler Füße oder das rasche Vorbeiziehen irgendeines grausam gerittenen Pferdes. Aber weit schlimmer als alle derartigen Gefahren war die stetig näherrückende Bedrohung, die sie verspürten; die entsetzliche Drohung der Macht, die in tiefem Nachdenken und in schlafloser Bosheit brütend hinter dem ihren Thron verhüllenden dunklen Schleier wartete. Näher und näher kam diese Drohung, und immer schwärzer türmte sie sich auf wie eine aufziehende dunkle Wand am letzten Ende der Welt.

Eine Nacht des Schreckens brach schließlich an; und gerade als die Heerführer des Westens sich dem Ende der lebenden Lande näherten, kam für die beiden Wanderer eine Stunde schierer Verzweiflung. Vier Tage waren vergangen, seit sie den Orks entkommen waren, aber die Zeit lag hinter ihnen wie ein immer dunkler werdender Traum. Den ganzen letzten Tag hatte Frodo nicht gesprochen, sondern war halb gebeugt gegangen und oft gestolpert, als ob seine Augen den Weg vor seinen Füßen nicht mehr sahen. Sam erriet, daß er die schlimmste von all ihren Qualen erduldete, das zunehmende Gewicht des Rings, eine Last für den Körper und eine Folter für die Seele. Besorgt beobachtete Sam, wie sein Herr oft die linke Hand hob, als wolle er einen Schlag abwehren oder seine zurückschaudernden Augen gegen ein entsetzliches Auge abschirmen, das in sie zu blicken versuchte. Und manchmal kroch seine rechte Hand zu seiner Brust und krallte sich fest, und langsam, wenn sein Wille wieder die Herrschaft erlangte, wurde sie dann zurückgezogen.

Jetzt, da die Schwärze der Nacht zurückkehrte, saß Frodo da, den Kopf zwischen den Knien, die Arme schlaff herabhängend, und seine Hände lagen auf dem Boden und zuckten schwach. Sam beobachtete ihn, bis die Nacht sie beide einhüllte und voreinander verbarg. Er fand keine Worte mehr, die er hätte sagen können; und er wandte sich seinen eigenen trüben Gedanken zu. Er selbst hatte, obwohl er müde und von Angst überschattet war, noch etwas Kraft. Die *lembas* besaßen einen Nährwert, ohne den sie sich schon längst zum Sterben hingelegt hätten. Sie stillten das Verlangen nicht, und manchmal war Sams Sinn erfüllt von Erinnerungen an Essen und von der Sehnsucht nach schlichtem Brot und Fleisch. Und dennoch hatte diese Wegzehrung der Elben eine Wirkungskraft, die zunahm, als die Wanderer sich allein von ihnen ernährten und sie nicht mit anderer Nahrung mischten. Sie stärkte den Willen und gab die Kraft, durchzuhalten und Muskeln und Glieder über das Maß sterblicher Wesen hinaus zu beherrschen. Aber nun mußte eine neue Entscheidung getroffen werden. Auf dieser Straße konnten sie nicht weitergehen; denn sie führte nach Osten in den großen Schatten, doch der Berg erhob sich nun zu ihrer Rechten, fast genau südlich, und auf ihn mußten sie zuhalten. Doch erstreckte sich vor ihm noch ein ausgedehntes Gebiet von rauchendem, kahlem, aschebedecktem Land.

»Wasser, Wasser!« murmelte Sam. Er hatte sich keins gegönnt, und in seinem ausgedörrten Mund kam ihm die Zunge dick und geschwollen vor; aber trotz seiner Vorsorge hatten sie jetzt nur noch sehr wenig, etwa die halbe Flasche, und vielleicht müßten sie noch tagelang weitergehen. Alles wäre schon längst verbraucht, wenn sie es nicht gewagt hätten, die Orkstraße zu benutzen. Denn in weiten Abständen waren an dieser Straße Brunnen gebaut worden für die Versorgung von Heeren, die in Eile durch diese wasserlosen Gebiete geschickt wurden. In einem fand Sam noch etwas Wasser, es war schal, von den Orks verschmutzt, aber ausreichend für ihre verzweifelte Lage. Doch war das schon einen Tag her. Und es bestand keine Hoffnung, noch welches zu finden.

Erschöpft von seinen Sorgen schlief Sam endlich ein und vergaß das Morgen, bis es kam; mehr konnte er nicht tun. Traum und Wachen vermengten sich wirr. Er sah Lichter wie glotzende Augen und dunkle kriechende Gestalten, und er hörte Geräusche wie von wilden Tieren oder wie entsetzliche Schreie von gefolterten Wesen; und dann fuhr er auf und fand die Welt ganz dunkel und nichts als leere Schwärze ringsum. Nur einmal, als er aufstand und verstört um sich blickte, schien ihm, obwohl er nun wach war, daß er immer noch bleiche Lichter wie Augen sah; aber bald flackerten sie und verschwanden.

Die abscheuliche Nacht verging langsam und zögernd. Das Tageslicht, das dann kam, war trübe; denn hier, in der Nähe des Berges, war die Luft immer finster, während die Schleier des Schattens, die Sauron um sich selbst webte, aus dem Dunklen Turm krochen. Frodo lag auf dem Rücken und rührte sich nicht. Sam stand neben ihm, es widerstrebte ihm, zu sprechen, und doch wußte er, daß es seine Sache war zu reden: er mußte den Willen seines Herrn für eine weitere Anstrengung in Gang setzen. Schließlich beugte er sich nieder, strich Frodo über die Stirn und flüsterte ihm ins Ohr. »Wach auf, Herr«, sagte er. »Es ist Zeit, aufzubrechen.«

Wie durch eine plötzliche Glocke aufgeschreckt, erhob sich Frodo rasch, und als er stand, blickte er nach Süden; doch als er den Berg und die Wüstenei sah, zitterte er wieder.

»Ich schaffe es nicht, Sam«, sagte er, »er ist so schwer zu tragen, so schwer.«

Sam wußte es, ehe er es aussprach, daß es vergeblich war und solche Worte eher schaden als nützen könnten, aber in seinem Mitleid konnte er nicht schweigen. »Dann laß mich ihn eine Weile für dich tragen, Herr«, sagte er. »Du weißt, ich täte es, und gern, solange ich noch Kraft habe.«

Frodos Augen begannen wild zu funkeln. »Bleib weg! Rühr mich nicht an!« rief er. »Es ist meiner, sage ich dir. Geh fort!« Seine Hand verirrte sich zum Heft seines Schwerts. Aber dann änderte sich seine Stimme rasch. »Nein, nein, Sam«, sagte er traurig. »Aber du mußt das verstehen. Es ist jetzt zu spät, Sam, mein Lieber. Du kannst mir auf diese Weise nicht wieder helfen. Ich bin nun fast in seiner Gewalt. Ich könnte ihn nicht hergeben, und wenn du es versuchen würdest, ihn zu nehmen, würde ich verrückt werden.«

Sam nickte. »Das verstehe ich«, sagte er. »Aber ich habe mir überlegt, Herr Frodo, daß andere Dinge da sind, ohne die wir auskommen könnten. Warum sollen wir uns nicht die Last leichter machen? Wir gehen jetzt diesen Weg, so schnurstracks wie wir können.« Er zeigte auf den Berg. »Es hat keinen Zweck, etwas mitzunehmen, was wir nicht brauchen.«

Frodo sah wieder auf den Berg. »Nein«, sagte er, »auf diesem Weg werden wir nicht viel brauchen. Und an seinem Ende gar nichts.« Er nahm seinen Orkschild, schleuderte ihn fort und warf seinen Helm hinterdrein. Dann zog er den grauen Mantel beiseite, schnallte den schweren Gürtel auf und ließ ihn fallen, und das Schwert mit der Scheide dazu. Die Fetzen des schwarzen Mantels zerriß er und verstreute sie.

»So, ich will kein Ork mehr sein«, rief er. »Und ich will keine Waffe tragen, sei sie nun schön oder häßlich. Sollen sie mich fangen, wenn sie wollen!«

Sam tat es ihm gleich und legte seine Orkkleidung ab; und er nahm alle Dinge aus seinem Rucksack heraus. Irgendwie war ihm jedes lieb geworden, wenn auch nur, weil er es so weit und mit so viel Plackerei mitgeschleppt hatte. Am schwersten fiel es ihm, sich von seinem Kochgeschirr zu trennen. Tränen traten ihm in die Augen bei dem Gedanken, es wegzuwerfen.

»Erinnerst du dich an das bißchen Kaninchen, Herr Frodo?« fragte er. »Und an unseren Platz unter der warmen Böschung in Heermeister Faramirs Land, an dem Tag, als ich einen Olifant sah?«

»Nein, ich fürchte nicht Sam«, sagte Frodo. »Ich weiß zwar, daß solche Dinge geschehen sind, aber ich kann sie nicht sehen. Kein Geschmack am Essen, kein Gespür für Wasser, kein Geräusch des Windes, keine Erinnerung an Baum oder Gras oder Blume, keine Vorstellung von Mond oder Stern sind mir geblieben. Ich bin nackt in der Dunkelheit, Sam, und es gibt keinen Schleier zwischen mir und dem Feuerrad. Ich fange an, es schon mit wachen Augen zu sehen, und alles andere verblaßt.«

Sam ging zu ihm und küßte seine Hand. »Je schneller wir ihn loswerden, um so schneller findest du dann Ruhe«, sagte er stockend und fand nichts Besseres zu sagen. »Reden bessert auch nichts«, murmelte er vor sich hin, als er all die Sachen aufsammelte, die wegzuwerfen sie beschlossen hatten. Er wollte sie nicht für alle Augen sichtbar in der Wildnis liegen lassen. »Stinker hat offenbar diesen Orkpanzer an sich genommen, und er soll nicht noch ein Schwert dazu kriegen. Seine Hände sind schon schlecht genug, wenn sie leer sind. Und an meinem Kochgeschirr soll er jedenfalls nicht herumfummeln!« Damit trug er die ganzen Sachen zu einer der vielen gähnenden Spalten, die das Land durchschnitten, und warf sie hinein. Das Klappern seiner kostbaren Töpfe, als sie ins Dunkle hinabfielen, war wie eine Totenglocke für sein Herz.

Er kam zu Frodo zurück und schnitt dann ein kurzes Ende von seinem Elbenseil ab, das seinem Herrn als Gürtel dienen und ihm den grauen Mantel fest um den Leib binden sollte. Den Rest wickelte er sorgfältig wieder auf und steckte ihn in den Rucksack. Außer dem Seil behielt er nur die Überbleibsel ihrer Wegzehrung und die Wasserflasche, und Stich hing noch an seinem Gürtel; in der Brusttasche versteckt hatte er die Phiole von Galadriel und die kleine Schachtel, die sie ihm geschenkt hatte.

Nun endlich richteten sie den Blick auf den Berg und brachen auf, und sie dachten nicht mehr daran, sich zu verbergen, sondern beschränkten sich bei ihrer Müdigkeit und der nachlassenden Willenskraft allein auf die Aufgabe, weiterzugehen. In der Düsternis dieses trostlosen Tages hätten selbst in diesem Land der Wachsamkeit wenige Geschöpfe sie erspähen können, es sei denn ganz aus der Nähe. Von allen Sklaven des Dunklen Herrschers hätten ihn nur die Nazgûl vor der Gefahr warnen können, die schwach, aber unbezwingbar mitten ins Herz seines bewachten Reiches kroch. Doch die Nazgûl und ihre schwarzen geflügelten Wesen waren mit einem anderen Auftrag unterwegs: weit entfernt waren sie zusammengezogen worden, um den Marsch der Heerführer des Westens zu beschatten; dorthin war auch das Denken des Dunklen Turms gerichtet.

An jenem Tag schien es Sam, daß sein Herr neue Kraft geschöpft habe, mehr als sich durch die kleine Erleichterung der Last, die er zu tragen hatte, erklären ließ. Bei den ersten Märschen kamen sie schneller und weiter als erhofft voran. Das Land war uneben und feindselig, und dennoch machten sie Fortschritte, und der Berg kam immer näher. Doch als der Tag verging und das düstere Licht allmählich verblaßte, ging Frodo wieder gebückt und begann zu taumeln, als ob die neuerliche Anstrengung seine ihm verbliebene Kraft aufgezehrt habe.

Bei ihrer letzten Rast sank er zu Boden und sagte: »Ich habe Durst, Sam«, und dann sprach er nicht mehr. Sam gab ihm einen Schluck Wasser; nur noch ein einziger Schluck war übrig. Er selbst trank nicht; und als sich jetzt die Nacht von Mordor wieder auf sie senkte, waren alle seine Gedanken durchdrungen von der Erinnerung an Wasser; und jeder Bach oder Fluß oder Quelle, die er je gesehen hatte, im Schatten grüner Weiden oder in der Sonne glitzernd, tanzten und rieselten zu seiner Qual hinter der Blindheit seiner Augen. Er spürte den kühlen Schlamm an seinen Zehen, als er mit Jupp Hüttinger und Tom und Sepp und ihrer Schwester Rosie im See bei Wasserau plantschte. »Aber das war vor Jahren«, seufzte er, »und weit weg. Der Rückweg, wenn es einen gibt, führt an dem Berg vorbei.«

Er konnte nicht schlafen und focht einen Wortstreit mit sich selbst aus. »Ach, hör schon auf, wir haben es besser gemacht, als du erwartet hattest«, sagte er standhaft. »Jedenfalls haben wir gut angefangen. Ich schätze, wir haben die halbe Entfernung zurückgelegt, ehe wir anhielten. Noch ein Tag wird reichen.« Und dann stockte er.

»Sei kein Narr, Sam Gamdschie«, kam eine Antwort mit seiner eigenen Stimme. »Er wird nicht noch einen Tag so gehen, wenn er sich überhaupt fortbewegt. Und du kannst auch nicht viel weiter gehen, wenn du ihm alles Wasser und das meiste Essen gibst.«

»Ich kann noch ein gutes Stück gehen, und das werde ich auch.«

»Wohin?«

»Zu dem Berg natürlich.«

»Aber was dann, Sam Gamdschie, was dann? Wenn du dort hinkommst, was willst du dann machen? Er wird nicht imstande sein, selbst etwas zu tun.«

Zu seinem Entsetzen merkte Sam, daß er darauf keine Antwort wußte. Er hatte überhaupt keine klare Vorstellung. Frodo hatte ihm nicht viel von seinem Auftrag erzählt, und Sam wußte nur so ungefähr, daß der Ring auf irgendeine Weise ins Feuer geworfen werden sollte. »Die Schicksalsklüfte«, murmelte er, als ihm der alte Name einfiel. »Na, wenn der Herr weiß, wie er sie findet, ich weiß es nicht.«

»Da siehst du es!« kam die Antwort. »Es ist alles ganz sinnlos. Er hat es selbst gesagt. Du bist ein Narr, daß du immer noch hoffst und dich plagst. Ihr hättet euch vor zwei Tagen hinlegen und schlafen können, wenn du nicht so hartnäckig gewesen wärst. Aber sterben wirst du sowieso, oder noch was Schlimmeres. Du könntest dich ebensogut gleich hinlegen und aufgeben. Du wirst doch nicht bis zum Gipfel kommen.«

»Ich werde hinkommen, und wenn ich alles außer meinen Knochen zurücklasse«, sagte Sam. »Und ich werde Herrn Frodo hinauftragen, und wenn Rücken und Herz dabei brechen. Also hör auf zu streiten!«

In eben diesem Augenblick spürte Sam ein Beben im Boden unter sich, und er hörte oder fühlte ein tiefes, entferntes Rollen wie von Donner, der unter der Erde eingesperrt ist. Dann flackerte kurz eine rote Flamme unter den Wolken auf und erlosch. Auch der Berg schlief unruhig.

Der letzte Abschnitt ihrer Wanderung zum Orodruin kam, und es war eine größere Qual, als Sam je geglaubt hatte, daß er sie aushalten würde. Er hatte Schmerzen und war so ausgetrocknet, daß er nicht einmal einen Bissen Essen schlucken konnte. Es blieb dunkel, nicht nur wegen des Rauchs von dem Berg: es schien ein Gewitter aufzuziehen, und fern im Südosten leuchteten Blitze unter dem schwarzen Himmel. Am schlimmsten war die dunstgeschwängerte Luft; das Atmen war schmerzhaft und schwierig, und ein Schwindelgefühl überkam sie, so daß sie taumelten und oft hinfielen. Und dennoch gab ihr Wille nicht nach, und sie schleppten sich weiter.

Der Berg kam immer näher, bis er, wenn sie ihre benommenen Köpfe hoben, ihr ganzes Blickfeld ausfüllte und sich gewaltig vor ihnen erhob: eine riesige Masse aus Asche und Schlacke und verbranntem Gestein, aus der ein steilwandiger Bergkegel bis zu den Wolken emporstieg. Ehe die den ganzen Tag währende Dämmerung endete und es wieder wirkliche Nacht wurde, waren sie bis zu seinem Fuß gekrochen und gestolpert.

Keuchend warf Frodo sich auf den Boden. Sam setzte sich neben ihn. Zu seiner Überraschung war er müde, aber irgendwie erleichtert, und sein Kopf schien wieder klar zu sein. Sein Gemüt wurde von keinem Wortstreit mehr behelligt. Er kannte alle Einwände der Hoffnungslosigkeit und wollte nicht mehr auf sie hören. Sein Entschluß stand fest, und nur der Tod könnte ihn umstoßen. Es verlangte ihn nicht mehr nach Schlaf, und er brauchte ihn auch nicht, sondern eher Wachsamkeit. Er wußte, daß sich alle Zufälle und Gefahren jetzt an einem Punkt zusammenzogen: der nächste Tag würde ein Schicksalstag sein, der Tag der letzten Anstrengung oder des Verhängnisses, der letzte Atemzug.

Aber wann würde er kommen? Die Nacht erschien endlos und zeitlos; Minute um Minute verging, und doch ergaben sie keine flüchtige Stunde und brachten keine Veränderung. Sam begann sich zu fragen, ob eine zweite Dunkelheit angebrochen sei und es nie wieder Tag werde. Schließlich tastete er nach Frodos Hand. Sie war kalt und zitterte. Sein Herr fror.

»Ich hätte meine Decke nicht zurücklassen sollen«, murmelte Sam; und er legte sich hin und versuchte, Frodo mit seinen Armen und seinem Leib zu wärmen. Dann schlief er ein, und das düstere Licht des letzten Tages ihrer Fahrt fand sie Seite an Seite. Der Wind hatte sich am Vortag gelegt, als er vom Westen umsprang, und jetzt kam er von Norden und erhob sich wieder; und langsam drang das Licht der unsichtbaren Sonne in die Schatten ein, in denen die Hobbits lagen.

»Nun los! Nun auf zum letzten Atemzug!« sagte Sam, als er mühsam auf die Beine kam. Er beugte sich über Frodo und weckte ihn sanft. Frodo stöhnte; aber mit einer großen Willensanstrengung stand er taumelnd auf; und dann fiel er wieder auf die Knie. Mühsam hob er den Blick zu den dunklen Hängen des Schicksalsberg, der über ihm aufragte, und dann begann er jämmerlich auf den Händen vorwärts zu kriechen.

Sam sah ihn an und weinte in seinem Herzen, aber keine Tränen traten in seine trockenen und brennenden Augen. »Ich habe gesagt, ich würde ihn tragen, und wenn mir der Rücken dabei bricht«, murmelte er, »und ich werde es auch tun.«

»Komm, Herr Frodo«, rief er. »Ihn kann ich nicht für dich tragen, aber ich kann dich und ihn zusammen tragen. Steh auf! Komm, Herr Frodo, mein Lieber! Sam läßt dich reiten. Sag ihm nur, wo er hingehen soll, und dann geht er.«

Als Frodo auf seinem Rücken lag, die Arme lose um seinen Hals, die Beine unter seinen Armen fest angepreßt, stand Sam unsicher auf; und dann merkte er zu seiner Überraschung, daß die Last leicht war. Er hatte gefüchtet, daß er kaum die Kraft haben würde, seinen Herrn allein hochzuheben, und darüber hinaus hatte er erwartet, daß ein Teil des schrecklich drückenden Gewichts des verfluchten Ringes auf ihn entfallen würde. Aber dem war nicht so. Ob es daran lag, daß Frodo so geschwächt war durch seine langen Qualen, die Dolchwunde und den giftigen Stich, und durch Kummer, Angst und obdachloses Wandern, oder daß Sam eine letzte Kraft verliehen war, jedenfalls hob er Frodo mit nicht mehr Schwierigkeit auf, als wenn er beim Herumtollen auf dem Rasen oder einer Wiese im Auenland ein Hobbitkind huckepack trüge. Er holte tief Luft und ging los.

Sie hatten den Fuß des Berges an seiner Nordseite und ein wenig nach Westen erreicht; dort waren seine langen grauen Hänge zwar zerklüftet, aber nicht steil. Frodo sprach nicht, und so kämpfte sich Sam voran, so gut er konnte, da er keine Führung hatte, aber den Willen, so hoch wie möglich zu klettern, ehe seine Kraft nachließ oder sein Wille erlahmte. Weiter quälte er sich, hinauf und immer weiter hinauf, einmal hier lang und einmal da lang gehend, um die Steigung zu vermindern, oft stolperte er, und zuletzt kroch er wie eine Schnecke mit einer schweren Last auf dem Rücken. Als sein Wille ihn nicht mehr weitertreiben konnte und seine Glieder nachgaben, hielt er an und ließ seinen Herrn sanft heruntergleiten.

Frodo öffnete die Augen und holte tief Luft. Das Atmen war leichter hier oben über den Dünsten, die unten wogten und hinabtrieben. »Danke, Sam«, sagte er mit einem heiseren Flüstern. »Wie weit geht es noch?«

»Das weiß ich nicht«, sagte Sam, »weil ich nicht weiß, wo wir hingehen.«

Er schaute sich um und dann hinauf; und er sah zu seinem Erstaunen, wie weit seine letzte Anstrengung ihn gebracht hatte. Solange der Berg so drohend und für sich gestanden hatte, war er ihm höher erschienen. Sam merkte jetzt, daß er weniger hoch war als die Pässe des Ephel Dúath, die Frodo und er erstiegen hatten. Die durcheinandergewürfelten und zerklüfteten Felsschultern seines großen Sockels erhoben sich vielleicht dreitausend Fuß über die Ebene, und wiederum halb so hoch stieg über ihnen der hohe Mittelkegel auf wie eine große Darre oder ein Kamin, gekrönt mit einem gezackten Krater. Doch vom Sockel hatte Sam schon mehr als die Hälfte bewältigt, und die Ebene von Gorgoroth lag düster unter ihm, in Dunst und Schatten eingehüllt. Als er hinaufschaute, hätte er einen Schrei ausgestoßen, wenn seine ausgetrocknete Kehle es zugelassen hätte; denn inmitten der felsigen Buckel und Höcker über ihm sah er deutlich einen Pfad oder eine Straße. Sie kletterte wie ein aufsteigender Gürtel von Westen empor und zog sich schlangenförmig um den Berg, und bevor sie hinter dem Berg verschwand, erreichte sie den Fuß des Kegels auf seiner östlichen Seite.

Ihren Verlauf unmittelbar über ihm, wo sie am tiefsten war, konnte Sam nicht sehen, denn ein Steilhang lag dazwischen; aber er vermutete, daß sie, wenn er sich nur noch ein kleines Stück hinaufquälen könnte, auf diesen Pfad stoßen würde. Er schöpfte wieder eine Spur Hoffnung. Vielleicht würden sie den Berg doch besiegen. »Na, die könnte mit Absicht dort angelegt worden sein«, sagte er zu sich selbst. »Wenn sie nicht da wäre, würde ich sagen müssen, ich sei zuletzt doch geschlagen worden.«

Der Pfad war nicht für Sams Zwecke angelegt worden. Er wußte es nicht, aber er blickte auf Saurons Straße, die von Barad-dûr zu den Sammath Naur, den Kammern des Feuers führte. Aus dem riesigen Westtor des Dunklen Turms gelangte sie auf einer gewaltigen Eisenbrücke über einen tiefen Abgrund und dann in die Ebene; dort verlief sie auf eine Wegstunde zwischen zwei rauchenden Spalten und erreichte so einen langen, ansteigenden Dammweg, der zur östlichen Seite des Berges führte. Von dort zog sie in Kehren über den ganzen Umfang des Berges von Süden nach Norden und kam schließlich, schon hoch an dem oberen Kegel, aber immer noch weit entfernt von dem qualmenden Gipfel, zu einem dunklen Eingang, der nach Osten genau auf das Fenster des Auges in Saurons schattenumhülllter Festung blickte. Oft wurde diese Straße durch die Ausbrüche der Schlote des Berges versperrt oder zerstört, doch wurde sie immer wieder ausgebessert und freigeräumt durch die Arbeit zahlloser Orks.

Sam holte tief Luft. Da war ein Pfad, aber wie er den Hang hinaufkommen sollte, wußte er nicht. Zuerst mußte er seinen schmerzenden Rücken ausruhen. Er lag eine Weile flach auf dem Boden neben Frodo. Keiner von ihnen sprach. Langsam wurde es heller. Plötzlich überkam ihn ein Gefühl, daß Eile not tue, das er nicht verstand. Fast war es, als sei er gerufen worden: »Jetzt, jetzt, oder es wird zu spät sein!« Er riß sich zusammen und stand auf. Auch Frodo schien den Ruf vernommen zu haben. Er kam mühsam auf die Knie.

»Ich werde kriechen, Sam«, keuchte er.

Einen Fuß nach dem anderen krochen sie wie kleine Insekten den Hang hinauf. Sie kamen auf den Pfad und stellten fest, daß er breit war, gepflastert mit Bruchsteinen und festgestampfter Asche. Frodo zog sich hinauf, und als ob er durch einen unwiderstehlichen Drang dazu getrieben sei, wandte er sich dann langsam um und blickte nach Osten. In der Ferne hingen Saurons Schatten; doch ob sie nun durch einen Windstoß aus der Welt draußen aufrissen oder von irgendeiner großen Unruhe drinnen bewegt wurden, jedenfalls wirbelten die verhüllenden Wolken und zogen für einen Augenblick beiseite; und da sah Frodo die grausamen Zinnen und die eiserne Bekrönung des höchsten Turms von Barad-dûr schwarz aufragen, schwärzer und dunkler als die gewaltigen Schatten, in deren Mitte er stand. Nur einen Augenblick war er zu sehen, aber wie aus einem großen und unermeßlich hohen Fenster stieß eine rote Flamme nach Norden, das Flackern eines durchbohrenden Auges; und dann schlossen sich die Schatten wieder, und das entsetzliche Bild verschwand. Das Auge war nicht auf sie gerichtet: es starrte nach Norden, wo sich die

Heerführer des Westens zum Kampf gestellt hatten, und dorthin richtete sich jetzt seine Bosheit, als die Macht zu ihrem tödlichen Schlag ausholte; doch Frodo stürzte bei diesem entsetzlichen Anblick wie ein zu Tode Getroffener zu Boden. Seine Hand suchte nach der Kette um seinen Hals.

Sam kniete neben ihm nieder. Schwach, fast unhörbar hörte er Frodo flüstern. »Hilf mir, Sam! Hilf mir, Sam! Nimm meine Hand! Ich kann sie nicht zurückhalten.« Sam nahm die Hände seines Herrn und legte sie zusammen, Handfläche auf Handfläche, und küßte sie; und dann hielt er sie sanft zwischen seinen eigenen. Der Gedanke kam ihm plötzlich: »Er hat uns entdeckt! Es ist alles aus, oder wird bald aus sein. Nun, Sam Gamdschie, das ist das Ende von allem.«

Wieder hob er Frodo hoch und zog seine Hände hinunter auf seine Brust und ließ die Füße seines Herrn baumeln. Dann beugte er den Kopf und quälte sich die ansteigende Straße hinauf. Der Weg war nicht so leicht zu gehen, wie es zuerst den Anschein gehabt hate. Durch Zufall waren die feurigen Massen, die damals, als Sam auf Cirith Ungol stand, bei den großen Ausbrüchen ausgespien wurden, hauptsächlich über die südlichen und westlichen Hänge geflossen, und auf dieser Seite war die Straße nicht versperrt. Doch an vielen Stellen war sie zerfallen oder von klaffenden Rissen durchzogen. Nachdem sie eine Zeitlang nach Osten angestiegen war, bog sie in einem scharfen Winkel ab und ging ein Stück nach Westen. Dort an der Kehre war sie tief hineingehauen in einen Felsblock aus verwittertem Gestein, der vor langer Zeit von den Schloten des Berges ausgespien worden war. Unter seiner Last keuchend, ging Sam um die Biegung; und gerade als er das tat, sah er flüchtig etwas von dem Felsen herabfallen, wie ein kleiner schwarzer Stein, der sich gelöst hatte, als er vorbeiging.

Ein plötzliches Gewicht traf ihn, und er stürzte nach vorn und schürfte sich die Handrücken auf, denn er hielt ja noch die Hände seines Herrn. Dann wußte er, was geschehen war, denn als er da lag, hörte er über sich eine verhaßte Stimme.

»Böser Herr!« zischte sie. »Böser Herr betrügt uns; betrügt Sméagol, *gollum.* Er darf nicht diesen Weg gehen. Er darf dem Schatz keinen Schaden zufügen. Gib ihn Sméagol, ja, gib ihn uns! Gib ihn uns!«

Mit einem heftigen Ruck stand Sam auf. Sofort zog er sein Schwert; aber er konnte nichts tun. Gollum und Frodo waren eng umschlungen. Gollum zog an seinem Herrn und versuchte, an die Kette und den Ring heranzukommen. Das war wahrscheinlich das einzige, was die letzten Funken von Frodos Herzen und Willen wieder entfachen konnte: ein Angriff, ein Versuch, ihm seinen Schatz mit Gewalt zu nehmen. Er wehrte sich mit einer Wut, die Sam überraschte, und Gollum auch. Selbst so hätte die Sache vielleicht ganz anders ausgehen können, wenn Gollum sich nicht verändert hätte; aber welche entsetzlichen Pfade er auch einsam und hungrig und wasserlos gegangen sein mochte, vorangetrieben von einem verzehrenden Verlangen und einer fürchterlichen Angst, sie hatten schmerzliche Spuren bei ihm hinterlassen. Er war ein mageres, verhungertes, abgezehrtes Geschöpf, nichts als Knochen und eine straff gespannte, bläßliche Haut. Seine Augen funkelten, aber seine Bosheit entsprach nicht mehr seiner früheren zupackenden Kraft. Frodo schleuderte ihn weg und stand zitternd auf.

»Runter, runter!« keuchte er und faßte mit der Hand nach seiner Brust, so daß er unter seinem Lederhemd den Ring umklammerte. »Runter, du schleichendes Ding, und geh mir aus dem Weg! Deine Zeit ist abgelaufen. Du kannst mich jetzt nicht verraten oder erschlagen.«

Dann plötzlich, wie damals an den Säumen des Emyn Muil, sah Sam diese beiden Gegner mit anderen Augen. Ein zusammengekauertes Geschöpf, kaum mehr als der Schatten eines Lebewesens, jetzt völlig vernichtet und besiegt, und dennoch von abscheulichem Gelüste und Raserei erfüllt; und vor ihm stand, unbeugsam, für Mitleid jetzt unerreichbar, eine in Weiß gekleidete Gestalt, aber an ihrer Brust hielt sie ein Feuerrad. Aus dem Feuer sprach eine befehlende Stimme.

»Scher dich fort und belästige mich nicht mehr. Wenn du mich je wieder anrührst, sollst du selbst in das Schicksalsfeuer geworfen werden.«

Das kauernde Geschöpf fuhr zurück, Angst und gleichzeitig eine unersättliche Begierde blickten aus seinen blinzelnden Augen.

Dann verschwand das Bild, und Sam sah Frodo dort stehen, die Hand an die Brust gepreßt, sein Atem kam stoßweise, und Gollum zu seinen Füßen, auf den Knien liegend, die weit gespreizten Hände auf dem Boden.

»Paß auf!« rief Sam. »Er will springen!« Er trat vor und schwang sein Schwert. »Schnell, Herr!« keuchte er. »Geh weiter! Geh weiter! Keine Zeit zu verlieren. Ich befasse mich mit ihm. Geh weiter!«

Frodo sah ihn an wie einer, der jetzt weit fort ist. »Ja, ich muß weitergehen«, sagte er. »Leb wohl, Sam. Dies ist nun das Ende. Auf dem Schicksalsberg wird sich das Schicksal entscheiden. Leb wohl!« Er wandte sich ab und ging weiter, langsam, aber aufrecht den ansteigenden Pfad hinauf.

»So«, sagte Sam, »endlich kann ich mich mit dir befassen!« Mit gezogener Klinge, bereit zum Kampf, stürzte er vor. Aber Gollum sprang nicht. Er fiel flach auf den Boden und wimmerte.

»Töte uns nicht«, weinte er. »Verletze uns nicht mit häßlichem grausamem Stahl! Laß uns leben, ja, nur noch ein bißchen leben. Verloren, verloren! Wir sind verloren. Und wenn der Schatz dahingeht, werden wir sterben, ja, zu Staub werden.« Er kratzte mit seinen langen, fleischlosen Fingern in der Asche des Weges. »Staub!« zischte er.

Sams Hand zitterte. Er war außer sich vor Zorn, als er an Gollums ganze Bosheit dachte. Es wäre gerecht, dieses verräterische, mörderische Geschöpf zu erschlagen, gerecht und vielmals verdient; und außerdem die einzige Möglichkeit, diese Gefahr auszuschalten. Doch tief in seinem Herzen war etwas, das ihn zurückhielt: er konnte dieses Wesen nicht erschlagen, das da im Staub lag, verlassen, vernichtet, durch und durch unglücklich. Er selbst hatte, wenn auch nur eine kleine Weile, den Ring getragen und konnte sich jetzt die seelischen und körperlichen Qualen des verkümmerten Gollum einigermaßen vorstellen, Sklave des Rings und unfähig, je im Leben wieder Frieden oder Erlösung zu finden. Aber Sam fehlten die Worte, um auszudrücken, was er empfand.

»Ach, verflucht sollst du sein, du stinkendes Ding!« sagte er. »Geh weg! Scher dich fort! Ich trau dir nicht so weit, wie ich spucken kann; aber scher dich fort. Sonst *werde* ich dich verletzen, jawohl, mit häßlichem, grausamem Stahl.«

Gollum stand auf und kroch auf allen vieren ein paar Schritte zurück und drehte sich dann um, und als Sam ihm einen Fußtritt versetzen wollte, floh er den Pfad hinunter. Sam achtete nicht mehr auf ihn. Er erinnerte sich plötzlich seines Herrn. Er schaute den Pfad hinauf und konnte ihn nicht sehen. So schnell er konnte, rannte er ihm nach. Hätte er sich umgeschaut, hätte er sehen können, daß nicht weit unten auch Gollum wieder umdrehte und mit vor Wahnsinn funkelnden Augen schnell, aber vorsichtig hinterherkroch, ein schleichender Schatten zwischen den Steinen.

Der Pfad stieg immer noch. Bald machte er wieder eine Kehre, führte auf dem letzten Stück nach Osten in einen Durchstich an der Flanke des Kegels und gelangte zu einem dunklen Tor in der Wand des Berges, dem Tor der Sammath Naur. In weiter Ferne, jetzt nach Süden aufsteigend und den Rauch und Dunst durchdringend, leuchtete die Sonne unheilvoll, eine dunkelrote, verschwommene Scheibe; doch rings um den Berg lag ganz Mordor wie ein totes Land da, stumm, in Schatten gehüllt, auf einen entsetzlichen Schlag wartend.

Sam kam zu der gähnenden Öffnung und starrte hinein. Es war dunkel dort und heiß, und ein tiefes Grollen erschütterte die Luft. »Frodo! Herr!«

rief er. Es kam keine Antwort. Einen Augenblick blieb er stehen, sein Herz schlug wild vor Angst, und dann stürzte er hinein. Ein Schatten folgte ihm.

Zuerst konnte er nichts sehen. In seiner großen Not zog er wiederum Galadriels Phiole heraus, aber sie war bleich und kalt in seiner zitternden Hand und warf kein Licht in das erstickende Dunkel. Er war ins Herz von Saurons Reich gekommen und zu den Schmieden seiner alten Macht, der größten in Mittelerde; alle anderen Mächte wurden hier bezwungen. Ängstlich machte er ein paar unsichere Schritte im Dunkeln, und dann auf einmal kam ein roter Blitz, der hochzüngelte und an das hohe schwarze Dach stieß. Da sah Sam, daß er in einer langen Höhle war oder in einem Stollen, der in den rauchenden Kegel des Bergs hineingebohrt war. Doch nur ein kurzes Stück vor ihm waren der Boden und die Wände auf beiden Seiten durch eine große Spalte aufgerissen worden, aus der der rote Schein kam; und alldieweil war tief unten ein Lärm und eine Unruhe, als ob große Maschinen hämmerten und arbeiteten.

Das Licht flammte wieder auf, und da am Rande des Abgrunds, an den Schicksalsklüften, stand Frodo, schwarz vor der Glut, angespannt, aufrecht, aber reglos, als ob er in Stein verwandelt sei.

»Herr!« rief Sam.

Da rührte sich Frodo und sprach mit klarer Stimme, ja, mit einer Stimme, die klarer und eindringlicher war, als Sam sie je bei ihm gehört hatte, und sie übertönte das Pochen und Dröhnen des Schicksalsbergs und hallte an Dach und Wänden wider.

»Ich bin gekommen«, sagte er. »Aber jetzt will ich das nicht tun, weshalb ich gekommen bin. Ich will diese Tat nicht vollbringen. Der Ring gehört mir!« Und plötzlich, als er ihn sich auf den Finger steckte, entschwand er Sams Blick. Sam keuchte, aber er hatte keine Gelegenheit, aufzuschreien, denn in diesem Augenblick geschahen viele Dinge.

Etwas stieß Sam heftig in den Rücken, seine Beine wurden unter ihm weggerissen, und er wurde beiseite geschleudert und schlug mit dem Kopf auf den steinigen Boden, während ein dunkler Schatten über ihn hinwegsprang. Er lag still, und für einen Augenblick wurde alles dunkel.

Und als Frodo den Ring aufsetzte und ihn als sein Eigen beanspruchte, und noch dazu in Sammath Naur, dem Herzen ihres Reichs, erbebte die Macht im fernen Barad-dûr, und der Turm erzitterte von seinen Grundfesten bis zu seiner stolzen und grausamen Bekrönung. Der Dunkle Herrscher wurde plötzlich seiner gewahr, und sein alle Schatten durchdringendes Auge blickte über die Ebene auf das Tor, das er gemacht hatte; und die Größe seiner eigenen Torheit wurde ihm in einem blendenden Blitz enthüllt, und alle Pläne seiner Feinde wurden endlich offenbar. Da loderte sein Zorn in einer verzehrenden Flamme auf, aber seine Angst stieg empor wie ein gewaltiger schwarzer Rauch, um ihn zu ersticken. Denn er kannte seine tödliche Gefahr und wußte, daß sein Schicksal nun an einem Faden hing.

Von all seinen Machenschaften und Gespinsten der Furcht und des Verrats, von allen Listen und Kriegen befreite sich sein Geist; und durch sein ganzes Reich lief ein Beben, seine Sklaven zitterten und seine Heere hielten an, und seine Hauptleute, plötzlich steuerlos und ihres Willens beraubt, wankten und verzweifelten. Denn sie waren vergessen. Das ganze Sinnen und Trachten der Macht, die sie beherrschte, war nun mit überwältigender Kraft auf den Berg gerichtet. Von ihm gerufen, flogen mit einem durchdringenden Schrei in letzter verzweifelter Eile, schneller als der Wind, die Nazgûl, die Ringgeister, herbei und stürzten mit brausenden Schwingen gen Süden zum Schicksalsberg.

Sam stand auf. Er war betäubt, Blut rann von seinem Kopf und tropfte ihm in die Augen. Er tastete sich voran, und dann sah er etwas Seltsames und Entsetzliches. Am Rande des Abgrunds kämpfte Gollum wie ein Wahnsinniger mit einem unsichtbaren Feind. Hin und her schwankte er, einmal dem Rand so nahe, daß er fast hineinstürzte, dann wieder zurückzerrend, auf den Boden fallend, aufstehend und wieder hinfallend. Und alldieweil zischte er und sprach kein Wort.

Die Feuer unten erwachten voll Zorn, das rote Licht loderte, und die ganze Höhle war erfüllt von blendender Helligkeit und Hitze. Plötzlich sah Sam, wie Gollum seine langen Hände an den Mund führte; seine weißen Fangzähne schimmerten, dann schnappten sie zu und bissen. Frodo stieß einen Schrei aus, er war wieder da, auf die Knie gefallen am Rande des Abgrunds. Aber Gollum tanzte umher wie ein Wahnsinniger und hielt den Ring hoch, in dem noch ein Finger steckte. Der Ring schimmerte jetzt, als sei er wahrhaftig aus lebendigem Feuer gearbeitet.

»Schatz, Schatz, Schatz!« schrie Gollum. »Mein Schatz! O mein Schatz!« Und während er den Blick hob, um sich an seiner Beute zu weiden, trat er zu weit, kippte über, schwankte einen Augenblick auf dem Rand und stürzte dann mit einem schrillen Schrei. Aus den Tiefen kam sein letztes klagendes *Schatz*, und er war dahin.

Es gab ein Krachen und ein donnerndes Getöse. Feuer loderte auf und züngelte am Dach. Das Pochen wuchs zu einem gewaltigen Lärm an, und der Berg bebte. Sam rannte zu Frodo, hob ihn auf und trug ihn hinaus zum Tor. Und dort auf der dunklen Schwelle der Sammath Naur, hoch über der Ebene von Mordor, überkam ihn ein solches Staunen und Entsetzen, daß er still stehenblieb und alles andere vergaß und starrte, als sei er in Stein verwandelt.

Flüchtig hatte er das Bild vor Augen von einer wirbelnden Wolke und in ihrer Mitte Türme und Festungsmauern, hoch wie Berge, errichtet auf einem mächtigen Bergthron über unermeßlichen Gräben; große Höfe und Verliese, augenlose Gefängnisse, jäh wie Klippen, und gähnende Tore aus Stahl und Adamant: und dann verging alles. Türme stürzten ein und Berge rutschten; Mauern zerbröckelten und schmolzen und fielen in sich zusammen; gewaltige Rauchsäulen und emporquellende Dämpfe türmten sich hoch und immer höher auf, bis sie überkippten wie eine Sturzwelle, deren tobender Kamm sich zusammenrollte und schäumend an Land brandete. Und über die Meilen, die dazwischen lagen, drang schließlich ein Donnergrollen, das zu einem ohrenbetäubenden Krachen und Tosen anschwoll; die Erde bebte, die Ebene hob sich und barst, und der Orodruin schwankte. Feuer brach aus seinem gespaltenen Gipfel hervor. Am Himmel entlud sich ein Gewitter mit sengenden Blitzen. Wie Peitschenschläge prasselte ein Sturzbach von schwarzem Regen hernieder. Und mit einem Schrei, der alle anderen Geräusche übertönte und die Wolken zerriß, flogen die Nazgûl mitten hinein in den Sturm, und sie schossen daher wie flammende Pfeile, die in dem feurigen Untergang von Berg und Himmel in Brand geraten waren, und sie knisterten und verdorrten und gingen aus.

»Ja, das ist das Ende, Sam Gamdschie«, sagte eine Stimme neben ihm. Und da war Frodo, bleich und erschöpft, und dennoch wieder er selber; und in seinen Augen war jetzt Friede, weder Anspannung des Willens noch Wahnsinn oder irgendeine Angst. Seine Bürde war von ihm genommen. Er war der liebe Herr der köstlichen Tage im Auenland.

»Herr!« rief Sam und fiel auf die Knie. Bei all der Zerstörung der Welt empfand er im Augenblick nur Freude, große Freude. Die Bürde war fort. Sein Herr war gerettet worden; er war wieder er selbst, er war frei. Und dann fiel Sams Blick auf die verstümmelte und blutende Hand.

»Deine arme Hand!« sagte er. »Und ich habe nichts, womit ich sie verbinden oder pflegen könnte. Ich hätte ihm lieber eine ganze Hand von mir überlassen. Aber er ist jetzt unwiderruflich dahin, für immer dahin.«

»Ja«, sagte Frodo. »Aber erinnerst du dich an Gandalfs Worte: *Selbst Gollum mag noch eine Rolle zu spielen haben?* Ohne ihn, Sam, hätte ich den Ring nicht vernichten können. Die Fahrt wäre umsonst gewesen, selbst am bitteren Ende. So wollen wir ihm vergeben! Denn die Aufgabe ist erfüllt, und nun ist alles vorbei. Ich bin froh, daß du hier bei mir bist. Hier am Ende aller Dinge, Sam.«

VIERTES KAPITEL

DAS FELD VON CORMALLEN

Rings um die Hügel wüteten die Heere von Mordor. Die Heerführer des Westens wurden überflutet von einem anschwellenden Meer. Die Sonne glühte rot, und unter den Schwingen der Nazgûl fielen die Schatten des Todes dunkel auf die Erde. Aragorn stand unter seinem Banner, stumm und unbeugsam, wie einer, der vertieft ist in Gedanken an längst vergangene oder weit entfernte Dinge; doch seine Augen glänzten wie Sterne, die um so heller scheinen, je dunkler die Nacht wird. Auf der Kuppe des Hügels stand Gandalf, und er war weiß und kalt, und kein Schatten fiel auf ihn. Der Angriff von Mordor brandete wie eine Woge gegen die belagerten Hügel, Stimmen brausten wie eine Flut inmitten der Zerstörung und des Waffengeklirrs.

Als ob seinen Augen ein plötzliches Sehvermögen verliehen worden sei, rührte sich Gandalf; und er wandte sich um und schaute zurück gen Norden, wo der Himmel fahl und klar war. Dann hob er die Hände und rief mit lauter Stimme, die den Kampfeslärm übertönte: *Die Adler kommen!* Und viele Stimmen antworteten und riefen: *Die Adler kommen! Die Adler kommen!* Die Heere von Mordor blickten auf und fragten sich, was dieses Zeichen wohl bedeuten möge.

Da kam Gwaihir, der Herr der Winde, und Landroval, sein Bruder, der größte aller Adler des Nordens, der gewaltigste unter den Abkömmlingen des alten Thorondor, der seine Horste auf den unzugänglichen Gipfeln des Umgebenden Gebirges gebaut hatte, als Mittelerde jung war. Hinter ihnen kamen auf den Flügeln eines aufkommenden Windes, in langen, raschen Reihen alle ihre Untertanen aus den nördlichen Gebirgen. Genau auf die Nazgûl hielten sie zu, stießen plötzlich aus großer Höhe herab, und das Rauschen ihrer breiten Schwingen, als sie vorüberzogen, war wie ein Sturm.

Doch die Nazgûl wandten sich ab und flohen und verschwanden in Mordors Schatten, denn sie hörten plötzlich einen Schreckensruf aus dem Dunklen Turm; und in eben diesem Augenblick erschauerten alle Heere von Mordor, Zweifel nagte an ihren Herzen, ihr Gelächter verstummte, ihre Hände zitterten, ihre Glieder wurden schlaff. Die Macht, die sie antrieb und mit Haß und Wut erfüllte, wankte, ihr Wille war von ihnen abgezogen; und als sie jetzt ihren Feinden ins Auge blickten, sahen sie ein tödliches Funkeln und fürchteten sich.

Dann stießen alle Heerführer des Westens einen lauten Ruf aus, denn inmitten der Dunkelheit waren ihre Herzen von neuer Hoffnung erfüllt. Und Ritter von Gondor, Reiter von Rohan und Dúnedain des Nordens drängten von den belagerten Hügeln aus in dicht geschlossenen Reihen auf ihre wankenden Feinde ein und durchbrachen das Kampfgewühl mit scharfen Speeren. Aber Gandalf hob die Arme und rief noch einmal mit klarer Stimme:

»Bleibt stehen, Menschen des Westens! Bleibt stehen und wartet ab! Dies ist die Stunde des Schicksals.«

Und während er noch sprach, schwankte die Erde unter ihren Füßen. Dann schwang sich, weit über den Türmen des Schwarzen Tors, hoch über dem Gebirge, rasch steigend eine gewaltige, hochfliegende Dunkelheit mit flackerndem Feuer zum Himmel empor. Die Erde stöhnte und bebte. Die Türme der Wehr wankten, neigten sich und stürzten ein; der mächtige Festungswall zerbarst; das Schwarze Tor wurde herausgeschleudert und brach auseinander; und aus weiter Ferne, bald undeutlich, bald anschwellend, bald zu den Wolken aufsteigend, kam ein dröhnendes Grollen, ein Donnern, ein lange widerhallender tosender Lärm der Zerstörung.

»Saurons Reich hat geendet!« sagte Gandalf. »Der Ringträger hat seine Aufgabe erfüllt.« Und als die Heerführer nach Süden blickten in das Land Mordor, schien es ihnen, daß dort schwarz gegen die Wolkendecke ein riesiges Schattengebilde, undurchdringlich, blitzgekrönt, aufstieg und den ganzen Himmel erfüllte. Gewaltig erhob es sich über die Welt und streckte ihnen eine große, drohende Hand entgegen, schreckenerregend, aber machtlos, denn während es noch über ihnen schwebte, wurde es von einem starken Wind erfaßt, und es wurde weggeblasen und verging; und Stille trat ein.

Die Heerführer senkten die Köpfe; und als sie wieder aufblickten, siehe! da flohen ihre Feinde und die Streitmacht von Mordor zerstreute sich wie Staub im Wind. Wie Ameisen, wenn der Tod das geschwollene, brütende Wesen ereilt, das ihren wimmelnden Hügel bewohnt und sie alle beherrscht, kopflos und zwecklos umherwandern und dann kraftlos zugrunde gehen, so rannten Saurons Geschöpfe, Ork oder Troll oder Tier, durch Zauber geknechtet, sinnlos hierhin und dorthin; und manche erschlugen sich gegenseitig oder stürzten sich in Gräben oder flohen jammernd, um sich in Löchern und an dunklen, lichtlosen Orten fern jeder

Hoffnung zu verstecken. Doch die Menschen aus Rhûn und Harad, Ostlinge und Südländer, erkannten, daß der Krieg verloren war, und sahen die königliche Würde und die Macht der Heerführer des Westens. Und jene, die am tiefsten und längsten in böser Knechtschaft gewesen waren, die den Westen haßten und doch stolze und kühne Männer waren, sammelten sich nun ihrerseits, um sich einem letzten, verzweifelten Kampf zu stellen. Aber der größte Teil floh, soweit möglich, nach Osten; und einige warfen ihre Waffen fort und flehten um Gnade.

Dann überließ Gandalf Aragorn und den anderen Heerführern all diese Fragen der Schlacht und des Oberbefehls, und er stand auf der Kuppe des Hügels und rief; und herab zu ihm kam der große Adler, Gwaihir, der Herr der Winde, und stand vor ihm.

»Zweimal hast du mich getragen, Gwaihir, mein Freund«, sagte Gandalf. »Aller guten Dinge sind drei, wenn du willst. Du wirst merken, daß ich nicht eine viel größere Last bin als damals, als du mich von Zirakzigil davongetragen hast, wo mein altes Leben ausbrannte.«

»Ich würde dich tragen«, antwortete Gwaihir, »wohin du willst, und wärest du auch aus Stein.«

»Dann komm, und laß deinen Bruder mit uns gehen, und irgendeinen anderen deines Volkes, der sehr geschwind ist. Denn wir müssen schneller sein als jeder Wind und die Nazgûl überflügeln.«

»Der Nordwind weht, aber wir werden schneller fliegen als er«, sagte Gwaihir. Und er hob Gandalf hoch und eilte nach Süden, und mit ihm flogen Landroval und der junge und schnelle Meneldor. Und sie flogen über Udûn und Gorgoroth und sahen unter sich das ganze Land, verheert und in Aufruhr, und vor sich den lodernden Schicksalsberg, der sein Feuer ausspie.

»Ich bin froh, daß du hier bei mir bist. Hier am Ende aller Dinge, Sam.«

»Ja, ich bin bei dir, Herr«, sagte Sam und legte Frodos verwundete Hand sanft an seine Brust. »Und du bist bei mir. Und die Fahrt ist zu Ende. Aber nachdem ich den ganzen Weg hergekommen bin, will ich noch nicht aufgeben. Das ist nicht meine Art, wenn du mich verstehst.«

»Vielleicht nicht, Sam«, sagte Frodo. »Aber so sind die Dinge nun mal in der Welt. Hoffnungen täuschen. Es kommt ein Ende. Wir brauchen jetzt nur noch kurze Zeit zu warten. Wir sind umringt von Zerstörung und Untergang, und es gibt kein Entkommen.«

»Nun, Herr, wenigstens könnten wir ein bißchen weiter weggehen von diesem gefährlichen Ort, von diesen Schicksalsklüften, wenn das ihr

Name ist. Können wir das nicht? Komm, Herr Frodo, laß uns jedenfalls den Pfad hinuntergehen.«

»Gut, Sam. Wenn du gehen willst, komme ich mit«, sagte Frodo; und sie standen auf und gingen langsam die sich schlängelnde Straße hinunter; und als sie gerade zu dem bebenden Fuß des Berges kamen, stießen die Sammath Naur einen großen Rauch und Dampf aus, die Wand des Kegels riß auf, und ein gewaltiger feuriger Auswurf floß langsam, aber wie ein Wasserfall donnernd, an der östlichen Bergseite hinab.

Frodo und Sam konnten nicht weitergehen. Ihre letzte seelische und körperliche Kraft nahm rasch ab. Sie hatten einen niedrigen Aschenhügel erreicht, der sich am Fuß des Berges angesammelt hatte; aber von hier gab es kein Entkommen. Er war jetzt eine Insel, die nicht lange bestehenbleiben würde inmitten der Folterung des Orodruin. Ringsum klaffte die Erde, und aus tiefen Rissen und Gräben quollen Rauch und Dämpfe hervor. Hinter ihnen wurde der Berg erschüttert. Große Spalten hatten sich an seiner Flanke aufgetan. Langsame Ströme von Feuer flossen über die langen Hänge auf sie zu. Bald würden sie unter ihnen begraben sein. Ein Regen von heißer Asche fiel auf sie nieder.

Jetzt standen sie; und Sam hielt immer noch die Hand seines Herrn und streichelte sie. Er seufzte. »In was für einer Geschichte sind wir gewesen, Herr Frodo, nicht wahr?« sagte er. »Ich wünschte, ich könnte es hören, wenn sie erzählt wird! Glaubst du, sie werden sagen: *Jetzt kommt die Geschichte von dem neunfingrigen Frodo und dem Ring des Schicksals?* Und dann werden alle still sein, wie wir es waren, als sie uns in Bruchtal die Geschichte von Beren, dem Einhändigen, und dem Großen Edelstein erzählten. Ich wünschte, ich könnte es hören! Und ich wüßte gern, wie sie nach unserem Teil weitergeht.«

Aber während er noch so sprach, um bis ganz zuletzt die Angst fernzuhalten, schweiften seine Augen nach Norden, nach Norden in das Auge des Windes, dorthin, wo der Himmel in der Ferne klar war, als die kalte Böe zu einem Sturm anschwoll und die Dunkelheit und die Überreste der Wolken zurücktrieb.

Und so sah Gwaihir sie mit seinen scharfen, weit sehenden Augen, als er mit dem wilden Wind heranbrauste und, der großen Gefahr des Himmels trotzend, in der Luft kreiste: zwei kleine dunkle Gestalten, verlassen, Hand in Hand auf einem kleinen Hügel, während die Welt unter ihnen bebte und keuchte und Ströme von Feuer näherkrochen. Und als er sie gerade erspähte und hinabstieß, sah er sie hinfallen, erschöpft oder erstickt von Qualm und Hitze, oder schließlich von Verzweiflung übermannt und die Augen vor dem Tode verschließend.

Seite an Seite lagen sie; und herab stürzte sich Gwaihir, und herab kamen Landroval und Meneldor der Schnelle; und in einem Traum, nicht ahnend, welches Schicksal ihnen widerfuhr, wurden die Wanderer emporgehoben und davongetragen aus der Dunkelheit und dem Feuer.

Als Sam erwachte, merkte er, daß er auf einem weichen Bett lag, aber über ihm wiegten sich sanft breite Buchenzweige, und durch ihre jungen Blätter schimmerte Sonnenlicht, grün und golden. Und die ganze Luft war erfüllt von mannigfachen süßen Düften.

Er erinnerte sich dieses Dufts: der Wohlgeruch von Ithilien. »Du meine Güte«, grübelte er. »Wie lange habe ich geschlafen?« Denn der Duft hatte ihn zurückversetzt zu dem Tag, als er unter der sonnigen Böschung sein kleines Feuer entfacht hatte; und nun, da er wach war, hatte er für einen Augenblick alles, was dazwischen lag, vergessen. Er streckte sich und holte tief Luft. »Nein, was für einen Traum ich gehabt habe!« murmelte er. »Ich bin froh, daß ich aufgewacht bin!« Er setzte sich auf, und dann sah er, daß Frodo neben ihm lag und friedlich schlief, eine Hand unter dem Kopf, die andere auf der Decke. Es war die rechte Hand, und der dritte Finger fehlte.

Jetzt kehrte die ganze Erinnerung zurück, und Sam rief laut: »Es war kein Traum! Aber wo sind wir?«

Und eine Stimme sprach leise hinter ihm: »Im Land Ithilien und in der Obhut des Königs; und er erwartet euch.« Und da stand Gandalf vor ihm, in Weiß gekleidet, und sein Bart schimmerte in dem durch die Blätter flimmernden Sonnenlicht wie reiner Schnee.

»Nun, Meister Samweis, wie fühlst du dich?« fragte er.

Aber Sam legte sich wieder hin und starrte mit offenem Munde, und einen Augenblick konnte er nicht antworten, zwischen Bestürzung und Freude hin und hergerissen. Endlich stieß er hervor: »Gandalf! Ich glaubte, du seiest tot! Aber dann glaubte ich, ich sei auch tot. Stellt sich alles Traurige als falsch heraus? Was ist mit der Welt geschehen?«

»Ein großer Schatten ist dahingegangen«, sagte Gandalf, und dann lachte er, und es klang wie Musik oder wie Wasser in einem verdorrten Land; und als Sam lauschte, kam ihm der Gedanke, daß er seit unzähligen Tagen kein Lachen gehört hatte, den reinen Klang von Fröhlichkeit. Es drang an sein Ohr wie der Widerhall aller Freuden, die er je erlebt hatte. Aber er brach in Tränen aus. Doch wie ein sanfter Regen auf einen Frühlingswind folgt und die Sonne dann um so heller scheint, so versiegten seine Tränen, und sein Gelächter sprudelte hervor, und lachend sprang er aus dem Bett.

»Wie ich mich fühle?« rief er. »Na, ich weiß nicht, wie ich es sagen soll. Ich fühle mich, ich fühle mich ...« – er fuhr mit dem Arm durch die Luft –, »ich fühle mich wie Frühling nach dem Winter, wie Sonne auf den Blättern; und wie Trompeten und Harfen und alle Lieder, die ich je gehört habe!« Er hielt inne und wandte sich zu seinem Herrn. »Aber wie geht's Herrn Frodo?« fragte er. »Ist es nicht eine Schande mit seiner armen Hand? Aber ich hoffe, er ist sonst in Ordnung. Er hat eine grausame Zeit gehabt.«

»Ja, sonst bin ich in Ordnung«, sagte Frodo, setzte sich auf und lachte seinerseits. »Ich bin wieder eingeschlafen, als ich auf dich wartete, Sam, du Schlafmütze. Ich war heute morgen früh wach, und jetzt muß es bald Mittag sein.«

»Mittag?« sagte Sam und versuchte nachzurechnen. »Mittag von welchem Tag?«

»Dem vierzehnten des Neuen Jahres«, sagte Gandalf, »oder, wenn du willst, der achte April nach der Auenland-Zeitrechnung *. Aber in Gondor wird das Neue Jahr jetzt immer am fünfundzwanzigsten März beginnen, als Sauron stürzte und ihr aus dem Feuer zum König gebracht wurdet. Er hat euch gepflegt, und jetzt erwartet er euch. Ihr sollt mit ihm essen und trinken. Wenn ihr bereit seid, bringe ich euch zu ihm.«

»Zum König?« fragte Sam. »Was für ein König, und wer ist das?«

»Der König von Gondor und der Herr der Westlichen Lande«, sagte Gandalf. »Und er hat sein ganzes altes Reich zurückgewonnen. Er wird bald zu seiner Krönung reiten, aber er wartet auf euch.«

»Was sollen wir anziehen?« fragte Sam; denn er sah nichts als die alten und zerfetzten Kleider, in denen sie gewandert waren. Sie lagen zusammengefaltet neben ihren Betten.

»Die Kleider, die ihr auf eurem Weg nach Mordor getragen habt«, sagte Gandalf. »Selbst die Orkfetzen, die du in dem schwarzen Land anhattest, Frodo, sollen aufbewahrt werden. Keine Seide und kein Linnen, keine Rüstung und kein Wappen könnten ehrenvoller sein. Aber später werde ich vielleicht andere Kleidung für euch finden.«

Dann streckte er ihnen die Hände entgegen, und sie sahen, daß eine hell schimmerte. »Was hast du da?« rief Frodo. »Kann es sein ...«

»Ja, ich habe eure beiden Schätze mitgebracht. Sie wurden bei Sam gefunden, als ihr gerettet wurdet. Die Gaben von Frau Galadriel: dein Glas, Frodo, und deine Schachtel, Sam. Ihr werdet froh sein, sie wiederzuhaben.«

* Der März (oder Rethe) hatte nach dem Kalender von Auenland dreißig Tage.

Als sie gewaschen und angezogen waren und ein leichtes Mahl zu sich genommen hatten, folgten die Hobbits Gandalf. Sie traten heraus aus dem Buchenhain, in dem sie gelegen hatten, und kamen auf eine langgestreckte grüne Wiese, die im Sonnenschein leuchtete und eingefaßt war von stattlichen Bäumen mit dunklen Blättern und einer Fülle scharlachroter Blüten. Hinter den Bäumen hörte man das Geräusch von fallendem Wasser, und vor ihnen rann ein Bach zwischen blühenden Ufern, bis er zu einem Wäldchen am Fuße der Wiese kam und dann unter einem Torbogen aus Bäumen hindurchfloß, durch den sie in der Ferne Wasser schimmern sahen.

Als sie zu der Lichtung im Wald kamen, waren sie überrascht, Ritter in strahlender Rüstung zu sehen und prächtige Wachtposten in Silber und Schwarz, die dort standen und sie ehrerbietig grüßten und sich vor ihnen verneigten. Und dann blies einer ein langes Tompetensignal, und sie gingen weiter auf dem Weg zwischen den Bäumen neben dem plätschernden Bach. So kamen sie zu einem weiten grünen Land, und dahinter war ein breiter Fluß in silbernem Dunst, aus dem sich eine bewaldete Insel erhob, und viele Schiffe lagen an ihren Ufern. Doch auf dem Feld, wo sie jetzt standen, war ein großes Heer in Reih und Glied angetreten, glitzernd in der Sonne. Und als die Hobbits sich näherten, wurden Schwerter aus der Scheide gezogen und Speere erhoben, und Hörner und Trompeten erschallten, und Männer riefen mit vielen Stimmen und in vielen Sprachen:

Langes Leben den Halblingen! Rühmt sie mit großem Preis!
Cuio i Pheriain anann! Aglar'ni Pheriannath!
Rühmt sie mit großem Preis, Frodo und Samweis!
Daur a Berhael, Conin en Annûn! Eglerio!
Rühmt sie mit großem Preis, Frodo und Samweis!
Daur a Berhael, Conin en Annûn! Eglerio!
Preist sie!
Eglerio!
A laita te, laita te! Andave laituvalmet!
Preist sie!
Cormacolindor, a laita tárienna!
Preist sie! Die Ringträger, rühmt sie mit großem Preis!

Das rote Blut schoß ihnen ins Gesicht, und mit vor Staunen glänzenden Augen gingen Frodo und Sam weiter und sahen, daß inmitten des lärmenden Heers drei Hochsitze aus grünen Rasensoden aufgebaut waren. Hinter dem Sitz zur Rechten schwebte Weiß auf Grün ein großes Pferd, das frei lief; auf der Linken war ein Banner, Silber auf Blau, ein Schiff, den Bug in Gestalt eines Schwans, zur See fahrend; aber hinter dem höchsten Thron in der Mitte von allen entfaltete sich in der Brise eine große Standarte, und dort blühte ein weißer Baum auf einem schwarzen Feld unter einer schimmernden Krone und sieben glitzernden Sternen. Auf dem Thron saß ein Mann im Panzerhemd, ein großes Schwert lag auf seinen Knien, aber er trug keinen Helm. Als sie näherkamen, stand er auf. Und da erkannten sie ihn, so verändert er auch war, mit einem so edlen und frohen Gesicht, königlich, Herr der Menschen, dunkelhaarig und die Augen grau.

Frodo rannte ihm entgegen, und Sam kam hinterdrein. »Na, wenn das nicht allem die Krone aufsetzt!« sagte er. »Streicher, oder ich schlafe immer noch!«

»Ja, Sam, Streicher«, sagte Aragorn. »Es ist ein weiter Weg, nicht wahr, von Bree, wo du mich nicht leiden konntest? Ein weiter Weg für uns alle, aber der eure war der dunkelste.«

Und dann beugte er zu Sams Überraschung und höchster Verwirrung das Knie vor ihnen; und er nahm sie bei der Hand, Frodo zu seiner Rechten und Sam zu seiner Linken, und führte sie zu dem Thron, setzte sie darauf, wandte sich zu den Mannen und Hauptleuten um, die nahebei standen, und sprach, und seine Stimme schallte über das ganze Heer, und er rief:

»Rühmet und preiset sie!«

Und als der frohe Zuruf angeschwollen und wieder verklungen war, trat zu Sams höchster und vollkommener Befriedigung und reiner Freude ein Sänger von Gondor vor, kniete nieder und bat um die Erlaubnis zu singen. Und siehe! er sagte:

»Ihr Herren und Ritter und Mannen von unbeschämter Tapferkeit, Könige und Fürsten und das schöne Volk von Gondor und Reiter von Rohan und ihr Söhne von Elrond und Dúnedain des Nordens und Elb und Zwerg und ihr Wackeren aus dem Auenland, und alles freie Volk des Westens, hört nun mein Lied. Denn ich werde singen von Frodo mit den Neun Fingern und dem Ring des Schicksals.«

Und als Sam das hörte, lachte er laut auf aus reinem Entzücken, und er stand auf und rief: »O große Pracht und Herrlichkeit! Und alle meine Wünsche sind in Erfüllung gegangen!« Und dann weinte er.

Und das ganze Heer lachte und weinte, und inmitten ihrer Fröhlichkeit und Tränen erhob sich die klare Stimme des Sängers wie Silber und Gold, und alle Mannen waren still. Und er sang bald in der Elbensprache, bald in der Sprache des Westens, bis ihre Herzen, von süßen Worten verwundet, überflossen und ihre Freude wie Schwerter war und sie in Gedanken in Gefilden weilten, wo Schmerz und Freude ineinander übergehen und Tränen der Wein der Glückseligkeit sind.

Und als schließlich die Sonne vom Mittagspunkt herabsank und die Schatten der Bäume länger wurden, endete er. »Rühmet und preiset sie!« sagte er und kniete nieder. Und dann stand Aragorn auf, und das ganze Heer erhob sich, und sie gingen hinüber zu vorbereiteten Zelten, um zu essen und zu trinken und fröhlich zu sein, solange der Tag währte.

Frodo und Sam wurden zu einem Zelt geführt, und dort zogen sie ihre alten Kleider aus, aber sie wurden zusammengefaltet und in Ehren beiseite gelegt; und reines Linnen wurde ihnen gegeben. Dann kam Gandalf, und zu Frodos Verwunderung hatte er auf dem Arm das Schwert und den Elbenmantel und den Mithril-Panzer, die ihm in Mordor abgenommen worden waren. Für Sam brachte er einen vergoldeten Kettenpanzer und seinen Elbenmantel, von Schmutz und allen Beschädigungen, die er erlitten hatte, befreit; und dann legte er zwei Schwerter vor sie hin.

»Ich möchte kein Schwert haben«, sagte Frodo.

»Wenigstens heute abend solltest du eins tragen«, sagte Gandalf.

Da nahm Frodo das kleine Schwert, das Sam gehört und das er in Cirith Ungol neben Frodo gelegt hatte. »Stich habe ich dir geschenkt, Sam.«

»Nein, Herr! Herr Bilbo hat es dir gegeben, und es gehört zu seinem silbernen Panzer; er würde nicht wollen, daß irgendein anderer es jetzt trägt.«

Frodo gab nach; und Gandalf, als ob er ihr Knappe sei, kniete nieder und gürtete sie mit den Schwertgehenken, und er stand auf und setzte ihnen Stirnreifen aus Silber auf. Und als sie angekleidet waren, gingen sie zu dem großen Fest; und sie saßen an des Königs Tisch mit Gandalf und König Éomer von Rohan und dem Fürsten Imrahil und all den großen Hauptleuten; und auch Gimli und Legolas waren da.

Doch als nach dem Stillen Gedenken Wein gebracht wurde, kamen zwei Knappen, um den Königen aufzuwarten; das schienen sie jedenfalls zu sein: der eine war in das Silber und Schwarz der Wachen von Minas Tirith gekleidet, und der andere in Weiß und Grün. Aber Sam fragte sich, was so junge Knaben in einem Heer mächtiger Männer taten. Dann plötzlich, als sie näher kamen und er sie deutlich sehen konnte, rief er aus:

»Ach, schau, Herr Frodo! Schau nur! Na, wenn das nicht Pippin ist. Herr Peregrin Tuk sollte ich sagen, und Herr Merry! Wie sie gewachsen sind! Du meine Güte! Aber ich sehe, es gibt mehr Geschichten zu erzählen als unsere.«

»Allerdings«, sagte Pippin, zu ihm gewandt. »Und wir werden anfangen, sie zu erzählen, sobald dieses Fest zu Ende ist. Inzwischen kannst du es bei Gandalf versuchen. Er ist nicht mehr so zugeknöpft wie früher, obwohl er jetzt mehr lacht als redet. Im Augenblick sind Merry und ich beschäftigt. Wir sind Ritter der Stadt und der Mark, wie ihr hoffentlich bemerkt.«

Endlich endete der frohe Tag; und als die Sonne untergegangen war und der runde Mond langsam über den Nebeln des Anduin aufstieg und durch die raschelnden Blätter schimmerte, saßen Frodo und Sam unter den raunenden Bäumen inmitten des Dufts des schönen Ithilien; und sie unterhielten sich bis tief in die Nacht mit Merry und Pippin und Gandalf, und nach einer Weile gesellten sich Legolas und Gimli zu ihnen. Da erfuhren Frodo und Sam viel von allem, was den Gefährten widerfahren war, nachdem ihr Bund an dem unheilvollen Tag auf Parth Galen bei den Fällen des Rauros zerfallen war; und immer noch gab es etwas zu fragen und zu erzählen.

Orks und sprechende Bäume und meilenweite Grasflächen und galoppierende Reiter und glitzernde Höhlen und weiße Türme und goldene Hallen und Schlachten und große Segelschiffe, all das zog vor Sams Geist vorüber, bis er ganz verwirrt war. Aber inmitten all dieser Wunder kam er immer wieder darauf zurück, wie verblüfft er über Merrys und Pippins Größe war; und sie mußten sich Rücken an Rücken mit Frodo und ihm stellen. »Kann ich nicht verstehen in eurem Alter!« sagte er. »Aber tatsächlich, ihr seid drei Zoll größer, als ihr sein solltet, oder ich bin ein Zwerg.«

»Das bist du gewiß nicht«, sagte Gimli. »Aber was habe ich gesagt? Sterbliche können nicht einen Ent-Trunk zu sich nehmen und erwarten, daß nicht mehr dabei herauskommt als bei einem Krug Bier.«

»Ent-Trunk?« fragte Sam. »Da redet ihr schon wieder von Ents; aber da komme ich nicht mehr mit. O je, es wird Wochen dauern, bis wir all diese Dinge geklärt haben.«

»Allerdings Wochen«, sagte Pippin. »Und dann wird Frodo in einen Turm in Minas Tirith gesperrt werden müssen, um alles aufzuschreiben. Sonst wird er die Hälfte vergessen, und der arme alte Bilbo wäre furchtbar enttäuscht.«

Schließlich stand Gandalf auf. »Die Hände des Königs sind heilende Hände, liebe Freunde«, sagte er. »Aber ihr wart an der Schwelle des Todes, ehe er euch unter Aufbietung seiner ganzen Kraft zurückrief und euch in die süße Vergessenheit des Schlafs schickte. Und obwohl ihr wahrlich lange und selig geschlafen habt, ist es jetzt Zeit, wieder zu schlafen.«

»Und nicht nur für Sam und Frodo«, sagte Gimli, »sondern auch für dich, Pippin. Ich mag dich gern, und sei es nur wegen der Mühe, die du mich gekostet hast und die ich nie vergessen werde. Und ich werde auch nie vergessen, wie ich dich auf dem Hügel der letzten Schlacht fand. Denn ohne Gimli den Zwergen wärest du verloren gewesen. Aber wenigstens weiß ich jetzt, wie eines Hobbits Fuß aussieht, wenn er auch alles ist, was unter einem Haufen Leichen zu sehen ist. Und als ich diesen großen Kadaver von dir weggewälzt hatte, war ich sicher, daß du tot seiest. Ich hätte mir den Bart ausreißen können. Und es ist erst einen Tag her, daß du zum ersten Mal wieder aufgestanden und herumgelaufen bist. Ins Bett gehst du jetzt. Und das werde ich auch tun.«

»Und ich«, sagte Legolas, »werde in den Wäldern dieses schönen Landes umherwandern, das ist Ruhe genug. In kommenden Tagen, wenn die Herren der Elben es erlauben, sollen einige von unserem Volk sich hierher begeben; und wenn wir kommen, wird das Land glücklich sein für eine Weile. Für eine Weile: einen Monat, ein Leben, hundert Jahre der Menschen. Aber der Anduin ist nahe, und der Anduin fließt hinunter zum Meer. Zum Meer!«

Zu dem Meer! Zu dem Meer! Dort schäumen die Wellen,
Und die Schreie der weißen Möwen gellen.
Der Sonnenball sinkt im Westen nieder.
Graues Schiff! Graues Schiff! Mich rufen die Brüder
Aus meinem Volke, die vor mir gezogen.
Ich muß ihnen nach über dunkle Wogen,
Den Wald muß ich lassen. Verronnen ist
Unserer Tage und Jahre Frist.
Süß sind die Stimmen der elbischen Rufer,
Ewig grün ist das Letzte Ufer,
Der Insel Eressëa, die kein Mensch erreicht hat,
Für immer unser, der Elben Freistatt.

Und so singend, ging Legolas den Berg hinunter.

Dann brachen auch die anderen auf, und Frodo und Sam gingen zu Bett und schliefen. Und am Morgen standen sie wieder auf voll Hoffnung und

Frieden; und sie verbrachten viele Tage in Ithilien. Denn das Feld von Cormallen, wo das Heer nun lagerte, war nahe von Henneth Annûn, und den Bach, der von dem Wasserfall herabfloß, hörte man des Nachts, wie er durch sein felsiges Tor brauste und durch die blühenden Wiesen den Fluten des Anduin bei der Insel Cair Andros entgegeneilte. Die Hobbits wanderten hierhin und dorthin und suchten die Gegenden auf, durch die sie damals gekommen waren; und Sam hoffte immer, daß er in irgendeinem Schatten der Wälder oder in einem heimlichen Grund vielleicht den großen Olifant zu sehen bekommen würde. Und als er hörte, daß bei der Belagerung von Gondor eine große Zahl dieser Tiere gewesen, aber alle umgekommen waren, fand er das einen bedauerlichen Verlust.

»Na, man kann nicht überall zugleich sein, nehme ich an«, sagte er. »Aber offenbar habe ich eine Menge versäumt.«

Mittlerweile bereitete das Heer die Rückkehr nach Minas Tirith vor. Die Müden waren ausgeruht und die Verwundeten geheilt. Denn manche hatten gearbeitet und heftig mit den übriggebliebenen Ostlingen und Südländern gekämpft, bis alle unterworfen waren. Und zuallerletzt kehrten jene zurück, die nach Mordor hineingegangen waren und die Festungen im Norden des Landes zerstört hatten.

Doch als sich schließlich der Monat Mai näherte, brachen die Heerführer des Westens auf; und sie schifften sich mit all ihren Mannen ein und segelten von Cair Andros den Anduin hinunter nach Osgiliath; und dort blieben sie einen Tag; und am Tage danach kamen sie zu den grünen Feldern des Pelennor und sahen die weißen Türme unter dem hohen Mindolluin wieder, die Stadt der Menschen von Gondor, die letzte Erinnerung an Westernis, die durch Dunkelheit und Feuer einem neuen Tag entgegengegangen war.

Und dort mitten auf den Feldern schlugen sie ihre Zelte auf und erwarteten den Morgen; denn es war der Vorabend des Mai, und bei Sonnenaufgang wollte der König in seine Stadt einziehen.

FÜNFTES KAPITEL

DER TRUCHSESS UND DER KÖNIG

Zweifel und große Furcht lasteten auf der Stadt von Gondor. Das schöne Wetter und die klare Sonne erschienen den Menschen nur als ein Hohn, denn ihre Tage waren wenig hoffnungsvoll, und jeden Morgen erwarteten sie Unglücksbotschaften. Ihr Herr war tot und verbrannt, tot lag der König von Rohan in ihrer Veste, und der neue König, der in der Nacht zu ihnen gekommen war, war wieder in den Krieg gezogen gegen Mächte, die zu dunkel und zu entsetzlich waren, als daß Kraft oder Tapferkeit sie besiegen könnten. Und es kamen keine Nachrichten. Nachdem das Heer das Morgultal verlassen und die Straße nach Norden unter dem Schatten des Gebirges eingeschlagen hatte, war kein Bote gekommen und kein Gerücht über das, was in dem Unheil ausbrütenden Osten geschah.

Als die Heerführer erst zwei Tage fort waren, bat Frau Éowyn die Frauen, die sie pflegten, ihr ihre Kleider zu bringen, und sie ließ es sich nicht ausreden, sondern stand auf; und als die Frauen sie angezogen und ihren Arm in eine leinene Armschlinge gelegt hatten, ging sie zu dem Vorsteher der Häuser der Heilung.

»Herr«, sagte sie, »ich bin in großer Unrast, und ich kann nicht länger untätig liegen.«

»Herrin«, antwortete er, »Ihr seid nicht geheilt, und mir wurde befohlen, Euch mit besonderer Sorgfalt zu pflegen. Ihr hättet noch sieben Tage Euer Bett nicht verlassen dürfen, so wurde mir geheißen. Ich bitte Euch, wieder zurückzugehen.«

»Ich bin geheilt«, sagte sie, »zumindest körperlich geheilt, abgesehen von meinem linken Arm, der ruhiggestellt ist. Aber ich werde hier von neuem krank werden, wenn es nichts gibt, das ich tun kann. Sind keine Nachrichten vom Krieg gekommen? Die Frauen können mir nichts sagen.«

»Es sind keine Nachrichten gekommen«, sagte der Vorsteher, »außer daß die Herren zum Morgultal geritten sind; und die Leute sagen, daß der neue Heerführer aus dem Norden ihr Anführer ist. Ein großer Mann ist er, und ein Heiler; und es kommt mir seltsam vor, daß die heilende Hand auch das Schwert führen soll. So ist es heute nicht in Gondor, obwohl es einst so war, wenn die alten Erzählungen die Wahrheit berichten. Aber seit langen Jahren haben wir Heiler uns nur bemüht, die Schmisse zu flikken, die die Männer des Schwertes geschlagen hatten. Obwohl wir immer noch genug zu tun haben ohne sie: in der Welt gibt es genug Wunden und Leid ohne Kriege, die sie vervielfältigen.«

»Es braucht nur einen Feind, um einen Krieg herbeizuführen, nicht zwei, Herr Vorsteher«, antwortete Éowyn. »Und jene, die keine Schwerter haben, können doch durch sie sterben. Möchtet Ihr, daß das Volk von Gondor nur Kräuter sammelt, wenn der Dunkle Herrscher Heere sammelt? Es ist nicht immer gut, körperlich geheilt zu werden, und nicht immer schlecht, in der Schlacht zu sterben, selbst in bitterer Qual. Wenn ich dürfte, würde ich in dieser dunklen Stunde das letztere wählen.«

Der Vorsteher sah sie an. Aufrecht stand sie da, ihre Augen leuchteten in ihrem bleichen Gesicht, ihre Hand ballte sich, als sie sich umwandte und aus dem Fenster starrte, das nach Osten ging. Er seufzte und schüttelte den Kopf. Nach einer Pause drehte sie sich wieder um.

»Ist keine Tat zu vollbringen?« fragte sie. »Wer befiehlt in dieser Stadt?«

»Ich weiß es nicht genau«, antwortete er. »Um solche Dinge kümmere ich mich nicht. Da ist ein Marschall der Reiter von Rohan; und der Herr Húrin hat, wie ich höre, den Befehl über die Mannen von Gondor. Aber von Rechts wegen ist Herr Faramir der Truchseß der Stadt.«

»Wo kann ich ihn finden?«

»In diesem Hause, Herrin. Er war schwer verwundet, ist aber jetzt auf dem Wege der Besserung. Doch weiß ich nicht . . .«

»Wollt Ihr mich zu ihm bringen? Dann werdet Ihr es wissen.«

Herr Faramir ging allein im Garten der Häuser der Heilung spazieren, und das Sonnenlicht wärmte ihn, und er spürte neues Leben in seinen Adern; doch das Herz war ihm schwer, und er blickte über die Wälle gen Osten. Und als sie kamen, sprach der Vorsteher seinen Namen, und er wandte sich um und sah Frau Éowyn von Rohan; und er wurde von Mitleid ergriffen, denn er sah, daß sie verwundet war, und sein scharfer Blick erkannte ihren Kummer und ihre Unrast.

»Herr«, sagte der Vorsteher, »hier ist Frau Éowyn von Rohan. Sie ritt mit dem König und wurde schwer verwundet und ist nun in meiner Obhut. Aber sie ist nicht zufrieden und wünscht mit dem Truchseß der Stadt zu sprechen.«

»Mißversteht ihn nicht, Herr«, sagte Éowyn. »Nicht mangelnde Pflege bekümmert mich. Keine Häuser könnten schöner sein für jene, die Heilung begehren. Aber ich kann nicht träge daliegen, untätig, eingesperrt.

Ich suchte den Tod in der Schlacht. Aber ich bin nicht gestorben, und die Schlacht geht weiter.«

Auf ein Zeichen von Faramir verbeugte sich der Vorsteher und zog sich zurück. »Was möchtet Ihr, daß ich tue, Herrin?« fragte Faramir. »Auch ich bin ein Gefangener der Heiler.« Er schaute sie an, und da er ein Mann war, den Jammer zutiefst rührte, schien es ihm, daß ihre Schönheit bei all ihrem Kummer ihm das Herz durchbohrte. Und sie blickte ihn an und sah die ernste Weichheit in seinem Blick und wußte dennoch, denn sie war unter Kriegern aufgewachsen, daß hier einer war, den kein Reiter der Mark in der Schlacht übertreffen würde.

»Was wünscht Ihr?« fragte er noch einmal. »Wenn es in meiner Macht liegt, will ich es tun.«

»Ich wollte, Ihr würdet diesem Vorsteher befehlen, mich gehen zu lassen«, sagte sie. Aber obwohl ihre Worte noch stolz klangen, wurde ihr Herz unsicher, und zum ersten Mal zweifelte sie an sich selbst. Sie glaubte, dieser kühne Mann, der streng und zugleich gütig war, könne sie für launisch halten, wie ein Kind, das nicht beharrlich genug ist, um eine langweilige Aufgabe zu Ende zu führen.

»Ich selbst bin in der Obhut des Vorstehers«, antwortete Faramir. »Auch habe ich mein Amt in der Stadt noch nicht übernommen. Doch hätte ich es getan, so würde ich immer noch auf seinen Rat hören und mich in Fragen seiner Heilkunst seinem Wunsch nicht widersetzen, es sei denn in einer Notlage.«

»Aber ich möchte nicht geheilt werden«, sagte sie. »Ich will in den Krieg reiten wie mein Bruder Éomer, oder besser wie König Théoden, denn er starb und hat nun Ehre und Frieden.«

»Es ist zu spät, Herrin, den Heerführern zu folgen, selbst wenn Ihr die Kraft hättet«, sagte Faramir. »Doch der Tod in der Schlacht mag uns alle noch ereilen, ob wir wollen oder nicht. Ihr werdet besser darauf vorbereitet sein, ihm auf Eure Weise ins Angesicht zu sehen, wenn Ihr tut, was die Heiler befahlen, solange noch Zeit ist. Ihr und ich, wir müssen die Stunden des Wartens in Geduld ertragen.«

Sie antwortete nicht, aber als er sie anschaute, schien ihm, daß etwas in ihr weich wurde, als ob ein bitterer Frost von der ersten schwachen Vorahnung des Frühlings zurückwich. Eine Träne trat in ihr Auge und rann ihr über die Wange wie ein schimmernder Regentropfen. Ihr stolzer Kopf senkte sich ein wenig. Dann leise, als ob sie mehr zu sich als zu ihm spräche: »Aber die Heiler wollen, daß ich noch sieben Tage im Bett liege«, sagte sie. »Und mein Fenster geht nicht nach Osten.« Ihre Stimme war jetzt die eines jungen und traurigen Mädchens.

Faramir lächelte, obwohl sein Herz von Mitleid erfüllt war. »Euer Fenster geht nicht nach Osten?« sagte er. »Das kann geändert werden. Darüber werde ich dem Vorsteher einen Befehl erteilen. Wenn Ihr in diesem Haus bleibt in unserer Pflege, Herrin, und Euch ausruht, dann sollt Ihr in diesem Garten in der Sonne spazierengehen, wenn Ihr mögt; und Ihr sollt nach Osten schauen, wohin all Eure Hoffnungen gegangen sind. Und hier werdet Ihr mich finden, und ich werde auch spazierengehen und warten und nach Osten schauen. Es würde meine Sorgen erleichtern, wenn Ihr mit mir reden oder zuweilen mit mir spazierengehen wolltet.«

Da hob sie den Kopf und blickte ihm wieder in die Augen; und ihr bleiches Gesicht rötete sich. »Wie könnte ich Eure Sorgen erleichtern, Herr?« fragte sie. »Und ich begehre kein Gespräch mit lebenden Menschen.«

»Möchtet Ihr eine offene Antwort von mir haben?« fragte er.

»Ja, das möchte ich.«

»Dann, Éowyn von Rohan, sage ich Euch, daß Ihr schön seid. In den Tälern unserer Berge gibt es schöne und leuchtende Blumen und noch schönere Maiden; doch weder Blume noch Maid habe ich bis jetzt in Gondor gesehen, die so lieblich und so traurig war. Es mag sein, daß nur noch wenige Tage bleiben, bis sich die Dunkelheit auf unsere Welt senkt, und wenn sie kommt, hoffe ich ihr standhaft ins Auge zu sehen; doch würde es mein Herz erleichtern, wenn ich Euch sehen könnte, solange die Sonne scheint. Denn Ihr und ich, wir beide sind unter die Schwingen des Schattens geraten und dieselbe Hand zog uns zurück.«

»Ach, mich nicht, Herr«, sagte sie. »Auf mir liegt der Schatten noch. Erwartet nicht Heilung von mir! Ich bin eine Schildmaid, und meine Hand ist unsanft. Doch danke ich Euch zumindest dafür, daß ich nicht in meiner Kammer zu bleiben brauche. Ich werde draußen spazierengehen dank der Güte des Truchsessen der Stadt.« Und sie verneigte sich vor ihm und ging zurück zum Haus. Aber lange Zeit erging sich Faramir noch allein im Garten, und sein Blick wanderte jetzt eher zum Haus als zu den östlichen Wällen.

Als er in seine Kammer zurückkam, rief er nach dem Vorsteher und hörte sich alles an, was er ihm von der Herrin von Rohan berichten konnte.

»Doch ich zweifle nicht, Herr«, sagte der Vorsteher, »daß Ihr von dem Halbling mehr erfahren würdet, der bei uns ist; denn er ritt mit dem König und war bis zuletzt bei der Herrin, heißt es.«

Und so wurde Merry zu Faramir geschickt, und solange der Tag währte, sprachen sie miteinander, und Faramir erfuhr viel, sogar mehr, als Merry in Worten ausdrückte; und er glaubte, daß er jetzt einiges von dem Kummer und der Unrast von Éowyn von Rohan verstand. Und an dem schönen Abend gingen Faramir und Merry im Garten spazieren, aber sie kam nicht.

Doch am Morgen, als Faramir aus dem Haus trat, sah er sie auf den Wällen stehen; und sie war ganz in Weiß gekleidet und schimmerte in der Sonne. Und er rief sie, und sie kam herab, und sie gingen über das Gras oder saßen zusammen unter einem grünen Baum, bald schweigend, bald im Gespräch. Und jeden Tag danach machten sie es genauso. Und der Vorsteher, der sie vom Fenster aus sah, war froh in seinem Herzen, denn er war ein Heiler, und seine Sorge war erleichtert; und so schwer die Angst und die Vorahnung jener Tage auf den Herzen der Menschen lastete, so gewiß war es, daß diese beiden unter seinen Pflegebefohlenen gesundeten und täglich kräftiger wurden.

Und so kam der fünfte Tag, seit Frau Éowyn zum erstenmal zu Faramir gegangen war; und jetzt standen sie wieder einmal auf den Wällen der Stadt und schauten hinaus. Keine Nachricht war gekommen, und alle Herzen waren verdüstert. Auch das Wetter war nicht länger schön. Es war kalt. Ein Wind war in der Nacht aufgekommen und wehte heftig von Norden, und er nahm noch zu; die Lande sahen grau und trostlos aus.

Sie waren warm angezogen und hatten dicke Mäntel an, und darüber trug Frau Éowyn einen Umhang in der Farbe einer tiefen Sommernacht, und am Saum und um den Hals war er mit silbernen Sternen besetzt. Faramir hatte nach diesem Gewand geschickt und sie darin eingehüllt; und er fand, daß sie wahrlich schön und königlich aussah, wie sie da an seiner Seite stand. Der Umhang war für seine Mutter gearbeitet worden, Finduilas von Amroth, die frühzeitig gestorben und für ihn nur eine Erinnerung war an Lieblichkeit in fernen Tagen und an seinen ersten Kummer; und ihr Gewand erschien ihm als eine Kleidung, die Éowyns Schönheit und Traurigkeit angemessen war.

Doch sie erschauerte jetzt unter dem gestirnten Umhang, und sie blickte nach Norden, über die grauen diesseitigen Lande in das Auge des kalten Windes, wo in weiter Ferner der Himmel hart und klar war.

»Wonach schaut Ihr, Éowyn?« fragte Faramir.

»Liegt nicht das Schwarze Tor dort drüben?« sagte sie. »Und muß er dort nicht hinkommen? Es sind sieben Tage, seit er von dannen ritt.«

»Sieben Tage«, sagte Faramir. »Aber denkt nicht schlecht von mir, wenn ich zu Euch sage: sie haben mir sowohl eine Freude als auch eine Qual gebracht, die ich niemals zu erleben geglaubt hatte. Freude, Euch zu sehen; aber Qual, weil jetzt die Angst und der Zweifel dieser bösen Zeit wahrlich düster geworden sind. Éowyn, ich möchte nicht haben, daß diese Welt jetzt endet oder ich so bald verliere, was ich gefunden habe.«

»Verlieren, was Ihr gefunden habt, Herr?« antwortete sie; aber sie sah ihn ernst an, und ihre Augen waren gütig. »Ich weiß nicht, was Ihr in diesen Tagen gefunden habt, das Ihr verlieren könntet. Doch kommt, mein Freund, laßt uns nicht davon sprechen. Laßt uns überhaupt nicht sprechen! Ich stehe an irgendeinem entsetzlichen Rand, und in dem Abgrund vor meinen Füßen ist es völlig dunkel, aber ob hinter mir Licht ist, kann ich nicht sagen. Denn ich kann mich noch nicht umwenden. Ich warte auf irgendeinen Schicksalsschlag.«

»Ja, wir warten auf den Schicksalsschlag«, sagte Faramir. Und sie sprachen nicht mehr; und es schien ihnen, als sie auf dem Wall standen, daß der Wind sich legte und das Licht schwächer und die Sonne trübe wurde und alle Geräusche in der Stadt und in den Landen erstarben: weder Wind noch Stimme, weder Vogelruf noch Blätterrauschen waren zu hören; selbst das Schlagen ihrer Herzen hörte auf. Die Zeit stand still.

Und als sie so dastanden, berührten sich ihre Hände und umschlossen einander, ohne daß sie es wußten. Und immer noch warteten sie und wußten nicht, worauf. Dann plötzlich schien es ihnen, daß über den Graten des fernen Gebirges noch ein dunkles Gebirge aufstieg und sich auftürmte wie eine Woge, die die Welt überfluten wollte, und darüber flakkerten Blitze; und dann lief ein Beben durch die Erde, und sie spürten, wie die Wälle der Stadt erzitterten. Ein Geräusch wie ein Seufzer stieg ringsum von allen Landen auf; und ihre Herzen schlugen plötzlich wieder.

»Es erinnert mich an Númenor«, sagte Faramir und wunderte sich selbst, als er sich sprechen hörte.

»An Númenor?« fragte Éowyn.

»Ja«, sagte Faramir, »an das Land Westernis, das unterging, und an die große dunkle Woge, die über die grünen Lande stieg und über die Berge und weiterzog, unentrinnbare Dunkelheit. Ich träume oft davon.«

»Dann glaubt Ihr, daß die Dunkelheit kommt?« fragte Éowyn. »Unentrinnbare Dunkelheit?« Und plötzlich schmiegte sie sich an ihn.

»Nein«, sagte Faramir und sah ihr ins Gesicht. »Es war nur ein Bild im Geist. Ich weiß nicht, was sich ereignet. Die Vernunft meines wachen Sinns sagt mir, daß großes Unheil geschehen ist und wir am Ende der Tage stehen. Aber mein Herz sagt nein; und alle meine Glieder sind unbeschwert, und eine Hoffnung und Freude erfüllen mich, die keine Vernunft widerlegen kann. Éowyn, Éowyn, Weiße Herrin von Rohan, in dieser Stunde glaube ich nicht, daß irgendeine Dunkelheit andauern wird.« Und er beugte sich herab und küßte sie auf die Stirn.

Und so standen sie auf den Wällen der Stadt von Gondor, und ein starker Wind erhob sich und wehte, und ihre Haare, rabenschwarz und golden, flatterten und vermengten sich in der Luft. Und der Schatten verschwand, und die Sonne wurde entschleiert und das Licht brach hervor; und das Wasser des Anduin schimmerte wie Silber, und in allen Häusern der Stadt sangen die Menschen vor Freude, und aus welcher Quelle sie sich in ihre Herzen ergoß, konnten sie nicht sagen.

Und ehe die Sonne den Mittagspunkt weit überschritten hatte, kam aus dem Osten ein großer Adler geflogen, und er brachte Nachrichten von den Herren des Westens, die alle Hoffnungen überstiegen und er rief:

Singe nun, Volk des Turmes von Anor,
Zu Ende für immer ist Saurons Herrschaft,
Darnieder liegt der Dunkle Turm.

Sing und frohlocke, du Volk vom Turme der Wacht,
Nicht vergeblich habt ihr gewacht!
Das Schwarze Tor ist zerbrochen,
Euer König hat es durchschritten,
Er ist siegreich.

Singet und freut euch, ihr Kinder des Westens,
Euch kehrt der König zurück,
Unter euch wird er weilen
Zeit eures Lebens!

Der Baum, der verdorrte, wird wieder neu,
An hohem Ort wird pflanzen ihn der König,
Segen wird ruhen auf der Stadt.

Und das Volk sang in allen Straßen der Stadt.

Die Tage, die folgten, waren golden, und Frühling und Sommer vereinten sich und ergötzten sich auf den Feldern von Gondor. Und jetzt brachten schnelle Reiter von Cair Andros Nachrichten über alles, was geschehen war, und die Stadt machte sich bereit für die Ankunft des Königs. Merry wurde zum König gerufen, und er fuhr mit den Wagen, die Vorräte nach Osgiliath brachten, und von dort zu Schiff nach Cair Andros; aber Faramir ging nicht, denn nun, da er geheilt war, hatte er sein Amt als Truchseß übernommen, wenngleich nur für kurze Zeit, und seine Aufgabe war es, alles vorzubereiten für einen, der ihn ersetzen sollte.

Und Éowyn ging nicht, obwohl ihr Bruder Botschaft geschickt und sie gebeten hatte, zum Feld von Cormallen zu kommen. Und Faramir wunderte sich darüber, aber er sah sie selten, da er mit vielerlei Dingen beschäftigt war; und sie wohnte noch in den Häusern der Heilung und ging allein im Garten spazieren, und ihr Gesicht wurde wieder bleich, und es schien, daß in der ganzen Stadt sie allein leidend und kummervoll war. Und der Vorsteher der Häuser war besorgt und sprach mit Faramir.

Da kam Faramir und suchte sie, und wiederum standen sie zusammen auf den Wällen; und er sagte zu ihr: »Éowyn, warum verweilt Ihr hier und geht nicht zu dem Freudenfest in Cormallen jenseits von Cair Andros, wo Euer Bruder Euch erwartet?«

Und sie sagte: »Wißt Ihr das nicht?«

Aber er antwortete: »Zwei Gründe mag es geben, aber welcher der richtige ist, weiß ich nicht.«

Und sie sagte: »Ich will keine Rätsel raten. Sprecht deutlicher.«

»Wenn Ihr es wünscht, Herrin«, sagte er. »Ihr geht nicht, weil nur Euer Bruder Euch rief, und es Euch jetzt keine Freude bereiten würde, Herrn Aragorn, Elendils Erben, in seiner Siegerehre zu sehen. Oder weil ich nicht gehe und Ihr mir noch nahe sein wollt. Und vielleicht aus beiden Gründen, und Ihr selbst vermögt Euch nicht zu entscheiden. Éowyn, liebt Ihr mich nicht oder werdet Ihr mich nicht lieben?«

»Ich wünschte, von einem anderen geliebt zu werden« , antwortete sie, »und ich will keines Mannes Mitleid.«

»Das weiß ich«, sagte er. »Ihr wünschtet von Herrn Aragorn geliebt zu werden. Weil er edel und mächtig ist und Ihr nach Ruhm und Glanz trachtetet und über die gemeinen Wesen, die auf der Erde kriechen, weit erhaben sein wolltet. Und wie ein großer Hauptmann einem jungen Krieger, so erschien er Euch bewundernswert. Und das ist er auch, ein Herr unter den Menschen, der größte, den es jetzt gibt. Aber als er nur Verständnis und Mitleid für Euch hatte, da wolltet Ihr lieber gar nichts haben, es sei denn einen tapferen Tod in der Schlacht. Schaut mich an, Éowyn!«

Und Éowyn sah Faramir lange und unverwandt an; und Faramir sagte: »Verachtet Mitleid nicht, das die Gabe eines gütigen Herzens ist, Éowyn! Aber ich biete Euch nicht mein Mitleid an. Denn Ihr seid eine edle Frau und eine tapfere Frau und habt Ruhm errungen, der nicht vergessen werden soll; und Ihr seid eine so schöne Frau, finde ich, daß selbst Worte in der Elbensprache es nicht auszudrücken vermögen. Und ich liebe Euch.

Einstmals hatte ich Mitleid mit Eurem Kummer. Doch jetzt, wäret Ihr auch sorgenlos und ohne Furcht und würde es Euch an nichts mangeln, wäret Ihr die glückliche Königin von Gondor, ich würde Euch dennoch lieben. Éowyn, liebt Ihr mich nicht?«

Da wandelte sich Éowyns Herz, oder sie verstand es endlich. Und plötzlich verging ihr Winter, und die Sonne beschien sie.

»Ich stehe in Minas Anor, auf dem Turm der Sonne«, sagte sie, »und siehe! Der Schatten ist dahingegangen! Ich will nicht länger eine Schildmaid sein oder mit den großen Reitern wetteifern und mich nicht nur an den Gesängen des Mordens erfreuen. Ich will ein Heiler sein und alles lieben, was wächst und nicht unfruchtbar ist.« Und wieder schaute sie Faramir an. »Nicht länger wünsche ich eine Königin zu sein«, sagte sie.

Da lachte Faramir fröhlich. »Das ist gut«, sagte er, »denn ich bin kein König. Dennoch will ich die Weiße Herrin von Rohan ehelichen, wenn es ihr Wille ist. Und wenn sie will, dann laßt uns den Fluß überqueren und in glücklicheren Tagen im schönen Ithilien wohnen und dort einen Garten anlegen. Alles wird da voll Freude wachsen, wenn die Weiße Herrin kommt.«

»Dann muß ich mein eigenes Volk verlassen, Mann von Gondor?« fragte sie. »Und möchtet Ihr, daß Euer stolzes Volk von Euch sagt: ›Da geht ein Ritter, der eine wilde Schildmaid aus dem Norden zähmte! Gab es keine Frau aus dem Geschlecht von Númenor, die er erkiesen konnte?‹ «

»Das möchte ich«, sagte Faramir. Und er nahm sie in die Arme und küßte sie unter dem sonnigen Himmel, und es kümmerte ihn nicht, daß sie hoch oben auf den Wällen standen und für viele sichtbar waren. Und tatsächlich sahen viele sie und das Licht, das um sie schien, als sie Hand in Hand von den Wällen herab zu den Häusern der Heilung gingen.

Und zu dem Vorsteher der Häuser sagte Faramir: »Hier ist Frau Éowyn von Rohan, und jetzt ist sie geheilt.«

Und der Vorsteher sagte: »Dann entlasse ich sie aus meiner Obhut und sage ihr Lebewohl, und möge sie nie wieder Verletzungen oder Krankheiten erleiden. Ich übergebe sie der Obhut des Truchsessen der Stadt, bis ihr Bruder zurückkehrt.«

Aber Éowyn sagte: »Nun, da ich Erlaubnis habe zu gehen, möchte ich bleiben. Denn dieses Haus ist für mich von allen Behausungen die glücklichste geworden.« Und sie blieb dort, bis König Éomer kam.

Alles wurde nun in der Stadt bereitgemacht; und es strömte viel Volk zusammen, denn die Nachricht hatte sich in allen Teilen Gondors verbreitet, von Min-Rimmon bis nach Pinnath Gelin und zu den fernen Meeresküsten, und alle, die in die Stadt kommen konnten, eilten sich, zu kommen. Und die Stadt war wieder voll von Frauen und schönen Kindern, die, mit Blumen beladen, in ihre Heime zurückgekehrt waren; und aus Dol Amroth kamen die Harfner, die im ganzen Land am kunstvollsten harften; und es waren Leute da, die Fiedel spielten und auf Flöten und silbernen Hörnern bliesen, und Sänger aus den Tälern des Lebennin.

Schließlich kam ein Abend, da konnte man von den Wällen die Zelte auf dem Felde sehen, und die ganze Nacht brannten Lichter, denn die Männer warteten auf die Morgendämmerung. Und als die Sonne an dem klaren Morgen über dem Gebirge im Osten aufging, auf dem kein Schatten mehr lag, da läuteten alle Glocken, alle Banner entrollten sich und flatterten im Wind; auf dem Weißen Turm der Veste wurde die Standarte der Truchsessen, silbern wie Schnee in der Sonne, die kein Wappen und keinen Wahlspruch trug, zum letzten Mal über Gondor aufgezogen.

Nun führten die Heerführer des Westens ihre Heere zur Stadt, und das Volk sah sie herankommen, Reihe um Reihe, blitzend und schimmernd im Sonnenaufgang und wie silberne Wellen wogend. Und so kamen sie zum Torweg und hielten eine Achtelmeile vor den Mauern an. Bis jetzt waren noch nicht wieder Tore eingesetzt, sondern nur ein Schlagbaum über den Eingang zur Stadt gelegt worden, und dort standen Krieger in Silber und Schwarz mit gezogenen Langschwertern. Vor dem Schlagbaum standen Faramir, der Truchseß, und Húrin, der Verwahrer der Schlüssel, und die anderen Hauptleute von Gondor und Frau Éowyn von Rohan mit Elfhelm dem Marschall und vielen Rittern der Mark; und auf beiden Seiten des Tors stand eine dichte Menge schönen Volkes in vielfarbigen Gewändern und mit Blumengewinden.

So war nun ein großer Platz vor den Mauern von Minas Tirith freigeblieben, und auf allen Seiten war er gesäumt von den Rittern und Kriegern von Gondor und Rohan und von dem Volk der Stadt und aus allen Teilen des Landes. Stille senkte sich auf alle, als aus dem Heer die Dúnedain in Silber und Grau vortraten; und vor ihnen ging mit langsamen Schritten Herr Aragorn. Er trug einen schwarzen Panzer, mit Silber gegürtet, und einen langen Umhang aus reinem Weiß, und am Hals wurde er von einem großen grünen Edelstein zusammengehalten, der von weither leuchtete; doch sein Kopf war unbedeckt bis auf einen Stern auf seiner Stirn an einem schmalen Silberreif. Mit ihm kamen Éomer von Rohan und der Fürst Imrahil und Gandalf, ganz in Weiß gekleidet, und vier kleine Gestalten, über die viele Menschen staunten.

»Nein, Base, das sind keine Knaben«, sagte Ioreth zu ihrer Verwandten aus Imloth Melui, die neben ihr stand. »Es sind Periannath aus dem fernen Land der Halblinge, wo sie Fürsten von großem Ruhm sind, wie es heißt. Ich sollte es wissen, denn ich hatte einen in den Häusern zu pflegen. Sie sind klein, aber sehr tapfer. Ja, Base, einer von ihnen ging mit nur seinem Knappen in das Schwarze Land und kämpfte ganz allein mit dem Dunklen Herrscher und steckte seinen Turm in Brand, wenn du dir das vorstellen kannst. Wenigstens wird das in der Stadt erzählt. Das wird der sein, der neben unserem Elbenstein geht. Sie sind gute Freunde, wie ich höre. Nun, er ist wirklich wunderbar, der Herr Elbenstein: nicht sehr sanft in seiner Ausdrucksweise, weißt du, aber er hat ein goldenes Herz, wie man so sagt; und er hat die heilenden Hände. ›Die Hände des Königs sind die Hände eines Heilers‹, sagte ich; und so ist alles entdeckt worden. Und Mithrandir sagte zu mir: ›Ioreth, lange werden sich die Menschen Eurer Worte erinnern‹, und ...«

Aber Ioreth konnte in der Unterrichtung ihrer Verwandten vom Lande nicht fortfahren, denn eine einzige Trompete erschallte, und eine Totenstille trat ein. Dann schritt Faramir mit Húrin von den Schlüsseln, aber sonst keinem, voran, nur hinter ihnen gingen vier Mannen mit den hohen Helmen und der Rüstung der Veste, und sie trugen eine kleine Truhe aus schwarzem *lebethron,* mit Silber beschlagen.

Faramir traf Aragorn in der Mitte derjenigen, die versammelt waren, und er kniete nieder und sagte: »Der letzte Truchseß von Gondor bittet um Erlaubnis, sein Amt zu übergeben.« Und er hielt einen weißen Stab hoch; aber Aragorn nahm den Stab und gab ihn ihm zurück und sagte: »Das Amt ist nicht beendet, und es soll deines und deiner Erben sein, solange mein Haus besteht. Walte nun deines Amtes!«

Da stand Faramir auf und sprach mit heller Stimme: »Menschen von Gondor, hört jetzt den Truchseß dieses Reiches! Sehet! einer ist gekommen und erhebt wieder Anspruch auf die Königswürde. Hier ist Aragorn, Arathorns Sohn, Stammeshaupt der Dúnedain von Arnor, Heerführer des Westens, Träger des Sterns des Nordens und des neu geschmiedeten Schwerts, siegreich in der Schlacht, dessen Hände Heilung bringen, der Elbenstein, Elessar aus dem Hause Valandils, Isildurs Sohn, Elendils Sohn von Númenor. Soll er König sein und die Stadt betreten und hier wohnen?«

Und das ganze Heer und alles Volk rief einstimmig *Ja.*

Und Ioreth sagte zu ihrer Verwandten: »Das ist nur eine Feierlichkeit, wie wir sie in der Stadt haben, Base. Denn er hat die Stadt schon betreten, wie ich dir erzählte; und er sagte zu mir ...« Und dann mußte sie von neuem still sein, denn Faramir sprach wieder.

»Menschen von Gondor, die Gelehrten sagen, seit alters her sei es Sitte gewesen, daß der König die Krone von seinem Vater erhielt, ehe er starb; oder wenn das nicht sein kann, sollte er allein gehen und sie aus den Händen seines Vaters nehmen in der Gruft, wo er lag. Aber da es nun anders geschehen muß, habe ich kraft meiner Befugnis als Truchseß heute von Rath Dínen die Krone von Eärnur, dem letzten König, hierher gebracht, dessen Tage in der Zeit unserer Vorväter von einst endeten.«

Dann traten die Wachen vor, und Faramir öffnete die Truhe und hielt eine altertümliche Krone hoch. Sie war geformt wie die Helme der Wache der Veste, nur war sie höher und ganz weiß, und die Flügel zu beiden Seiten waren aus Perlen und Silber gearbeitet und sahen aus wie Schwingen eines Seevogels, denn die Krone war das Wahrzeichen der Könige, die über das Meer gekommen waren; und sieben Edelsteine aus Adamant waren in den Stirnreif gefaßt, und auf dem Scheitel saß ein einziger Edelstein, der wie eine Flamme loderte.

Dann nahm Aragorn die Krone und hielt sie hoch und sagte:

Et Eärello Endorenna utúlien. Sinome maruvan ar Hildinyar tenn' Ambar-metta!

Und das waren die Worte, die Elendil gesprochen hatte, als er auf den Flügeln des Windes aus dem Meer heraufkam: »Aus dem Großen Meer bin ich nach Mittelerde gekommen. An diesem Ort will ich bleiben und meine Erben bis zum Ende der Welt.«

Zur Verwunderung von vielen setzte sich Aragorn die Krone dann nicht aufs Haupt, sondern gab sie Faramir zurück und sagte: »Durch die Mühen und die Tapferkeit vieler bin ich zu meinem Erbe gekommen. Als ein Zeichen dafür möchte ich, daß mir der Ringträger die Krone bringt und Mithrandir sie mir aufs Haupt setzt, wenn er will. Denn er ist die Triebkraft bei allem gewesen, was erreicht wurde, und dies ist sein Sieg.«

Dann trat Frodo vor und nahm von Faramir die Krone und brachte sie Gandalf; und Aragorn kniete nieder, und Gandalf setzte ihm die Weiße Krone aufs Haupt und sagte:

»Nun kommen die Tage des Königs und mögen sie glückselig sein, solange die Throne der Valar bestehen!«

Doch als Aragorn aufstand, starrten ihn alle, die ihn sahen, stumm an, denn es schien ihnen, daß sie ihn jetzt zum ersten Mal erblickten. Groß wie die See-Könige von einst, überragte er alle, die um ihn standen. Hochbetagt erschien er, und doch in der Blüte der Manneskraft; und Weisheit lag auf seiner Stirn, und Kraft und Heilung waren in seinen Händen, und ein Licht war um ihn. Und dann rief Faramir:

»Sehet den König!«

Und in diesem Augenblick wurden alle Trompeten geblasen, und König Elessar schritt voran und kam zu dem Schlagbaum, und Húrin von den Schlüsseln stieß ihn auf; und begleitet von der Musik von Harfen und Fiedeln und Flöten und vom Gesang heller Stimmen schritt der König durch die blumengeschmückten Straßen und kam zur Veste und betrat sie; und das Banner des Baums und der Sterne wurde am höchsten Turm aufgezogen, und die Herrschaft von König Elessar begann, von der viele Lieder berichtet haben.

In seiner Zeit wurde die Stadt schöner gemacht, als sie je gewesen war, selbst in den Tagen ihrer ersten Blüte; und sie erhielt eine Fülle von Bäumen und Springbrunnen, und ihre Tore wurden aus Mithril und Stahl geschmiedet und die Straßen mit weißem Marmor gepflastert; und das Volk des Berges arbeitete hier, und das Volk des Waldes freute sich herzukommen; und alles wurde heil und gut gemacht, und die Häuser wurden mit Männern und Frauen und dem Lachen von Kindern gefüllt, und kein Fenster war öde und kein Hof verlassen; und nach dem Ende des Dritten Zeitalters der Welt bewahrte die Stadt bis in das neue Zeitalter hinein die Erinnerung und den Glanz der Jahre, die vergangen waren.

In den Tagen nach seiner Krönung saß der König auf seinem Thron in der Halle der Könige und sprach Recht. Und Gesandtschaften kamen aus vielen Landen und aus vielen Völkern, aus dem Osten und dem Süden und von den Grenzen des Düsterwald, und aus Dunland im Westen. Und der König verzieh den Ostlingen, die sich ergeben hatten, und entließ sie als Freie; und er schloß Frieden mit den Völkern von Harad; und die Sklaven von Mordor ließ er frei und alle Lande ums Núrnen-Meer gab er ihnen zu eigen. Und viele wurden zu ihm gebracht, um Lob und Belohnung für ihre Tapferkeit zu erhalten; und zuletzt brachte der Hauptmann der Wache Beregond zu ihm, damit das Urteil über ihn gesprochen werde.

Und der König sagte zu Beregond: »Beregond, durch dein Schwert wurde Blut vergossen an den Weihestätten, was verboten ist. Auch hast du ohne Erlaubnis des Herrn oder Hauptmanns deinen Posten verlassen. Einstmals wurden solche Vergehen mit dem Tode bestraft. Daher muß ich nun dein Urteil sprechen.

Jede Bestrafung entfällt in Anbetracht deiner Tapferkeit in der Schlacht und vor allem, weil alles, was du getan hast, aus Liebe zu Herrn Faramir geschah. Dennoch mußt du aus der Wache der Veste ausscheiden und die Stadt Minas Tirith verlassen.«

Da wich alles Blut aus Beregonds Gesicht, und er war ins Herz getroffen und senkte den Kopf. Doch der König sagte:

»So muß es sein, denn du bist der Weißen Schar zugeteilt, der Wache von Faramir, des Fürsten von Ithilien, und du sollst ihr Hauptmann sein und in Ehren und Frieden in Emyn Arnen wohnen und im Dienste dessen stehen, für den du alles gewagt hast, um ihn vor dem Tode zu retten.«

Und da erkannte Beregond die Gnade und Gerechtigkeit des Königs und war froh, und er kniete nieder und küßte seine Hand und ging freudig und zufrieden von dannen. Und Aragorn gab Faramir Ithilien als sein Fürstentum und bat ihn, in den Bergen des Emyn Arnen in Sichtweite der Stadt zu wohnen.

»Denn«, sagte er, »Minas Ithil im Morgultal soll völlig zerstört werden, und wenn es auch in späterer Zeit gesäubert werden mag, so kann doch auf viele lange Jahre kein Mensch dort wohnen.«

Und als letzten von allen empfing Aragorn Éomer von Rohan, und sie umarmten sich, und Aragorn sagte: »Zwischen uns kann nicht die Rede sein von Geben oder Nehmen, und auch nicht von Belohnung; denn wir sind Brüder. In einer guten Stunde ritt Eorl aus dem Norden, und niemals war ein Bündnis von Völkern glücklicher, so daß keiner den anderen je im Stich ließ und auch niemals im Stich lassen werden wird. Nun, wie Ihr wißt, haben wir Théoden den Ruhmreichen in eine Gruft in den Weihestätten gelegt, und dort soll er für immer unter den Königen von Gondor liegen, wenn Ihr es wollt. Oder wenn Ihr es wünscht, werden wir nach Rohan kommen und ihn zurückbringen, damit er bei seinem eigenen Volk ruhe.«

Und Éomer antwortete: »Seit dem Tage, da Ihr vor mir aus dem grünen Gras der Höhen aufgetaucht seid, habe ich Euch geliebt, und diese Liebe wird nicht nachlassen. Aber jetzt muß ich für eine Weile in mein eigenes Reich gehen, wo viel wiedergutzumachen und in Ordnung zu bringen ist. Doch was den Gefallenen betrifft, so werden wir, wenn alles vorbereitet ist, zurückkommen und ihn holen; doch laßt ihn hier eine Weile schlafen.«

Und Éowyn sagte zu Faramir: »Nun muß ich in mein eigenes Land zurückgehen und noch einmal einen Blick darauf werfen und meinem Bruder bei seiner Arbeit helfen, aber wenn einer, den ich lange wie einen Vater geliebt habe, zur letzten Ruhe gebettet ist, werde ich wiederkommen.«

So vergingen die frohen Tage; und am 8. Mai machten sich die Reiter von Rohan bereit und ritten fort über die Nordstraße, und mit ihnen gingen Elronds Söhne. Die ganze Stadt war gesäumt mit Menschen, um ihnen Ehre zu erweisen, und sie zu rühmen, vom Tor der Stadt bis zu den

Mauern des Pelennor. Dann kehrten alle, die weit weg wohnten, froh zurück zu ihren Heimen. Doch in der Stadt arbeiteten viele willige Hände, um sie wieder aufzubauen und zu neuem Leben zu erwecken und alle Narben des Krieges und die Erinnerung an die Dunkelheit zu beseitigen.

Die Hobbits blieben noch in Minas Tirith mit Legolas und Gimli; denn Aragorn war dagegen, daß sich die Gemeinschaft schon auflöste. »Einmal müssen alle derartigen Dinge enden«, sagte er, »aber ich hätte gern, daß ihr noch eine kleine Weile wartet: denn das Ende der Taten, an denen ihr beteiligt wart, ist noch nicht gekommen. Ein Tag nähert sich, auf den ich all die Jahre meines Mannesalters gewartet habe, und wenn er kommt, möchte ich meine Freunde an meiner Seite haben.« Aber mehr über den Tag wollte er nicht sagen.

In jenen Tagen wohnten die Gefährten des Rings zusammen mit Gandalf in einem schönen Haus, und sie gingen hierhin und dorthin, wie es ihnen beliebte. Und Frodo sagte zu Gandalf: »Weißt du, was für ein Tag das ist, von dem Aragorn spricht? Denn wir sind hier glücklich, und ich habe nicht den Wunsch, wegzugehen; aber die Zeit verrinnt, und Bilbo wartet; und das Auenland ist meine Heimat.«

»Was Bilbo betrifft«, sagte Gandalf, »so wartet er auf denselben Tag, und er weiß, was dich zurückhält. Und was das Vergehen der Zeit betrifft, so haben wir jetzt erst Mai, und es ist noch nicht Hochsommer; und obwohl alle Dinge verändert erscheinen mögen, als ob ein Zeitalter der Welt vergangen sei, so ist es für die Bäume und das Gras doch weniger als ein Jahr, seit du aufbrachst.«

»Pippin«, sagte Frodo, »hast du nicht gesagt, Gandalf sei weniger zugeknöpft als früher? Da war er wohl ermattet von seinen Plagen, glaube ich. Jetzt erholt er sich.«

Und Gandalf sagte: »Viele Leute möchten im vorhinein wissen, was auf den Tisch gebracht wird; aber diejenigen, die sich abgemüht haben, um das Festmahl zu bereiten, wahren ihr Geheimnis gern; denn Staunen macht die Lobesworte lauter. Und Aragorn selbst wartet auf ein Zeichen.«

Dann kam ein Tag, an dem Gandalf nicht zu finden war, und die Gefährten fragten sich, was vor sich gehe. Aber Gandalf verließ bei Nacht mit Aragorn die Stadt, und er brachte ihn auf den südlichen Fuß des Bergs Mindolluin; und dort fanden sie einen Pfad, der in längst vergangenen Zeiten angelegt worden war und den nur wenige jetzt zu betreten wagten; denn er führte hinauf auf den Berg zu einer hochgelegenen Weihestätte, wo nur die Könige hinzugehen pflegten. Und sie stiegen auf steilen Wegen empor, bis sie zu einem hochgelegenen Feld kamen unterhalb des Schnees, der die hohen Gipfel bedeckte, und von dem Feld aus sah man hinweg über den Felsen, der sich hinter der Stadt erhob. Und als sie dort standen, überblickten sie die Lande, denn der Morgen war gekommen; und sie sahen die Türme der Stadt tief unter ihnen wie weiße Pinsel, in Sonnenlicht getaucht, und das ganze Tal des Anduin war wie ein Garten, und das Schattengebirge war in goldenen Nebel gehüllt. Auf der einen Seite reichte die Sicht bis zu dem grauen Emyn Muil, und das Glitzern des Rauros war wie ein Stern, der fern funkelt; und auf der anderen Seite sahen sie den Fluß wie ein sich bis Pelargir erstreckendes Band, und dahinter war ein Schein am Saum des Himmels, der das Meer verriet.

Und Gandalf sagte: »Dies ist dein Reich und das Herz des größeren Reiches, das sein wird. Das Dritte Zeitalter der Welt ist zu Ende, das neue Zeitalter hat begonnen; und es ist deine Aufgabe, seinen Beginn zu ordnen, und das zu bewahren, was bewahrt werden kann. Denn obwohl vieles gerettet worden ist, muß nun vieles vergehen; und auch die Macht der Drei Ringe ist zu Ende. Und all die Lande, die du siehst, und jene, die ringsum liegen, werden Wohnstätten der Menschen sein. Denn es kommt die Zeit der Herrschaft der Menschen, und die Ältere Sippe wird dahinschwinden oder von dannen gehen.«

»Ich weiß das sehr wohl, lieber Freund«, sagte Aragorn. »Aber ich würde immer noch gern deinen Rat haben.«

»Nicht mehr lange jetzt«, sagte Gandalf. »Das Dritte Zeitalter war meine Zeit. Ich war Saurons Feind; und mein Werk ist vollbracht. Ich werde bald gehen. Die Bürde liegt nun auf dir und deiner Sippe.«

»Aber ich werde sterben«, sagte Aragorn. »Denn ich bin ein Sterblicher, und wenngleich ich, weil ich bin, was ich bin, und dem unvermischten Geschlecht des Westens entstamme, ein sehr viel längeres Leben haben werde als andere Menschen, so ist es dennoch nur eine kurze Spanne; und wenn jene, die jetzt im Schoß der Frauen sind, geboren und alt geworden sind, dann werde auch ich alt werden. Und wer soll Gondor dann beherrschen und jene, die diese Stadt als ihre Königin ansehen, wenn mir mein Wunsch nicht gewährt wird? Der Baum im Hof des Springbrunnens ist noch immer verdorrt und unfruchtbar. Wann werde ich ein Zeichen sehen, daß es jemals anders sein wird?«

»Wende dein Gesicht ab von der grünen Welt und schaue dorthin, wo alles öde und kalt zu sein scheint«, sagte Gandalf.

Da wandte Aragorn sich um, und hinter ihm war ein felsiger Hang, der sich herunterzog von den Säumen des Schnees; und als er schaute, bemerkte er, daß dort in der Ödnis eine einzige lebende Pflanze stand. Und er kletterte hinauf zu ihr und sah, daß genau am Rande des Schnees ein Baumschößling wuchs, der nicht mehr als drei Fuß hoch war. Schon hatte er junge Blätter getrieben, lang und wohlgeformt, dunkel oben und silbern unten, und auf seiner schlanken Krone trug er eine kleine Blütentraube, deren weiße Blütenblätter wie sonnenbeschienener Schnee schimmerten.

Da rief Aragorn: »Yé! utúvienyes! Ich habe ihn gefunden! Siehe! hier ist ein Reis des Ältesten der Bäume! Aber wie kommt es hierher? Denn es ist selbst noch keine sieben Jahre alt.«

Und Gandalf kam und schaute es an und sagte: »Fürwahr, das ist ein Schößling aus dem Stamm von Nimloth dem Schönen; und der war ein Sämling von Galathilion, und dieser wiederum die Frucht von Telperion, dem Vielnamigen, dem Ältesten der Bäume. Wer soll sagen, wie er gerade zur rechten Stunde hierher kommt? Aber dies ist eine alte Weihestätte, und ehe die Könige vergingen oder der Baum im Hof verdorrte, muß hier eine Frucht eingepflanzt worden sein. Denn es heißt, obwohl die Früchte des Baums selten zur Reife gelangen, mag dennoch das Leben viele Jahre lang schlafend in ihnen liegen, und niemand kann die Zeit voraussagen, da es erwacht. Denke daran. Denn wann immer eine Frucht reift, sollte sie eingepflanzt werden, damit der Stamm in der Welt nicht ausstirbt. Hier hat die Frucht auf dem Berg verborgen gelegen, ebenso wie das Geschlecht von Elendil in den Einöden des Nordens verborgen war. Dennoch ist der Stamm von Nimloth weit älter als Euer Geschlecht, König Elessar.«

Dann legte Aragorn seine Hand sanft an den Schößling, und siehe da! er schien nur locker in der Erde zu sitzen und ließ sich ohne Verletzung herausziehen; und Aragorn trug ihn zurück zur Veste. Dann wurde der verdorrte Baum ausgegraben, doch mit aller Ehrfurcht; und er wurde nicht verbrannt, sondern in der Stille von Rath Dínen zur Ruhe gelegt. Und Aragorn pflanzte im Hof bei dem Springbrunnen den neuen Baum, und schnell und freudig begann er zu wachsen, und als der Juni kam, war er mit Blüten überladen.

»Das Zeichen ist gegeben worden«, sagte Aragorn, »und der Tag ist nicht mehr fern.« Und er stellte Wächter auf die Mauern.

Es war der Tag vor der Sommersonnenwende, als Boten von Amon Dîn in die Stadt kamen und berichteten, schönes Volk reite aus dem Norden heran und nähere sich jetzt den Mauern des Pelennor. Und der König sagte: »Endlich sind sie gekommen. Laßt die ganze Stadt sich bereitmachen!«

Genau am Abend vor dem Mittjahrstag, als der Himmel blau war wie Saphire und weiße Sterne im Osten erschienen, aber der Westen noch golden war und die Luft kühl und duftend, kamen die Reiter den Nordweg herunter zu den Toren von Minas Tirith. Voran ritten Elrohir und Elladan mit einem silbernen Banner, und dann kamen Glorfindel und Erestor und alle Ritter von Bruchtal, und hinter ihnen kamen Frau Galadriel und Celeborn, der Herr von Lothlórien, auf weißen Rössern, und mit ihnen viel schönes Volk aus ihrem Land in grauen Mänteln und mit weißen Edelsteinen im Haar; und als letzter kam Herr Elrond, mächtig unter Elben und Menschen, und er trug das Szepter von Annúminas, und neben ihm auf einem grauen Zelter ritt Arwen, seine Tochter, Abendstern ihres Volkes.

Und als Frodo sie kommen sah, schimmernd im Abend, mit Sternen auf der Stirn und von einem süßen Duft umgeben, da wurde er von großem Staunen ergriffen, und er sagte zu Gandalf: »Endlich verstehe ich, warum wir gewartet haben. Das ist das Ende. Nun wird nicht nur der Tag geliebt werden, sondern auch die Nacht wird schön und gesegnet sein, und all ihre Ängste vergehen!«

Dann begrüßte der König seine Gäste, und sie saßen ab; und Elrond übergab das Szepter und legte die Hand seiner Tochter in die Hand des Königs, und zusammen gingen sie hinauf in die Hohe Stadt, und alle Sterne blühten am Himmel. Und Aragorn, der König Elessar, ehelichte Arwen Undómiel in der Stadt der Könige am Mittjahrstag, und die Zahl der Jahre ihres langen Wartens und ihrer Mühen war erfüllt.

SECHSTES KAPITEL

VIELE ABSCHIEDE

Als die Freudentage vorüber waren, dachten die Gefährten schließlich daran, in ihre Heimat zurückzukehren. Und Frodo ging zum König, der mit Königin Arwen am Springbrunnen saß, und sie sang ein Lied von Valinor, während der Baum wuchs und blühte. Sie hießen Frodo willkommen und standen auf, um ihn zu begrüßen, und Aragorn sagte:

»Ich weiß, weshalb du gekommen bist, Frodo: du möchtest in deine Heimat zurückkehren. Nun, liebster Freund, der Baum wächst am besten im Boden seiner Vorväter; aber in allen Landen des Westens wirst du immer willkommen sein. Und obwohl über dein Volk in den Sagen der Großen wenig Ruhmreiches berichtet wurde, wird es jetzt mehr Ansehen genießen als viele große Reiche, die nicht mehr sind.«

»Es stimmt, daß ich wieder in das Auenland gehen möchte«, sagte Frodo, »aber zuerst muß ich nach Bruchtal. Denn wenn in einer so glückseligen Zeit etwas hätte fehlen können, so vermißte ich Bilbo; und ich war betrübt, als ich sah, daß er nicht mit Elronds Gefolge gekommen war.«

»Wundert dich das, Ringträger?« sagte Arwen. »Denn du kennst die Macht des Dinges, das jetzt zerstört ist; und alles, was durch diese Macht geschaffen wurde, vergeht nun. Doch dein Verwandter besaß dieses Ding länger als du. Er ist jetzt alt an Jahren nach den Maßstäben seines Geschlechts, und er wird keine Fahrt mehr unternehmen außer einer.«

»Dann bitte ich um die Erlaubnis, bald zu gehen«, sagte Frodo.

»In sieben Tagen werden wir aufbrechen«, sagte Aragorn. »Denn wir werden ein weites Stück mit euch reiten, bis in das Land Rohan. In drei Tagen wird Éomer hierher kommen, um Théoden heimzuholen, auf daß er in der Mark ruhe, und wir werden mit ihm reiten, um den Gefallenen zu ehren. Doch jetzt, ehe du gehst, will ich die Worte bestätigen, die Faramir zu dir sprach, daß du auf immer das Recht hast, dich im Reich Gondor frei zu bewegen, und deine Gefährten gleichermaßen. Und wenn es irgendwelche Geschenke gäbe, die ich dir machen könnte und die deiner Taten würdig sind, dann solltest du sie haben; doch was immer du wünschst, sollst du mit dir nehmen, und ihr sollt mit allen Ehren reiten und gekleidet sein wie Fürsten dieses Landes.«

Doch Königin Arwen sagte: »Ein Geschenk will ich dir machen. Denn ich bin die Tochter von Elrond. Ich werde nicht mit ihm gehen, wenn er zu den Anfurten aufbricht; denn ich habe die Entscheidung von Lúthien getroffen, und wie sie habe ich das Süße und das Bittere gewählt. Doch an meiner Statt sollst du gehen, Ringträger, wenn die Zeit gekommen ist und du es dann wünschst. Wenn deine Verletzungen dich noch schmerzen und die Erinnerung an deine Bürde schwer ist, dann darfst du in den Westen gehen, bis all deine Wunden und Müdigkeit geheilt sind. Doch trage nun dies zur Erinnerung an Elbenstein und Abendstern, mit denen dein Leben verflochten war!«

Und sie nahm einen weißen Edelstein wie einen Stern, der an einer silbernen Kette auf ihrer Brust hing, und sie legte Frodo die Kette um den Hals. »Wenn die Erinnerung an den Schrecken und die Dunkelheit dich quält«, sagte sie, »wird dies dir Hilfe bringen.«

Nach drei Tagen kam, wie der König gesagt hatte, Éomer in die Stadt geritten, und mit ihm ein *éored* der schönsten Ritter der Mark. Er wurde willkommen geheißen; und als sie alle in Merethrond, der Großen Festhalle, bei Tisch saßen, sah er die Schönheit der Frauen, die dort waren, und er war von großem Staunen erfüllt. Und ehe er zur Ruhe ging, ließ er Gimli den Zwerg rufen und sagte zu ihm: »Gimli, Glóins Sohn, habt Ihr Eure Axt bereit?«

»Nein, Herr«, sagte Gimli, »aber ich kann sie holen, wenn es not tut.«

»Das sollt Ihr beurteilen«, sagte Éomer. »Denn einige voreilige Worte über die Herrin des Goldenen Waldes stehen noch zwischen uns. Und nun habe ich sie mit eigenen Augen gesehen.«

»Nun, Herr«, sagte Gimli, »und was sagt Ihr jetzt?«

»Leider«, sagte Éomer, »kann ich nicht sagen, daß sie die schönste Frau unter den Lebenden ist.«

»Dann muß ich meine Axt holen«, sagte Gimli.

»Aber zuerst möchte ich folgende Entschuldigung anführen«, sagte Éomer. »Hätte ich sie in anderer Gesellschaft gesehen, hätte ich alles gesagt, was Ihr wünschen könntet. Doch jetzt will ich Königin Arwen Abendstern an erster Stelle nennen, und ich bin bereit, meinerseits mit jedem zu kämpfen, der mir das bestreitet. Soll ich nach meinem Schwert schicken?«

Da verneigte sich Gimli tief. »Nein, Ihr seid entschuldigt, was mich betrifft, Herr«, sagte er. »Ihr habt den Abend gewählt; aber meine Liebe gilt dem Morgen. Und mein Herz ahnt, daß er bald für immer dahingehen wird.«

Endlich kam der Tag des Aufbruchs, und eine große und schöne Gesellschaft machte sich bereit, von der Stadt gen Norden zu reiten. Da gingen die Könige von Gondor und Rohan zu den Weihestätten, und sie kamen zu den Grüften in Rath Dínen, und sie trugen König Théoden auf einer goldenen Bahre heraus und gingen schweigend durch die Stadt. Dann stellten sie die Bahre auf einen großen Wagen, den Reiter von Rohan umgaben und ihm sein Banner vorantrugen; und Merry als Théodens Schildknappe saß auf dem Wagen und hielt die Waffen des Königs.

Für die anderen Gefährten wurden ihrer Größe angemessene Reitpferde beschafft; und Frodo und Samweis ritten an Aragorns Seite, und Gandalf ritt auf Schattenfell, und Pippin ritt mit den Rittern von Gondor; und Legolas und Gimli ritten wie immer zusammen auf Arod.

Mit ihnen ritten auch Königin Arwen und Celeborn und Galadriel mit ihrem Volk und Elrond mit seinen Söhnen; und die Fürsten von Dol Amroth und Ithilien und viele Hauptleute und Ritter. Niemals hatte ein König der Mark eine solche Begleitung gehabt wie Théoden, Thengels Sohn, als er in sein Heimatland zurückkehrte.

Ohne Hast und in Frieden gelangten sie nach Anórien und kamen zum Grauen Wald unter Amon Dîn; und dort hörten sie ein Geräusch, als ob Trommeln in den Bergen geschlagen würden, obwohl kein Lebewesen zu sehen war. Da ließ Aragorn die Trompeten blasen, und Herolde riefen:

»Sehet, der König Elessar ist gekommen! Den Forst von Drúadan gibt er Ghân-buri-Ghân und seinem Volk auf immer zu eigen; und von nun an soll ihn kein Mensch ohne ihre Erlaubnis betreten!«

Da schlugen die Trommeln laut und wurden dann still.

Nach einer Fahrt von fünfzehn Tagen erreichte der Wagen von König Théoden endlich die grünen Felder von Rohan und kam nach Edoras; und dort rasteten alle. Die Goldene Halle wurde mit schönen Vorhängen geschmückt, und sie war erfüllt von Licht, und dort wurde das prächtigste Fest abgehalten, das sie seit den Tagen ihrer Erbauung erlebt hatte. Denn erst nach drei Tagen bereiteten die Menschen der Mark das Begräbnis von Théoden vor; und er wurde in ein Haus aus Stein gelegt mit seinen Waffen und vielen anderen schönen Dingen, die er besessen hatte, und über ihm wurde ein großes Hügelgrab errichtet, bedeckt mit Soden aus grünem Gras und Immertreu. Und nun waren acht Hügelgräber auf der Ostseite des Gräberfelds.

Dann ritten die Reiter des Hauses des Königs auf weißen Pferden um das Hügelgrab und sangen zusammen ein Lied von Théoden, Thengels Sohn, das Gléowine, sein Sänger, gedichtet hatte, und er dichtete kein anderes Lied danach. Die getragenen Stimmen der Reiter rührten die Herzen sogar derjenigen, die die Sprache von Rohan nicht verstanden; doch die Worte des Liedes ließen die Augen des Volks der Mark aufleuchten, als sie von ferne wieder die Hufe des Nordens hörten und Eorls Stimme, die sich über die Schlacht auf dem Feld von Celebrant erhob; und die Geschichte der Könige ging weiter, und Helms Horn erschallte im Gebirge, bis die Dunkelheit kam und König Théoden aufstand und durch den Schatten in das Feuer ritt und ruhmreich starb, gerade als die Sonne, die über alle Hoffnung zurückgekehrt war, am Morgen auf dem Mindolluin schimmerte.

Aus Zweifel und Finsternis ritt er, singend
Mit blankem Schwert in der Morgensonne.
Hoffnung erweckte er, fiel voller Hoffnung,
Über Tod, über Grauen und Schicksal erhoben
Aus dem Leben zu immerwährender Ehre.

Aber Merry stand am Fuße des grünen Hügelgrabs und weinte, und als das Lied beendet war, rief er:

»König Théoden, König Théoden! Lebt wohl! Wie ein Vater wart Ihr zu mir, für eine kleine Weile. Lebt wohl!«

Als die Totenfeier vorüber und die Tränen der Frauen versiegt waren und Théoden schließlich in seinem Hügelgrab allein zurückblieb, versammelten sich viele in der Goldenen Halle zu dem großen Festmahl und verbannten die Trauer; denn Théoden war zu hohen Jahren gekommen und hatte sein Leben nicht weniger ehrenvoll beschlossen als der größte seiner Vorfahren. Und als die Zeit gekommen war, da sie nach der Sitte der Mark auf das Andenken der Könige trinken sollten, trat Éowyn, Herrin von Rohan, golden wie die Sonne und weiß wie Schnee, vor, und sie brachte Éomer einen gefüllten Becher.

Dann stand ein Sänger und Kundiger in der Überlieferung auf und nannte alle Namen der Herren der Mark in der richtigen Reihenfolge: Eorl der Junge; und Brego, der Erbauer der Halle; und Aldor, der Bruder Baldors des Glücklosen; und Féa und Fréawine und Goldwine und Déor und Gram; und Helm, der sich in Helms Klamm verbarg, als die Mark überrannt wurde; und so endeten die neun Hügelgräber auf der Westseite, denn in jener Zeit war der Stamm unterbrochen, und danach kamen die Hügelgräber auf der Ostseite: Fréalaf, Helms Schwestersohn, und Léofa und Walda und Folca und Folcwine und Fengel und Thengel und als letzter Théoden. Und als Théoden genannt wurde, leerte Éomer den Becher, und alle, die dort versammelt waren, erhoben sich und tranken auf den neuen König und riefen: »Heil Éomer, König der Mark!«

Und als das Fest schließlich seinem Ende zuging, stand Éomer auf und sagte: »Dies ist nun die Totenfeier für König Théoden; aber ich will, ehe wir gehen, eine frohe Botschaft aussprechen, weil er es mir nicht verübeln würde, daß ich es tue, denn er war immer ein Vater für Éowyn, meine Schwester. Höret denn, ihr meine Gäste, schönes Volk aus vielen Reichen, wie es sich nie zuvor in dieser Halle eingefunden hat! Faramir, Truchseß von Gondor und Fürst von Ithilien, bittet, daß Éowyn, Herrin von Rohan, seine Frau sein solle, und sie gewährt es bereitwillig. Darum sollen sie vor euch allen zusammengegeben werden.«

Und Faramir und Éowyn traten vor und legten ihre Hände ineinander; und alle tranken auf sie und waren froh. »So«, sagte Éomer, »ist die Freundschaft zwischen der Mark und Gondor durch ein neues Band gefestigt, und um so mehr freue ich mich.«

»Kein Geizhals seid Ihr, Éomer«, sagte Aragorn, »daß Ihr Gondor das Schönste aus Eurem Reich gebt!«

Dann blickte Éowyn Aragorn in die Augen und sagte: »Wünscht mir Glück, mein Lehnsherr und Heiler!«

Und er antwortete: »Ich habe dir Glück gewünscht, seit ich dich zum ersten Mal sah. Es tut meinem Herzen wohl, dich jetzt froh zu sehen.«

Als das Fest vorüber war, verabschiedeten sich jene, die fortgehen wollten, von König Éomer. Aragorn und seine Ritter und das Volk von Lórien und Bruchtal machten sich bereit, weiterzureiten; doch Faramir und Imrahil blieben in Edoras; und auch Arwen Abendstern blieb hier, und sie sagte ihren Brüdern Lebewohl. Niemand sah ihr letztes Zusammensein mit Elrond, ihrem Vater, denn sie gingen hinauf in die Berge und sprachen dort lange miteinander, und bitter war ihr Abschied, der über das Ende der Welt hinaus dauern sollte.

Und zuletzt, ehe die Gäste aufbrachen, kamen Éomer und Éowyn zu Merry, und sie sagten: »Lebt nun wohl, Meriadoc aus dem Auenland und Holdwine der Mark! Reitet nun einem glücklichen Geschick entgegen und reitet bald zurück, denn Ihr werdet uns willkommen sein!«

Und Éomer sagte: »Die Könige von einst hätten Euch für Eure Taten auf den Feldern von Mundburg mit Geschenken überhäuft, die ein Wagen nicht hätte tragen können; und doch wollt Ihr nichts annehmen, sagt Ihr, außer den Waffen, die Euch gegeben wurden. Damit muß ich mich abfinden, denn ich habe fürwahr keine Gabe, die Eurer wert wäre; doch meine

Schwester bittet Euch, dieses kleine Ding anzunehmen zur Erinnerung an Dernhelm und an die Hörner der Mark bei Anbruch des Morgens.«

Da gab Éowyn Merry ein altertümliches Horn, klein, aber kunstfertig gearbeitet, ganz aus schönem Silber mit einem grünen Gehänge; und die Handwerker hatten geschwinde Reiter darauf eingeprägt, und sie ritten in einer Reihe, die sich von der Spitze bis zum Mundstück um das Horn herumzog; und es waren Runen von großer Zauberkraft eingeritzt.

»Dies ist ein Erbstück unseres Hauses«, sagte Éowyn. »Es wurde von den Zwergen gearbeitet und kam aus dem Schatz von Scatha dem Lindwurm. Eorl der Junge brachte es vom Norden mit. Wer es bläst, wenn er in Not ist, erweckt Furcht im Herzen seiner Feinde und Freude in den Herzen seiner Freunde, und sie werden ihn hören und zu ihm kommen.«

Da nahm Merry das Horn, denn er konnte es nicht ablehnen, und er küßte Éowyns Hand; und sie umarmten sich, und so schieden sie für diesmal voneinander.

Nun waren die Gäste bereit, und sie tranken den Abschiedsbecher, und voll des Lobes und der Freundschaft ritten sie von dannen und kamen schließlich nach Helms Klamm, wo sie zwei Tage rasteten. Dann löste Legolas sein Versprechen bei Gimli ein und ging mit ihm zu den Glitzernden Höhlen; und als sie zurückkamen, war er schweigsam und sagte nur, daß allein Gimli sie mit passenden Worten beschreiben könne. »Und niemals zuvor hat in einem Wortstreit ein Zwerg den Sieg über einen Elben davongetragen«, sagte er. »Deshalb laßt uns nun nach Fangorn gehen, um die Rechnung wieder auszugleichen.«

Vom Klammtal ritten sie nach Isengart und sahen, wie die Ents sich dort betätigt hatten. Der ganze Steinring war niedergerissen und entfernt worden, und das Land darinnen war in einen Garten verwandelt, mit Obstbäumen und anderen Gehölzen, und ein Bach durchströmte ihn; doch in der Mitte von allem war ein See mit klarem Wasser, und aus ihm erhob sich noch immer der Turm von Orthanc, hoch und unbezwinglich, und sein schwarzer Felsen spiegelte sich in dem Weiher.

Eine Weile saßen die Wanderer dort, wo einst die alten Tore von Isengart gestanden hatten, und dort waren nun zwei hohe Bäume wie Schildwachen am Anfang des grün eingefaßten Pfades, der zum Orthanc führte; und staunend betrachteten sie die Arbeit, die hier getan worden war, doch kein Lebewesen war weit und breit zu sehen. Aber plötzlich hörten sie eine Stimme, die *Hum-hom, hum-hom* rief; und da kam Baumbart mit langen Schritten den Pfad herunter, um sie zu begrüßen, und an seiner Seite war Flinkbaum.

»Willkommen im Baumgarten von Orthanc!« sagte er. »Ich wußte, daß Ihr kommt, aber ich war oben im Tal bei der Arbeit; da ist noch viel zu tun. Doch Ihr seid auch nicht müßig gewesen im Süden und im Osten, wie ich höre; und alles, was ich höre, ist gut, sehr gut.« Dann pries Baumbart alle ihre Taten, von denen er genaue Kenntnis zu haben schien; und schließlich hielt er inne und sah Gandalf lange an.

»So«, sagte er, »Ihr habt Euch also als der Mächtigste erwiesen, und alle Eure Mühen waren erfolgreich. Wo wollt Ihr nun hin? Und warum kommt Ihr hierher?«

»Um zu sehen, wie Eure Arbeit vorangeht, mein Freund«, sagte Gandalf, »und um Euch für Eure Hilfe bei allem zu danken, die geleistet worden ist.«

»*Hum*, gut, das ist nur recht und billig«, sagte Baumbart. »Denn die Ents haben gewiß ihr Teil beigetragen. Und nicht nur, indem sie mit diesem, *hum*, verfluchten Baummörder abgerechnet haben, der hier wohnte. Denn da war ein großer Ansturm von diesen *burárum*, diesen übeläugigen, schwarzhändigen, krummbeinigen, hartherzigen, klauenfingrigen, zottigbäuchigen, blutdürstigen, *morimaitesincahonda, hum*, na, da Ihr hastiges Volk seid und ihr voller Name so lang ist wie Jahre der Folterung, dieses Ork-Geschmeiß; und sie kamen über den Strom und herunter vom Norden und rings um den Wald von Laurelindórenan, in den sie nicht hinein konnten dank der Großen, die hier sind.« Er verbeugte sich vor dem Herrn und der Herrin von Lórien.

»Und eben diese üblen Geschöpfe waren mehr als überrascht, als sie uns draußen im Ödland trafen, denn vorher hatten sie noch nicht von uns gehört; obwohl das auch von besserem Volk gesagt werden kann. Und nicht viele werden sich an uns erinnern, denn nicht viele sind uns lebend entkommen, und die meisten davon hat der Fluß genommen. Aber es war gut für Euch, denn wenn sie uns nicht getroffen hätten, dann hätte der König der Graslande nicht weit reiten können, und hätte er es dennoch getan, so hätte er kein Heim mehr gehabt, in das er hätte zurückkehren können.«

»Wir wissen es wohl«, sagte Aragorn, »und niemals soll es vergessen werden in Minas Tirith oder in Edoras.«

»*Niemals* ist ein zu langes Wort selbst für mich«, sagte Baumbart. »Nicht, so lange Eure Königreiche bestehen, meint Ihr; aber sie werden wahrlich lange bestehen müssen, wenn es den Ents als lange erscheinen soll.«

»Das Neue Zeitalter beginnt«, sagte Gandalf, »und in diesem Zeitalter mag es sich sehr wohl erweisen, daß die Königreiche der Menschen Euch überdauern, Fangorn, mein Freund. Doch nun berichtet mir: wie ist es mit der Aufgabe, die ich Euch gestellt habe? Wie geht es Saruman? Ist er Orthanc nicht schon leid? Denn ich nehme nicht an, daß er der Meinung ist, Ihr habet die Aussicht von seinen Fenstern verschönt.«

Baumbart warf Gandalf einen langen Blick zu, einen fast listigen Blick, fand Merry. »Aha!« sagte er. »Ich dachte mir schon, daß Ihr darauf kommen würdet. Orthanc leid? Sehr leid zu guter Letzt; aber seinen Turm war er nicht so leid wie meine Stimme. *Hum!* Ich habe ihm ein paar lange Geschichten erzählt, oder zumindest etwas, das man in Eurer Redeweise lang nennen könnte.«

»Warum blieb er denn da, um sie anzuhören? Seid Ihr in den Orthanc hineingegangen?« fragte Gandalf.

»*Hum*, nein, nicht in den Orthanc!« sagte Baumbart. »Aber er kam ans Fenster und hörte zu, weil er sonst keine Nachrichten erhalten konnte, und obwohl ihm die Nachrichten gar nicht gefielen, war er begierig, sie zu hören; und ich habe dafür gesorgt, daß er alles gehört hat. Doch habe ich den Nachrichten eine ganze Menge hinzugefügt, über die nachzudenken gut für ihn war. Er wurde es sehr leid. Er war immer hastig. Das war sein Untergang.«

»Ich bemerke, mein guter Fangorn«, sagte Gandalf, »daß Ihr mit großer Sorgfalt sagt: *wohnte, war, wurde*. Wie steht es mit *ist?* Ist er tot?

»Nein, nicht tot, soviel ich weiß«, sagte Baumbart. »Aber er ist fort. Ja, vor sieben Tagen ist er weggegangen. Ich ließ ihn gehen. Es war wenig von ihm übrig, als er herauskroch, und was dieses Schlangengeschöpf von ihm betrifft, so war er wie ein blasser Schatten. Nun sagt mir nicht, Gandalf, daß ich versprochen hatte, ihn in sicherem Gewahrsam zu halten; denn ich weiß es. Aber die Dinge haben sich seitdem geändert. Und ich habe ihn so lange hier behalten, bis er ungefährlich war und keinen Schaden mehr anrichten konnte. Ihr solltet wissen, daß ich nichts mehr hasse, als wenn lebende Wesen in Käfige eingesperrt werden, und nicht einmal solche Geschöpfe will ich länger im Käfig halten als unbedingt nötig. Eine Schlange ohne Giftzahn mag kriechen, wohin sie will.«

»Ihr mögt recht haben«, sagte Gandalf. »Aber diese Schlange hatte noch einen Zahn, glaube ich. Er hatte das Gift seiner Stimme, und ich vermute, daß er Euch, sogar Euch, Baumbart, überredet hat, da er Euer weiches Herz kennt. Nun, er ist fort, und da ist nichts mehr darüber zu sagen. Aber der Turm von Orthanc geht nun wieder an den König, dem er gehört. Obwohl er ihn vielleicht nicht brauchen wird.«

»Das werden wir später sehen«, sagte Aragorn. »Doch will ich den Ents dieses ganze Tal geben, mit dem sie tun können, was ihnen beliebt, solange sie Orthanc bewachen und dafür sorgen, daß keiner ohne meine Erlaubnis ihn betritt.«

»Er ist zugesperrt«, sagte Baumbart. »Ich veranlaßte Saruman, ihn abzuschließen und mir die Schlüssel zu geben. Flinkbaum hat sie.«

Flinkbaum beugte sich wie ein Baum, der sich im Wind neigt, und gab Aragorn zwei große schwarze Schlüssel von verschlungener Form, die mit einem Stahlring verbunden waren.« »Nun danke ich Euch noch einmal«, sagte Aragorn, »und sage Euch Lebewohl. Möge Euer Wald in Frieden wieder wachsen. Wenn dieses Tal bepflanzt ist, dann gibt es noch genug Raum westlich des Gebirges, wo Ihr vor langer Zeit einst weiltet.«

Baumbarts Gesicht wurde traurig. »Forste mögen wachsen«, sagte er. »Wälder mögen sich ausbreiten. Aber nicht die Ents. Es gibt keine Entings.«

»Doch ist vielleicht Eure Suche jetzt hoffnungsvoller«, sagte Aragorn. »Lande im Osten stehen Euch nun offen, die lange verschlossen waren.«

Doch Baumbart schüttelte den Kopf und sagte: »Das ist ein zu weiter Weg. Und dort sind heutzutage zu viele Menschen. Aber ich vergesse meine guten Umgangsformen! Wollt Ihr nicht hierbleiben und eine Weile rasten? Und vielleicht würden einige von Euch gern durch den Fangorn-Forst reiten und ihren Heimweg abkürzen?« Er sah Celeborn und Galadriel an.

Aber alle außer Legolas sagten, sie müssen sich nun verabschieden und entweder nach Süden oder nach Westen aufbrechen. »Komm, Gimli«, sagte Legolas. »Jetzt will ich mit Fangorns Erlaubnis die verborgenen Orte im Entwald aufsuchen und Bäume sehen, wie sie nirgends sonst in Mittelerde zu finden sind. Du sollst mit mir kommen und dein Wort halten; und so werden wir zusammen wandern bis in unsere Heimatlande in Düsterwald und jenseits davon.« Damit war Gimli einverstanden, wenn auch nicht gerade sehr entzückt, wie es schien.

»Dann kommt also hier nun das Ende der Gemeinschaft des Ringes«, sagte Aragorn. »Dennoch hoffe ich, daß es nicht lange dauern wird, bis ihr in mein Land zurückkehrt und die Hilfe bringt, die ihr versprochen habt.«

»Wir werden kommen, wenn unsere Gebieter es erlauben«, sagte Gimli. »Lebt wohl, meine Hobbits. Ihr solltet jetzt heil und sicher nach Hause kommen, und ich werde mich nicht wachhalten müssen aus Angst, daß ihr in Gefahr geratet. Wir werden Nachricht geben, wenn wir können, und vielleicht können einige von uns sich gelegentlich treffen; aber ich fürchte, daß wir niemals alle wieder beisammen sein werden.«

Dann sagte Baumbart nacheinander allen Lebewohl, und er verneigte sich dreimal langsam und mit großer Ehrerbietung vor Celeborn und Galadriel. »Es ist lange, lange her, seit wir uns trafen bei Stock oder Stein, *A vanimar, vanimálion nostari!«* sagte er. »Es ist traurig, daß wir uns erst am Ende treffen. Denn die Welt ändert sich: Ich spüre es im Wasser, ich spüre es in der Erde, und ich rieche es in der Luft. Ich glaube nicht, daß wir uns wiedersehen werden.«

Und Celeborn sagte: »Ich weiß es nicht, Ältester.« Aber Galadriel sagte: »Nicht in Mittelerde, nicht, ehe die Lande, die unter dem Meer liegen, wieder emporgehoben werden. Dann mögen wir uns im Frühling auf den Weidenwiesen von Tasarinan treffen. Lebet wohl!«

Als letzte von allen sagten Merry und Pippin dem alten Ent auf Wiedersehen, und er wurde fröhlicher, als er sie ansah. »Nun, meine lustigen Leute«, sagte er, »wollt ihr noch einen Trunk haben, ehe ihr geht?«

»O ja, das wollen wir«, sagten sie, und er nahm sie beiseite in den Schatten eines der Bäume, und sie sahen, daß dort ein großer Steinkrug stand. Und Baumbart füllte drei Schalen, und sie tranken; und sie sahen, daß seine seltsamen Augen sie über den Rand seiner Schale anblickten. »Seid vorsichtig, seid vorsichtig!« sagte er. »Denn ihr seid schon gewachsen, seit ich euch zuletzt sah.« Und sie lachten und leerten ihre Schalen.

»Ja, auf Wiedersehen!« sagte er. »Und vergeßt nicht, mir Nachricht zu geben, wenn ihr in eurem Land etwas von den Entfrauen hört.« Dann winkte er mit seinen großen Händen der ganzen Gesellschaft zu und verschwand zwischen den Bäumen.

Die Reisenden ritten nun schneller und schlugen den Weg zur Pforte von Rohan ein; und Aragorn verabschiedete sich von ihnen nahe der Stelle, wo Pippin in den Stein von Orthanc geblickt hatte. Die Hobbits waren betrübt über den Abschied; denn Aragorn hatte sie nie im Stich gelassen und war ihr Führer gewesen in vielen Gefahren.

»Ich wünschte, wir könnten einen Stein haben, damit wir alle unsere Freunde darin sehen«, sagte Pippin. »Und damit wir mit ihnen sprechen könnten aus weiter Ferne.«

»Es ist nur noch einer da, den ihr benutzen könntet«, antwortete Aragorn; »denn ihr werdet nicht sehen wollen, was der Stein von Minas Tirith euch zeigen würde. Aber den Palantír von Orthanc wird der König behalten, um zu sehen, was in seinem Reich vor sich geht und was seine Diener tun. Denn vergiß nicht, Peregrin Tuk, daß du ein Ritter von Gondor bist, und ich entlasse dich nicht aus meinem Dienst. Du gehst jetzt auf Urlaub, aber es mag sein, daß ich dich wieder rufe. Und denkt daran, liebe Freunde aus dem Auenland, daß mein Reich auch im Norden liegt, und eines Tages werde ich dort hinkommen.«

Dann verabschiedete sich Aragorn von Celeborn und Galadriel; und die Herrin sagte zu ihm: »Elbenstein, durch Dunkelheit bist du zu deiner Hoffnung gekommen und hast nun alles, was du begehrst. Nütze die Tage gut!«

Aber Celeborn sagte: »Vetter, lebe wohl! Möge dein Schicksal ein anderes sein als meines und dein Schatz bei dir bleiben bis zum Ende!«

Damit trennten sie sich, und es war zur Zeit des Sonnenuntergangs; und als sie sich nach einer Weile umschauten, sahen sie den König des Westens auf seinem Roß sitzen, seine Ritter um sich; und die sinkende Sonne beschien sie und ließ all ihre Harnische wie rotes Gold schimmern, und Aragorns weißer Mantel wurde in eine Flamme verwandelt. Dann nahm Aragorn den grünen Stein und hielt ihn hoch, und ein grünes Leuchten ging von seiner Hand aus.

Bald folgte nun die zusammengeschrumpfte Gesellschaft dem Isen, wandte sich dann nach Westen und ritt durch die Pforte in die wüsten Lande dahinter, und als sie sich dann nach Norden wandten, überschritten sie die Grenze von Dunland. Die Dunländer flohen und versteckten sich, denn sie fürchteten sich vor elbischem Volk, obwohl eigentlich wenige je in ihr Land kamen; doch die Reisenden achteten ihrer nicht, denn sie waren immer noch eine große Gruppe und gut versorgt mit allem, was sie brauchten; und sie setzten ihren Weg gemächlich fort und schlugen ihre Zelte auf, wann sie wollten.

Am sechsten Tag seit ihrem Abschied vom König ritten sie durch einen Wald, der sich an den Bergen am Fuße des Nebelgebirges, das jetzt zu ihrer Rechten lag, hinunterzog. Als sie bei Sonnenuntergang wieder in offenes Land kamen, überholten sie einen alten Mann, der sich auf einen Stock stützte, und er war in graue oder schmutzig-weiße Lumpen gekleidet, und auf den Fersen folgte ihm noch ein Bettler, gebückt und greinend.

»Nun, Saruman«, sagte Gandalf, »wo gehst du hin?«

»Was kann dir das ausmachen?« fragte Saruman. »Willst du mir immer noch befehlen, was ich zu tun und zu lassen habe, und genügt es dir nicht, daß ich gestürzt bin?«

»Du weißt die Antworten«, sagte Gandalf. »Nein und nein. Aber die Zeit meiner Mühen nähert sich sowieso ihrem Ende. Der König hat die Bürde übernommen. Wenn du in Orthanc gewartet hättest, hättest du ihn gesehen, und er hätte dir Weisheit und Milde erwiesen.«

»Dann ist das um so mehr ein Grund, früher weggegangen zu sein«, sagte Saruman. »Denn keines von beiden ersehne ich von ihm. Wenn du tatsächlich eine Antwort auf deine erste Frage haben willst: ich suche einen Weg, der mich aus seinem Reich bringt.«

»Dann gehst du wieder einmal den falschen Weg«, sagte Gandalf, »und ich sehe keine Hoffnung in deiner Fahrt. Aber willst du unsere Hilfe verschmähen? Denn wir bieten sie dir an.«

»Mir?« sagte Saruman. »Nein, bitte lächele mich nicht an. Dein Stirnrunzeln ist mir lieber. Und was die Herrin betrifft: ihr traue ich nicht; sie hat mich immer gehaßt und Ränke geschmiedet zu deinen Gunsten. Ich zweifle nicht daran, daß sie dich auf diesem Weg hergebracht hat, um das Vergnügen zu haben, sich an meiner Armut zu weiden. Hätte ich rechtzeitig erfahren, daß ihr mich verfolgt, dann hätte ich euch das Vergnügen versagt.«

»Saruman«, sagte Galadriel, »wir haben andere Aufgaben und andere Sorgen als dir nachzustellen. Sage lieber, du habest Glück gehabt; denn nun hast du eine letzte Gelegenheit.«

»Wenn es wirklich die letzte ist, bin ich froh«, sagte Saruman. »Denn dann bleibt mir die Mühe erspart, sie wiederum abzulehnen. Alle meine Hoffnungen sind vernichtet, aber an euren möchte ich nicht teilhaben. Wenn ihr überhaupt welche habt.«

Für einen Augenblick funkelten seine Augen. »Geht!« sagte er. »Ich habe nicht umsonst diese Dinge lange erforscht. Ihr habt euch selbst verurteilt, und ihr wißt es. Und wenn ich wandere, wird mir der Gedanke einigen Trost gewähren, daß ihr euer eigenes Haus niedergerissen habt, als ihr meines zerstörtet. Und welches Schiff wird euch nun zurücktragen über ein so weites Meer?« höhnte er. »Ein graues Schiff wird es sein, und voller Gespenster.« Er lachte, aber seine Stimme war rauh und häßlich.

»Steh auf, du Trottel!« schrie er den anderen Bettler an, der sich auf den Boden gesetzt hatte; und er schlug ihn mit seinem Stab. »Dreh dich um! Wenn diese feinen Leute unseren Weg gehen, dann gehen wir einen anderen. Geh los, sonst gebe ich dir keine Brotrinde zum Abendessen!«

Der Bettler wandte sich um und rappelte sich wimmernd auf: »Armer alter Gríma! Armer alter Gríma! Immer wird er geschlagen und beschimpft. Wie ich ihn hasse! Ich wünschte, ich könnte ihn verlassen!«

»Dann verlaßt ihn doch!« sagte Gandalf.

Aber Schlangenzunge warf Gandalf aus seinen Triefaugen nur einen Blick voller Angst zu, und dann schlurfte er rasch hinter Saruman her. Als das unglückliche Paar an der Gruppe vorbeiging, kamen sie zu den Hobbits, und Saruman blieb stehen und starrte sie an; aber sie sahen mitleidig auf ihn.

»Ihr seid also auch hergekommen, um euch an mir zu weiden, ihr Bälger?« sagte er. »Euch ist es gleich, was einem Bettler fehlt, nicht wahr? Denn ihr habt alles, was ihr wollt, Essen und feine Kleider und das beste Kraut für eure Pfeifen. O ja, ich weiß! Ich weiß, wo es herkommt. Ihr würdet nicht einem Bettler eine Pfeife voll geben?«

»Ich würde es, wenn ich etwas hätte«, sagte Frodo.

»Ihr könnt haben, was ich noch habe«, sagte Merry, »wenn Ihr einen Augenblick warten wollt.« Er saß ab und suchte in seiner Satteltasche. Dann gab er Saruman einen Lederbeutel. »Nehmt, was drin ist«, sagte er. »Bitte bedient Euch; es kam aus dem Treibgut von Isengart.«

»Meins, meins, ja, und teuer gekauft!« rief Saruman und griff nach dem Beutel. »Das ist nur eine Teilwiedergutmachung; denn ihr habt mehr genommen, da wette ich. Immerhin, ein Bettler muß dankbar sein, wenn ein Dieb ihm auch nur ein Bröckchen seines Eigentums zurückgibt. Na, es geschieht euch recht, wenn ihr nach Hause kommt und die Dinge im Südviertel weniger gut findet, als ihr es gern hättet. Lange möge euer Land knapp an Kraut sein!«

»Danke«, sagte Merry. »In diesem Fall will ich meinen Beutel zurückhaben, der nicht Euch gehört und weit mit mir gewandert ist. Wickelt das Kraut in einen von euren eigenen Lumpen.«

»Einem Dieb geschieht's recht, wenn ein anderer ihn bestiehlt«, sagte Saruman, wandte Merry den Rücken, versetzte Schlangenzunge einen Fußtritt und ging in Richtung auf den Wald davon.

»Na, das gefällt mir«, sagte Pippin. »Ein Dieb fürwahr! Was ist mit unserem Schadenersatzanspruch wegen Auflauern, Verwunden, uns von Orks durch ganz Rohan schleppen lassen?«

»Ach«! sagte Sam. »Und *gekauft* hat er gesagt. Wie, möchte ich mal wissen? Und was er über das Südviertel sagte, gefiel mir gar nicht. Es ist Zeit, daß wir zurückkommen.«

»Das ist es gewiß«, sagte Frodo. »Aber wir können nicht schneller hinkommen, wenn wir Bilbo sehen wollen. Ich gehe zuerst nach Bruchtal, was immer geschieht.«

»Ja, ich glaube, das wäre besser«, sagte Gandalf. »Aber wehe um Saruman! Ich fürchte, aus ihm kann nichts mehr werden. Er ist völlig zugrunde gerichtet. Trotzdem bin ich nicht sicher, daß Baumbart recht hat: ich stelle mir vor, daß er auf kleinliche, gemeine Weise noch irgendein Unheil stiften könnte.«

Am nächsten Tag gelangten sie in das nördliche Dunland, wo jetzt keine Menschen wohnten, obwohl es ein grünes und erfreuliches Land war. Der September kam mit seinen goldenen Tagen und silbernen Nächten, und sie ritten gemächlich, bis sie den Fluß Schwanenfleet erreichten und die alte Furt fanden, östlich der Wasserfälle, wo der Fluß plötzlich ins Tiefland hinuntereilte. Weit im Westen lagen im Dunst die Teiche und Werder, durch die er sich seinen Weg zur Grauflut bahnte: unzählige Schwäne lebten dort in einer Schilflandschaft.

So kamen sie nach Eregion, und endlich dämmerte ein schöner Morgen und schimmerte über leuchtenden Nebeln; und als sie von ihrem Lager auf einem niedrigen Berg hinausblickten, sahen die Reisenden, wie fern im Osten die Sonne drei Gipfel erfaßte, die zwischen segelnden Wolken hoch in den Himmel aufragten: Caradhras, Celebdil und Fanuidhol. Sie waren in der Nähe der Tore von Moria.

Hier blieben sie nun sieben Tage, denn die Zeit war gekommen für einen weiteren Abschied, der ihnen schwerfiel. Bald würden Celeborn und Galadriel und ihr Volk nach Osten abbiegen und über den Rothornpaß und den Schattenbachsteig hinunter zum Silberlauf gelangen und von dort in ihr eigenes Land. Bisher hatten sie die westlichen Wege eingeschlagen, denn sie hatten mit Elrond und Gandalf viel zu besprechen, und hier verweilten sie jetzt noch, um sich mit ihren Freunden zu unterhalten. Oft saßen sie noch lange, nachdem die Hobbits in Schlaf gesunken waren, unter den Sternen zusammen, erinnerten sich der Zeitalter, die vergangen waren, und all ihrer Freuden und Mühen in der Welt, oder sie berieten sich über die zukünftigen Tage. Wenn irgendein Wanderer zufällig vorbeigekommen wäre, hätte er wenig gesehen oder gehört und nur geglaubt, er erblicke Gestalten, in Stein gemeißelt, Denkmäler vergessener Geschöpfe, die in den nun unbewohnten Landen zurückgeblieben waren. Denn sie regten sich nicht und sprachen auch nicht mit dem Mund, sondern blickten einander ins Herz; und nur ihre Augen bewegten sich und leuchteten, wenn ihre Gedanken von einem zum anderen gingen.

Doch schließlich war alles gesagt, und sie trennten sich für eine Weile, bis es für die Drei Ringe Zeit sei, von dannen zu gehen. In ihren grauen Mänteln waren die Leute von Lórien, die zum Gebirge ritten, bald in den Felsen und Schatten verschwunden; und diejenigen, die nach Bruchtal gehen sollten, saßen auf dem Berg und schauten ihnen nach, bis aus dem aufsteigenden Nebel ein Blitz kam; und dann sahen sie nichts mehr. Frodo wußte, daß Galadriel zum Zeichen des Abschieds ihren Ring hochgehalten hatte.

Sam wandte sich ab und seufzte: »Ich wünschte, ich ginge auch zurück nach Lórien!«

Eines Abends kamen sie über die Hochmoore und standen, wie es Wanderern immer schien, ganz unvermutet am Rand des tiefen Tals von

Bruchtal und sahen weit unten die Lampen in Elronds Haus schimmern. Und sie stiegen hinunter und überquerten die Brücke und kamen zu den Türen, und das ganze Haus war voll Licht und Gesang aus Freude über Elronds Heimkehr.

Zuallererst, ehe sie gegessen oder sich gewaschen oder auch nur ihre Mäntel abgelegt hatten, machten sich die Hobbits auf die Suche nach Bilbo. Sie fanden ihn ganz allein in seinem Zimmer. Es war übersät mit Papieren und Federn und Pinseln; und Bilbo saß auf einem Sessel vor einem kleinen hellen Feuer. Er sah sehr alt aus, aber friedlich, und schläfrig.

Er öffnete die Augen und schaute auf, als sie hereinkamen. »Hallo, hallo!« sagte er. »Ihr seid also zurückgekommen? Und morgen ist mein Geburtstag. Wie klug von euch! Wißt ihr eigentlich, daß ich einhundertneunundzwanzig werde? In einem Jahr, wenn ich am Leben bleibe, ziehe ich mit dem Alten Tuk gleich. Ich würde ihn gern schlagen; aber wir werden sehen.«

Nach der Feier von Bilbos Geburtstag blieben die vier Hobbits noch ein paar Tage in Bruchtal, und sie saßen viel mit ihrem alten Freund zusammen, der jetzt den größten Teil seiner Zeit in seinem Zimmer verbrachte, abgesehen von den Mahlzeiten. Zu denen kam er in der Regel sehr pünktlich, und er versäumte selten, rechtzeitig dafür aufzuwachen. Wenn sie mit ihm am Feuer saßen, erzählten sie ihm abwechselnd alles, an was sie sich von ihren Fahrten und Abenteuern erinnern konnten. Zuerst tat er so, als schriebe er sich manches auf; aber oft schlief er ein; und wenn er aufwachte, sagte er: »Wie herrlich! Wie wundervoll! Aber wo waren wir?« Dann fuhren sie mit der Geschichte von dem Punkt an fort, an dem er eingenickt war.

Der einzige Teil, der ihn wirklich aufzuwecken und seine Aufmerksamkeit wachzuhalten schien, war der Bericht über die Krönung und Heirat von Aragorn. »Ich war natürlich zur Hochzeit eingeladen«, sagte er. »Und ich habe lange genug darauf gewartet. Aber irgendwie, als es dann so weit war, fand ich, daß ich hier so viel zu tun hatte; und Packen ist so lästig.«

Als fast zwei Wochen vergangen waren, schaute Frodo aus dem Fenster und sah, daß es Frost gegeben hatte in der Nacht und die Spinnenweben wie weiße Netze waren. Da wußte er plötzlich, daß er aufbrechen und Bilbo Lebewohl sagen mußte. Das Wetter war noch ruhig und schön nach einem der herrlichsten Sommer, an die die Leute sich erinnern konnten;

aber es war nun Oktober, und bald würde sich das Wetter ändern, es würde Regen und Wind geben. Und es war noch ein weiter Weg zurückzulegen. Dennoch war es eigentlich nicht der Gedanke an das Wetter, der ihn bewegte. Er hatte das Gefühl, es sei Zeit, in das Auenland zurückzukehren. Sam war auch der Meinung. Erst am Abend zuvor hatte er gesagt:

»Ja, Herr Frodo, wir sind weit herumgekommen und haben eine Menge gesehen, und doch glaube ich, wir haben keinen besseren Ort gefunden als diesen. Hier gibt es ein bißchen von allem, wenn du mich verstehst: das Auenland und der Goldene Wald und Gondor und Königshäuser und Wirtshäuser und Wiesen und Berge, alles zusammen. Und trotzdem habe ich irgendwie das Gefühl, wir sollten bald gehen. Ich mache mir Sorgen um den Ohm, um dir die Wahrheit zu sagen.«

»Ja, ein bißchen von allem, Sam, außer dem Meer«, hatte Frodo geantwortet; und jetzt wiederholte er es bei sich selbst: »Außer dem Meer.«

An jenem Tag sprach Frodo mit Elrond, und es wurde vereinbart, daß sie am nächsten Tag aufbrechen sollten. Zu ihrer Freude sagte Gandalf: »Ich glaube, ich werde mitkommen. Zumindest bis Bree. Ich will Butterblume sehen.«

Am Abend gingen sie zu Bilbo, um ihm Lebewohl zu sagen. »Ja, wenn ihr gehen müßt, müßt ihr gehen«, sagte er. »Aber es tut mir leid. Ich werde euch vermissen. Es ist nett, bloß zu wissen, daß ihr hier seid. Aber ich werde sehr schläfrig.« Dann schenkte er Frodo seinen Mithril-Panzer und Stich, denn er hatte vergessen, daß er das schon früher getan hatte; und er gab ihm auch drei Bücher des Wissens, die er zu verschiedenen Zeiten mit seiner zierlichen Handschrift geschrieben hatte, und auf den roten Rücken stand: *Übersetzungen aus dem Elbischen von B. B.*

Sam schenkte er einen kleinen Beutel Gold. »Fast der letzte Tropfen von der Smaug-Weinlese«, sagte er. »Mag sich als nützlich erweisen, wenn du daran denkst, dich zu verheiraten, Sam.« Sam errötete.

»Ich habe nicht viel, was ich euch jungen Burschen geben könnte«, sagte er zu Merry und Pippin, »außer guten Ratschlägen.« Und nachdem er ihnen ein gerüttelt Maß davon gegeben hatte, fügte er als letzten Punkt nach Auenland-Art hinzu: »Laßt eure Köpfe nicht zu groß werden für eure Hüte! Aber wenn ihr nicht bald mit Wachsen aufhört, werdet ihr feststellen, daß Hüte und Kleider teuer sind.«

»Aber wenn du den Alten Tuk schlagen willst«, sagte Pippin, »dann sehe ich nicht ein, warum wir nicht versuchen sollen, den Bullenraßler zu schlagen.«

Bilbo lachte und zog zwei schöne Pfeifen aus der Tasche, mit Mundstücken aus Perlmutt und fein gearbeiteten silbernen Beschlägen. »Denkt an mich, wenn ihr aus ihnen raucht«, sagte er. »Die Elben haben sie für mich gemacht, aber ich rauche jetzt nicht.« Und dann plötzlich nickte er ein und schlief ein wenig; und als er aufwachte, sagte er: »Nun, wo waren wir? Ach ja, Geschenke machen. Dabei fällt mir ein, Frodo, was ist aus meinem Ring geworden, den du mitgenommen hast?«

»Ich habe ihn verloren, lieber Bilbo«, sagte Frodo. »Ich habe mich seiner entledigt, weißt du.«

»Wie schade«, sagte Bilbo. »Ich hätte ihn gern wiedergesehen. Aber nein, wie albern von mir! Darum warst du doch weggegangen, nicht wahr? Um dich seiner zu entledigen. Aber das ist alles so verwirrend, denn so viel andere Dinge scheinen damit verquickt zu sein: Aragorns Angelegenheiten und der Weiße Rat und Gondor und Reiter und Südländer und Olifanten – hast du wirklich einen gesehen, Sam? – und Höhlen und Türme und goldene Bäume und wer weiß was noch alles.

Ich bin offenbar von meiner Fahrt zu schnurstracks zurückgekommen. Ich finde, Gandalf hätte mich noch ein bißchen herumführen können. Aber dann wäre die Auktion vorbei gewesen, ehe ich zurückkam, und dann hätte ich noch mehr Ärger gehabt als so schon. Jedenfalls ist es jetzt zu spät. Ich glaube, es ist behaglicher, hier zu sitzen und alles erzählt zu bekommen. Das Feuer ist hier sehr gemütlich, und das Essen ist *sehr* gut, und es sind Elben da, wann immer man sie will. Was sonst könnte man sich wünschen?

Die Straße gleitet fort und fort
Weg von der Tür, wo sie begann,
Zur Ferne hin, zum fremden Ort,
Ihr folge denn, wer wandern kann
Und einem neuen Ziel sich weihn.
Zu guter Letzt auf müdem Schuh
Kehr ich zur hellen Lampe ein
Im warmen Haus zur Abendruh.«

Und als Bilbo die letzten Worte gemurmelt hatte, sank ihm der Kopf auf die Brust, und er schlief fest.

Der Abend verdunkelte sich im Zimmer, und das Feuer brannte heller; und sie betrachteten Bilbo, wie er schlief, und sahen, daß er lächelte. Eine Zeitlang saßen sie stumm da; und dann blickte sich Sam im Zimmer um und sah die Schatten an der Wand flackern, und er sagte leise:

»Ich glaube nicht, Herr Frodo, daß er viel geschrieben hat, während wir weg waren. Er wird nun unsere Geschichte niemals schreiben.«

Darauf blinzelte Bilbo mit einem Auge, fast als ob er es gehört hätte. Dann wurde er wach. »Ihr seht, ich werde immer so schläfrig«, sagte er. »Und wenn ich Zeit zum Schreiben habe, dann mag ich eigentlich nur Gedichte schreiben. Ich frage mich, Frodo, mein lieber Junge, ob es dir sehr viel ausmachen würde, die Dinge für mich ein bißchen in Ordnung zu bringen, ehe du gehst? Suche all meine Aufzeichnungen und Papiere zusammen, und auch mein Tagebuch, und nimm sie mit, wenn du willst. Du siehst ja, ich habe nicht viel Zeit für die Auswahl und die Bearbeitung und all das. Laß dir von Sam helfen, und wenn du die Sache in Form gebracht hast, dann komm zurück, und ich sehe es durch. Ich werde nicht allzuviel auszusetzen haben.«

»Natürlich will ich das!« sagte Frodo, »und natürlich werde ich bald zurückkommen: es wird nicht mehr gefährlich sein. Jetzt gibt es einen richtigen König, und bald wird er die Straßen in Ordnung bringen.«

»Danke, mein lieber Junge«, sagte Bilbo. »Da ist mir wirklich ein Stein vom Herzen.« Und damit schlief er wieder fest ein.

Am nächsten Tag verabschiedeten sich Gandalf und die Hobbits von Bilbo in seinem Zimmer, denn draußen war es kalt; und sie sagten Elrond und seinem Gefolge Lebewohl.

Als Frodo auf der Schwelle stand, wünschte Elrond ihm eine gute Fahrt und viel Glück, und er sagte:

»Ich glaube, Frodo, daß du vielleicht nicht wiederzukommen brauchst, es sei denn, du kämest sehr bald. Etwa um diese Zeit des nächsten Jahres, wenn die Blätter golden sind, ehe sie fallen, halte in den Wäldern des Auenlands nach Bilbo Ausschau. Ich werde bei ihm sein.«

Diese Worte hörte niemand sonst, und Frodo behielt sie für sich.

SIEBTES KAPITEL

AUF DER HEIMFAHRT

Endlich wandten nun die Hobbits den Blick der Heimat zu. Sie waren jetzt begierig, das Auenland wiederzusehen; aber zuerst ritten sie langsam, denn Frodo fühlte sich nicht wohl. Als sie zur Furt des Bruinen kamen, hielt er an, und es schien ihm zu widerstreben, in den Fluß hineinzureiten; und sie bemerkten, daß seine Augen sie und die Dinge um ihn eine Zeitlang nicht zu sehen schienen. Den ganzen Tag war er schweigsam. Es war der sechste Oktober.

»Hast du Schmerzen, Frodo?« fragte Gandalf leise, als er neben Frodo ritt.

»Nun ja«, sagte Frodo. »Es ist meine Schulter. Die Wunde schmerzt, und die Erinnerung an die Dunkelheit lastet schwer auf mir. Heute vor einem Jahr war es.«

»Ach, leider gibt es Wunden, die nicht völlig geheilt werden können«, sagte Gandalf.

»Ich fürchte, so könnte es mit meiner sein«, sagte Frodo. »Es ist keine wirkliche Rückkehr. Obwohl ich vielleicht ins Auenland komme, wird es mir nicht als dasselbe erscheinen; denn ich werde nicht derselbe sein. Ich bin verwundet durch Dolch, Stich und Zahn und eine schwere Bürde. Wo werde ich Ruhe finden?«

Gandalf antwortete nicht.

Am Ende des nächsten Tages waren die Schmerzen und Beschwerden vergangen, und Frodo war wieder fröhlich, so fröhlich, als erinnere er sich gar nicht der Düsternis des vorigen Tages. Danach ging die Fahrt gut vonstatten, und die Tage vergingen rasch; denn sie ritten mit Muße und machten oft halt in dem schönen Waldland, wo die Blätter in der Herbstsonne rot und gelb leuchteten. Schließlich kamen sie zur Wetterspitze; und es ging schon auf den Abend zu, und der Schatten des Bergs lag dunkel auf der Straße. Da bat Frodo sie, schneller zu reiten, und er wollte den Berg nicht anschauen, sondern ritt mit gesenktem Kopf, den Mantel fest um sich gezogen, durch seinen Schatten. In jener Nacht schlug das Wetter um, und ein Wind kam von Westen und brachte Regen mit, und er wehte heftig und kalt, und die gelben Blätter wirbelten wie Vögel durch die Luft. Als sie zum Chetwald kamen, waren die Zweige schon fast kahl, und ein großer Regenvorhang verhüllte den Breeberg vor ihrem Blick.

So kam es, daß gegen Ende eines stürmischen und nassen Abends in den letzten Oktobertagen die fünf Reisenden die ansteigende Straße hinaufritten und zum Südtor von Bree kamen. Es war fest verschlossen; und der Regen klatschte ihnen ins Gesicht, am dunklen Himmel jagten tiefhängende Wolken vorbei, und der Mut sank ihnen ein wenig, denn sie hatten auf einen besseren Empfang gehofft.

Nachdem sie mehrere Male gerufen hatten, kam der Torhüter endlich heraus, und sie sahen, daß er einen großen Knüppel in der Hand hatte. Er betrachtete sie ängstlich und mißtrauisch, aber als er Gandalf erkannte und sah, daß seine Gefährten trotz ihrer seltsamen Aufmachung Hobbits waren, da wurde er freundlicher und hieß sie willkommen.

»Kommt herein«, sagte er und schloß das Tor auf. »Wir wollen nicht an einem so abscheulichen Abend hier draußen in der Kälte und Nässe stehenbleiben und Neuigkeiten austauschen. Aber der alte Gersten wird Euch gewiß im *Pony* willkommen heißen, und da werdet Ihr alles hören, was es zu hören gibt.«

»Und da werdet Ihr dann später alles hören, was wir sagen, und noch mehr«, lachte Gandalf. »Wie geht's Heinrich?«

Der Torhüter blickte finster drein. »Weg«, sagte er. »Aber Ihr fragt am besten Gerstenmann. Guten Abend.«

»Guten Abend«, sagten sie und gingen durch; und dann bemerkten sie, daß am Straßenrand hinter der Hecke eine lange, niedrige Hütte gebaut worden war, und eine Reihe von Männern war herausgekommen und starrte sie über den Zaun an. Als sie zu Lutz Farnings Haus kamen, sahen sie, daß die Hecke dort verwildert und ungepflegt war, und alle Fenster waren mit Brettern vernagelt.

»Glaubst du, du hast ihn damals mit dem Apfel getötet, Sam?« fragte Pippin.

»So hoffnungsvoll bin ich nicht, Herr Pippin«, sagte Sam. »Aber ich würde gern wissen, was aus dem armen Pony geworden ist. Daran habe ich so manches Mal gedacht, und an das Wolfsgeheul und all das.«

Schließlich kamen sie *Zum Tänzelnden Pony,* und das sah wenigstens äußerlich unverändert aus; und es brannte Licht hinter den roten Vorhängen der unteren Fenster. Sie läuteten, und Kunz kam an die Tür, öffnete einen Spalt und schaute hinaus; und als er sie da unter der Lampe stehen sah, stieß er einen Überraschungsschrei aus.

»Herr Butterblume! Herr!« brüllte er. »Sie sind zurückgekommen!«

»Ach, wirklich? Ich werd sie lehren!« ertönte Butterblumes Stimme, und er kam herausgestürzt mit einem Prügel in der Hand. Aber als er sah, wer sie waren, hielt er inne, und der finstere Ausdruck seines Gesichts verwandelte sich in Staunen und Freude.

»Kunz, du wollköpfiger Trottel!« rief er. »Kannst du alte Freunde nicht mit ihren Namen nennen? Du solltest mich nicht so erschrecken, wo die Zeiten so sind. Na, schon gut. Und wo kommt Ihr her? Ich habe nie erwartet, einen von Euch wiederzusehen, und das ist eine Tatsache: in die Wildnis zu gehen mit diesem Streicher, und wo alle diese Schwarzen Menschen unterwegs waren. Aber ich bin wirklich froh, Euch zu sehen, und keinen mehr als Gandalf. Kommt herein! Kommt herein! Dieselben Zimmer wie früher? Sie sind frei. Tatsächlich sind heutzutage die meisten Zimmer frei, wie ich Euch nicht verheimlichen will, denn Ihr werdet es bald genug selbst herausfinden. Und ich werde sehen, was sich mit dem Abendessen machen läßt, so bald als möglich; aber ich bin knapp an Arbeitskräften zur Zeit. He, Kunz, du Faulpelz! Sage Hinz Bescheid! Ach, das vergesse ich immer, Hinz ist ja weg: er geht jetzt bei Einbruch der Nacht immer zu seinen Leuten nach Hause. Na, dann bringe du die Ponies der Gäste in den Stall, Kunz! Und Ihr werdet ja Euer Pferd wohl bestimmt selbst in den Stall bringen, Gandalf. Ein schönes Tier, wie ich schon sagte, als ich es zum ersten Mal sah. So, nun kommt herein. Tut ganz, als ob Ihr hier zu Hause wärt!«

Herr Butterblume hatte jedenfalls seine Redeweise nicht geändert und schien immer noch in seiner alten, atemlosen Geschäftigkeit zu leben. Und dabei war kaum jemand da, und alles war still; aus der großen Wirtsstube kam ein leises Gemurmel von nicht mehr als zwei oder drei Stimmen. Und im Schein der zwei Kerzen, die er anzündete und vor ihnen hertrug, sah das Gesicht des Wirts bei genauer Betrachtung ziemlich faltig und abgehärmt aus.

Er führte sie über den Gang in die kleine Gaststube, in der sie an jenem seltsamen Abend vor mehr als einem Jahr gesessen hatten; und sie folgten ihm, ein wenig beunruhigt, denn es schien klar zu sein, daß er irgendeiner Schwierigkeit mit Tapferkeit begegnete. Die Dinge waren nicht, wie sie einst waren. Aber sie sagten nichts und warteten ab.

Was sie vermutet hatten, kam Herr Butterblume nach dem Abendessen in die Gaststube, um zu sehen, ob alles nach ihrem Wunsch gewesen sei. Das war es allerdings; nichts war schlechter geworden, weder das Bier noch das Essen, jedenfalls im *Pony*. »Nun, ich will es nicht wagen, etwa vorzuschlagen, daß Ihr heute abend in die große

Wirtsstube kommen solltet«, sagte Butterblume. »Ihr werdet müde sein; und heute sind sowieso nicht viele Leute da. Aber wenn Ihr eine halbe Stunde für mich erübrigen könnt, ehe Ihr ins Bett geht, dann würde ich mich sehr gern mit Euch unterhalten, in aller Stille, ganz unter uns.«

»Das ist genau das, was wir auch gern täten«, sagte Gandalf. »Wir sind nicht müde. Wir haben uns nicht überanstrengt. Wir waren naß, kalt und hungrig, aber all das habt Ihr geheilt. Kommt, setzt Euch zu uns. Und wenn Ihr etwas Pfeifenkraut habt, werden wir Euch preisen.«

»Nun, wenn Ihr etwas anderes verlangt hättet, wäre ich glücklicher gewesen«, sagte Butterblume. »Das ist gerade etwas, was bei uns knapp ist, in Anbetracht dessen, daß wir nämlich nur das haben, was wir selbst anbauen, und das reicht nicht. Aus dem Auenland ist in letzter Zeit nichts zu bekommen. Aber ich werde sehen, was ich tun kann.«

Als er zurückkam, brachte er ihnen genug für ein oder zwei Tage, ein Bündel ungeschnittener Blätter. »Südhang«, sagte er, »und der beste, den wir haben, der aber mit dem Südviertel nicht mitkommt, wie ich immer gesagt habe, obwohl ich bei den meisten Dingen ganz für Bree bin, bitte um Entschuldigung.«

Sie ließen ihn auf einem großen Sessel am Holzfeuer Platz nehmen. Gandalf setzte sich auf die andere Seite des Kamins und die Hobbits auf niedrige Stühle zwischen beiden; und dann unterhielten sie sich viele halbe Stunden hintereinander und tauschten alle Neuigkeiten aus, die Herr Butterblume hören oder berichten wollte. Das meiste von dem, was sie zu erzählen hatten, erregte bei ihrem Gastgeber schieres Staunen und Bestürzung und ging weit über seine Vorstellungskraft hinaus; und er äußerte wenig anderes als: »Was Ihr nicht sagt«, oft wiederholt, obwohl Herr Butterblume es doch mit eigenen Ohren hörte. »Was Ihr nicht sagt, Herr Beutlin; oder ist es Herr Unterberg? Ich komme ganz durcheinander. Was Ihr nicht sagt, Herr Gandalf. Nein, so etwas! Wer hätte das gedacht in unserer Zeit!«

Aber von sich aus sagte er nicht viel. Die Lage sei alles andere als gut, meinte er zum Beispiel. Das Geschäft sei nicht einmal leidlich, es sei ausgesprochen schlecht. »Niemand kommt jetzt von draußen in die Nähe von Bree«, sagte er. »Und die Leute drinnen bleiben meist zu Hause und halten ihre Türen verschlossen. Das kommt alles von diesen Fremden und Herumtreibern, die seit dem letzten Jahr den Grünweg heraufgekommen sind, wie Ihr Euch vielleicht erinnert; aber später kamen noch mehr. Einige waren bloß arme Kerle, die vor den Unruhen davonliefen; aber die meisten waren schlechte Menschen, Diebe und Störenfriede. Und wir hatten sogar Unruhe hier in Bree, böse Unruhe. Einen regelrechten Kampf gab es, und einige Leute wurden getötet, wirklich getötet! Wenn Ihr mir's glauben wollt.«

»Das will ich fürwahr«, sagte Gandalf. »Wie viele?«

»Drei und zwei«, sagte Butterblume, womit er das große und das kleine Volk meinte. »Da war der arme Malte Heidezehen; und Roland Affalter, und der kleine Tom Stechdorn von drüben überm Berg; und Willi Hang von weiter oben, und einer der Unterberg aus Stadel: alles gute Burschen, und sie fehlen uns. Und Heinrich Geißblatt, der früher am Westtor war, und dieser Lutz Farning, die schlugen sich auf die Seite der Fremden, und sie sind mit ihnen weggegangen; und ich glaube, sie haben sie hereingelassen. An dem Abend der Schlacht, meine ich. Und das war, nachdem wir ihnen gesagt hatten, wo das Tor ist, und sie rausgesetzt hatten: vor dem Jahresende war es; und die Schlacht war Anfang des Neuen Jahres, nachdem wir den schweren Schneefall hatten.

Und jetzt haben sie sich aufs Rauben verlegt und leben draußen, verstecken sich in den Wäldern hinter Archet und in der Wildnis im Norden. Es ist ein bißchen wie in den Geschichten aus der schlechten alten Zeit, würde ich sagen. Es ist nicht mehr sicher auf den Straßen, und niemand geht weit, und die Leute schließen früh zu. Rings um das Gehege müssen wir Wachen aufstellen und die Tore nachts mit einer Menge Leute besetzen.«

»Na, uns hat keiner belästigt«, sagte Pippin, »und wir kamen langsam und stellten keine Wache auf. Wir dachten, wir hätten alle Schwierigkeiten hinter uns gelassen.«

»Ach, nein, das habt Ihr nicht, Herr, im Gegenteil«, sagte Butterblume. »Aber es ist kein Wunder, daß sie Euch in Frieden gelassen haben. An bewaffnete Leute mit Schwertern und Helmen und Schilden gehen sie nicht ran. Das überlegen sie sich zweimal. Und ich muß schon sagen, ich war auch ein bißchen bestürzt, als ich Euch sah.«

Da wurden sich die Hobbits plötzlich darüber klar, daß die Leute sie nicht so sehr deshalb verblüfft ansahen, weil sie über ihre Rückkehr verwundert waren, sondern weil sie über ihre Ausrüstung staunten. Sie selbst waren so an Krieg und das Reiten in wohlgeordneten Scharen gewöhnt und hatten ganz vergessen, daß die unter ihren Mänteln hervorschauenden Panzer und die Helme von Gondor und der Mark und die schönen Wappen auf ihren Schilden in ihrem eigenen Land befremdlich erscheinen würden. Und auch Gandalf, der nun auf seinem prächtigen grauen Roß ritt, ganz weiß gekleidet mit einem großen Umhang in Blau und Silber überall und mit dem Langschwert Glamdring an seiner Seite.

Gandalf lachte. »Gut, gut«, sagte er, »wenn sie schon vor uns fünfen

Angst haben, dann haben wir auf unseren Fahrten schlimmere Feinde getroffen. Aber jedenfalls werden sie Euch nachts in Ruhe lassen, solange wir hier sind.«

»Wie lange wird das sein?« fragte Butterblume. »Ich will nicht leugnen, daß wir froh wären, Euch ein bißchen hier zu haben. Wir sind nämlich an solche Unruhen nicht gewöhnt, und die Waldläufer sind alle fortgegangen, wie mir die Leute erzählen. Ich glaube, wir haben bis jetzt nicht richtig verstanden, was sie für uns getan haben. Denn es hat hier noch Schlimmeres gegeben als Räuber. Im letzten Winter heulten Wölfe rings um das Gehege. Und es sind dunkle Gestalten in den Wäldern, entsetzliche Geschöpfe, die einem das Blut erstarren lassen, wenn man bloß an sie denkt. Es war sehr beunruhigend, wenn Ihr mich versteht.«

»Das kann ich mir denken«, sagte Gandalf. »Fast alle Lande sind in diesen Tagen beunruhigt gewesen, sehr beunruhigt. Aber faßt Mut, Gerstenmann! Ihr wart an der Schwelle sehr großer Unannehmlichkeiten, und ich bin wirklich froh zu hören, daß Ihr nicht tiefer drin wart. Aber bessere Zeiten kommen. Vielleicht bessere, als Ihr je erlebt habt. Die Waldläufer sind zurückgekehrt. Wir sind mit ihnen gekommen. Und es gibt wieder einen König, Gerstenmann. Er wird seine Gedanken bald auf diese Gegend richten.

Dann wird der Grünweg wieder geöffnet, und seine Boten werden nach Norden reiten, es wird ein ständiges Kommen und Gehen geben, und die bösen Geschöpfe werden aus den Ödlanden vertrieben werden. Die Einöden werden mit der Zeit keine Einöden mehr sein, Leute werden dort wohnen und Felder haben, wo einst Wildnis war.«

Herr Butterblume schüttelte den Kopf. »Wenn ein paar anständige, ehrbare Leute auf den Straßen sind, das wird nicht schaden«, sagte er. »Aber wir wollen kein Gesindel und keine Strolche mehr. Und wir wollen keine Außenseiter in Bree haben, oder überhaupt in der Nähe von Bree. Wir wollen allein gelassen werden. Ich will nicht, daß eine ganze Horde von Fremden hier lagert und sich dort ansiedelt und das wilde Land aufteilt.«

»Ihr werdet allein gelassen werden, Gerstenmann«, sagte Gandalf. »Es können genug Siedlungen angelegt werden zwischen dem Isen und der Grauflut und in den Uferlanden südlich des Brandywein, ohne daß jemand näher an Bree wohnt als viele Tagesritte entfernt. Und viel Volk lebte früher weit im Norden, hundert Meilen oder mehr von hier, am Ende des Grünwegs: auf den Nordhöhen oder am See Evendim.«

»Oben am Totendeich?« sagte Gerstenmann und sah noch zweifelnder drein. »Das ist ein Land, wo Gespenster umgehen, heißt es. Niemand außer einem Räuber würde dort hingehen.«

»Die Waldläufer gehen dort hin«, sagte Gandalf. »Totendeich, sagt Ihr. So ist es seit langen Jahren genannt worden; aber sein richtiger Name, Gerstenmann, ist Fornost Erain, Königsnorburg. Und der König wird eines Tages dort hinkommen; und dann werdet Ihr einige schöne Leute durchreiten sehen.«

»Na, das klingt hoffnungsvoller, das gebe ich zu«, sagte Butterblume. »Und es wird zweifellos gut fürs Geschäft sein. Solange er Bree in Frieden läßt.«

»Das wird er«, sagte Gandalf. »Er kennt es und liebt es.«

»Wirklich?« sagte Butterblume ganz verdutzt. »Obwohl ich bestimmt nicht weiß, warum er es lieben sollte, wenn er auf einem hohen Stuhl sitzt in seinem großen Schloß, Hunderte von Meilen entfernt. Und aus einem goldenen Becher Wein trinkt, das würde mich nicht wundern. Was bedeutet ihm schon das *Pony* oder Bierkrüge? Nicht, daß mein Bier nicht gut wäre, Gandalf. Es ist ungemein gut, seit Ihr im Herbst letzten Jahres kamt und ein gutes Wort gesprochen habt. Und das war ein Trost bei all dem Ärger, das muß ich schon sagen.«

»Ach«, sagte Sam. »Aber er sagt, Euer Bier sei immer gut.«

»Er sagt das?«

»Natürlich. Er ist Streicher. Der Anführer der Waldläufer. Will Euch das denn gar nicht in den Kopf?«

Endlich begriff er es, und Butterblumes verblüfftes Gesicht war sehenswert. Die Augen in seinem breiten Gesicht wurden rund, sein Mund stand weit offen, und er schnappte nach Luft. »Streicher!« rief er aus, als er wieder bei Atem war. »Er mit einer Krone und alledem und einem goldenen Becher! Na, wo kommen wir denn hin?«

»Zu besseren Zeiten, jedenfalls für Bree«, sagte Gandalf.

»Das hoffe ich, bestimmt«, sagte Butterblume. »Na, das war der netteste Schwatz, den ich seit undenklichen Zeiten gehabt habe. Und ich will nicht leugnen, daß ich heute nacht besser schlafen werde und mit leichterem Herzen. Ihr habt mir mächtig viel zu denken gegeben, aber das werde ich bis morgen aufschieben. Ich bin bettreif und zweifle nicht, daß Ihr auch gern zu Bett gehen werdet. He, Kunz!« rief er und ging zur Tür. »Kunz, du Faultier!«

»Kunz!« sagte er zu sich selbst und schlug sich auf die Stirn. »Woran erinnert mich denn das?«

»Nicht wieder an einen Brief, den Ihr vergessen habt, hoffe ich, Herr Butterblume?« sagte Merry.

»Nun, nun, Herr Brandybock, erinnert mich nicht daran! Aber nun habt Ihr meinen Gedanken unterbrochen. Wo war ich? Kunz, Ställe, ach, ja, das war es. Ich habe etwas, das Euch gehört. Wenn Ihr Euch auf Lutz Farning besinnt und den Pferdediebstahl: sein Pony, das Ihr gekauft habt, das ist hier. Kam ganz von allein zurück. Aber wo es gewesen war, wißt Ihr wohl besser als ich. Es war struppig wie ein alter Hund und mager wie ein Kleiderhaken, aber es lebte. Kunz hat es versorgt.«

»Was, mein Lutz!« rief Sam. »Na, ich bin ein Glückskind, was immer der Ohm sagen mag. Noch ein Wunsch, der in Erfüllung gegangen ist! Wo ist er?« Sam wollte nicht ins Bett gehen, ehe er Lutz im Stall besucht hatte.

Die Reisenden blieben den ganzen nächsten Tag in Bree, und Herr Butterblume konnte sich am nächsten Abend jedenfalls nicht über das Geschäft beklagen. Neugier besiegte alle Ängste, und sein Haus war brechend voll. Aus Höflichkeit gingen die Hobbits am Abend für eine Weile in die große Wirtsstube und beantworteten eine Menge Fragen. Da man in Bree ein gutes Gedächtnis hatte, wurde Frodo mehrmals gefragt, ob er sein Buch geschrieben habe.

»Noch nicht«, antwortete er. »Ich gehe jetzt nach Hause, um meine Aufzeichnungen zu ordnen.« Er versprach, die erstaunlichen Ereignisse in Bree zu erwähnen und damit sein Buch etwas reizvoller zu gestalten, das vermutlich im wesentlichen die fernen und weniger wichtigen Angelegenheiten »unten im Süden« behandeln würde.

Dann schlug einer der jüngeren Leute vor, es solle ein Lied gesungen werden. Aber da trat Schweigen ein, und er wurde mit finsteren Blicken bedacht, und der Wunsch wurde nicht wiederholt. Offenbar wollte man in der Wirtsstube nicht noch einmal so unheimliche Dinge erleben.

Kein Verdruß bei Tage und kein Geräusch bei Nacht störte den Frieden von Bree, solange die Reisenden dort blieben; aber am nächsten Morgen standen sie früh auf, denn das Wetter war immer noch regnerisch, und sie wollten das Auenland vor der Nacht erreichen, und es war immer noch ein weiter Ritt. Das ganze Bree-Volk war draußen, um sie zu verabschieden, und war so fröhlicher Stimmung wie seit einem Jahr nicht mehr; und diejenigen, die die Fremden noch nicht mit all ihren Waffen gesehen hatten, starrten sie verwundert an: Gandalf mit seinem weißen Bart und das Leuchten, das von ihm auszugehen schien, als ob sein blauer Umhang nur eine Wolke über Sonnenschein sei. Und die vier Hobbits wie fahrende Ritter aus fast vergessenen Sagen. Selbst jene, die über all das Gerede vom König gelacht hatten, glaubten nun allmählich, es könne doch etwas Wahres daran sein.

»Also viel Glück unterwegs und viel Glück bei der Heimkehr!« sagte

Herr Butterblume. »Ich hätte Euch warnen sollen, daß auch im Auenland nicht alles gut ist, wenn es stimmt, was wir hören. Seltsame Dinge gehen dort vor, heißt es. Aber eins verdrängt das andere, und ich war ganz erfüllt von meinen eigenen Schwierigkeiten. Aber wenn ich so dreist sein darf, es zu sagen, Ihr seid verändert von Eurer Fahrt zurückgekommen, und Ihr seht jetzt aus wie Leute, die im Handumdrehen mit Schwierigkeiten fertig werden können. Ich zweifle nicht, daß Ihr bald alles wieder in die Reihe bringt. Viel Glück! Und je öfter Ihr zurückkommt, um so erfreuter werde ich sein.«

Sie sagten ihm Lebewohl und ritten davon durch das Westtor und dann weiter dem Auenland entgegen. Lutz, das Pony, war bei ihnen und trug, wie früher auch, ein gut Teil Gepäck, aber er trottete neben Sam her und schien sehr zufrieden.

»Ich möchte mal wissen, worauf der alte Gerstenmann angespielt hat«, sagte Frodo.

»Einiges davon kann ich mir denken«, sagte Sam düster. »Was ich in dem Spiegel gesehen habe: abgeschlagene Bäume und das alles, und der Ohm aus dem Beutelhaldenweg verjagt. Ich hätte mich auf dem Heimweg mehr beeilen sollen.«

»Und irgend etwas stimmt offenbar mit dem Südviertel nicht«, sagte Merry. »Überall ist Pfeifenkraut knapp.«

»Was immer es ist«, sagte Pippin, »Lotho wird dahinterstecken: darauf könnt ihr euch verlassen.«

»Tief drinnen, aber nicht dahinter«, sagte Gandalf. »Ihr habt Saruman vergessen. Er hat seine Aufmerksamkeit schon vor Mordor auf das Auenland gerichtet.«

»Na, wir haben dich ja bei uns«, sagte Merry. »Also werden sich die Dinge bald klären.«

»Jetzt bin ich bei euch«, sagte Gandalf, »aber bald nicht mehr. Ich komme nicht mit ins Auenland. Ihr müßt eure Angelegenheiten selbst regeln; dafür seid ihr geschult worden. Habt ihr es noch nicht begriffen? Meine Zeit ist vorüber: es ist nicht länger meine Aufgabe, Dinge in Ordnung zu bringen oder den Leuten dabei zu helfen. Und was euch betrifft, meine lieben Freunde, so werdet ihr keine Hilfe brauchen. Ihr seid jetzt erwachsen; sehr stattlich geworden sogar; zu den Großen gehört ihr jetzt, und um keinen von euch habe ich mehr Angst.

Aber wenn ihr es wissen wollt, ich biege bald ab. Ich will ein langes Gespräch mit Bombadil führen; ein Gespräch, wie ich es all mein Lebtag nicht hatte. Er ist ein Moos-Sammler, und ich war ein Stein, dessen

Schicksal das Rollen war. Aber meine rollenden Tage sind beendet, und jetzt werden wir einander viel zu sagen haben.«

Nach einer kleinen Weile kamen sie zu der Stelle an der Oststraße, wo sie von Bombadil Abschied genommen hatten; und sie hofften und erwarteten halb, ihn dort stehen zu sehen, um sie im Vorbeigehen zu begrüßen. Aber es war keine Spur von ihm zu sehen; und über den Hügelgräbern im Süden hing ein grauer Nebel und über dem Alten Wald in der Ferne ein dichter Schleier.

Sie hielten an, und Frodo schaute sehnsüchtig nach Süden. »Ich würde den Alten wirklich sehr gerne wiedersehen«, sagte er. »Ich möchte mal wissen, wie es ihm geht.«

»So gut wie immer, da kannst du beruhigt sein«, sagte Gandalf. »Völlig unberührt; und ich möchte annehmen, daß nichts von alledem, was wir getan oder gesehen haben, ihn sehr beeindrucken würde, abgesehen vielleicht von unseren Besuchen bei den Ents. Es mag sich später für euch eine Gelegenheit ergeben, ihn zu sehen. Aber ich an eurer Stelle würde mich jetzt eilen, sonst kommt ihr nicht zur Brandyweinbrücke, ehe die Tore geschlossen werden.«

»Aber da sind gar keine Tore«, sagte Merry, »nicht auf der Straße; das weißt du doch genau. Natürlich gibt es das Bocklandtor; aber mich lassen sie jederzeit durch.«

»Da waren keine Tore, meinst du«, sagte Gandalf. »Ich glaube, jetzt werdet ihr welche finden. Und vielleicht wirst du sogar am Bocklandtor mehr Schwierigkeiten haben, als du glaubst. Aber ihr werdet es schon schaffen. Lebt wohl, liebe Freunde! Nicht zum letzten Mal, noch nicht. Auf Wiedersehen!«

Er lenkte Schattenfell von der Straße herunter, und das große Pferd sprang über die grüne Böschung, die sie einfaßte; dann rief ihm Gandalf etwas zu, und da fegte Schattenfell auf die Hügelgräberhöhen zu wie ein Wind von Norden.

»So, da sind wir nun, eben wir vier, die wir zusammen aufbrachen«, sagte Merry. »Alle anderen haben wir hinter uns gelassen, einen nach dem anderen. Es scheint fast wie ein Traum zu sein, der langsam verging.«

»Für mich nicht«, sagte Frodo. »Mir ist eher, als schliefe ich wieder ein.«

ACHTES KAPITEL

DIE BEFREIUNG DES AUENLANDS

Die Nacht war schon hereingebrochen, als die Reisenden, naß und müde, endlich am Brandywein anlangten und feststellten, daß der Weg versperrt war. An jedem Ende der Brücke war ein mit Eisenspitzen versehenes Tor; und jenseits des Flusses waren, wie man sehen konnte, einige neue Häuser gebaut worden: zweistöckig mit schmalen, rechteckigen Fenstern, trübe erleuchtet, alles sehr düster und ganz un-auenländisch.

Sie hämmerten an das äußere Tor und riefen, aber zuerst kam keine Antwort; und dann blies zu ihrer Überraschung jemand ein Horn, und die Lichter in den Fenstern gingen aus. Eine Stimme schrie im Dunkeln:

»Wer ist da? Geht weg! Ihr könnt nicht hereinkommen. Könnt ihr den Anschlag nicht lesen: *Kein Zugang zwischen Sonnenuntergang und Sonnenaufgang?«*

»Natürlich können wir den Anschlag im Dunklen nicht lesen!« schrie Sam zurück. »Und wenn Hobbits aus dem Auenland in einer solchen Nacht im Nassen bleiben sollen, dann werde ich euren Anschlag abreißen, wenn ich ihn finde.«

Darauf wurde ein Fenster zugeschlagen, und eine Schar Hobbits mit Laternen kam aus dem Haus zur Linken. Sie öffneten das Tor drüben, und einige kamen auf die Brücke. Als sie die Reisenden sahen, schienen sie erschreckt.

»Nun kommt schon«, sagte Merry, der einen der Hobbits erkannte. »Wenn du mich auch nicht erkennst, Hugo Feldhüter, so solltest du mich jedenfalls kennen. Ich bin Merry Brandybock und möchte mal wissen, was das alles soll und was ein Bockländer wie du hier tut. Du warst doch früher am Heutor.«

»Du meine Güte! Es ist Herr Merry, freilich, und ganz zum Kämpfen angezogen!« sagte der alte Hugo. »Es hieß doch, du bist tot! Verirrt im Alten Wald, wie man hörte. Ich freue mich, dich noch am Leben zu sehen!«

»Dann hör auf, mich durch das Gitter anzustarren, und öffne das Tor!« sagte Merry.

»Es tut mir leid, Herr Merry, aber wir haben Befehle.«

»Befehle von wem?«

»Vom Oberst oben in Beutelsend.«

»Oberst? Oberst? Meinst du Herrn Lotho?« fragte Frodo.

»Ich nehme an, Herr Beutlin; aber wir müssen heutzutage einfach ›der Oberst‹ sagen.«

»Ach wirklich!« sagte Frodo. »Na, ich bin froh, daß er jedenfalls den Namen Beutlin abgelegt hat. Aber offenbar ist es höchste Zeit, daß sich die Familie mit ihm befaßt und ihn in seine Schranken verweist.«

Die Hobbits hinter dem Tor schwiegen betreten. »Es kommt nichts Gutes dabei raus, wenn man so redet«, sagte einer. »Er wird davon hören. Und wenn ihr so viel Krach macht, werdet ihr den Großen Menschen vom Oberst aufwecken.«

»Wir werden ihn auf eine Weise aufwecken, die ihn überrascht«, sagte Merry. »Wenn ihr damit sagen wollt, daß euer feiner Oberst Strolche aus der Wildnis angeheuert hat, dann sind wir nicht zu früh zurückgekommen.« Er sprang vom Pony, und als er im Schein der Laternen den Anschlag sah, riß er ihn herunter und warf ihn über das Tor. Die Hobbits wichen zurück und machten keine Anstalten zu öffnen. »Komm, los, Pippin«, sagte Merry. »Zwei reichen.«

Merry und Pippin kletterten über das Tor, und die Hobbits flohen. Wieder erklang ein Horn. Aus dem größeren Haus auf der rechten Seite trat eine große, schwere Gestalt in den Lichtschein der Tür.

»Was soll das heißen?« fauchte er, als er näherkam. »Das Tor aufbrechen? Macht, daß ihr wegkommt, sonst breche ich eure dreckigen kleinen Hälse!« Dann blieb er stehen, denn er sah Schwerter blitzen.

»Lutz Farning«, sagte Merry, »wenn du nicht in zehn Sekunden das Tor aufmachst, wirst du es bereuen. Du wirst mein Schwert zu kosten bekommen, wenn du nicht gehorchst. Und wenn du das Tor aufgemacht hast, wirst du hindurchgehen und niemals zurückkommen. Du bist ein Strolch und Straßenräuber.«

Lutz Farning fuhr zurück und schlurfte zum Tor und schloß es auf. »Gib mir den Schlüssel!« sagte Merry. Aber der Unmensch warf ihn ihm an den Kopf und machte einen Satz in die Dunkelheit. Als er zu den Ponies kam, schlug eins aus und traf ihn, als er vorbeirannte. Jaulend verschwand er in der Nacht, und man hat nie wieder von ihm gehört.

»Saubere Arbeit, Lutz«, sagte Sam und meinte das Pony.

»So, mit eurem Großen Menschen wären wir fertig«, sagte Merry. »Den Oberst nehmen wir uns später vor. Inzwischen wollen wir eine Unterkunft für die Nacht, und da ihr offenbar das Brückenwirtshaus abgerissen und stattdessen dieses häßliche Gebäude hingestellt habt, werdet ihr uns beherbergen müssen.«

»Tut mir leid, Herr Merry«, sagte Hugo, »aber das ist nicht erlaubt.«

»Was ist nicht erlaubt?«

»Leute so ohne weiteres aufnehmen, die zusätzlich ernährt werden müssen, und all das«, sagte Hugo.

»Was ist denn eigentlich hier los?« fragte Merry. »War es ein schlechtes Jahr, oder was? Ich dachte, es sei ein schöner Sommer gewesen und eine gute Ernte.«

»Ach nein, das Jahr war ganz gut«, sagte Hugo. »Wir bauen eine Menge Nahrungsmittel an, aber wir wissen nicht so recht, was daraus wird. Es sind alle diese ›Sammler‹ und ›Verteiler‹, nehme ich an, die herumgehen und zählen und abmessen und das Zeug ins Lager bringen. Sie sammeln mehr ein, als sie verteilen, und das meiste von der Ernte sehen wir nicht wieder.«

»Ach, komm!« sagte Pippin gähnend. »Das ist für mich alles zu ermüdend heute abend. Wir haben in unseren Beuteln zu essen. Gebt uns nur einen Raum, wo wir uns hinlegen können. Er wird besser sein als manche Orte, die ich gesehen habe.«

Den Hobbits am Tor war offenbar immer noch nicht wohl in ihrer Haut, wahrscheinlich wurde gegen die eine oder andere Vorschrift verstoßen; aber vier so gebieterischen Reisenden, alle bewaffnet und zwei von ihnen ungewöhnlich groß und kräftig aussehend, konnte man sich nicht widersetzen. Frodo befahl, die Tore wieder zu schließen. Es war jedenfalls vernünftig, eine Wache aufzustellen, solange sich noch Strolche herumtrieben. Dann gingen die vier Gefährten in das Hobbit-Wachhaus und machten es sich so gemütlich, wie sie konnten. Es war ein kahler und häßlicher Raum mit einer kümmerlichen kleinen Feuerstelle, die man nicht ordentlich heizen konnte. In den oberen Zimmern waren schmale Reihen harter Betten, und an jeder Wand war ein Anschlag und eine Liste der Vorschriften. Pippin riß sie ab. Es gab kein Bier und sehr wenig zu essen, aber mit dem, was die Reisenden mitgebracht hatten und nun verteilten, hatten sie alle eine recht ordentliche Mahlzeit; und Pippin verstieß gegen die Vorschrift Nr. 4, indem er den größten Teil des für den nächsten Tag bestimmten Holzvorrats auf das Feuer warf.

»So, wie wär's jetzt mit einer Pfeife, während ihr uns erzählt, was im Auenland geschehen ist?« sagte er.

»Es gibt jetzt kein Pfeifenkraut«, sagte Hugo. »Zumindest nur für die Menschen vom Oberst. Alle Vorräte scheinen weg zu sein. Wir haben gehört, ganze Wagenladungen sind über die alte Straße aus dem Südviertel weggebracht worden, über die Sarnfurt. Das muß Ende vorigen Jahres gewesen sein, nachdem ihr weggegangen seid. Aber vorher ist in aller Stille und in bescheidenem Maße auch etwas weggegangen. Dieser Lotho ...«

»Nun halt aber den Mund, Hugo Feldhüter«, riefen verschiedene von den anderen. »Du weißt, daß Reden dieser Art nicht erlaubt sind. Der Oberst wird davon hören, und dann kriegen wir alle Ärger.«

»Er würde nichts hören, wenn nicht einige von euch hier Petzer wären«, erwiderte Hugo hitzig.

»Schon gut, schon gut«, sagte Sam. »Das reicht völlig. Ich will nichts mehr hören. Kein Willkommen, kein Bier, nichts zu rauchen und stattdessen ein Haufen Vorschriften und Orkgerede. Ich hatte gehofft, ich könnte mich ausruhen, aber ich sehe, daß es Arbeit und Ärger geben wird. Laßt uns schlafen und es bis morgen vergessen!«

Der neue »Oberst« besaß offenbar Mittel und Wege, Nachrichten zu erhalten. Es waren gut und gerne vierzig Meilen von der Brücke bis Beutelsend, aber irgend jemand hatte die Strecke sehr rasch zurückgelegt. Das merkten Frodo und seine Freunde bald.

Sie hatten noch keine endgültigen Pläne gemacht, aber immerhin erwogen, zuerst nach Krickloch zu gehen und sich ein wenig auszuruhen. Doch jetzt, da sie sahen, wie die Dinge standen, beschlossen sie, gleich nach Hobbingen zu gehen. Also machten sie sich am nächsten Tag auf den Weg und trabten beharrlich die Straße entlang. Der Wind hatte sich gelegt, aber der Himmel war grau. Das Land sah ziemlich traurig und verlassen aus; schließlich war es der 1. November, und der Herbst ging seinem Ende zu. Immerhin waren ungewöhnlich viele Brände im Gange, und ringsum stieg an vielen Stellen Rauch auf. Eine dicke Rauchwolke stand in der Ferne in Richtung Waldende.

Als es Abend wurde, näherten sie sich Froschmoorstetten, einem Dorf unmittelbar an der Straße, etwa zweiundzwanzig Meilen von der Brücke. Dort wollten sie über Nacht bleiben; der *Schwimmende Balken* war ein gutes Wirtshaus. Aber als sie zum Ostende des Dorfes kamen, stießen sie auf eine Schranke mit einem großen Schild: KEIN DURCHGANG; dahinter stand mit Stöcken in den Händen und Federn an den Mützen eine ganze Schar Landbüttel, die gleichzeitig wichtigtuerisch und verängstigt aussahen.

»Was bedeutet das alles?« fragte Frodo, dem nach Lachen zumute war.

»Folgendes, Herr Beutlin«, sagte der Führer der Landbüttel, ein Zwei-Feder-Hobbit. »Du bist verhaftet wegen Tor-Aufbrechens, Herunterreißens von Vorschriften, Angreifens der Torhüter, unbefugten Eindringens, Schlafens in Auenland-Gebäuden und Bestechens der Wächter mit Lebensmitteln.«

»Und was noch?« fragte Frodo.

»Das reicht für den Anfang«, sagte der Führer der Landbüttel.

»Ich kann noch was hinzufügen, wenn du willst«, sagte Sam. »Beschimpfen Eures Obersts, Wünschen, ihm in sein pickliges Gesicht zu schlagen, und Denken, daß ihr Landbüttel wie ein Haufen Einfaltspinsel ausseht.«

»So, Herr, das reicht. Es ist der Befehl vom Oberst, daß ihr friedlich mitkommen sollt. Wir werden euch nach Wasserau bringen und euch den Menschen des Obersts übergeben; und wenn er euren Fall behandelt, dann könnt ihr eure Meinung sagen. Aber wenn ihr nicht länger im Loch bleiben wollt als nötig, dann würde ich es an eurer Stelle kurz machen, was ihr zu sagen habt.«

Zur Verwirrung der Landbüttel brüllten Frodo und seine Gefährten vor Lachen. »Sei doch nicht albern!« sagte Frodo. »Ich gehe hin, wohin ich will, und wann es mir paßt. Jetzt gehe ich zufällig in geschäftlichen Angelegenheiten nach Beutelsend, aber wenn du darauf bestehst, auch dahin zu gehen, dann ist das deine Sache.«

»Sehr wohl, Herr Beutlin«, sagte der Führer und schob die Schranke beiseite. »Aber vergiß nicht, daß ich dich verhaftet habe.«

»Das werde ich nicht vergessen«, sagte Frodo. »Niemals. Aber vielleicht werde ich dir verzeihen. Jetzt gehe ich für heute nicht weiter, also wenn du mich freundlicherweise zum *Schwimmenden Balken* begleiten willst, wäre ich dir sehr verbunden.«

»Das kann ich nicht, Herr Beutlin. Das Gasthaus ist geschlossen. Es gibt ein Landbüttelhaus am anderen Ende des Dorfes. Da werde ich euch hinbringen.

»Gut«, sagte Frodo. »Geh voraus, und wir kommen nach.«

Sam hatte sich die Landbüttel genau angesehen und einen entdeckt, den er kannte. »He, komm her, Rudi Kleinbau!« rief er. »Ich will mit dir reden.«

Mit einem ängstlichen Blick auf seinen Führer, der wütend aussah, aber nicht einzugreifen wagte, blieb Landbüttel Kleinbau zurück und ging dann neben Sam, der von seinem Pony abgesessen war.

»Hör mal, Rudolf, mein Junge«, sagte Sam. »Du bist in Hobbingen groß geworden und solltest mehr Verstand haben als daherzukommen und Herrn Frodo aufzulauern und das alles. Und was hat das zu bedeuten, daß das Wirtshaus geschlossen ist?«

»Sie sind alle geschlossen«, sagte Rudi. »Der Oberst hält nichts von Bier. Zumindest fing es so an. Aber jetzt, nehme ich an, kriegen seine

Menschen das, was da ist. Und er hält nichts davon, wenn Leute unterwegs sind; wenn sie also irgendwohin wollen oder müssen, dann müssen sie zum Landbüttelhaus gehen und erklären, warum.«

»Du solltest dich schämen, daß du bei solchem Unsinn mitmachst«, sagte Sam. »Du hast doch früher ein Wirtshaus lieber von innen als von außen gesehen. Du kamst immer mal rein, ob du Dienst hattest oder nicht.«

»Und das würde ich immer noch tun, Sam, wenn ich könnte. Aber sei nicht so streng mit mir. Was kann ich schon tun? Du weißt, daß ich vor sieben Jahren Landbüttel wurde, ehe all das begann. War eine Gelegenheit, im Land herumzuwandern und Leute zu sehen und Neuigkeiten zu hören und zu erfahren, wo es gutes Bier gab. Aber jetzt ist es anders.«

»Aber du kannst es aufgeben, kannst mit dem Bütteln aufhören, wenn es kein ehrenwerter Beruf mehr ist«, sagte Sam.

»Das wird uns nicht erlaubt«, sagte Rudi.

»Wenn ich *nicht erlaubt* noch öfter höre«, sagte Sam, »werde ich wütend werden.«

»Kann nicht behaupten, daß mir das leid tun würde«, sagte Rudi und senkte seine Stimme. »Wenn wir alle zusammen wütend würden, könnte etwas getan werden. Aber es sind diese Menschen, Sam, die Menschen vom Oberst. Er schickt sie überall hin, und wenn irgendeiner von uns kleinen Leuten für unsere Rechte eintritt, dann sperren sie ihn ins Loch. Zuerst haben sie den alten Mehlkloß geholt, den alten Willi Weißfuß, den Bürgermeister, und dann noch eine Menge andere. In letzter Zeit wird's immer schlimmer. Sie schlagen sie jetzt oft.«

»Warum arbeitest du dann für sie?« sagte Sam ärgerlich. »Wer hat euch nach Froschmoorstetten geschickt?«

»Keiner. Wir sind hier in dem großen Landbüttelhaus untergebracht. Wir sind jetzt die Erste Ostviertel-Schar. Es gibt insgesamt Hunderte von Landbütteln, und sie wollen noch mehr haben bei all diesen neuen Vorschriften. Die meisten sind gegen ihren Willen dabei, aber nicht alle. Selbst im Auenland gibt es welche, die sich gern in anderer Leute Angelegenheiten mischen und große Reden führen. Und noch schlimmer: es gibt ein paar, die für den Oberst und seine Menschen Späherdienste leisten.«

»Aha! So bekamt ihr also Nachrichten über uns, nicht wahr?«

»So ist es. Wir dürfen ihn nicht mehr benutzen, aber sie haben den alten Post-Schnelldienst noch in Betrieb, und halten an verschiedenen Stellen Meldegänger bereit. Einer kam gestern abend von Weißfurchen mit einer »Geheimmeldung«, und ein anderer brachte sie von hier aus weiter. Und heute nachmittag kam eine Anweisung zurück, daß ihr verhaftet und nach Wasserau gebracht werden sollt, nicht gleich ins Loch. Der Oberst will euch offenbar sofort sehen.«

»Er wird nicht mehr so begierig darauf sein, wenn Herr Frodo mit ihm fertig ist«, sagte Sam.

Das Landbüttelhaus in Froschmoorstetten war ebenso schlecht wie das Brückenhaus. Es hatte nur ein Stockwerk, aber dieselben schmalen Fenster, und es war aus häßlichen gelben Ziegelsteinen erbaut, die schlecht vermauert waren. Drinnen war es feucht und freudlos, und das Abendessen wurde auf einem langen, kahlen Tisch angerichtet, der seit Wochen nicht gescheuert worden war. Das Essen verdiente nicht, besser angerichtet zu werden. Die Reisenden waren froh, diesen Ort zu verlassen. Es waren ungefähr achtzehn Meilen nach Wasserau, und um zehn Uhr morgens machten sie sich auf den Weg. Sie wären auch schon früher aufgebrochen, nur ärgerte die Verzögerung den Führer der Landbüttel so offensichtlich. Der Westwind hatte auf Norden gedreht, und es wurde kälter, aber der Regen hatte aufgehört.

Es war ein ziemlich komischer Reiterzug, der das Dorf verließ, obwohl die wenigen Leute, die herauskamen, um sich die »Aufmachung« der Reisenden anzusehen, nicht sicher zu sein schienen, ob Lachen erlaubt sei. Ein Dutzend Landbüttel war abgestellt worden, um die »Gefangenen« zu begleiten; aber Merry ließ sie vorangehen, während Frodo und seine Freunde hinterherritten. Merry, Pippin und Sam saßen behaglich auf ihren Ponies und lachten und redeten und sangen, während die Landbüttel schwerfällig dahinstapften und versuchten, ernst und gewichtig auszusehen. Frodo hingegen war still und sah eher traurig und nachdenklich aus.

Der letzte, an dem sie vorbeikamen, war ein rüstiger Alter, der eine Hecke schnitt. »Nanu, nanu«, spottete er, »wer hat nun wen verhaftet?«

Zwei von den Landbütteln verließen sofort die Gruppe und gingen auf ihn zu. »Führer!« sagte Merry. »Befiehl den beiden, sofort wieder in der Reihe zu gehen, wenn du nicht willst, daß ich mich mit ihnen befasse!«

Auf ein scharfes Wort des Führers kamen die beiden Hobbits mürrisch wieder zurück. »Nun geht weiter«, sagte Merry, und von nun an sorgten die Reisenden dafür, daß ihre Ponies rasch genug ausschritten, um die Landbüttel so schnell voranzutreiben, wie sie nur gehen konnten. Die Sonne kam heraus, und trotz des eisigen Winds schnauften und schwitzten sie bald.

Am Drei-Viertel-Stein gaben sie es auf. Sie hatten fast vierzehn Meilen mit nur einer Rast am Mittag hinter sich gebracht. Jetzt war es drei

Uhr. Sie waren hungrig und sehr fußwund, und konnten mit den Ponies nicht Schritt halten.

»Na, kommt nach, wie es euch paßt«, sagte Merry. »Wir reiten weiter.«

»Auf Wiedersehen, Rudi«, sagte Sam. »Ich warte vor dem *Grünen Drachen* auf dich, wenn du nicht vergessen hast, wo das ist. Trödele nicht unterwegs!«

»Ihr widersetzt euch der Verhaftung, das ist es, was ihr tut«, sagte der Führer kläglich, »ich kann nicht dafür verantwortlich gemacht werden.«

»Wir werden uns noch allem möglichen widersetzen und nicht von dir verlangen, daß du die Verantwortung übernimmst«, sagte Pippin. »Ich wünsch dir alles Gute!«

Die Reisenden trabten weiter, und als die Sonne auf die Weißen Höhen fern am westlichen Horizont herabzusinken begann, kamen sie nach Wasserau an seinem großen See; und dort bekamen sie zum ersten Mal einen wirklich gewaltigen Schreck. Das hier war Frodos und Sams Heimat, und jetzt merkten sie, daß ihnen die Gegend mehr am Herzen lag als jede andere in der Welt. Viele der Häuser, die sie gekannt hatten, fehlten. Manche schienen niedergebrannt worden zu sein. Die hübsche Reihe alter Hobbithöhlen am Steilufer an der Nordseite des Sees war verlassen, und die kleinen Gärten, die sich bis zum Wasser hinunterzogen, waren von Unkraut überwuchert. Schlimmer noch war, daß eine ganze Kette häßlicher neuer Häuser an der Teichseite gebaut worden war, wo die Hobbinger Straße dicht am Ufer verlief. Dort hatten früher zu beiden Seiten Bäume gestanden. Sie waren alle weg. Und als sie bestürzt die Straße nach Beutelsend hinaufblickten, sahen sie einen hohen Ziegelschornstein in der Ferne. Er stieß schwarzen Rauch in die Abendluft aus.

Sam war außer sich. »Ich gehe gleich weiter, Herr Frodo!« rief er. »Ich will sehen, was los ist. Ich will den Ohm suchen.«

»Wir sollten erst herausfinden, was uns eigentlich blüht, Sam«, sagte Merry. »Ich vermute, der ›Oberst‹ wird eine Bande Strauchdiebe bei der Hand haben. Am besten wäre es, wir würden jemanden finden, der uns sagt, wie die Dinge hier stehen.«

Doch im Dorf Wasserau waren alle Häuser und Höhlen verrammelt, und keiner begrüßte sie. Sie wunderten sich darüber, aber bald entdeckten sie den Grund. Als sie zum *Grünen Drachen* kamen, dem letzten Haus in Richtung Hobbingen, das jetzt verödet und mit zerbrochenen Fenstern dastand, waren sie sehr bestürzt, als sie ein Dutzend großer, häßlicher Menschen sahen, die sich an der Wirtshausmauer herumdrückten; sie schielten und hatten eine fahle Gesichtsfarbe.

»Wie dieser Freund von Lutz Farning in Bree«, sagte Sam.
»Wie viele, die ich in Isengart sah«, murmelte Merry.

Die Strolche hatten Prügel in den Händen und Hörner an den Gürteln hängen, aber keine anderen Waffen, soweit man sehen konnte. Als die Reisenden heranritten, verließen sie die Mauer, gingen auf die Straße und versperrten den Weg.

»Wo wollt ihr eigentlich hin?« sagte einer, der größte und am übelsten aussehende der Bande. »Für euch ist hier der Durchgang gesperrt. Und wo sind diese prachtvollen Landbüttel?«

»Die kommen hübsch hinterher«, sagte Merry. »Ein wenig fußwund, vielleicht. Wir haben versprochen, hier auf sie zu warten.«

»Verflixt, was habe ich gesagt?« sagte der Strolch zu seinen Genossen. »Ich habe Scharrer gesagt, es hat keinen Zweck, diesen kleinen Narren zu trauen. Ein paar von unseren Leuten hätten hingeschickt werden sollen.«

»Und was für einen Unterschied hätte das gemacht, bitte schön?« sagte Merry. »Wir sind in diesem Land nicht an Straßenräuber gewöhnt, aber wir wissen, wie man mit ihnen umgeht.«

»Straßenräuber, wie?« sagte der Mensch. »Das ist also euer Ton, wie? Ändert ihn, sonst ändern wir ihn für euch. Ihr kleines Volk werdet zu frech. Vertraut nicht zu sehr auf das gute Herz vom Baas. Scharrer ist jetzt gekommen, und er wird tun, was Scharrer sagt.«

»Und was mag das sein?« fragte Frodo ruhig.

»Dieses Land hat's nötig, aufzuwachen und in Ordnung gebracht zu werden«, sagte der Unmensch, »und Scharrer wird das tun; und er wird streng sein, wenn ihr ihn dazu treibt. Ihr braucht einen härteren Baas. Und ihr werdet einen kriegen, ehe das Jahr um ist, wenn's noch mehr Ärger gibt. Dann werdet ihr das eine oder andere lernen, ihr kleines Rattenvolk.«

»Allerdings. Ich freue mich, von euren Plänen zu hören«, sagte Frodo, »ich bin gerade auf dem Weg, um Herrn Lotho zu besuchen, und es wird ihm vielleicht daran liegen, auch davon zu erfahren.«

Der Strolch lachte. »Lotho! Der kennt sie genau. Mach dir darüber keine Sorgen. Er wird tun, was Scharrer sagt. Denn wenn ein Baas Ärger macht, kann man ihn ablösen. Verstehst du? Und wenn das kleine Volk sich da reindrängelt, wo es nicht erwünscht ist, bringen wir es dorthin, wo es kein Unheil stiften kann. Verstehste?«

»Ja, ich verstehe«, sagte Frodo. »Erstens verstehe ich, daß ihr hier rückständig und nicht auf dem laufenden seid. Viel ist geschehen, seit ihr den Süden verlassen habt. Eure Zeit ist vorbei, und die aller anderen Strolche auch. Der Dunkle Turm ist gefallen, und es gibt einen König in Gondor. Und Isengart ist zerstört, und euer prachtvoller Herr ist ein Bettler in der Wildnis. Ich habe ihn unterwegs überholt. Die Boten des Königs werden jetzt den Grünweg heraufreiten, keine Räuber aus Isengart.«

Der Mensch starrte ihn an und lächelte. »Ein Bettler in der Wildnis!« höhnte er. »Ach, wirklich? Prahl nur, prahl nur, mein kleiner Angeber. Aber das wird uns nicht abhalten, in diesem fruchtbaren kleinen Land zu leben, wo ihr lange genug gefaulenzt habt. Und — «, er schnalzte vor Frodos Gesicht mit den Fingern, »Boten des Königs! Soviel gebe ich darauf. Wenn ich einen sehe, werde ich ihn vielleicht zur Kenntnis nehmen.«

Das war zu viel für Pippin. Er dachte an das Feld von Cormallen, und hier war ein schielender Schurke, der den Ringträger »kleiner Angeber« nannte. Er schlug seinen Mantel zurück, zog sein Schwert, und das Silber und Schwarz von Gondor glänzte, als er vorritt.

»Ich bin ein Bote des Königs«, sagte er. »Du sprichst mit dem Freund des Königs und einem der Ruhmreichsten in allen Landen des Westens. Du bist ein Strolch und ein Narr. Auf die Knie mit dir hier auf der Straße, und bitte um Verzeihung, sonst bekommst du diesen Trollfluch zu kosten!«

Das Schwert schimmerte in der untergehenden Sonne. Auch Merry und Sam zogen ihre Schwerter und ritten vor, um Pippin zu unterstützen; aber Frodo rührte sich nicht. Die Strolche wichen zurück. Bauern in Breeland erschrecken und verwirrte Hobbits einschüchtern, das war ihre Sache. Furchtlose Hobbits mit blitzenden Schwertern und grimmigen Gesichtern waren eine große Überraschung. Und in den Stimmen dieser Neuankömmlinge schwang ein Ton mit, den sie bisher nicht gehört hatten. Es erfüllte sie mit Furcht.

»Geht!« sagte Merry. »Wenn ihr dieses Dorf noch einmal belästigt, werdet ihr es bereuen.« Die drei Hobbits gingen vor, und die Strolche drehten sich um und flohen und rannten die Hobbinger Straße hinauf; aber während sie rannten, bliesen sie ihre Hörner.

»Na, wir sind nicht zu früh zurückgekommen«, sagte Merry.

»Nicht einen Tag zu früh. Vielleicht zu spät, jedenfalls um Lotho zu retten«, sagte Frodo. »Ein erbärmlicher Narr, aber er tut mir leid.«

»Lotho retten? Was meinst du damit?« fragte Pippin. »Ihn umbringen, würde ich sagen.«

»Ich glaube, du verstehst die Dinge nicht ganz, Pippin«, sagte Frodo. »Lotho wollte es niemals so weit kommen lassen. Er ist ein boshafter Dummkopf gewesen, aber jetzt ist er in der Schlinge gefangen. Die Strolche haben die Oberhand, sie sammeln ein, rauben, unterdrücken und machen oder zerstören alles, wie sie wollen, aber in seinem Namen. Und nicht einmal mehr sehr lange in seinem Namen. Er ist jetzt ein Gefangener in Beutelsend, nehme ich an, und sehr verängstigt. Wir sollten versuchen, ihn zu retten.«

»Na, da bin ich erschüttert!« sagte Pippin. »Von allen Beendigungen unserer Fahrt ist das die letzte, an die ich gedacht hätte: daß wir mit halben Orks und Strolchen im Auenland selbst kämpfen müssen – um Lotho Pickel zu retten!«

»Kämpfen?« sagte Frodo. »Ja, ich vermute, es mag dazu kommen. Aber denkt daran: es dürfen keine Hobbits umgebracht werden, nicht einmal, wenn sie zur anderen Seite übergegangen sind. Wirklich übergegangen, meine ich; nicht bloß, daß sie die Befehle der Strolche befolgen, weil sie Angst haben. Kein Hobbit hat je im Auenland einen anderen absichtlich getötet, und das soll auch jetzt nicht anfangen. Und es soll überhaupt niemand getötet werden, wenn es geht. Bleibt ruhig und haltet euch von Tätlichkeiten zurück bis zum letztmöglichen Augenblick!«

»Aber wenn viele von diesen Strolchen da sind«, sagte Merry, »bedeutet das bestimmt Kampf. Du wirst Lotho oder das Auenland nicht retten, wenn du bloß empört und traurig bist, mein lieber Frodo.«

»Nein«, sagte Pippin. »Ein zweites Mal wird es nicht so einfach sein, ihnen Angst einzujagen. Sie waren überrascht. Habt ihr das Hörnerblasen gehört? Offenbar sind noch mehr Strolche in der Nähe. Sie werden viel mutiger sein, wenn sie zu mehreren sind. Wir müssen daran denken, irgendwo für die Nacht in Deckung zu gehen. Schließlich sind wir nur vier, wenn auch bewaffnet.«

»Ich habe einen Gedanken«, sagte Sam. »Laßt uns zum alten Tom Hüttinger unten in der Südgasse gehen. Er war immer ein tapferer Kerl. Und er hat einen Haufen Jungs, die alle meine Freunde waren.«

»Nein!« sagte Merry. »Es hat keinen Zweck ›in Deckung zu gehen‹. Das ist genau das, was die Leute getan haben, und genau das, was die Strolche gern haben. Sie werden einfach in großer Zahl über uns herfallen, uns umzingeln und uns dann entweder hinaustreiben oder drinnen verbrennen. Nein, wir müssen sofort etwas tun.«

»Was tun?« fragte Pippin.

»Das Auenland zum Widerstand aufrufen!« sagte Merry. »Jetzt! All unsere Leute aufwecken. Sie hassen das alle, das könnt ihr sehen: alle mit Ausnahme vielleicht von ein oder zwei Lumpen und ein paar Narren, die sich wichtig machen wollen, aber überhaupt nicht verstehen, was wirklich vorgeht. Aber das Auenland-Volk hat so lange behaglich gelebt, daß es nicht weiß, was es tun soll. Dabei brauchen sie bloß ein Zündholz, und schon stehen sie in Flammen. Die Menschen vom Oberst müssen das wissen. Sie werden versuchen, unser Feuer auszutreten und uns rasch zu löschen. Wir haben nur sehr wenig Zeit.

Sam, du kannst mal schnell zu Hüttingers Hof flitzen, wenn du willst. Er ist einer der Wichtigsten hier in der Gegend, und der Standhafteste. Los, kommt! Ich werde das Horn von Rohan blasen und ihnen allein einen Klang vorsetzen, den sie noch nie gehört haben.«

Sie ritten zurück in die Mitte des Dorfes. Dort bog Sam ab und galoppierte den Feldweg entlang, der nach Süden zu Hüttingers führte. Er war noch nicht weit gekommen, als er ein plötzliches Hornsignal hörte, das sich in die Lüfte aufschwang. Weit über Berg und Feld hallte es wider; und so zwingend war der Aufruf, daß Sam selbst fast umgedreht hätte und zurückgestürzt wäre. Sein Pony bäumte sich auf und wieherte.

»Weiter, Junge, weiter!« rief er. »Wir gehen bald zurück.«

Dann hörte er, daß Merry die Tonart änderte, und nun erklang das Hornsignal von Bockland und ließ die Luft erzittern.

Erwacht! Erwacht! Gefahr! Feuer! Feinde!
Erwacht! Feinde! Erwacht!

Hinter sich hörte Sam ein Stimmengewirr und großen Lärm und Türenschlagen. Vor ihm tauchten Lichter in der Dämmerung auf; Hunde bellten; Füße kamen angerannt. Ehe er ans Ende des Feldwegs kam, war Bauer Hüttinger mit dreien seiner Söhne da, dem Jungen Tom, Jupp und Till, die auf ihn zustürzten. Sie hatten Äxte in den Händen und versperrten ihm den Weg.

»Nein, es ist keiner von den Strolchen«, hörte Sam den Bauern sagen. »Es ist ein Hobbit, der Größe nach, aber komisch angezogen. He!« rief er. »Wer bist du, und was soll all der Krach?«

»Ich bin's, Sam, Sam Gamdschie. Ich bin zurückgekommen.«

Bauer Hüttinger kam dicht heran und starrte ihn im Zwielicht an. »Na, so was!« rief er aus. »Die Stimme ist richtig und dein Gesicht ist nicht schlechter, als es war, Sam. Aber auf der Straße wäre ich an dir vorbeigegangen bei deiner Aufmachung. Offenbar bist du in ausländischen Gegenden gewesen. Wir fürchteten, du wärst tot.«

»Das bin ich nicht«, sagte Sam. »Und Herr Frodo auch nicht. Er ist hier, und seine Freunde. Und das ist der Krach. Sie rufen das Auenland zum Widerstand auf. Wir wollen diese Strolche raussetzen, und ihren Oberst auch. Wir fangen jetzt an.«

»Gut, gut!« rief Bauer Hüttinger. »Hat's also endlich begonnen! Mich hat's schon das ganze Jahr gejuckt, denen Ärger zu machen, aber die Leute wollten nicht mitmachen. Und ich mußte an die Frau und an Rosie denken. Diese Strolche schrecken vor nichts zurück. Aber kommt jetzt, Jungs! In Wasserau ist Aufruhr! Da müssen wir dabei sein!«

»Wie ist es mit Frau Hüttinger und Rosie?« fragte Sam. »Es ist noch gefährlich für sie, wenn sie allein gelassen werden.«

»Mein Sepp ist bei ihnen. Aber du kannst gehen und ihm helfen, wenn du Lust hast«, sagte Bauer Hüttinger grinsend. Dann rannten er und seine Söhne zum Dorf.

Sam eilte zum Haus. An der großen runden Tür oben auf den Stufen, die von dem großen Hof hinaufführten, standen Frau Hüttinger und Rosie, und vor ihnen Sepp, der nach einer Heugabel griff.

»Ich bin es«, schrie Sam, als er herantrabte. »Sam Gamdschie! Also ersticht mich nicht, Sepp. Außerdem habe ich ein Panzerhemd an.«

Er sprang vom Pony ab und ging die Stufen hinauf. Sie starrten ihn stumm an. »Guten Abend, Frau Hüttinger«, sagte er. »Hallo, Rosie!«

»Hallo, Sam!« sagte Rosie. »Wo bist du gewesen? Es hieß, du wärst tot; aber ich habe dich schon seit dem Frühling erwartet. Du hast dich nicht gerade beeilt, nicht wahr?«

»Vielleicht nicht«, sagte Sam verlegen. »Aber jetzt bin ich in Eile. Wir machen uns an die Strolche ran, und ich muß zu Herrn Frodo zurück. Aber ich dachte, ich wollte mal gucken, wie es Frau Hüttinger geht, und dir, Rosie.«

»Uns geht's ganz gut, danke«, sagte Frau Hüttinger. »Oder würde uns gehen, wenn diese diebischen Strolche nicht wären.«

»Na, nun geh aber!« sagte Rosie. »Wenn du dich die ganze Zeit um Herrn Frodo gekümmert hast, warum willst du ihn dann allein lassen, sobald die Lage gefährlich aussieht?«

Das war zu viel für Sam. Es hätte eine wochenlange Antwort erfordert, oder gar keine. Er drehte sich um und stieg auf sein Pony. Aber als er losreiten wollte, rannte Rosie die Stufen hinunter.

»Ich finde, du siehst gut aus, Sam«, sagte sie. »Aber geh jetzt. Und sei vorsichtig und komm gleich zurück, sobald ihr den Unmenschen den Garaus gemacht habt!«

Als Sam zurückkam, fand er das ganze Dorf in Aufruhr. Abgesehen von vielen jüngeren Burschen waren schon mehr als hundert handfeste Hobbits versammelt mit Äxten und schweren Hämmern und langen Messern und kräftigen Stöcken; und ein paar hatten Jagdbogen dabei. Weitere kamen noch von den abseits gelegenen Bauernhöfen.

Einige der Dorfbewohner hatten ein großes Feuer angezündet, um die Sache ein wenig zu beleben, und außerdem auch, weil es eins der Dinge war, die der Oberst verboten hatte. Es brannte hell, als die Nacht hereinbrach. Andere errichteten auf Merrys Befehl an jedem Ende des Dorfes Straßensperren. Als die Landbüttel zu der unteren kamen, waren sie sprachlos; aber sobald sie sahen, wie die Dinge standen, nahmen die meisten ihre Federn ab und schlossen sich dem Aufstand an. Die anderen schlichen sich davon.

Sam fand Frodo und seine Freunde am Feuer, und sie unterhielten sich mit dem alten Tom Hüttinger, während eine bewundernde Schar von Wasserauern ringsum stand und stierte.

»So, was ist nun der nächste Schritt?« fragte Bauer Hüttinger.

»Ich kann es nicht sagen«, sagte Frodo, »ehe ich mehr weiß. Wie viele von diesen Strolchen sind hier?«

»Das ist schwer zu sagen«, meinte Hüttinger. »Sie wandern rum und kommen und gehen. Manchmal sind fünfzig von ihnen in ihren Schuppen oben bei Hobbingen; aber von da aus streifen sie rum, stehlen oder ›sammeln‹, wie sie es nennen. Immerhin sind selten weniger als zwanzig beim Baas, wie sie ihn getauft haben. Er ist in Beutelsend, oder war da; aber jetzt verläßt er das Grundstück nicht mehr. Tatsächlich hat ihn seit ein oder zwei Wochen keiner mehr gesehen; aber die Menschen lassen niemand hin.«

»Hobbingen ist doch wohl nicht ihr einziger Standort, oder?« fragte Pippin.

»Nein, es ist schlimmer«, sagte Hüttinger. »Eine ganze Menge ist unten im Süden in Langgrund und an der Sarnfurt, wie ich höre; und noch ein paar treiben sich am Waldende herum; und sie haben Schuppen in Wegscheid. Und dann ist das Loch da, wie sie es nennen: die alten Vorratsstollen in Michelbinge, die sie zum Gefängnis gemacht haben für diejenigen, die sich ihnen widersetzen. Immerhin schätze ich, daß es im Auenland insgesamt nicht mehr als dreihundert von ihnen gibt, vielleicht weniger. Wir können mit ihnen fertig werden, wenn wir zusammenhalten.«

»Haben sie irgendwelche Waffen?« fragte Merry.

»Peitschen, Messer und Knüppel, genug für ihre unsauberen Geschäfte: das ist alles, was sie bisher haben sehen lassen«, sagte Hüttinger. »Aber ich möchte annehmen, daß sie noch andere Ausrüstung haben, wenn es zum Kampf kommt. Manche haben jedenfalls Bogen. Sie haben einen oder zwei von unseren Leuten erschossen.«

»Siehst du, Frodo!« sagte Merry. »Ich wußte, wir würden kämpfen müssen. Sie haben also mit dem Töten angefangen.«

»Genau genommen nicht«, sagte Hüttinger. »Wenigstens nicht mit dem Schießen. Die Tuks haben das angefangen. Weißt du, dein Vater, Herr Peregrin, der hatte nie was mit diesem Lotho im Sinn, von Anfang an nicht: er sagte, wenn einer hier den Führer spielen solle, dann müsse es der rechtmäßige Thain des Auenlands sein und kein Emporkömmling. Und als Lotho seine Menschen hinschickte, kamen sie nicht auf ihre Kosten. Die Tuks sind glücklich dran, sie haben diese tiefen Höhlen in den Grünbergen, die Groß-Smials und all das; und die Strolche können nicht an sie ran; sie lassen die Strolche einfach nicht in ihr Land. Wenn sie es versuchen, jagen die Tuks sie. Die Tuks haben drei wegen Plünderns und Raubens erschossen. Danach wurden die Strolche noch gehässiger. Und sie bewachen das Tukland ziemlich scharf. Niemand geht da jetzt rein oder raus.«

»Recht haben die Tuks!« rief Pippin. »Aber einer geht wieder rein, jetzt gleich. Ich mache mich auf zu den Smials. Kommt jemand mit nach Buckelstadt?«

Pippin ritt los mit einem halben Dutzend junger Leute auf Ponies. »Bis bald!« rief er. »Es sind nur ungefähr vierzehn Meilen über die Felder. Morgen früh bringe ich euch ein Heer von Tuks mit.« Merry schickte ihnen ein Horngeschmetter hinterher, als sie in die dunkler werdende Nacht davonritten. Das Volk jubelte.

»Trotzdem«, sagte Frodo zu allen, die in der Nähe standen, »trotzdem möchte ich, daß nicht getötet wird; nicht mal die Strauchdiebe, es sei denn, es ist nötig, um zu verhindern, daß Hobbits verletzt werden.«

»Gut«, sagte Merry. »Aber ich glaube, jetzt können wir jeden Augenblick Besuch von der Hobbingen-Bande bekommen. Sie werden nicht bloß kommen, um sich mit uns über die Lage zu unterhalten. Wir werden versuchen, anständig mit ihnen umzugehen, aber wir müssen auf das Schlimmste vorbereitet sein. Ich habe nun einen Plan.«

»Sehr gut«, sagte Frodo. »Triff du die Vorkehrungen.«

Gerade da kamen einige Hobbits angerannt, die in Richtung Hobbingen ausgeschickt worden waren. »Sie kommen«, sagten sie. »Zwanzig oder mehr. Aber zwei sind nach Westen gegangen, über Land.«

»Nach Wegscheid vermutlich«, sagte Hüttinger, »um mehr von der Bande zu holen. Na, das sind fünfzehn Meilen hin und fünfzehn zurück. Um die brauchen wir uns vorläufig keine Sorgen zu machen.«

Merry eilte fort, um Befehle zu erteilen. Bauer Hüttinger machte die Straße frei und schickte alle in die Häuser mit Ausnahme der älteren Hobbits, die Waffen irgendwelcher Art hatten. Sie brauchten nicht lange zu warten. Bald hörten sie laute Stimmen und dann das Trampeln schwerer Füße. Plötzlich kam eine ganze Schar von Strauchdieben die Straße entlang. Sie sahen die Sperre und lachten. Sie konnten sich nicht vorstellen, daß es irgend etwas in diesem kleinen Lande gebe, das zwanzig von ihrer Sorte widerstehen könnte.

Die Hobbits räumten die Straßensperre weg und blieben daneben stehen. »Danke!« höhnten die Menschen. »Jetzt lauft nach Haus ins Bett, ehe ihr gepeitscht werdet.« Dann marschierten sie die Straße entlang und schrien: »Macht die Lichter aus! Geht in die Häuser und bleibt da! Sonst bringen wir fünfzig von euch auf ein Jahr ins Loch. Geht rein. Der Baas verliert die Geduld.«

Niemand befolgte ihre Befehle; aber als die Strolche vorbeigegangen waren, kamen die Hobbits leise von hinten heran und folgten ihnen. Als die Menschen das Feuer erreichten, stand Bauer Hüttinger ganz allein da und wärmte sich die Hände.

»Wer bist du, und was machst du hier eigentlich?« fragte der Führer der Strolche.

Bauer Hüttinger sah ihn bedächtig an. »Das wollte ich dich gerade fragen«, sagte er. »Das hier ist unser Land, und ihr seid nicht erwünscht.«

»Na, du bist jedenfalls erwünscht«, sagte der Führer. »Wir wollen dich haben. Greift ihn, Jungs! Ins Loch mit ihm, und gebt ihm was, damit er ruhig ist!«

Die Menschen gingen einen Schritt vor und blieben dann wie angewurzelt stehen. Ringsum erhob sich ein Stimmengewirr, und plötzlich merkten sie, daß Bauer Hüttinger nicht allein war. Sie waren umzingelt. In der Dunkelheit am Rand des Feuerscheins stand ein Kreis von Hobbits, die aus den Schatten herausgekrochen waren. Es waren fast zweihundert, und alle hielten irgendeine Waffe in der Hand.

Merry trat vor. »Wir sind uns schon einmal begegnet«, sagte er zu dem Führer, »und ich habe dich davor gewarnt, wieder herzukommen. Ich warne dich noch einmal: du stehst im Licht, und Bogenschützen zielen auf dich. Wenn du die Hand an diesen Bauern legst oder an irgendeinen anderen, wirst du sofort erschossen. Lege alle Waffen nieder, die du hast.«

Der Führer sah sich um. Er saß in der Falle. Aber er hatte keine Angst, nicht jetzt, da ihn zwanzig seiner Genossen deckten. Er wußte zu wenig von Hobbits, um zu begreifen, in welcher Gefahr er war. Törichterweise beschloß er zu kämpfen. Es müßte einfach sein, auszubrechen.

»Los, Jungs, auf sie!« schrie er. »Gebt's ihnen!«

Mit einem langen Messer in der linken Hand und einem Knüppel in der rechten stürzte er auf den Kreis zu und versuchte, durchzubrechen und nach Hobbingen zu entkommen. Er wollte Merry, der ihm im Weg stand, gerade einen heftigen Schlag versetzen, als er mit vier Pfeilen im Leib tot zusammenbrach.

Das war genug für die anderen. Sie gaben klein bei. Ihre Waffen wurden ihnen abgenommen, dann wurden sie mit einem Seil aneinandergebunden und in eine leere Hütte abgeführt, die sie selbst gebaut hatten, und dort wurden sie, an Händen und Füßen gefesselt, unter Bewachung eingesperrt. Der tote Führer wurde weggeschleppt und verscharrt.

»Scheint schließlich fast zu leicht zu gehen, nicht wahr?« sagte Hüttinger. »Ich sagte ja, wir könnten ihrer Herr werden. Aber wir brauchten einen Anstoß. Du bist gerade zur rechten Zeit zurückgekommen, Herr Merry.«

»Es ist noch mehr zu tun«, sagte Merry. »Wenn du mit deiner Schätzung recht hast, haben wir noch nicht mit einem Zehntel von ihnen abgerechnet. Aber jetzt ist es dunkel. Ich glaube, mit dem nächsten Streich müssen wir bis morgen warten. Dann müssen wir dem Oberst einen Besuch abstatten.«

»Warum nicht jetzt?« fragte Sam. »Es ist nicht viel mehr als sechs Uhr. Und ich will den Ohm sehen. Weißt du, was aus ihm geworden ist, Herr Hüttinger?«

»Es geht ihm nicht zu gut und nicht zu schlecht, Sam«, sagte der Bauer. »Sie haben den Beutelhaldenweg aufgegraben, und das war ein schwerer Schlag für ihn. Jetzt wohnt er in einem der neuen Häuser, die die Menschen vom Oberst gebaut haben, als sie noch andere Arbeit taten als nur niederbrennen und stehlen: nicht mehr als eine Meile vom Ende von Wasserau. Aber er kommt bei mir vorbei, wenn er eine Gelegenheit hat, und ich sorge dafür, daß er besser ernährt wird als manche von den armen Kerlen. Natürlich alles gegen *Die Vorschriften*. Ich hätte ihn zu mir genommen, aber das war nicht erlaubt.«

»Vielen Dank, Herr Hüttinger, das werde ich dir nie vergessen«, sagte Sam. »Aber ich will ihn sehen. Dieser Baas und dieser Scharrer, wie sie sie nennen, könnten da oben vor dem Morgen noch Unheil anrichten.«

»Gut, Sam«, sagte Hüttinger. »Such dir ein oder zwei von den jungen Leuten aus und hole ihn in mein Haus. Du brauchst nicht in die Nähe vom alten Dorf Hobbingen zu gehen. Mein Jupp hier wird dir den Weg zeigen.«

Sam ging los. Merry sorgte dafür, daß während der Nacht Beobachtungsposten rund um das Dorf und Wachen an den Straßensperren aufgestellt wurden. Dann gingen er und Frodo mit zu Bauer Hüttinger. Sie saßen mit der Familie in der warmen Küche, und die Hüttingers stellten ein paar höfliche Fragen über ihre Fahrten, hörten sich aber die Antworten kaum an: sie waren weit mehr mit den Ereignissen im Auenland beschäftigt.

»Alles begann mit Pickel, wie wir ihn nennen«, sagte Bauer Hüttinger. »Und alles begann, sobald du weggegangen warst, Herr Frodo. Er hatte komische Vorstellungen, dieser Pickel. Offenbar wollte er alles selbst besitzen und die Leute dann nach seiner Pfeife tanzen lassen. Bald zeigte sich, daß er schon erheblich mehr besaß, als gut für ihn war; und er grapschte immer nach noch mehr, obwohl es ein Rätsel war, wo er das Geld herhatte: Mühlen und Mälzereien, und Wirtshäuser und Bauernhöfe und Tabakpflanzungen. Offenbar hatte er Sandigmanns Mühle schon gekauft, ehe er nach Beutelsend kam.

Natürlich fing er mit einer Menge Besitz im Südviertel an, den er von seinem Vater hatte; und es scheint, daß er eine Menge Tabak verkauft und seit ein oder zwei Jahren in aller Stille verschickt hatte. Aber Ende letzten Jahres begann er, ganze Ladungen von Waren wegzuschaffen, nicht nur Tabak. Lebensmittel wurden allmählich knapp, und der Winter kam. Die Leute wurden wütend, aber er traf seine Gegenmaßnahmen. Ein Haufen Menschen, Strolche zumeist, kamen mit großen Wagen, einige brachten die Waren nach Süden weg, einige blieben. Und immer mehr kamen. Und ehe wir wußten, wie uns geschah, hatten sie sich hier und da im ganzen Auenland festgesetzt und fällten Bäume und gruben und bauten sich Schuppen und Häuser, ganz wie es ihnen gefiel. Zuerst wurden die Waren und die angerichteten Schäden von Pickel bezahlt; aber bald spielten sie sich als Herren auf und nahmen, was sie wollten.

Dann gab es ein bißchen Aufruhr, aber nicht genug. Der alte Willi, der Bürgermeister, machte sich nach Beutelsend auf, um Einspruch zu erheben, aber er kam gar nicht hin. Die Strolche fingen ihn ab und sperrten ihn in eine Höhle in Michelbinge, und da ist er jetzt noch. Und danach, es muß kurz nach Neujahr gewesen sein, da gab es keinen Bürgermeister mehr, und Pickel nannte sich Oberst der Landbüttel oder einfach Oberst und tat, was er wollte; und wenn jemand ›frech‹ wurde, wie sie es nannten, dann erging es ihm wie Willi. So wurde die Lage immer schlimmer. Es gab nichts mehr zu rauchen, außer für seine Menschen; und der Oberst hielt nichts von Bier, außer für seine Menschen, und schloß alle Wirtshäuser; und alles außer den Vorschriften wurde knapper und knapper, es sei denn, man konnte ein bißchen von seinem Eigentum verstecken, wenn die Strolche herumgingen und Lebensmittel

›zur gerechten Verteilung‹ einsammelten: was bedeutete, daß sie es bekamen und wir nicht, abgesehen von dem Abfall, den man sich in den Büttelhäusern holen durfte, wenn man ihn verdauen konnte. Alles sehr schlecht. Aber seit Scharrer kam, ist es schlichtweg verheerend geworden.«

»Wer ist dieser Scharrer?« fragte Merry. »Ich hörte, daß einer der Strolche von ihm sprach.«

»Der größte Strolch der ganzen Bande, offenbar«, antwortete Hüttinger. »Es war um die Zeit der letzten Ernte, Ende September vielleicht, da hörten wir zuerst von ihm. Wir haben ihn nie gesehen, aber er ist oben in Beutelsend; und er ist jetzt der wahre Oberst, nehme ich an. All die Strolche tun, was er sagt; und was er sagt, ist meistens abhakken, niederbrennen, zerstören. Und jetzt ist es auch zum Töten gekommen. Das Ganze hat keinen Sinn mehr, nicht mal einen schlechten. Sie fällen Bäume und lassen sie liegen, sie brennen Häuser nieder und bauen keine neuen.

»Nehmt Sandigmanns Mühle zum Beispiel. Pickel hat sie fast sofort, als er nach Beutelsend kam, abgerissen. Dann brachte er einen Haufen übelaussehender Menschen her, damit sie eine größere bauten und sie mit Rädern und allen möglichen ausländischen Erfindungen vollstopften. Nur der dumme Timm war froh darüber, und jetzt arbeitet er da und reinigt Räder für die Menschen, wo sein Vater der Müller und sein eigener Herr gewesen war. Pickels Gedanke war, mehr und schneller zu mahlen, das sagte er jedenfalls. Er hat noch andere Mühlen wie diese. Aber man muß Mahlgut haben, ehe man mahlen kann; und für die neuen Mühle war nicht mehr da als für die alte. Doch seit Scharrer kam, mahlen sie überhaupt kein Korn mehr. Da ist immer ein Gehämmere und aufsteigender Rauch und Gestank, und nicht mal nachts hat man Frieden in Hobbingen. Und sie gießen absichtlich Unrat aus; die ganze untere Wässer haben sie verunreinigt, und die fließt ja in den Brandywein. Wenn sie das Auenland zu einer Wüste machen wollen, dann sind sie auf dem richtigen Weg. Ich glaube nicht, daß dieser Narr von Pickel hinter alledem steckt. Scharrer ist es, sage ich.«

»Das stimmt«, warf der Junge Tom ein. »Sie haben doch sogar Pickels alte Mutter verhaftet, diese Lobelia, und er mochte sie gern, wenn auch sonst keiner. Ein paar von den Leuten in Hobbingen haben es gesehen. Sie kommt da den Weg herunter mit ihrem alten Regenschirm. Ein paar von den Strolchen gehen mit einem Wagen hinauf. ›Wo geht ihr hin?‹ fragt sie. ›Nach Beutelsend‹, sagen sie. ›Wozu?‹ fragt sie. ›Um ein paar Schuppen für Scharrer zu bauen‹, sagen sie. ›Wer hat gesagt, daß ihr dürft?‹ fragt sie. ›Scharrer‹, sagen sie. ›Also geh aus dem Weg, alte Hexe!‹ – ›Scharrer ist mir gleichgültig, ihr dreckigen, diebischen Strolche‹, sagt sie und hebt ihren Schirm und geht auf den Führer los, der doppelt so groß ist wie sie. Also haben sie sie verhaftet. Schleppten sie ins Loch, und das in ihrem Alter. Sie haben noch andere verhaftet, die wir mehr vermissen, aber es läßt sich nicht leugnen, daß sie mehr Mut bewiesen hat als die meisten.«

Mitten in diese Unterhaltung platzte Sam mit dem Ohm herein. Der alte Gamdschie sah nicht viel älter aus, aber er war ein bißchen tauber.

»Guten Abend, Herr Beutlin«, sagte er. »Ich freue mich wirklich, dich heil und gesund wieder hier zu sehen. Aber ich habe sozusagen ein Hühnchen mit dir zu rupfen, wenn ich so dreist sein darf. Du hättest Beutelsend niemals verkaufen dürfen, wie ich immer gesagt habe. Damit hat das ganze Unglück angefangen. Und während du im Ausland herumgezogen bist und Schwarze Menschen über die Gebirge gejagt hast, nach dem, was mein Sam sagt, aber wozu, das hat er nicht klargemacht, haben sie den Beutelhaldenweg aufgegraben und meine Kartoffeln kaputtgemacht.«

»Das tut mir sehr leid, Herr Gamdschie«, sagte Frodo. »Aber jetzt bin ich zurückgekommen und will mein Bestes tun, um alles wiedergutzumachen.«

»Na, du kannst keine schöneren Worte sagen als diese«, sagte der Ohm. »Herr *Frodo* Beutlin ist ein wirklicher Edelhobbit, das habe ich immer gesagt, was immer man von einigen anderen dieses Namens denken mag, bitte um Entschuldigung. Und ich hoffe, mein Sam hat sich gut benommen, und du warst mit ihm zufrieden?«

»Durchaus zufrieden, Herr Gamdschie«, sagte Frodo. »Wirklich, du kannst es mir glauben, er ist jetzt einer der Berühmtesten in allen Landen, und sie singen Lieder über seine Taten von hier bis zum Meer und jenseits des Großen Stroms.« Sam errötete, aber er sah Frodo dankbar an, denn Rosies Augen strahlten, und sie lächelte ihn an.

»Es ist schwer zu glauben«, sagte der Ohm, »obwohl ich sehen kann, daß er in einer seltsamen Gesellschaft verkehrt hat. Was ist aus seinem Wams geworden? Ich halte nichts davon, Eisenwaren zu tragen, ob sie sich nun gut oder schlecht tragen.«

Bauer Hüttingers Familie und alle seine Gäste waren am nächsten Morgen früh auf. Nichts war in der Nacht zu hören gewesen, aber sicherlich würde es noch mehr Schwierigkeiten geben, ehe der Tag alt war. »Scheint, als ob von den Strolchen keiner mehr oben in Beutelsend ist«, sagte Hüttinger. »Aber die Bande aus Wegscheid wird jetzt jeden Augenblick dasein.«

Nach dem Frühstück kam ein Bote aus Tukland angeritten. Er war in fröhlicher Stimmung. »Der Thain hat unser ganzes Land zum Widerstand aufgerufen«, sagte er, »und die Nachricht verbreitet sich überall wie ein Lauffeuer. Die Strolche, die unser Land bewachten, sind nach Süden geflohen, soweit sie lebend entkamen. Der Thain setzt ihnen nach, um die große Bande, die da unten ist, abzufangen; aber er hat Herrn Peregrin mit allen anderen Leuten, die er entbehren kann, hierher zurückgeschickt.«

Die nächste Nachricht war weniger gut. Merry, der die ganze Nacht draußen gewesen war, kam etwa um zehn Uhr angeritten. »Da ist eine große Bande ungefähr vier Meilen entfernt«, sagte er. »Sie kommen auf der Straße von Wegscheid, aber eine ganze Menge herumstromernde Strolche haben sich ihnen angeschlossen. Es müssen annähernd hundert sein; und überall legen sie Brände unterwegs. Verflucht sollen sie sein!«

»Ach! Diese Gesellschaft kommt nicht her, um zu reden, sie werden töten, wenn sie können«, sagte Bauer Hüttinger. »Wenn die Tuks nicht früher kommen, gehen wir in Deckung und schießen ohne viel Worte. Es wird ein bißchen Kampf geben, ehe alles geregelt ist, Herr Frodo.«

Die Tuks kamen früher. Es dauerte nicht lange, da kamen sie anmarschiert, hundert an der Zahl, von Buckelstadt und den Grünbergen, mit Pippin an der Spitze. Merry hatte nun genug handfeste Hobbitkrieger, um mit den Strolchen abzurechnen. Späher berichteten, daß sie dicht beisammen blieben. Sie wußten, daß sich das Land gegen sie erhoben hatte, und waren eindeutig entschlossen, den Aufstand an seinem Ausgangspunkt, in Wasserau, erbarmungslos niederzuschlagen. Aber wie ergrimmt sie auch sein mochten, sie schienen keinen Führer zu haben, der etwas vom Krieg verstand. Sie kamen ohne irgendwelche Vorsichtsmaßnahmen. Merry entwarf seine Pläne rasch.

Die Strolche kamen über die Oststraße angetrampelt, und ohne anzuhalten, bogen sie in die Wasserauerstraße ein, die sich ein Stück Wegs zwischen hohen Böschungen, auf denen niedrige Hecken wuchsen, hinaufzog. Nach einer Biegung, etwa eine Achtelmeile von der Hauptstraße entfernt, stießen sie auf eine mächtige Straßensperre aus umgekippten Bauernkarren. Das brachte sie zum Stehen. Im selben Augenblick merkten sie, daß die Hecken auf beiden Seiten, genau über ihren Köpfen, mit Hobbits besetzt waren. Hinter ihnen schoben nun andere Hobbits noch weitere Wagen, die in einem Feld versteckt gewesen waren, auf die Straße und versperrten ihnen so den Rückweg. Eine Stimme sprach von oben zu ihnen.

»So, ihr seid in eine Falle geraten«, sagte Merry. »Euren Genossen aus Hobbingen erging es genauso, und einer ist tot und die übrigen sind Gefangene. Legt eure Waffen nieder! Dann geht zwanzig Schritt zurück und setzt euch hin. Und wer auszubrechen versucht, wird erschossen.«

Aber die Strolche ließen sich nicht so leicht einschüchtern. Ein paar von ihnen gehorchten, wurden aber sofort von ihren Genossen wieder auf die Beine gebracht. Etwa zwanzig oder mehr gingen zurück und stürmten die Wagen. Sechs wurden erschossen, aber die übrigen brachen durch, töteten zwei Hobbits und rannten dann einzeln über Land in Richtung auf Waldende. Zwei weitere fielen, während sie liefen. Merry blies ein lautes Hornsignal, das aus der Ferne beantwortet wurde.

»Sie werden nicht weit kommen«, sagte Pippin. »Das ganze Land wimmelt jetzt von unseren Jägern.«

Dahinter versuchten die in der Gasse eingeschlossenen Menschen, immer noch etwa achtzig, über die Sperre hinweg und die Böschungen hinauf zu klettern, und die Hobbits mußten viele von ihnen erschießen oder mit Äxten niederhauen. Doch die stärksten und verwegensten kamen an der Westseite durch und griffen ihre Feinde heftig an, denn sie waren jetzt mehr auf Töten als auf Flucht erpicht. Mehrere Hobbits fielen, und die übrigen begannen zu weichen, als Merry und Pippin, die auf der Ostseite waren, herüberkamen und die Strolche angriffen. Merry selbst erschlug den Führer, ein schielender Rohling wie ein großer Ork. Dann zog er seine Streitkräfte ab und umzingelte die letzten übriggebliebenen Menschen mit einem großen Kreis von Bogenschützen.

Schließlich war alles vorbei. Fast siebzig Strolche lagen tot auf dem Schlachtfeld, und ein Dutzend war gefangengenommen. Neunzehn Hobbits waren gefallen und einige Dreißig verwundet. Die toten Strolche wurden auf Wagen geladen, zu einer alten Sandgrube in der Nähe gefahren und dort verscharrt: in der Schlachtgrube, wie sie später genannt wurde. Die gefallenen Hobbits wurden in ein gemeinsames Grab am Berghang gelegt, und später wurde dort ein großer Stein aufgestellt und ein Garten angelegt. So endete die Schlacht von Wasserau, 1419, die letzte im Auenland ausgetragene Schlacht und die einzige seit der Schlacht von Grünfeld, 1147, weit oben im Nordviertel. Infolgedessen erhielt sie, obwohl sie zum Glück sehr wenigen Hobbits das Leben kostete, ein eigenes Kapitel im Roten Buch, und die Namen aller, die daran teilgenommen hatten, wurden zu einer Ehrenliste zusammengestellt, die die Geschichtskundigen des Auenlandes auswendig lernten. Die beträchtliche Zunahme des Ansehens und Vermögens der Hüttingers geht auf diese Zeit zurück; aber in allen Berichten standen die Namen der Hauptleute Meriadoc und Peregrin an erster Stelle in der Ehrenliste.

Frodo war bei dem Kampf anwesend, aber er hatte sein Schwert nicht gezogen. Seine Haupttätigkeit bestand darin, die Hobbits in ihrem Zorn über ihre Verluste daran zu hindern, diejenigen ihrer Feinde zu erschlagen, die ihre Waffen weggeworfen hatten. Als der Kampf vorüber und die anschließenden Arbeiten angeordnet waren, gesellten sich Merry, Pippin und Sam zu ihm, und sie ritten mit den Hüttingers zurück. Sie aßen ein spätes Mittagsmahl, und dann sagte Frodo seufzend: »Ja, jetzt, nehme ich an, ist es Zeit, daß wir uns den ›Oberst‹ vornehmen.«

»Allerdings; je eher, desto besser«, sagte Merry. »Und sei nicht zu sanft! Er ist dafür verantwortlich, daß die Strolche hergekommen sind, und für alles Böse, was sie angerichtet haben.«

Bauer Hüttinger stellte eine Begleitmannschaft von etwa zwei Dutzend stämmigen Hobbits zusammen. »Denn es ist nur eine Vermutung, daß in Beutelsend keine Strolche mehr sind«, sagte er. »Wir wissen es nicht.« Dann machten sie sich zu Fuß auf den Weg. Frodo, Sam, Merry und Pippin gingen voraus.

Es war eine der traurigsten Stunden ihres Lebens. Der große Schornstein ragte vor ihnen auf; und als sie sich zwischen Reihen von neuen, schäbigen Häusern zu beiden Seiten der Straße dem alten Dorf jenseits der Wässer näherten, sahen sie die neue Mühle in all ihrer finsteren und schmutzigen Häßlichkeit: ein großes Backsteingebäude, das den Bach überwölbte und ihn mit einer herausströmenden dampfenden und stinkenden Flüssigkeit verunreinigte. Entlang der Wasserauerstraße waren alle Bäume gefällt.

Als sie die Brücke überquerten und zum Bühl hinaufschauten, stockte ihnen der Atem. Selbst das, was Sam in dem Spiegel erblickt hatte, hatte ihn nicht auf das vorbereitet, was sie jetzt sahen. Der Alte Gutshof auf der Westseite war abgerissen, und an seinem Platz standen Reihen geteerter Hütten. Alle Kastanien waren fort. Die Böschungen und Hecken waren zerstört. Große Wagen standen unordentlich auf einer Wiese herum, deren Gras völlig zertrampelt war. Der Beutelhaldenweg war eine gähnende Sand- und Kiesgrube, Beutelsend dahinter konnte man wegen einer zusammengedrängten Gruppe großer Hütten nicht sehen.

»Sie haben ihn gefällt!« rief Sam. »Sie haben den Festbaum gefällt!« Er zeigte auf die Stelle, wo der Baum gestanden hatte, unter dem Bilbo seine Abschiedsrede gehalten hatte. Er lag welk und tot auf der Wiese. Als ob das der letzte Schlag gewesen sei, brach Sam in Tränen aus.

Ein Gelächter machte ihnen ein Ende. Ein grobschlächtiger Hobbit lümmelte sich über die niedrige Mauer des Mühlenhofs. Er hatte ein schmutzstarrendes Gesicht und schwarze Hände. »Gefällt dir nicht, Sam?« höhnte er. »Aber du warst immer so weich. Ich dachte, du wärst weg mit einem von den Schiffen, von denen du immer gefaselt hast, segeln, segeln. Wozu willst du zurückkommen? Wir haben jetzt Arbeit im Auenland.«

»Das sehe ich«, sagte Sam. »Keine Zeit, um sich zu waschen, aber Zeit, um sich an der Mauer rumzudrücken. Aber weißt du, Herr Sandigmann, ich habe eine Rechnung zu begleichen in diesem Dorf, und mach sie nicht länger mit deinem Spott, sonst muß du eine Zeche bezahlen, die zu groß ist für deinen Geldbeutel.«

Timm Sandigmann spuckte über die Mauer. »Quatsch!« sagte er. »Mir kannst du nichts anhaben. Ich bin ein Freund vom Baas. Aber dir wird er was anhaben, wenn ich noch mehr Unverschämtheiten von dir höre.«

»Verschwende keine Worte mehr an diesen Narren, Sam!« sagte Frodo. »Ich hoffe, es sind nicht noch viele Hobbits so geworden. Es wäre ein größeres Unglück als aller Schaden, den die Menschen angerichtet haben.

»Du bist dreckig und frech, Sandigmann«, sagte Merry. »Und außerdem hast du dich verrechnet. Wir gehen gerade hinauf zum Bühl, um deinen prächtigen Baas abzusetzen. Mit seinen Menschen sind wir schon fertig.«

Timm blieb der Mund offen, denn in diesem Augenblick sah er zum ersten Mal die Begleitmannschaft, die auf ein Zeichen von Merry jetzt über die Brücke marschierte. Er stürzte in die Mühle, kam mit einem Horn wieder heraus und blies laut.

»Schone deine Lunge!« lachte Merry. »Ich habe ein besseres.« Dann hob er sein silbernes Horn und setzte es an, und sein klarer Klang erschallte über den Bühl; und aus den Höhlen und Schuppen und schäbigen Häusern von Hobbingen antworteten die Hobbits und strömten heraus, und mit Beifallsrufen und lautem Geschrei folgten sie der Schar die Straße nach Beutelsend hinauf.

Oben am Ende des Feldwegs blieb die Begleitmannschaft stehen, und Frodo und seine Freunde gingen weiter; und endlich kamen sie zu der einst geliebten Behausung. Der Garten war voller Hütten und Schuppen, manche standen so dicht an den alten Westfenstern, daß sie ihnen das ganze Licht nahmen. Überall waren Müllhaufen. Die Tür war zerschrammt; die Glockenkette hing lose herab, und die Glocke läutete nicht. Auf Klopfen kam keine Antwort. Schließlich drückten sie gegen die Tür, und sie ging auf. Sie gingen hinein. Drinnen stank es, und alles war voll Dreck und Unordnung: offenbar war Beutelsend seit einiger Zeit nicht bewohnt.

»Wo versteckt sich dieser elende Lotho?« fragte Merry. Sie hatten alle Räume abgesucht und kein Lebewesen außer Ratten und Mäusen gefunden. »Sollen wir die anderen anstellen, daß sie die Schuppen durchsuchen?«

»Das ist schlimmer als Mordor«, sagte Sam. »Viel schlimmer in einer Beziehung. Es geht einem nahe, wie man so sagt; es ist die Heimat, und man erinnert sich daran, wie sie war, ehe alles zerstört wurde.«

»Ja, das ist Mordor«, sagte Frodo. »Eben eins seiner Werke. Saruman hat die ganze Zeit für Mordor gearbeitet, auch als er glaubte, für sich zu arbeiten. Und genauso ist es mit jenen wie Lotho, die Saruman verführte.«

Merry sah sich voll Entsetzen und Abscheu um. »Laßt uns rausgehen«, sagte er. »Wenn ich von all dem Unheil gewußt hätte, das er verursacht hat, dann hätte ich Saruman meinen Tabaksbeutel in den Rachen stopfen sollen.«

»Zweifellos, zweifellos! Aber du hast es nicht getan, und so bin ich in der Lage, dich in der Heimat willkommen zu heißen.« Da an der Tür stand Saruman selbst, und er sah wohlgenährt und zufrieden aus; seine Augen funkelten vor Bosheit und Belustigung.

Plötzlich ging Frodo ein Licht auf. »Scharrer!« rief er.

Saruman lachte. »So, du hast den Namen schon gehört? Alle meine Leute nannten mich so in Isengart, glaube ich. Ein Zeichen von Zuneigung, möglicherweise *. Aber offensichtlich hast du nicht erwartet, mich hier zu sehen.«

»Das nicht«, sagte Frodo. »Aber ich hätte es mir denken können. Ein wenig Unheil auf kleinliche, gemeine Weise: Gandalf warnte mich, daß Ihr dazu noch fähig seid.«

»Durchaus fähig«, sagte Saruman, »und mehr als ein wenig. Ihr habt mich zum Lachen gebracht, ihr Hobbit-Herrchen, wie ihr da mit all diesen großen Leuten geritten seid, so sorglos und selbstzufrieden, und dachtet, ihr könntet nun einfach zurückschlendern und eine hübsche friedliche Zeit auf dem Land verbringen. Sarumans Heim konnte zerstört und er hinausgeworfen werden, aber niemand würde euer Heim anrüh-

* Es war vermutlich ursprünglich Orkisch: *scharkû*, »alter Mann«.

ren. O nein! Gandalf würde sich schon um eure Angelegenheiten kümmern.«

Saruman lachte wieder. »Er nicht! Wenn seine Werkzeuge ihren Zweck erfüllt haben, dann läßt er sie fallen. Aber ihr müßt ja an seinen Rockschößen hängen, herumtrödeln und reden und doppelt so weit reiten, wie ihr brauchtet. ›Na‹, dachte ich, ›wenn sie solche Narren sind, dann will ich ihnen zuvorkommen und ihnen einen Denkzettel geben. Wie du mir, so ich dir.‹ Der Denkzettel wäre schmerzhafter gewesen, wenn ihr mir ein wenig mehr Zeit und mehr Menschen gelassen hättet. Immerhin habe ich schon viel getan, das zu euren Lebzeiten in Ordnung zu bringen oder rückgängig zu machen euch schwerfallen wird. Und es wird mir Freude machen, daran zu denken und es mit der mir widerfahrenen Unbill zu vergleichen.«

»Na, wenn Euch das Freude bereitet«, sagte Frodo, »dann bemitleide ich Euch. Es wird nur eine Freude der Erinnerung sein, fürchte ich. Geht sofort und kehrt niemals zurück!«

Die Hobbits aus den Dörfern hatten Saruman aus einer der Hütten herauskommen sehen und waren sofort bis zur Tür von Beutelsend vorgedrungen. Als sie Frodos Befehl hörten, murmelten sie wütend:

»Laß ihn nicht gehen! Töte ihn! Er ist ein Schuft und Mörder. Töte ihn!«

Saruman blickte ringsum auf ihre feindseligen Gesichter und lächelte. »Töte ihn!« höhnte er. »Tötet ihn, wenn ihr glaubt, ihr seid zahlreich genug, meine tapferen Hobbits!« Er richtete sich auf und starrte sie mit seinen schwarzen Augen drohend an. »Aber glaubt nicht, wenn ich all mein Hab und Gut verloren habe, daß ich auch all meine Macht verloren habe! Wer immer mich angreift, soll verflucht sein. Und wenn mein Blut das Auenland befleckt, soll es verdorren und sich niemals wieder erholen.«

Die Hobbits wichen zurück. Aber Frodo sagte: »Glaubt ihm nicht! Er hat alle Macht verloren außer seiner Stimme, die euch immer noch einschüchtern und täuschen kann, wenn ihr es zulaßt. Aber ich will nicht, daß er erschlagen wird. Es ist sinnlos, auf Rache mit Rache zu antworten: das bringt keine Heilung. Geht, Saruman, auf dem schnellsten Wege!«

»Schlange! Schlange!« rief Saruman; und aus einer Hütte in der Nähe kam Schlangenzunge angekrochen, fast wie ein Hund. »Wieder auf die Straße, Schlange!« sagte Saruman. »Diese feinen Burschen und Herrlein jagen uns wieder davon. Komm mit!«

Saruman wandte sich zum Gehen, und Schlangenzunge schlurfte hinter ihm her. Aber als Saruman gerade dicht an Frodo vorbeiging, blitzte ein Messer in seiner Hand, und er stieß rasch zu. Die Klinge prallte an dem verborgenen Panzerhemd ab und zerbrach. Ein Dutzend Hobbits unter Führung von Sam sprangen mit einem Aufschrei vor und schleuderten den Schuft auf den Boden. Sam zog sein Schwert.

»Nein, Sam«, sagte Frodo. »Nicht einmal jetzt töte ihn. Denn er hat mich nicht verletzt. Und jedenfalls will ich nicht, daß er im Zorn erschlagen wird. Einst war er groß, von einer edlen Art, gegen die wir nicht wagen sollten, unsere Hand zu erheben. Er ist tief gesunken, und wir vermögen ihn nicht zu heilen; doch möchte ich ihn schonen in der Hoffnung, daß er doch noch Heilung findet.«

Saruman stand auf und starrte Frodo an. Ein seltsamer Ausdruck war in seinen Augen, eine Mischung von Staunen, Achtung und Haß.

»Du bist groß geworden, Halbling«, sagte er. »Ja, du bist sehr groß geworden. Du bist weise und grausam. Du hast meine Rache der Süße beraubt, und in Bitterkeit muß ich nun von dannen gehen, ein Schuldner deiner Barmherzigkeit. Das hasse ich, und dich auch. Gut, ich gehe und werde dich nicht mehr belästigen. Aber erwarte nicht von mir, daß ich dir Gesundheit und langes Leben wünsche. Beides wirst du nicht haben. Aber das ist nicht meine Tat. Ich sage es nur voraus.«

Er ging davon, und die Hobbits machten eine Gasse frei, durch die er schritt; aber ihre Knöchel wurden weiß, als sie ihre Waffen packten. Schlangenzunge zögerte, und dann folgte er seinem Herrn.

»Schlangenzunge!« rief Frodo. »Ihr braucht ihm nicht zu folgen. Ich weiß von nichts Bösem, das Ihr mir getan habt. Ihr könnt hier eine Weile Ruhe und Essen haben, bis Ihr kräftiger seid und Eurer eigenen Wege gehen könnt.«

Schlangenzunge blieb stehen und schaute zu ihm zurück, halb bereit zu bleiben. Saruman wandte sich um. »Nichts Böses?« kicherte er. »O nein! Selbst wenn er sich nachts hinausschleicht, dann nur, um die Sterne zu betrachten. Aber habe ich nicht gehört, daß jemand fragte, wo sich der arme Lotho versteckt? Du weißt es, Schlange, nicht wahr? Willst du es ihnen sagen?«

Schlangenzunge kauerte sich auf den Boden und wimmerte: »Nein, nein!«

»Dann werde ich es tun«, sagte Saruman. »Schlange hat euren Oberst getötet, den armen kleinen Kerl, euren lieben Baas. Nicht wahr, Schlange? Ihn im Schlaf erdolcht, glaube ich. Ihn begraben, hoffe ich; obwohl Schlange in letzter Zeit sehr hungrig war. Nein, Schlange ist nicht wirklich anständig. Ihr überlaßt ihn besser mir.«

Ein Ausdruck von wildem Haß trat in Schlangenzunges rote Augen. »Ihr habt es mir befohlen; Ihr habt mich dazu veranlaßt«, zischte er.

Saruman lachte. »Du tust, was Scharrer sagt, immer, nicht wahr, Schlange? So, und jetzt sagt er: folge mir!« Er trat Schlangenzunge, der noch auf der Erde lag, ins Gesicht, drehte sich um und ging los. Aber da zerbrach etwas: plötzlich stand Schlangenzunge auf, zog ein verborgenes Messer, und, wie ein Hund knurrend, sprang er Saruman auf den Rükken, durchschnitt ihm die Kehle und rannte schreiend den Feldweg hinunter. Ehe Frodo sich fassen oder ein Wort sprechen konnte, schwirrten drei Hobbitbogen, und Schlangenzunge sank tot zu Boden.

Zum Entsetzen jener, die dabeistanden, sammelte sich um Sarumans Leiche ein grauer Nebel, stieg wie Rauch von einem Feuer langsam zu großer Höhe auf und schwebte wie eine bleiche, in ein Leichentuch gehüllte Gestalt über dem Bühl. Einen Augenblick schwankte sie, nach Westen blickend; aber aus dem Westen kam ein kalter Wind, und sie wandte sich ab und löste sich mit einem Seufzer in Nichts auf.

Frodo blickte voll Mitleid und Entsetzen hinunter auf die Leiche, denn während er schaute, schien es, daß viele Jahre des Todes plötzlich in ihr sichtbar wurden, und sie schrumpfte zusammen, und das runzelige Gesicht wurde zu Hautfetzen auf einem abscheulichen Schädel. Frodo nahm den Saum des schmutzigen Mantels, der daneben lag, zog ihn über die Leiche und wandte sich ab.

»Und das ist das Ende«, sagte Sam. »Ein häßliches Ende, und ich wünschte, ich hätte es nicht zu sehen brauchen; aber ein Glück, daß wir ihn los sind.«

»Und wirklich das letzte Ende des Krieges, hoffe ich«, sagte Merry.

»Das hoffe ich auch«, sagte Frodo und seufzte. »Der letzte Schlag. Aber wenn man bedenkt, daß er gerade hier fallen mußte, genau vor der Tür von Beutelsend! Bei all meinen Hoffnungen und Befürchtungen habe ich zumindest das niemals erwartet.«

»Ich würde es nicht das Ende nennen, ehe wir diesen Saustall aufgeräumt haben«, sagte Sam düster. »Und das wird eine ganze Menge Zeit und Arbeit erfordern.«

NEUNTES KAPITEL

DIE GRAUEN ANFURTEN

Das Aufräumen erforderte gewiß eine Menge Arbeit, aber es kostete weniger Zeit, als Sam gefürchtet hatte. Am Tag nach der Schlacht ritt Frodo nach Michelbinge und befreite die Gefangenen aus dem Loch. Einer der ersten, die sie fanden, war der arme Fredegar Bolger, auf den der Name Dick nicht mehr paßte. Er war verhaftet worden, als die Strauchdiebe eine Schar Aufrührer, die er anführte, in ihrem Versteck oben in den Dachsbauten bei der Bergen von Schären ausräucherten.

»Du hättest schließlich besser dran getan, doch mit uns mitzukommen, armer Fredegar«, sagte Pippin, als sie ihn heraustrugen, weil er zu schwach war, um zu gehen.

Er blinzelte mit einem Auge und versuchte tapfer zu lächeln. »Wer ist dieser junge Riese mit der lauten Stimme?« flüsterte er. »Doch nicht der kleine Pippin? Welche Hutgröße hast du denn jetzt?«

Dann war Lobelia da. Das arme Wesen sah sehr alt und dünn aus, als man sie aus einer dunklen und engen Zelle herausholte. Sie bestand darauf, auf ihren eigenen Füßen hinauszuhumpeln; und sie hatte einen solchen Empfang und es gab so viel Klatschen und Beifall, als sie erschien, auf Frodos Arm gestützt, aber ihren Regenschirm noch fest umklammernd, daß sie ganz ergriffen war und in Tränen wegfuhr. Ihr Lebtag war sie nicht beliebt gewesen. Aber sie war niedergeschmettert, als sie von Lothos Ermordung hörte, und sie wollte nicht nach Beutelsend zurückkehren. Sie gab es Frodo zurück und ging zu ihrer eigenen Familie, den Straffgürtels in Steinbüttel.

Als das arme Geschöpf im nächsten Frühjahr starb — immerhin war sie nun über hundert Jahre alt — war Frodo überrascht und sehr gerührt: alles, was von ihrem und Lothos Geld geblieben war, hatte sie ihm hinterlassen, und er sollte es dafür verwenden, den Hobbits zu helfen, die bei den Unruhen ihre Heime verloren hatten. So war dieser Familienzwist beendet.

Der alte Willi Weißfuß war länger im Loch gewesen als alle anderen, und obwohl er vielleicht weniger grob behandelt worden war als manche, so mußte er doch gehörig aufgepäppelt werden, ehe er wieder wie ein Bürgermeister aussah; deshalb erklärte Frodo sich bereit, als sein Stellvertreter tätig zu sein, bis Herr Weißfuß wieder in Form war. Das einzige, was er als stellvertretender Bürgermeister tat, war, die Obliegenheiten und die Anzahl der Landbüttel wieder auf ihr angemessenes Maß herabzusetzen. Die Aufgabe, die letzten übriggebliebenen Strolche davonzujagen, wurde Merry und Pippin überlassen, und sie war bald ausgeführt. Nachdem die Banden im Süden von der Schlacht von Wasserau erfahren hatten, flohen sie aus dem Land und setzten dem Thain wenig Widerstand entgegen. Vor Jahresende wurden die wenigen Überlebenden in den Wäldern zusammengetrieben, und diejenigen, die sich ergaben, wurden über die Grenze abgeschoben.

Derweil gingen die Wiederherstellungsarbeiten geschwind voran, und Sam war sehr beschäftigt. Hobbits können bienenfleißig sein, wenn ihnen der Sinn danach steht und es not tut. Jetzt gab es Tausende williger Hände jeden Alters, von den kleinen, aber geschickten der Hobbitjungen und -mädchen bis zu den abgearbeiteten und schwieligen der Gevatter und Gevatterinnen. Bis zum Julfest stand kein Stein mehr von den neuen Büttelhäusern oder irgendeinem Gebäude, das »Scharrers Menschen« errichtet hatten; aber die Backsteine wurden dazu benutzt, so manche alte Höhle auszubessern und wohnlicher und trockner zu machen. Große Warenlager und Lebensmittelvorräte wurden gefunden, die die Strolche in Hütten und Scheunen und verlassenen Höhlen versteckt hatten, vor allem in den Stollen von Michelbinge und den alten Steinbrüchen von Schären; so daß sie an diesem Julfest erheblich besser schmausen konnten, als irgend jemand gehofft hatte.

Eins der ersten Dinge, die in Hobbingen getan wurden, sogar ehe die neue Mühle abgerissen wurde, war die Säuberung von Bühl und Beutelsend und die Wiederherstellung des Beutelhaldenwegs. Die Vorderseite der neuen Sandgrube wurde eingeebnet und ein großer, eingefriedeter Garten daraus gemacht, und in die Südseite nach hinten zum Bühl wurden neue Höhlen gegraben und innen mit Backsteinen ausgelegt. Der Ohm zog wieder in Nummer Drei ein; und er sagte oft, und es war ihm gleich, wer es hörte:

»Kein Unglück ist groß genug, es trägt nicht niemandem ein Glück im Schoß, wie ich immer sagte. Und Ende gut, alles besser!«

Es gab einige Meinungsverschiedenheiten über den Namen, den der neue Weg erhalten sollte. Man erwog *Schlachtgärten* oder *Bessere Smials*. Aber nach verständiger Hobbitart wurde er binnen kurzem einfach *Neuer Weg* genannt. Es war bloß ein Wasserauer Witz, ihn als *Scharrers Ende* zu bezeichnen.

Die Bäume waren der schwerste Verlust und Schaden, denn auf Scharrers Befehl waren sie weit und breit im Auenland abgeschlagen worden; und Sam empfand das schmerzlicher als alles andere. Denn zum einen würde es lange brauchen, bis diese Wunde verheilte, und erst seine Urenkel, glaubte er, würden das Auenland wieder so sehen, wie es sein sollte.

Dann plötzlich eines Tages, denn wochenlang war er zu beschäftigt gewesen, um an seine Abenteuer zu denken, fiel ihm das Geschenk von Galadriel ein. Er holte die Schachtel heraus und zeigte sie den anderen Reisenden (denn so wurden sie jetzt von allen genannt) und bat um ihren Rat.

»Ich fragte mich schon, wann du wohl daran denken würdest«, sagte Frodo. »Mach sie auf!«

Sie war gefüllt mit einem grauen Staub, weich und fein, und in der Mitte lag ein Samen wie eine kleine Nuß mit einer silbernen Schale. »Was kann ich damit machen?« fragte Sam.

»Wirf es an einem windigen Tag in die Luft und warte ab, was dabei herauskommt,« sagte Pippin.

»Wo?« fragte Sam.

»Such dir eine Stelle als Baumschule aus und sieh, was dort mit den Pflanzen geschieht«, sagte Merry.

»Aber bestimmt wollte die Herrin nicht, daß ich alles für meinen eigenen Garten behalte, wo jetzt so viele Leute Schaden gelitten haben«, sagte Sam.

»Gebrauche deinen ganzen Verstand und alles Wissen, das du hast, Sam«, sagte Frodo, »und verwende die Gabe so, daß sie deiner Arbeit hilft und sie verbessert. Und verwende sie sparsam. Es ist nicht viel, und ich vermute, daß jedes Körnchen wertvoll ist.«

So pflanzte Sam Schößlinge an allen Stellen, an denen besonders schöne oder geliebte Bäume vernichtet worden waren, und an die Wurzel eines jeden legte er ein Körnchen des kostbaren Staubs. Er mühte sich im ganzen Auenland ab, aber wenn er seine besondere Aufmerksamkeit Hobbingen und Wasserau schenkte, dann machte ihm niemand daraus einen Vorwurf. Und zuletzt stellte er fest, daß er noch ein wenig Staub übrig hatte; also ging er zum Drei-Viertel-Stein, der annähernd der Mittelpunkt des Auenlandes war, und warf den Staub mit seinen Segenswünschen in die Luft. Die kleine silberne Nuß pflanzte er auf der Festwiese ein, wo einst der Baum gestanden hatte; und er war gespannt, was da herauskommen würde. Den ganzen Winter hindurch blieb er so geduldig, wie er nur konnte, und versuchte, sich davon abzuhalten, ständig umherzulaufen und nachzuschauen, ob etwas geschehe.

Der Frühling übertraf seine höchsten Erwartungen. Seine Bäume begannen zu sprießen und zu wachsen, als ob die Zeit es eilig hatte und in einem Jahr so viel schaffen wollte wie sonst in zwanzig. Auf der Festwiese schoß ein schöner, junger Baum empor: er hatte eine silberne Rinde und lange Blätter und setzte im April goldene Blüten an. Es war tatsächlich ein *mallorn*, und er erregte das Staunen der Nachbarschaft. In späteren Jahren, als er in Anmut und Schönheit erwuchs, war er landauf, landab bekannt, und die Leute kamen von weit her, um ihn zu sehen: den einzigen *mallorn* westlich des Gebirges und östlich der See, und einen der prächtigsten der Welt.

1420 war überhaupt ein wunderbares Jahr im Auenland. Es gab nicht nur herrlichen Sonnenschein und köstlichen Regen, jeweils zur rechten Zeit und in genau der richtigen Menge, sondern es schien noch etwas mehr zu sein: ein Hauch von Fülle und Fruchtbarkeit und ein Schimmer von Schönheit über das Maß sterblicher Sommer hinaus, wie sie über dieser Mittelerde aufflackern und vergehen. Alle in jenem Jahr geborenen oder empfangenen Kinder, und es waren viele, waren schön anzusehen und kräftig, und die meisten von ihnen hatten blondes Haar, was vorher unter Hobbits selten gewesen war. Früchte gab es so reichlich, daß junge Hobbits fast in Erdbeeren und Schlagsahne badeten; und später saßen sie unter den Pflaumenbäumen auf der Wiese und futterten, bis sie Berge von Steinen wie kleine Pyramiden oder von einem Sieger angehäufte Schädel aufgeschichtet hatten, und dann zogen sie zum nächsten Baum. Und niemand war krank, und alle waren froh, außer jenen, die das Gras mähen mußten.

Im Südviertel waren die Weinstöcke mit Trauben überladen, und der Ertrag an »Blatt« war erstaunlich, und überall gab es so viel Korn, daß bei der Ernte alle Scheunen voll waren. Die Gerste im Nordviertel war so gut, daß man sich lange an das Bier aus dem 1420er Malz erinnerte und es geradezu ein Inbegriff wurde. Noch ein Lebensalter später konnte man hören, daß ein alter Gevatter in einem Wirtshaus nach einer Maß wohlverdienten Biers seinen Krug absetzte und seufzte: »Ach, das war richtiger Vierzehnzwanziger, aber wirklich.«

Sam blieb zuerst mit Frodo bei den Hüttingers; aber als der Neue Weg fertig war, zog er zum Ohm. Zusätzlich zu all seinen anderen Arbeiten war er damit beschäftigt, das Säubern und die Wiederherstellung von Beutelsend zu leiten; aber oft war er im Auenland unterwegs bei seiner Forstwirtschaft. So war er Anfang März nicht zu Hause und wußte nicht, daß Frodo krank gewesen war. Am dreizehnten dieses Monats fand Bauer

Hüttinger Frodo auf seinem Bett liegend; er hielt einen weißen Edelstein umklammert, der an einer Kette um seinen Hals hing, und er schien halb im Traum.

»Er ist fort für immer«, sagte er, »und nun ist alles dunkel und leer.«

Aber der Anfall ging vorüber, und als Sam am fünfundzwanzigsten zurückkam, hatte Frodo sich erholt und sagte nichts darüber. Mittlerweile war Beutelsend in Ordnung gebracht worden, und Merry und Pippin kamen von Krickloch herüber und brachten all die alten Möbel und Einrichtungsgegenstände zurück, so daß die alte Höhle bald ganz so aussah, wie sie immer ausgesehen hatte.

Als schließlich alles fertig war, sagte Frodo: »Wann willst du nun umziehen und bei mir wohnen, Sam?«

Sam sah ein bißchen verlegen aus.

»Es ist nicht nötig, daß du jetzt schon kommst, wenn du nicht willst«, sagte Frodo. »Aber du weißt, der Ohm ist ganz in der Nähe, und er wird von der Witwe Rumpel sehr gut versorgt werden.«

»Das ist es nicht, Herr Frodo«, sagte Sam und wurde sehr rot.

»Was ist es dann?«

«Es ist Rosie, Rose Hüttinger«, sagte Sam. »Es scheint ihr gar nicht gefallen zu haben, daß ich überhaupt wegging, das arme Mädchen; aber da ich mich noch nicht erklärt hatte, konnte sie es nicht sagen. Und ich erklärte mich nicht, weil ich erst eine Aufgabe zu erfüllen hatte. Aber jetzt habe ich mich erklärt, und sie sagt: ›Na, wenn du ein Jahr verschwendet hast, warum dann noch länger warten?‹ — ›Verschwendet?‹ sage ich. ›So würde ich es nicht nennen.‹ Immerhin verstehe ich, was sie meint. Ich fühle mich entzweigerissen, wie man sagen könnte.«

»Ich verstehe«, sagte Frodo. »Du willst heiraten und du willst auch mit mir in Beutelsend leben? Aber mein lieber Sam, das ist doch ganz einfach! Heirate, so schnell du kannst, und dann zieh mit Rosie ein. Es ist Platz genug in Beutelsend für eine so große Familie, wie du dir nur wünschen kannst.«

Und damit war das geregelt. Sam Gamdschie heiratete Rose Hüttinger im Frühling des Jahres 1420 (das auch für seine Hochzeiten berühmt war), und sie kamen nach Beutelsend und lebten dort. Und wenn Sam glaubte, er habe Glück, so wußte Frodo, daß er selbst noch mehr Glück hatte; denn es gab keinen Hobbit im Auenland, der so liebevoll betreut wurde wie er. Als all die Ausbesserungsarbeiten geplant und in Gang gebracht waren, machte er sich ein ruhiges Leben, schrieb viel und ging alle seine Aufzeichnungen durch. Anläßlich des Freimarkts am Mittsommertag trat er von dem Amt des Stellvertretenden Bürgermeisters zurück, und der liebe alte Willi Weißfuß konnte noch weitere sieben Jahr den Gastgeber bei Festmählern spielen.

Merry und Pippin lebten eine Zeitlang zusammen in Krickloch, und es gab viel Gehen und Kommen zwischen Bockland und Beutelsend. Die beiden jungen Reisenden erregten beträchtliches Aufsehen im Auenland mit ihren Liedern und ihren Geschichten, ihrer feinen Aufmachung und den wundervollen Festen, die sie gaben. »Wie richtige Herren«, sagten die Leute von ihnen, womit sie nur Gutes meinten; denn alle Herzen schlugen höher, wenn man sie vorbeireiten sah mit ihren schimmernden Panzerhemden und ihren glänzenden Schilden, lachend und Lieder aus fernen Ländern singend; und wenn sie jetzt auch bedeutend und prächtig waren, so waren sie ansonsten unverändert, es sei denn, daß sie tatsächlich noch schöner sprachen und heiterer und lustiger waren denn je zuvor.

Frodo und Sam dagegen kehrten wieder zu ganz gewöhnlicher Kleidung zurück, abgesehen davon, daß sie beide, wenn es not tat, lange graue Mäntel trugen, fein gewebt und am Hals mit wundervollen Broschen zusammengehalten; und Herr Frodo trug immer einen weißen Edelstein an einer Kette, nach dem er oft tastete.

Alles ging nun gut, und es bestand Hoffnung, daß es noch besser würde, und Sam war so beschäftigt und so voller Freude, wie sich selbst ein Hobbit nur wünschen konnte. Nichts beeinträchtigte sein Glück das ganze Jahr, außer einer unbestimmten Sorge um seinen Herrn. Frodo zog sich unauffällig von dem ganzen Tun und Treiben im Auenland zurück, und es schmerzte Sam, als er bemerkte, wie wenig Ehre Frodo in seinem eigenen Land zuteil wurde. Wenige Leute wußten von seinen Taten und Abenteuern oder wollten auch nur davon wissen; ihre Bewunderung und Hochachtung galten hauptsächlich Herrn Meriadoc und Herrn Peregrin und (obwohl Sam es nicht wußte) ihm selbst. Auch zeigte sich im Herbst ein Schatten der alten Beschwerden.

Eines Abends kam Sam ins Arbeitszimmer und fand, daß sein Herr sehr seltsam aussah. Er war sehr bleich, und seine Augen schienen Dinge in weiter Ferne zu sehen.

»Was ist los, Herr Frodo?« fragte Sam.

»Ich bin verwundet«, antwortete er, »verwundet, und es wird niemals richtig heilen.«

Aber dann stand er auf, und der Anfall schien zu vergehen, und am nächsten Tag war er wieder ganz wohl. Erst später fiel Sam ein, daß es der sechste Oktober gewesen war. Vor zwei Jahren war es an diesem Tage dunkel gewesen in der Senke unter der Wetterspitze.

Die Zeit verstrich, und das Jahr 1421 kam. Im März war Frodo wieder krank, aber mit einer großen Willensanstrengung verheimlichte er es, denn Sam hatte an andere Dinge zu denken. Das erste von Sams und Rosies Kindern war am fünfundzwanzigsten März geboren worden, ein Datum, das Sam vermerkte.

»Ja, Herr Frodo«, sagte er, »ich bin ein bißchen in der Klemme. Rose und ich waren übereingekommen, ihn Frodo zu nennen, mit deiner Erlaubnis; aber es ist nicht *er*, es ist *sie*. Allerdings ein so hübsches Mädchen, wie man sich nur wünschen kann, schlägt zum Glück Rose mehr nach als mir. Aber nun wissen wir nicht, was wir tun sollen.«

»Na, Sam«, sagte Frodo, »was ist gegen den alten Brauch einzuwenden? Such dir einen Blumennamen aus wie Rose. Die Hälfte aller Mädchen im Auenland hat solche Namen, und was könnte besser sein?«

»Ich glaube, du hast recht, Herr Frodo«, sagte Sam. »Auf meinen Reisen habe ich ein paar schöne Namen gehört, aber ich nehme an, sie sind ein bißchen zu großartig für den täglichen Gebrauch. Der Ohm sagte: ›Mach ihn kurz, dann brauchst du ihn nicht abzukürzen, ehe du ihn verwenden kannst.‹ Aber wenn es ein Blumenname sein soll, dann mache ich mir nicht über die Länge Sorgen: es muß eine schöne Blume sein, denn, weißt du, ich glaube, sie ist sehr schön und wird noch schöner werden.«

Frodo dachte einen Augenblick nach. »Na, Sam, wie ist es mit *elanor*, dem Sonnenstern, du erinnerst dich doch an die kleinen goldenen Blumen im Gras von Lothlórien?«

»Da hast du wieder recht, Herr Frodo«, sagte Sam erfreut. »Das ist genau das, was ich wollte.«

Die kleine Elanor war fast sechs Monate alt und der Herbst des Jahres 1421 war gekommen, als Frodo Sam in sein Arbeitszimmer rief.

»Am Donnerstag ist Bilbos Geburtstag, Sam«, sagte er. »Und er wird den Alten Tuk übertreffen. Er wird hunderteinunddreißig!«

»Das wird er«, sagte Sam. »Er ist erstaunlich!«

»Nun, Sam«, sagte Frodo, »ich möchte, daß du mit Rosie sprichst und herausfindest, ob sie dich entbehren kann, so daß du und ich zusammen losgehen können. Natürlich kannst du jetzt nicht weit oder für lange Zeit fort«, sagte er ein wenig wehmütig.

»Nein, nicht sehr gut, Herr Frodo.«

»Natürlich. Aber mach dir nichts draus. Du kannst mich ein Stück begleiten. Sage Rose, du wirst nicht sehr lange wegbleiben, nicht länger als vierzehn Tage; und du wirst ungefährdet zurückkommen.«

»Ich wünschte, ich könnte die ganze Strecke bis Bruchtal mit dir gehen,

Herr Frodo, und Herrn Bilbo sehen«, sagte Sam. »Und doch ist der einzige Ort, wo ich wirklich sein möchte, hier. Ich bin so entzweigerissen.«

»Armer Sam! So wirst du es empfinden, fürchte ich«, sagte Frodo. »Aber du wirst geheilt werden. Dir ist es bestimmt, heil und gesund zu sein, und du wirst es sein.«

In den nächsten Tagen ging Frodo mit Sam seine Papiere und Schriften durch und händigte ihm seine Schlüssel aus. Da war ein dickes Buch, in glattes, rotes Leder gebunden; seine großen Seiten waren jetzt fast ganz gefüllt. Zu Anfang waren viele Blätter mit Bilbos feiner, unruhiger Handschrift bedeckt; aber die meisten mit Frodos gleichmäßigen, schwungvollen Schriftzeichen. Es war in Kapitel eingeteilt, doch Kapitel 80 war unvollendet, und danach kamen einige leere Seiten. Auf der Kopfseite standen mehrere Titel, die einer nach dem anderen durchgestrichen waren, und sie lauteten: *Mein Tagebuch. Meine unerwartete Fahrt. Hin und wieder zurück. Und was nachher geschah.*

Die Abenteuer von Fünf Hobbits. Die Geschichte des Großen Rings, zusammengestellt von Bilbo Beutlin nach seinen eigenen Beobachtungen und den Berichten seiner Freunde. Was wir im Ring-Krieg taten.

Hier endete Bilbos Handschrift, und Frodo hatte geschrieben:

DER STURZ

DES

HERRN DER RINGE

UND DIE

RÜCKKEHR DES KÖNIGS

(Mit den Augen des Kleinen Volks gesehen, da es die Erinnerungen von Bilbo und Frodo aus dem Auenland sind, ergänzt durch die Berichte ihrer Freunde und die Lehren der Weisen.)

Zusammen mit Auszügen aus den Büchern des Wissens, übersetzt von Bilbo in Bruchtal.

»Nein, du bist ja fast fertig, Herr Frodo!« rief Sam aus. »Na, du hast dich aber rangehalten, das muß ich sagen.«

»Ich bin ganz fertig, Sam«, sagte Frodo. »Die letzten Seiten sind für dich.«

Am einundzwanzigsten September brachen sie zusammen auf, Frodo auf dem Pony, das ihn den ganzen Weg von Minas Tirith getragen hatte und das jetzt Streicher genannt wurde; und Sam auf seinem geliebten Lutz. Es war ein schöner, goldener Morgen, und Sam fragte nicht, wohin sie gingen: er glaubte, er könne es erraten.

Sie schlugen die Straße nach Stock ein über die Berge in Richtung Waldende, und sie ließen ihre Ponies gemächlich traben. In den Grünbergen schlugen sie ihr Lager auf, und als am zweiundzwanzigsten September der Nachmittag seinem Ende zuging, kamen sie auf dem sanft abfallenden Weg dorthin, wo die Bäume begannen.

»Das ist doch genau der Baum, hinter dem du dich verstecktest, als der Schwarze Reiter zuerst auftauchte, Herr Frodo!« sagte Sam und zeigte nach links. »Es kommt mir jetzt wie ein Traum vor.«

Es war Abend, und die Sterne schimmerten am östlichen Himmel, als sie zu der hohlen Eiche kamen; dort bogen sie ab und ritten weiter, den Berg hinunter zwischen den Haselnußsträuchern. Sam war schweigsam, vertieft in seine Erinnerungen. Plötzlich merkte er, daß Frodo leise vor sich hinsang, und er sang das alte Wanderlied, doch die Worte waren nicht ganz dieselben.

Doch um die Ecke, kommt uns vor,
Da führt noch ein geheimes Tor
Zu Pfaden, die wir nie gesehn.
Es kommt der Tag, da muß ich gehn
Und ungekannte Wege ziehn,
Wohl mondvorbei und sonnenhin.

Und als ob es eine Antwort sei, die von unten die Straße heraufkam, sangen Stimmen:

A! Elbereth Gilthoniel!
silivren penna míriel
o menel aglar elenath,
Gilthoniel, A! Elbereth!
Wir leben unter Bäumen, weit
Vom Meere, doch das Sternenlicht
Des Westens — wir vergessen's nicht.

Frodo und Sam hielten an und saßen still in den sanften Schatten, bis sie einen Schimmer sahen, als die Reisenden auf sie zukamen.

Da waren Gildor und viele des schönen Elbenvolks; und zu Sams Verwunderung ritten auch Elrond und Galadriel mit. Elrond trug einen grauen Umhang und hatte einen Stern auf der Stirn und eine silberne Harfe in der Hand, und auf seinem Finger war ein goldener Ring mit einem großen blauen Stein, Vilya, der Mächtigste der Drei. Doch Galadriel saß auf einem weißen Zelter und war in schimmerndes Weiß gekleidet, wie Wolken um den Mond; denn sie selbst schien mit einem sanften Licht zu strahlen. An ihrem Finger war Nenya, der aus *mithril* gearbeitete Ring; er hatte einen einzigen weißen Stein, der wie ein frostiger Stern funkelte. Weiter hinten, langsam auf einem kleinen grauen Pony reitend, kam Bilbo, und er schien im Schlaf mit dem Kopf zu nicken.

Elrond begrüßte sie ernst und gütig, und Galadriel lächelte sie an. »Nun, Meister Samweis«, sagte sie. »Ich höre und sehe, daß du meine Gabe gut verwendet hast. Das Auenland soll nun gesegneter und geliebter sein denn je.« Sam verbeugte sich und fand nichts zu sagen. Er hatte vergessen, wie schön die Herrin war.

Dann wachte Bilbo auf und öffnete die Augen. »Hallo, Frodo!« sagte er. »So, heute habe ich den Alten Tuk übertroffen! Das ist also geregelt. Und jetzt, glaube ich, bin ich bereit, noch einmal auf Fahrt zu gehen. Kommst du mit?«

»Ja, ich komme mit«, sagte Frodo. »Die Ringträger sollten zusammen gehen.«

»Wo gehst du hin, Herr?« rief Sam, obwohl er endlich begriffen hatte, was geschah.

»Zu den Anfurten, Sam«, sagte Frodo.

»Und ich kann nicht mitkommen.«

»Nein, Sam. Jetzt jedenfalls noch nicht, nicht weiter als bis zu den Anfurten. Obwohl auch du ein Ringträger warst, wenn auch nur für eine kleine Weile. Deine Zeit mag noch kommen. Sei nicht zu traurig, Sam. Du kannst nicht immer entzweigerissen sein. Du wirst auf viele Jahre ganz und heil sein müssen. Es gibt noch so viel, woran du dich freuen und was du sein und tun kannst.«

»Aber«, sagte Sam, und Tränen traten ihm in die Augen, »ich glaubte, du würdest dich auch noch auf Jahre und Jahre am Auenland erfreuen, nach allem, was du getan hast.«

»Das habe ich auch einmal geglaubt. Aber ich bin zu schwer verwundet worden, Sam. Ich versuchte, das Auenland zu retten, und es ist gerettet worden, aber nicht für mich. Das läßt sich oft nicht ändern, Sam, wenn Dinge in Gefahr sind: manche müssen sie aufgeben, sie verlieren, damit andere sie behalten können. Aber du bist mein Erbe: alles, was ich hatte und hätte haben können, hinterlasse ich dir. Und du hast auch Rosie und Elanor; und der kleine Frodo wird kommen, und die kleine Rosie und Merry und Goldlöckchen und Pippin; und vielleicht noch mehr, die ich noch nicht sehen kann. Deine Hände und dein Verstand werden überall gebraucht werden. Natürlich wirst du Bürgermeister sein, solange wie du willst, und der berühmteste Gärtner der Geschichte; und du wirst in dem Roten Buch lesen und die Erinnerung an das Zeitalter, das vergangen ist, lebendig erhalten, so daß die Leute der Großen Gefahr gedenken und so ihr geliebtes Land um so mehr lieben. Und dabei wirst du so beschäftigt und so glücklich sein, wie man nur sein kann, solange dein Teil der Geschichte weitergeht. Komm, reite nun mit mir!«

Dann ritten Elrond und Galadriel weiter; denn das Dritte Zeitalter war vorüber und die Tage der Ringe vergangen, und das Ende der Geschichte und des Liedes jener Zeiten war gekommen. Mit ihnen gingen viele Elben der Hohen Sippe, die nicht länger in Mittelerde bleiben wollten; und unter ihnen, erfüllt von einer Traurigkeit, die zugleich beglückt und ohne Bitterkeit war, ritten Sam und Frodo und Bilbo, und den Elben war es ein Vergnügen, sie zu ehren.

Obwohl sie den ganzen Abend und die ganze Nacht mitten durch das Auenland ritten, sah niemand außer den wilden Tieren sie vorüberziehen; höchstens nahm ein Wanderer hier oder dort in der Dunkelheit einen raschen Schimmer unter den Bäumen wahr, oder ein Licht und einen Schatten, die über das Gras glitten, als der Mond im Westen stand. Und als sie, die südlichen Ausläufer der Weißen Höhen umgehend, das Auenland hinter sich gelassen hatten, kamen sie zu den Weiten Höhen und den Türmen und blickten auf die ferne See; und so ritten sie endlich hinunter nach Mithlond, zu den Grauen Anfurten im langen Golf von Luhn.

Als sie an den Toren anlangten, kam Círdan, der Schiffsbauer, heraus, um sie zu begrüßen. Sehr groß war er, und sein Bart war lang, und er war grau und alt, nur seine Augen waren scharf wie Sterne; und er schaute sie an und verneigte sich und sagte: »Alles ist nun bereit.«

Dann führte Círdan sie zu den Anfurten, und dort lag ein weißes Schiff, und an dem Schiffslandeplatz stand neben einem großen grauen Pferd eine ganz in Weiß gekleidete Gestalt und erwartete sie. Als er sich umwandte und ihnen entgegenkam, sah Frodo, daß Gandalf jetzt offen auf seiner Hand den Dritten Ring trug, Narya den Großen, und der Stein auf ihm war rot wie Feuer. Da waren jene, die gehen sollten, froh, denn sie wußten, daß Gandalf sich mit ihnen einschiffen würde.

Aber Sam war nun betrübt in seinem Herzen, und es schien ihm, daß der Abschied bitter sein würde, und noch schmerzlicher würde der lange, einsame Heimweg sein. Doch gerade, als sie dort standen und die Elben an Bord gingen und alles zur Abfahrt bereitgemacht wurde, ritten Merry und Pippin in großer Eile heran. Und unter Tränen lachte Pippin.

»Du hast schon einmal versucht, uns zu entwischen, und es ist dir mißlungen, Frodo«, sagte er. »Diesmal wäre es dir fast geglückt, aber es ist dir wiederum mißlungen. Allerdings war es diesmal nicht Sam, der dich verriet, sondern Gandalf selbst.«

»Ja«, sagte Gandalf. »Denn es wird besser sein, zu dritt zurückzureiten als allein. Ja, hier an den Ufern des Meeres kommt nun schließlich das Ende unserer Gemeinschaft in Mittelerde. Geht in Frieden! Ich will nicht sagen: weinet nicht; denn nicht alle Tränen sind von Übel.«

Dann küßte Frodo Merry und Pippin und zuletzt Sam, und ging an Bord; und die Segel wurden gehißt, und der Wind wehte, und langsam glitt das Schiff den langen, grauen Golf hinunter; und das Licht des Glases von Galadriel, das Frodo trug, schimmerte und verschwand. Und das Schiff fuhr hinaus auf die Hohe See und dann in den Westen, bis Frodo schließlich in einer regnerischen Nacht einen süßen Duft in der Luft roch und Gesang hörte, der über das Wasser kam. Und da schien es ihm wie in seinem Traum in Bombadils Haus, daß sich der graue Regenvorhang in silbernes Glas verwandelte und zurückgerollt wurde, und er erblickte weiße Strände und dahinter ein fernes grünes Land unter der rasch aufgehenden Sonne.

Aber für Sam verdunkelte sich der Abend zur Finsternis, als er an den Anfurten stand; und als er auf das graue Meer schaute, sah er nur einen Schatten auf dem Wasser, der sich bald im Westen verlor. Dort stand er bis tief in die Nacht, hörte nur das Seufzen und Murmeln der Wellen auf den Ufern von Mittelerde, und ihr Klang senkte sich tief in sein Herz. Neben ihm standen Merry und Pippin, und sie waren stumm.

Schließlich wandten sich die drei Gefährten ab, und ohne auch nur ein einziges Mal zurückzublicken, ritten sie langsam heimwärts; und sie sprachen kein Wort miteinander, bis sie zurück ins Auenland kamen, aber jeder fand auf der langen grauen Straße Trost in seinen Freunden.

Schließlich ritten sie über die Höhen und schlugen die Oststraße ein, und dann ritten Merry und Pippin weiter nach Bockland; und unterwegs sangen sie schon wieder. Aber Sam bog nach Wasserau ein und kam so zum Bühl zurück, als sich der Tag wiederum neigte. Und er ging weiter, und drinnen war ein gelbes Licht und Feuer; und das Abendessen war bereit, und er wurde erwartet. Und Rosie zog ihn herein und setzte ihn auf seinen Stuhl und gab ihm die kleine Elanor auf den Schoß.

Er holte tief Luft. »Ja, ich bin zurück«, sagte er.

ANHÄNGE

Quellenangaben für einen Großteil der in den folgenden Anhängen, besonders A bis D, behandelten Dinge finden sich in den Anmerkungen am Schluß der Einführung von Band I. Der Abschnitt A III, *Durins Volk,* stammt vermutlich von Gimli dem Zwergen, der seine Freundschaft mit Peregrin und Meriadoc aufrechterhielt und sich mehrmals mit ihnen in Gondor und Rohan traf.

Die in den Quellen enthaltenen Sagen, Geschichten und Überlieferungen sind sehr umfangreich. Sie werden hier nur in einer Auswahl, stellenweise stark gekürzt, wiedergegeben. Der Hauptzweck ist, den Ringkrieg und seine Ursprünge näher zu erläutern und einige Lücken in der Erzählung zu schließen. Die alten Sagen aus dem Ersten Zeitalter, die Bilbo besonders am Herzen lagen, sind nur kurz erwähnt, da sie von den Vorfahren von Elrond und den Königen und Stammesführern der Númenorer handeln. Wörtliche Auszüge aus längeren Annalen und Erzählungen sind in Anführungszeichen gesetzt. Spätere Zusätze sind in Klammern beigefügt. Anmerkungen in Anführungszeichen entstammen den Quellen. Die anderen sind vom Herausgeber [1].

Die Jahresangaben sind die des Dritten Zeitalters, soweit sie nicht als Z. Z. (Zweites Zeitalter) oder V. Z. (Viertes Zeitalter) gekennzeichnet sind. Als das Ende des Dritten Zeitalters gilt der September 3021, als die Drei Ringe in den Westen gingen, aber für die Chroniken von Gondor begann das Jahr Eins des V. Z. am 25. März 3019. Für den Vergleich der Datierung von Gondor- und Auenland-Zeitrechnung siehe Band I, S. 18, und Band III, S. 442. In den Aufstellungen bedeuten die Jahreszahlen nach den Namen von Königen und Herrschern die Todesdaten, wenn nur ein Datum angegeben ist. Das Zeichen † bedeutet einen vorzeitigen Tod, in der Schlacht oder anderweitig, auch wenn über das Ereignis selbst nicht immer berichtet wurde.

[1] Einige Verweise auf den *Herrn der Ringe* wurden mit Band und Seite angegeben.

ANHANG A

ANNALEN DER KÖNIGE UND HERRSCHER

I. DIE NUMENORISCHEN KÖNIGE

1. Númenor

Fëanor war der bedeutendste der Eldar an Kunstfertigkeit und Wissen, aber auch der stolzeste und eigenwilligste. Er stellte die Drei Edelsteine her, die *Silmarilli*, und erfüllte sie mit dem Glanz der Zwei Bäume, Telperion und Laurelin [1], die das Land der Valar erleuchteten. Nach den Edelsteinen gelüstete es Morgoth, den Feind, der sie stahl, und nachdem er die Bäume zerstört hatte, brachte er die Edelsteine nach Mittelerde und bewahrte sie in seiner großen Festung Thangorodrim auf [2]. Gegen den Willen der Valar verließ Fëanor das Glückselige Reich und ging in Verbannung nach Mittelerde, und er nahm einen großen Teil seines Volkes mit sich; denn in seinem Stolz beabsichtigte er, Morgoth die Edelsteine gewaltsam abzunehmen. Darauf folgte der aussichtslose Krieg der Eldar und Edain gegen Thangorodrim, in dem sie schließlich völlig besiegt wurden. Die Edain (Atani) waren drei Menschenvölker, die als erste in den Westen von Mittelerde und zu den Ufern des Großen Meers gekommen waren und Verbündete der Eldar gegen den Feind wurden.

Es gab drei eheliche Verbindungen zwischen den Eldar und den Edain: Lúthien und Beren; Idril und Tuor; Arwen und Aragorn. Durch die letzte wurden die lange getrennten Zweige der Halbelben wieder vereint und ihre Linie wiederhergestellt.

Lúthien Tinúviel war die Tochter von König Thingol Graumantel von Doriath im Ersten Zeitalter, und ihre Mutter war Melian aus dem Volk der Valar. Beren war Barahirs Sohn aus dem Ersten Haus der Edain. Gemeinsam entwendeten sie einen *silmaril* aus der Eisernen Krone von Morgoth [3]. Lúthien wurde sterblich und war für das Elbengeschlecht verloren. Dior war ihr Sohn. Seine Tochter war Elwing, und sie hatte den *silmaril* in Verwahrung.

Idril Celebrindal war die Tochter von Turgon, dem König der verborgenen Stadt Gondolin [4]. Tuor war Huors Sohn aus dem Hause Hador, dem Dritten Haus der Edain und dem ruhmreichsten in den Kriegen mit Morgoth. Eärendil der Schiffer war ihr Sohn.

Eärendil heiratete Elwing und überwand durch die Macht des *silmaril* die Schatten [5] und gelangte in den Äußersten Westen, und dort sprach er als Botschafter der Elben und der Menschen und erhielt die Hilfe, durch die Morgoth besiegt wurde. Eärendil durfte nicht in die sterblichen Lande zurückkehren, und sein Schiff, das den *silmaril* trug, mußte als Stern am Himmel segeln, als ein

---

[1] Vgl. I, 297; II, 234; III, 282: kein Abbild blieb in Mittelerde von Laurelin dem Goldenen.

[2] I, 295; II, 37 [3] I, 240; II, 370 [4] *Hobbit*; I, 383 [5] I, 284–7

Zeichen der Hoffnung für die Bewohner von Mittelerde, die von dem Großen Feind oder seinen Dienern bedrängt wurden [6]. Allein die *silmarilli* bewahrten das alte Licht der Zwei Bäume von Valinor, ehe Morgoth sie vergiftete; doch die beiden anderen gingen zu Ende des Ersten Zeitalters verloren. Die ganze Geschichte dieser Dinge und vieles andere, was die Elben und Menschen betraf, ist im *Silmarillion* berichtet.

Eärendils Söhne waren Elros und Elrond, die *Peredhil* oder Halbelben. Nur in ihnen war die Linie der heldenhaften Stammesführer der Edain im Ersten Zeitalter erhalten geblieben; und nach dem Sturz von Gil-galad [7] war das Geschlecht der Hochelben-Könige auch in Mittelerde nur noch durch ihre Nachkommen vertreten.

Am Ende des Ersten Zeitalters stellten die Valar die Halbelben vor eine unwiderrufliche Wahl: zu welchem Geschlecht sie gehören wollten. Elrond entschied sich für das Elbengeschlecht und wurde ein Meister des Wissens. Ihm wurde daher dasselbe Vorrecht zugebilligt wie denjenigen der Hochelben, die sich noch in Mittelerde aufhielten: daß sie sich, wenn sie schließlich der Sterblichen Lande müde wären, in den Grauen Anfurten einschiffen und in den Äußersten Westen segeln durften; und dieses Vorrecht galt auch noch nach dem Wandel der Welt. Doch auch Elronds Kinder wurden vor die Wahl gestellt: entweder mit ihm die Kreise der Welt zu verlassen; oder, wenn sie dort blieben, sterblich zu werden und in Mittelerde zu verscheiden. Für Elrond waren daher alle Möglichkeiten des Ringkrieges mit Kummer verbunden [8].

Elros entschied sich für das Menschengeschlecht und blieb bei den Edain; aber ihm wurde eine Lebensspanne zugebilligt, die diejenige geringerer Menschen um ein Vielfaches übertraf.

Um die Edain für ihre Leiden beim Kampf gegen Morgoth zu entschädigen, verliehen ihnen die Valar, die Hüter der Welt, ein Land, in dem sie, fern der Gefahren von Mittelerde, leben durften. Die meisten von ihnen segelten daher über das Meer und kamen, geleitet von Eärendils Stern, zu der großen Insel Elenna, dem westlichsten aller Sterblichen Lande. Dort gründeten sie das Reich Númenor.

In der Mitte des Landes erhob sich ein hoher Berg, der Meneltarma, und wer gute Augen hatte, konnte von seinem Gipfel aus den weißen Turm des Hafens der Eldar in Eressëa erkennen. Von dort kamen die Eldar zu den Edain und bereicherten sie mit Wissen und vielen Gaben; aber ein Gebot war den Númenorern auferlegt worden, der »Bann der Valar«: es war ihnen verboten, nach Westen außer Sichtweite ihrer eigenen Gestade zu segeln oder zu versuchen, den Fuß auf die Unsterblichen Lande zu setzen. Denn obwohl ihnen eine lange Lebensspanne gewährt worden war, die zu Beginn dreimal so lang war wie die

---

[6] I, 436 ff.; II, 370, 380; III, **215, 223**

[7] I, 73, 230 [8] III, 285, 288

geringerer Menschen, mußten sie sterblich bleiben, da es den Valar nicht erlaubt war, ihnen die Gabe der Menschen zu entziehen (oder das Verhängnis der Menschen, wie es später genannt wurde).

Elros war der erste König von Númenor und später unter dem Hochelbennamen Tar-Minyatur bekannt. Seine Nachkommen waren langlebig, aber sterblich. Als sie später mächtig wurden, reute sie die Entscheidung ihrer Vorväter, sie begehrten die Unsterblichkeit innerhalb des Lebens der Welt, die das Schicksal der Eldar war, und sie murrten gegen den Bann. Auf diese Weise begann ihre Auflehnung, die unter Saurons bösen Lehren den Untergang von Númenor und die Zerstörung der alten Welt herbeiführte, wie es in der *Akallabêth* berichtet wird.

Die Namen der Könige und Königinnen von Númenor lauteten: Elros Tar-Minyatur, Vardamir, Tar-Amandil, Tar-Elendil, Tar-Meneldur, Tar-Aldarion, Tar-Ancalimë (die erste Herrschende Königin), Tar-Anárion, Tar-Súrion, Tar-Telperiën (die zweite Königin), Tar-Minastir, Tar-Ciryatan, Tar-Atanamir der Große, Tar-Ancalimon, Tar-Telemmaitë, Tar-Vanimeldë (die dritte Königin), Tar-Alcarin, Tar-Calmacil.

Nach Calmacil nahmen die Könige zugleich mit dem Szepter Namen in der Númenorischen (oder Adûnaischen) Sprache an: Ar-Adûnakhôr, Ar-Zimrathôn, Ar-Sakalthôr, Ar-Gimilzôr, Ar-Inziladûn. Inziladûn empfand Reue über das Verhalten der Könige und änderte seinen Namen in Tar-Palantir, »Der Fernsehende«. Seine Tochter hätte die vierte Königin sein sollen, Tar-Míriel, aber des Königs Neffe riß das Szepter an sich und wurde Ar-Pharazôn der Goldene, der letzte König der Númenorer.

In den Tagen von Tar-Elendil kamen die ersten Schiffe der Númenorer zurück nach Mittelerde. Sein ältestes Kind war eine Tochter, Silmariën. Ihr Sohn war Valandil, der erste der Herren von Andúnië im Westen des Landes, die berühmt waren wegen ihrer Freundschaft mit den Eldar. Von ihm stammten ab Amandil, der letzte Herr, und dessen Sohn Elendil der Große.

Der sechste König hinterließ nur ein Kind, eine Tochter. Sie wurde die erste Königin; denn damals wurde ein Gesetz des Königshauses erlassen, daß das älteste Kind des Königs, ob Mann oder Frau, das Szepter empfangen sollte.

Das Reich Númenor bestand bis zum Ende des Zweiten Zeitalters und erlangte ständig mehr Macht und Glanz; und bis die Hälfte des Zeitalters vergangen war, nahmen auch die Númenorer an Weisheit und Glück zu. Das erste Anzeichen des Schattens, der auf sie fallen sollte, zeigte sich in den Tagen von Tar-Minastir, des elften Königs. Er war es, der eine große Streitmacht aussandte, um Gil-galad zu helfen. Er liebte die Eldar, aber er beneidete sie auch. Die Númenorer waren nun große Seeleute geworden und hatten alle östlichen Meere erforscht, und nun verspürten sie Verlangen nach dem Westen und den verbotenen Gewässern; und je glücklicher ihr Leben war, um so mehr begannen sie sich nach der Unsterblichkeit der Eldar zu sehnen.

Nach Minastir gelüstete es die Könige überdies nach Reichtum und Macht. Ursprünglich waren die Númenorer als Lehrer und Freunde der geringeren Menschen, die unter Sauron gelitten hatten, nach Mittelerde gekommen; aber jetzt wurden ihre Häfen Festungen, und weite Küstenstriche hielten sie unter ihrer Botmäßigkeit. Atanamir und seine Nachfolger erhoben hohe Tribute, und die Schiffe der Númenorer kehrten, mit Beute beladen, zurück.

Es war Tar-Atanamir, der sich als erster offen gegen den Bann wandte und erklärte, das Leben der Eldar stehe ihm von Rechts wegen zu. So verdunkelte sich der Schatten, und der Gedanke an den Tod verdüsterte die Herzen des Volkes. Dann wurden die Númenorer uneins: auf der einen Seite standen die Könige und jene, die ihnen folgten, und sie wandten sich von den Eldar und den Valar ab; auf der anderen Seite standen die wenigen, die sich die Getreuen nannten. Sie lebten hauptsächlich im Westen des Landes.

Die Könige und ihre Anhänger gaben allmählich den Gebrauch der Eldarin-Sprachen auf; und schließlich nahm der zwanzigste König seinen königlichen Namen in númenorischer Form an, und er nannte sich Ar-Adûnakhôr, »Herr des Westens«. Dies erschien den Getreuen als ein böses Vorzeichen, denn bisher hatten sie diesen Titel nur einem der Valar gegeben, nämlich dem Altvorderen König [9]. Und tatsächlich begann Ar-Adûnakhôr, die Getreuen zu verfolgen und jene zu bestrafen, die noch öffentlich die Elbensprache gebrauchten; und die Eldar kamen nicht mehr nach Númenor.

Dennoch nahmen Macht und Reichtum der Númenorer weiterhin zu; doch ihre Lebenszeit verkürzte sich in dem Maße, in dem ihre Todesangst wuchs und ihr Glück nachließ. Tar-Palantir versuchte, dem Übel zu steuern; aber es war zu spät, und es gab Aufstand und Kampf in Númenor. Als er starb, ergriff sein Neffe, der Führer des Aufstandes, die Macht und wurde König Ar-Pharazôn. Ar-Pharazôn der Goldene war der stolzeste und mächtigste aller Könige, und er trachtete nach nichts Geringerem, als König der Welt zu sein.

Er beschloß, Sauron dem Großen die Vorherrschaft in Mittelerde streitig zu machen, und schließlich stach er mit einer großen Flotte in See und landete in Umbar. So groß waren Macht und Pracht der Númenorer, daß sogar Saurons Diener ihn verließen; und Sauron demütigte sich, unterwarf sich und flehte um Gnade. Da ließ ihn Ar-Pharazôn in der Torheit seines Stolzes als Gefangenen nach Númenor bringen. Es dauerte nicht lange, daß Sauron den König behext hatte und Herr über seine Entschlüsse war; und bald hatte er die Herzen aller Númenorer außer denen der übriggebliebenen Getreuen soweit gebracht, daß sie sich wieder der Dunkelheit zuwandten.

Und Sauron belog den König, indem er behauptete, derjenige, der die Unsterblichen Lande besitze, würde ein immerwährendes Leben haben, und der Bann sei nur verhängt worden, um zu verhindern, daß die Könige der Menschen die Valar übertreffen. »Doch große Könige nehmen sich, was ihr Recht ist«, sagte er.

---

[9] I, 286

Schließlich hörte Ar-Pharazôn auf seinen Rat, denn er spürte, daß seine Tage zur Neige gingen, und er war verdummt durch seine Angst vor dem Tode. Er stellte dann die größte Streitmacht auf, die die Welt je gesehen hatte, und als alles bereit war, ließ er Trompeten blasen und setzte Segel; und er verstieß gegen den Bann der Valar und zog in den Krieg, um den Herren des Westens das immerwährende Leben zu entreißen. Doch als Ar-Pharazôn den Fuß auf die Gestade von Aman dem Glückseligen setzte, legten die Valar ihr Hüteramt nieder und riefen den Einen an, und die Welt wandelte sich. Númenor wurde niedergeworfen und vom Meer verschlungen, und die Unsterblichen Lande wurden auf immerdar den Kreisen der Welt entrückt. So endete Númenors Glanzzeit.

Die letzten Führer der Getreuen, Elendil und seine Söhne, entgingen mit neun Schiffen dem Untergang, und sie nahmen mit sich einen Sämling von Nimloth und die Sieben Sehenden Steine (Geschenke der Eldar an ihr Haus) [10]; und auf den Flügeln eines großen Sturms wurden sie davongetragen und an die Ufer von Mittelerde gespült. Dort errichteten sie im Nordwesten die Númenorer-Reiche in der Verbannung, Arnor und Gondor [11]. Elendil war der Hohe König und wohnte im Norden in Annúminas; und die Herrschaft im Süden wurde seinen Söhnen übertragen, Isildur und Anárion. Sie gründeten Osgiliath zwischen Minas Ithil und Minas Anor [12], nicht weit von Mordors Grenzen. Denn sie glaubten, wenigstens ein Gutes habe das Verderben mit sich gebracht, daß nämlich auch Sauron umgekommen sei.

Doch dem war nicht so. Sauron war tatsächlich in Númenors Untergang hineingerissen worden, so daß seine körperliche Gestalt, in der er lange gewandelt war, vernichtet wurde; aber er floh zurück nach Mittelerde, ein Geist des Hasses, davongetragen von einem dunklen Wind. Er vermochte nie wieder eine Gestalt anzunehmen, die Menschen schön erschien, sondern er wurde schwarz und häßlich, und seine Macht beruhte danach allein auf Schrecken. Er kehrte nach Mordor zurück und verbarg sich dort eine Zeitlang in der Stille. Doch seine Wut war groß, als er erfuhr, daß Elendil, den er am meisten haßte, ihm entkommen war und nun ein Reich an seinen Grenzen errichtete.

Daher überzog er nach einer Weile die Verbannten mit Krieg, ehe sie Wurzeln fassen konnten. Der Orodrúin brach wiederum in Flammen aus und wurde in Gondor neu benannt, *Amon Amarth*, der Schicksalsberg. Aber Sauron hatte zu rasch zugeschlagen, ehe er seine eigene Macht wieder aufgebaut hatte, während Gil-galads Macht während seiner Abwesenheit zugenommen hatte; und von dem Letzten Bündnis, das gegen ihn geschlossen wurde, wurde Sauron überwältigt, und der Eine Ring wurde ihm abgenommen [13]. So endete das Zweite Zeitalter.

---

[10] II, 232; III, 282 [11] I, 295 [12] I, 297
[13] I, 296

2. Die Reiche in der Verbannung

Die nördliche Linie

Isildurs Erben

Arnor. Elendil † ZZ 3441, Isildur † 2, Valandil 249 [14], Eldacar 339, Arantar 435, Tarcil 515, Tarondor 602, Valandur † 652, Elendur 777, Eärendur 861.

Arthedain. Amlaith von Fornost [15] (Eärendurs ältester Sohn) 946, Beleg 1029, Mallor 1110, Celepharn 1191, Celebrindor 1272, Malvegil 1349 [16], Argeleb I. † 1356, Arveleg I. 1409, Araphor 1589, Argeleb II. 1670, Arvegil 1743, Arveleg II. 1813, Araval 1891, Araphant 1964, Arvedui Letztkönig † 1974. Ende des Nördlichen Königreichs.

Stammesführer. Aranarth (Arveduis älterer Sohn) 2106, Arahael 2177, Aranuir 2247, Aravir 2319, Aragorn I. † 2327, Araglas 2455, Arahad I. 2523, Aragost 2588, Aravorn 2654, Arahad II. 2719, Arassuil 2784, Arathorn I. † 2848, Argonui 2912, Arador † 2930, Arathorn II. † 2933, Aragorn II. V. Z. 120.

Die südliche Linie

Anárions Erben

Könige von Gondor. Elendil, (Isildur und) Anárion † Z.Z. 3440, Meneldil, Anárions Sohn, 158, Cemendur 238, Eärendil 324, Anardil 411, Ostoher 492, Rómendacil I. (Tarostar) † 541, Turambar 667, Atanatar I. 748, Siriondil 830. Hier folgten die vier »Schiffskönige«:

Tarannon Falastur 913. Er war der erste kinderlose König; ihm folgte der Sohn seines Bruders Tarciryan. Eärnil I. † 936, Ciryandil † 1015, Hyarmendacil I. (Ciryaher) 1149. Gondor erreichte jetzt den Gipfel seiner Macht.

Atanatar II. Alcarin »der Prächtige« 1226, Narmacil I. 1294. Er war der zweite kinderlose König, und sein jüngerer Bruder folgte ihm nach. Calmacil 1304, Minalcar (Verweser 1240–1304), als Rómendacil II. gekrönt 1304, gestorben 1355, Valacar. In seiner Zeit begann das erste Unglück von Gondor, der Sippenstreit.

Eldacar, Valacars Sohn (zuerst Vinitharya geheißen) wurde 1437 abgesetzt. Castamir der Thronräuber † 1447. Eldacar wieder in seine Rechte eingesetzt, gestorben 1490.

Aldamir (Eldacars zweiter Sohn) † 1540, Hyarmendacil II. (Vinyarion) 1621,

---

[14] Er war Isildurs vierter Sohn, in Imladris geboren. Seine Brüder waren auf den Schwertelfeldern erschlagen worden.

[15] Nach Eärendur nahmen die Könige keine Namen in der Hochelbischen Form mehr an.

[16] Nach Malvegil erhoben die Könige in Fornost wieder Anspruch auf die Herrschaft über ganz Arnor, und zum Zeichen dafür nahmen sie Namen mit der Vorsilbe *ar(a)* an.

Minardil † 1634, Telemnar † 1636. Telemnar und alle seine Kinder erlagen der Pest; ihm folgte sein Neffe, der Sohn von Minastan, dem zweiten Sohn von Minardil. Tarondor 1798, Telumehtar Umbardacil 1850, Narmacil II. † 1856, Calimehtar 1936, Ondoher † 1944. Ondoher und seine beiden Söhne fielen im Kampf. Ein Jahr später, 1945, wurde die Krone dem siegreichen Heerführer Eärnil angetragen, einem Nachkommen von Telemehtar Umbardacil. Eärnil II. 2043, Eärnur † 2050. Hier endete die Linie der Könige, bis sie durch Elessar Telcontar im Jahre 3019 wieder hergestellt wurde. Die Herrschaft im Reich wurde einstweilen von den Truchsessen ausgeübt.

Truchsesse von Gondor. Das Haus von Húrin: Pelendur 1998. Er herrschte ein Jahr lang nach dem Sturz von Ondoher und riet, Gondor solle Arveduis Anspruch auf die Krone zurückweisen. Vorondil der Jäger 2029 [17]. Mardil Voronwe »der Standhafte«, der erste der Herrschenden Truchsesse. Seine Nachfolger trugen keine Hochelbennamen mehr.

Herrschende Truchsesse. Mardil 2080, Eradan 2116, Herion 2148, Belegorn 2204, Húrin I. 2244, Túrin I. 2278, Hador 2395, Barahir 2412, Dior 2435, Denethor I. 2477, Boromir 2489, Cirion 2567. Zu seiner Zeit kamen die Rohirrim nach Calenardhon.

Hallas 2605, Húrin II. 2628, Belecthor I. 2655, Orodreth 2685, Ecthelion I. 2698, Egalmoth 2473, Beren 2763, Beregond 2811, Belecthor II. 2872, Thorondir 2882, Túrin II. 2914, Turgon 2953, Ecthelion II. 2984, Denethor II. Er war der letzte der Herrschenden Truchsesse; ihm folgte sein zweiter Sohn Faramir, Herr von Emyn Arnen, Truchseß des Königs Elessar, V.Z. 82

3. Eriador, Arnor und Isildurs Erben

»Eriador war von alters her der Name aller Lande zwischen dem Nebelgebirge und den Blauen Bergen; im Süden waren seine Grenze die Grauflut und der Glanduin, der oberhalb von Tharbad in sie mündet.

Zur Zeit seiner größten Macht gehörte zu Arnor ganz Eriador mit Ausnahme der Gebiete jenseits des Luhn und der Lande östlich der Grauflut und der Lautwasser, in denen Bruchtal und Hulsten lagen. Jenseits des Luhn war elbisches Land, grün und still, in das die Menschen nicht gingen; doch lebten und leben noch Zwerge auf der Ostseite der Blauen Berge, besonders in jenen Teilen südlich des Golfs von Luhn, wo sie noch Minen in Betrieb haben. Aus diesem Grunde war es ihre Gewohnheit, auf der Großen Straße nach Osten zu wandern, wie sie es schon seit langen Jahren taten, ehe wir in das Auenland kamen. In den Grauen Anfurten wohnte Círdan der Schiffbauer, und manche sagen, er

[17] Vgl. III,25. Die wilden weißen Rinder, die sich noch in der Nähe des Meers von Rhûn fanden, sollen nach der Sage von den Rindern von Araw abstammen, dem Jäger der Valar, der in der Altvorderenzeit als einziger von den Valar oft nach Mittelerde kam. Oromë ist die Hochelbische Form seines Namens (III, 124).

wohne immer noch dort, bis das Letzte Schiff in den Westen segelt. In den Tagen der Könige lebten die meisten Hochelben, die noch in Mittelerde weilten, bei Círdan oder in den am Meer gelegenen Landen von Lindon. Wenn heute noch welche da sind, dann sind es wenige.«

Das Nördliche Königreich und die Dúnedain

Nach Elendil und Isildur gab es acht Hohe Könige von Arnor. Ihr Reich wurde nach Eärendurs Tod wegen Zwistigkeiten unter seinen Söhnen in drei Teile geteilt: Arthedain, Rhudaur und Cardolan. Arthedain lag im Nordwesten, und zu ihm gehörte das Land zwischen dem Brandywein und dem Luhn, und auch das Land nördlich der Großen Straße bis zu den Wetterbergen. Rhudaur lag im Nordosten zwischen den Ettenöden, den Wetterbergen und dem Nebelgebirge, doch auch der Winkel zwischen Weißquell und Lautwasser gehörte dazu. Cardolan war im Süden, und seine Grenzen waren der Brandywein, die Grauflut und die Große Straße.

In Arthedain hatte sich die Linie von Isildur gehalten und blieb bestehen, doch in Cardolan und Rhudaur erlosch sie bald. Es war oft Hader zwischen den Königreichen, was den Niedergang der Dúnedain beschleunigte. Der Hauptstreitpunkt war der Besitz der Wetterberge und des Landes westlich in Richtung auf Bree. Beide, Rhudaur und Cardolan wollten den Amon Sûl (Wetterspitze) besitzen, der sich an der Grenze ihrer Reiche erhob; denn im Turm von Amon Sûl befand sich der Haupt-*Palantír* des Nordens, und die beiden anderen waren in der Obhut von Arthedain.

»Es war zu Beginn der Herrschaft von Malvegil von Arthedain, daß Unheil über Arnor kam. Denn zu jener Zeit erhob sich das Reich Angmar im Norden jenseits der Ettenöden. Seine Lande erstreckten sich zu beiden Seiten des Gebirges, und dort hatten sich viele böse Menschen zusammengefunden, und auch Orks und andere grausame Geschöpfe. (Der Herr jenes Landes war als der Hexen-König bekannt, doch erst später stellte sich heraus, daß er tatsächlich der Führer der Ringgeister war, die mit der Absicht nach Norden gekommen waren, die Dúnedain in Arnor zu vernichten, denn sie sahen Hoffnung in ihrer Zwietracht, solange Gondor stark war.)«

In den Tagen von Argeleb, Malvegils Sohn, erhoben die Könige von Arthedain, da in den anderen Königreichen keine Nachkommen von Isildur mehr waren, Anspruch auf die Herrschaft über ganz Arnor. Dem Anspruch widersetzte sich Rudaur. Dort waren die Dúnedain gering an Zahl, und ein böser Gebieter der Bergmenschen, der insgeheim mit Angmar verbündet war, hatte die Macht ergriffen. Argeleb befestigte daher die Wetterberge [18]; aber im Kampf gegen Rhudaur und Angmar wurde er erschlagen.

Unterstützt von Cardolan und Lindon vertrieb Arveleg, Argelebs Sohn, den Feind aus den Bergen; und viele Jahre lang leisteten Arthedain und Cardolan an

---

[18] I, 230

den Wetterbergen, der Großen Straße und dem unteren Weißquell bewaffneten Widerstand. Es heißt, daß Bruchtal zu jener Zeit belagert wurde.

1409 kam ein großes Heer aus Angmar, setzte über den Fluß, drang nach Cardolan ein und umzingelte die Wetterspitze. Die Dúnedain wurden besiegt, und Arveleg wurde erschlagen. Der Turm von Amon Sûl wurde niedergebrannt und geschleift; doch der *palantir* wurde gerettet und auf dem Rückzug nach Fornost gebracht; Rhudaur wurde von bösen Menschen, die Angmar[19] untertan waren, besetzt, und die verbliebenen Dúnedain wurden erschlagen oder flohen nach Westen. Cardolan wurde verwüstet. Araphor, Arvelegs Sohn, war noch nicht erwachsen, aber er war tapfer, und mit Hilfe von Círdan vertrieb er den Feind von Fornost und den Nordhöhen. Ein kläglicher Rest der Getreuen unter den Dúnedain von Cardolan konnte sich auch in Tyrn Gorthad (den Hügelgräberhöhen) halten oder fand Zuflucht in dem Wald dahinter.

Es heißt, daß Angmar eine Zeitlang in Schach gehalten wurde von dem Elbenvolk, das aus Lindon gekommen war, und aus Bruchtal, denn Elrond brachte über das Gebirge Hilfe aus Lórien. Es war zu jener Zeit, daß die Starren, die in dem Winkel (zwischen Weißquell und Lautwasser) gewohnt hatten, nach Westen und Süden flohen, wegen der Kriege und des Schreckens von Angmar, und weil das Land und das Wetter von Eriador, besonders im Osten, sich verschlechterten und unfreundlich wurden. Einige kehrten nach Wilderland zurück, lebten am Schwertelfluß und wurden ein Volk von Fischern.

In den Tagen von Argeleb II. kam die Pest aus dem Südosten nach Eriador, und der größte Teil des Volks von Cardolan starb, besonders in Minhiriath. Die Hobbits und alle anderen Völker litten schwer, doch die Seuche schwächte sich auf dem Weg nach Norden ab, und die nördlichen Teile von Arthedain wurden wenig betroffen. Es war zu jener Zeit, daß die Dúnedain von Cardolan ihr Ende fanden, und böse Geister aus Angmar und Rhudaur drangen in die verlassenen Hügelgräber ein und hausten dort.

»Es heißt, daß die Hügelgräber von Tyrn Gorthad, wie die Hügelgräberhöhen einst genannt wurden, sehr alt sind, und daß viele in den Tagen der Welt des Ersten Zeitalters von den Vorvätern der Edain errichtet worden waren, ehe sie die Blauen Berge überquerten und nach Beleriand gingen, von dem nun allein Lindon noch übrig ist. Jene Berge wurden daher von den Dunedain nach ihrer Rückkehr verehrt; und viele ihrer Gebieter und Könige wurden dort begraben. (Einige sagen, das Hügelgrab, in dem der Ringträger gefangen gehalten wurde, sei die Grabstätte des letzten Fürsten von Cardolan gewesen, der im Krieg von 1409 fiel.)«

»Im Jahr 1974 erhob sich die Macht von Angmar wiederum, und der Hexenkönig überfiel Arthedain, ehe der Winter endete. Er eroberte Fornost und trieb den größten Teil der Dúnedain, die noch übrig waren, über den Luhn; unter

---

[19] I, 248

ihnen waren die Söhne des Königs. Doch König Arvedui hielt bis zuletzt auf den Nordhöhen stand und floh dann mit einigen von seiner Leibwache nach Norden; und durch die Schnelligkeit ihrer Pferde entkamen sie.

Eine Weile verbarg sich Arvedui in den Stollen der alten Zwergenminen nahe des jenseitigen Endes des Gebirges, aber schließlich veranlaßte ihn der Hunger, bei den Lossoth, den Schneemenschen von Forochel [20], Hilfe zu suchen. Einige von ihnen fand er am Meeresufer lagernd; aber sie halfen dem König nicht gern, denn er hatte ihnen nichts zu bieten außer ein paar Edelsteinen, denen sie keinen Wert beimaßen; und sie fürchteten den Hexenkönig, der (wie sie sagten) nach Belieben Frost und Tauwetter machen konnte. Doch teilweise aus Mitleid mit dem abgemagerten König und seinen Mannen und teilweise aus Angst vor ihren Waffen gaben sie ihnen ein wenig zu essen und bauten ihnen Schneehütten. Dort mußte Arvedui warten, und er hoffte auf Hilfe aus dem Süden; denn seine Pferde waren umgekommen.

Als Círdan von Aranarth, Arveduis Sohn, von der Flucht des Königs nach Norden hörte, schickte er sofort ein Schiff nach Forochel, um ihn zu suchen. Wegen widriger Winde traf das Schiff erst nach vielen Tagen ein, und die Seeleute sahen schon von ferne das kleine Feuer aus Treibholz, das die verlassenen Männer in Gang zu halten versuchten. In jenem Jahr wollte der Winter gar nicht weichen, und obwohl es schon März war, begann das Eis erst aufzubrechen und erstreckte sich noch weit hinaus vom Ufer.

Als die Schneemenschen das Schiff sahen, waren sie erstaunt und fürchteten sich, denn sie hatten, solange sie zurückdenken konnten, noch kein solches Schiff auf dem Meer gesehen; aber sie waren jetzt freundlicher geworden, und sie zogen den König und diejenigen seiner Gefährten, die noch am Leben waren, in ihren gleitenden Wagen über das Eis, soweit sie es wagten. Auf diese Weise konnte ein Boot vom Schiff sie erreichen.

Aber die Schneemenschen waren unruhig; denn sie sagten, sie witterten Gefahr im Wind. Und das Oberhaupt der Lossoth sagte zu Arvedui: ›Besteige dieses Seeungeheuer nicht! Wenn sie etwas haben, dann laß die Seemenschen uns Lebensmittel und andere Dinge bringen, die wir brauchen, und du kannst hierbleiben, bis der Hexenkönig nach Hause geht. Denn im Sommer schwindet seine Macht; doch jetzt ist sein Atem tödlich, und sein kalter Arm ist lang.‹

Aber Arvedui nahm seinen Rat nicht an. Er dankte ihm, und beim Abschied gab er ihm seinen Ring und sagte: ›Dies ist ein Ding von größerem Wert, als du dir

---

[20] Das ist ein seltsames, unfreundliches Volk, die Überbleibsel der Forodwaith, der Menschen aus uralter Zeit, und gewöhnt an die bittere Kälte von Morgoths Reich. Diese Kälte herrschte tatsächlich immer noch in diesem Gebiet, obwohl es kaum mehr als hundert Wegstunden nördlicher liegt als das Auenland. Die Lossoth hausen im Schnee, und es heißt, daß sie mit Knochen an den Füßen auf dem Eis laufen und Wagen ohne Räder haben. Sie leben hauptsächlich auf dem für ihre Feinde unzugänglichen Kap Forochel, das die gewaltige Bucht gleichen Namens nach Nordwesten abschließt; doch oft lagern sie am Südufer der Bucht am Fuße des Gebirges.

vorstellen kannst. Allein um seines Alters willen. Der Ring hat keine Macht, abgesehen von der Wertschätzung, die ihm jene zollen, die mein Haus lieben. Er wird dir nicht helfen, aber wenn du je in Not bist, wird meine Sippe ihn auslösen gegen große Vorräte von allem, was du begehrst.‹[21]

Trotzdem war der Rat der Lossoth gut gewesen, sei es durch Zufall oder Voraussicht; denn das Schiff hatte noch nicht die offene See erreicht, da erhob sich ein großer Sturm und kam mit blendendem Schnee von Norden; und er trieb das Schiff zurück auf das Eis und türmte ringsum Eis auf. Selbst die Seeleute von Círdan waren hilflos, und in der Nacht zerdrückte das Eis den Rumpf, und das Schiff ging unter. So kam Arvedui der Letztkönig um, und mit ihm versanken die *palantíri* im Meer [22]. Erst sehr viel später hörte man von den Schneemenschen über den Schiffsuntergang von Forochel.«

Das Auenlandvolk überlebte, obwohl der Krieg über es hinwegfegte und die meisten flohen und sich versteckten. Um dem König zu helfen, entsandten sie einige Bogenschützen, die niemals zurückkehrten; und auch andere zogen in die Schlacht, in der Angmar besiegt wurde (über die in den Annalen des Südens mehr gesagt wird). In dem Frieden, der später folgte, regierte sich das Auenlandvolk selbst und blühte und gedieh. Es wählte einen Thain, der die Stelle des Königs einnehmen sollte, und war zufrieden; obwohl viele noch lange Zeit auf die Rückkehr des Königs warteten. Doch schließlich war diese Hoffnung vergessen und erhielt sich nur in der Redensart *Wenn der König zurückkommt*, die gebraucht wurde, wenn etwas Gutes nicht erreicht oder etwas Schlechtes nicht geändert werden konnte. Der erste Auenland-Thain war ein gewisser Bucca aus dem Bruch, von dem die Altbocks abzustammen behaupten. Er wurde Thain im Jahre 379 nach unserer Zeitrechnung (1979).

Nach Arvedui endete das Nördliche Königreich, denn der Dúnedain waren nun wenige, und alle Völker von Eriador nahmen an Zahl ab. Dennoch wurde das Geschlecht der Könige durch die Stammesführer der Dúnedain fortgesetzt, deren erster Aranarth, Arveduis Sohn, war. Sein Sohn Arahael wurde in Bruchtal auf-

---

[21] Auf diese Weise wurde der Ring von Isildurs Haus gerettet; denn die Dúnedain haben ihn später ausgelöst. Es heißt, daß es eben der Ring war, den Felagund von Nargothrond Barahir gab und den Beren unter großen Gefahren wiedererlangte.

[22] Es waren dies die Steine von Annúminas und Amon Sûl. Der einzige im Norden erhaltene Stein war der im Turm von Emyn Beraid, der auf den Golf von Luhn schaut. Dieser Stein war in der Obhut der Elben, und obwohl wir es niemals erfuhren, blieb er dort, bis Círdan ihn an Bord von Elronds Schiff brachte, als er abfuhr (I, 64, 139 f.). Aber es heißt, er sei den anderen unähnlich und nicht in Übereinstimmung mit ihnen gewesen; er blickte nur auf das Meer. Elendil hatte ihn dort aufgestellt, damit er »geraden Blicks« zurückschauen und Eressëa im verschwundenen Westen sehen könne; doch das gekrümmte Meer darunter deckte Númenor auf immerdar.

gezogen, und nach ihm alle Söhne der Stammesführer gleichermaßen; und dort wurden auch die Erbstücke ihres Hauses aufbewahrt: der Ring von Barahir, die Bruchstücke von Narsil, Elendils Stern und das Szepter von Annúminas [23].

»Als das Königreich endete, tauchten die Dúnedain in den Schatten unter und wurden ein geheimes und wanderndes Volk, und ihre Taten und Mühen wurden selten besungen oder aufgezeichnet. Wenig weiß man jetzt noch von ihnen, seit Elrond dahingegangen ist. Obwohl schon vor dem Ende des Wachsamen Friedens wieder böse Wesen Eriador anzugreifen oder heimlich dort einzudringen begannen, lebten die meisten der Stammesanführer bis ans Ende ihres langen Lebens. Aragorn I., heißt es, wurde von Wölfen umgebracht, die seitdem immer eine Gefahr in Eriador blieben und auch noch nicht beseitigt sind. In den Tagen von Arahad I. waren die Orks, die, wie sich später zeigte, lange insgeheim Festungen im Nebelgebirge gehalten hatten, um alle Übergänge nach Eriador zu sperren, plötzlich offen in Erscheinung getreten. Im Jahr 2509 wurde Celebrían, Elronds Frau, als sie nach Lórien unterwegs war, am Rothornpaß überfallen, und nachdem ihre Begleitung durch den plötzlichen Angriff der Orks verstreut worden war, wurde sie ergriffen und fortgeschleppt. Elladan und Elrohir setzten ihr nach und retteten sie, aber erst, nachdem sie schon gefoltert worden war und eine vergiftete Wunde erhalten hatte [24]. Sie wurde nach Bruchtal zurückgebracht, und obwohl sie körperlich von Elrond geheilt wurde, verlor sie alle Freude an Mittelerde, und im nächsten Jahr begab sie sich zu den Anfurten und ging über das Meer. Und später in den Tagen von Arussuil begannen die Orks, die sich im Nebelgebirge wieder vermehrten, die Lande zu verwüsten, und die Dúnedain und Elronds Söhne kämpften mit ihnen. Es war zu jener Zeit, daß eine große Rotte Orks nach Westen bis in das Auenland vordrang, und sie wurde von Bandobras Tuk vertrieben [25].«

---

[23] Das Szepter war, wie uns der König sagt, das Hauptkennzeichen der Königswürde von Númenor; und ebenso in Arnor, dessen Könige keine Krone trugen, sondern an einem silbernen Stirnreifen nur einen einzigen weißen Edelstein, den Elendilmir, Elendils Stern (I, 184; III, 135; 152; 277). Wenn Bilbo von einer Krone sprach (I, 213, 301), bezog er sich zweifellos auf Gondor; er scheint über die Angelegenheiten, die Aragorns Geschlecht betrafen, sehr gut im Bilde gewesen zu sein. Das Szepter von Númenor ist, wie es heißt, zusammen mit Ar-Pharazôn untergegangen. Das von Annúminas war der silberne Stab der Herren von Andúnië und ist jetzt vielleicht das älteste in Mittelerde erhaltene Werk von Menschenhand. Es war bereits über fünftausend Jahre alt, als Elrond es Aragorn übergab (III, 283). Die Krone von Gondor war einem númenorischen Kriegshelm nachgebildet. Zu Anfang war sie tatsächlich ein einfacher Helm; und es heißt, es sei der Helm gewesen, den Isildur in der Schlacht von Dagorlad trug (denn Anárions Helm war zertrümmert worden durch den aus Barad-dûr geschleuderten Stein, der Anárion erschlug). Doch in den Tagen von Atanatar Alcarin wurde dieser Helm durch den edelsteinbesetzten Helm ersetzt, mit dem Aragorn dann gekrönt wurde.

[24] I, 277 [25] I, 19; III, 333

Es gab vierzehn Stammesführer, ehe der fünfzehnte und letzte geboren wurde, Aragorn II., der wieder König von Gondor und Arnor wurde. »Unseren König nennen wir ihn; und wenn er nach Norden zu seinem Haus im wiederaufgebauten Annúminas kommt und eine Weile am Evendím-See bleibt, dann ist jeder im Auenland froh. Aber er betritt dieses Land nicht und hält sich an das Gesetz, das er erlassen hat, daß keiner von den Großen Leuten seine Grenzen überschreiten soll. Doch reitet er oft mit vielen schönen Leuten zu der Großen Brücke, und dort begrüßt er seine Freunde und alle anderen, die ihn zu sehen wünschen; und manche reiten mit ihm fort und bleiben in seinem Haus, so lange sie Lust haben. Thain Peregrin ist oft dort gewesen; und auch Meister Samweis, der Bürgermeister. Seine Tochter Elanor die Schöne ist eine der Maiden von Königin Abendstern.«

Es war der Stolz und das Staunen der Nördlichen Linie, daß, obwohl ihre Macht dahinschwand und ihr Volk sich verringerte, die Nachfolge von Vater zu Sohn durch viele Generationen ununterbrochen war. Und wenngleich die Lebensspanne der Dúnedain in Mittelerde immer kürzer wurde, so war nach dem Ende ihres Königs der Verfall in Gondor noch rascher; und viele der Stammesführer des Nordens lebten doppelt so lange wie andere Menschen und weit länger als selbst die Ältesten unter uns. Aragorn wurde einhundertneunzig Jahre alt und lebte länger als jeder aus seiner Linie seit König Arvegil; aber mit Aragorn Elessar war die Größe der Könige von einst wiedererstanden.

4. Gondor und die Erben von Anárion

Es gab einunddreißig Könige in Gondor nach Anárion, der vor Barad-dûr erschlagen wurde. Obwohl der Krieg an ihren Grenzen niemals aufhörte, nahmen die Dúnedain des Südens mehr als tausend Jahre lang an Reichtum und Macht zu Lande und zur See zu, bis zur Herrschaft von Atanatar II., der Alcarin genannt wurde, der Prächtige. Dennoch hatten sich Zeichen des Niedergangs schon gezeigt; denn die edlen Menschen des Südens heirateten spät, und sie hatten wenige Kinder. Der erste kinderlose König war Falastur und der zweite Narmacil I., Atanatar Alcarins Sohn.

Ostoher, der siebente König, war es, der Minas Anor wiederaufbaute, wo die Könige später im Sommer lieber wohnten als in Osgiliath. Zu seiner Zeit wurde Gondor zum ersten Mal von den wilden Menschen aus dem Osten angegriffen. Aber Tarostar, sein Sohn, besiegte und vertrieb sie und nahm den Namen Rómendacil, »Ostsieger«, an. Später wurde er jedoch in einem Kampf mit neuen Horden von Ostlingen erschlagen. Sein Sohn Turambar rächte ihn und eroberte ein großes Gebiet im Osten.

Mit Tarannon, dem zwölften König, begann die Linie der Schiffskönige, die Flotten aufbauten und Gondors Herrschaft auf die Küsten westlich und südlich der Mündungen des Anduin ausdehnten. Zur Erinnerung an seine Siege als Führer der Heere nahm Tarannon die Krone unter dem Namen Falastur, »Herr der Küsten«.

Eärnil I., sein Neffe und Nachfolger, besserte den alten Hafen Pelargir aus und baute eine große Flotte. Er belagerte Umbar zur See und zu Lande und nahm es, und es wurde ein großer Zufluchtsort und Hort der Macht von Gondor [26].

Aber Eärnil überlebte seinen Sieg nicht lange. Mit vielen Schiffen und Mannen ging er in einem großen Sturm vor Umbar unter. Ciryandil, sein Sohn, setzte den Schiffsbau fort; doch die Menschen von Harad, geführt von Gebietern, die aus Umbar vertrieben worden waren, griffen diese Festung mit einer großen Streitmacht an, und Ciryandil fiel in der Schlacht in Haradwaith.

Viele Jahre lang war Umbar eingeschlossen, konnte aber wegen der Seemacht von Gondor nicht eingenommen werden. Ciryaher, Ciryandils Sohn, wartete auf den rechten Augenblick, und als er endlich stark genug war, kam er vom Norden zur See und zu Lande und überschritt den Fluß Harnen; seine Heere errangen einen vollen Sieg über die Menschen von Harad, deren Könige die Oberherrschaft von Gondor anerkennen mußten (1050). Ciryaher nahm dann den Namen Hyarmendacil, »Südsieger«, an.

Während der übrigen Zeit seiner langen Herrschaft wagte kein Feind Hyarmendacil die Macht streitig zu machen. Einhundertvierunddreißig Jahre lang war er König, und mit einer Ausnahme herrschte er damit länger als alle Nachkommen von Anárion. Zu seiner Zeit erreichte Gondor den Gipfel seiner Macht. Das Reich erstreckte sich damals nach Norden bis Celebrant und bis an die südlichen Säume des Düsterwalds; nach Westen bis zur Grauflut; nach Osten bis zum Binnenmeer Rhûn; nach Süden bis zum Fluß Harnen und dann entlang der Küsten bis zur Halbinsel und den Anfurten von Umbar. Die Menschen in den Tälern des Anduin erkannten des Reiches Hoheit an; und die Könige von Harad huldigten Gondor, und ihre Söhne lebten als Geiseln am Hofe des Königs von Gondor. Mordor war verlassen, wurde aber von großen Festungen aus, die die Pässe bewachten, beobachtet.

So endete die Linie der Schiffskönige. Atanatar Alcarin, Hyarmendacils Sohn, lebte in großer Pracht, so daß die Menschen sagten: *Edelsteine sind in Gondor Kiesel, mit denen die Kinder spielen.* Doch liebte Atanar Behaglichkeit und tat nichts, um die Macht zu erhalten, die er geerbt hatte, und seine beiden Söhne waren von gleicher Veranlagung. Gondors Niedergang hatte schon begonnen, ehe er starb, und zweifellos nicht unbemerkt von seinen Feinden. Die Wacht

---

[26] Das große Kap und der landumschlossene Golf von Umbar waren seit den Tagen von einst Númenorisches Land gewesen; doch war es eine Festung der Menschen des Königs, die später die Schwarzen Númenorer genannt wurden, da sie von Sauron verführt worden waren, und sie haßten Elendils Anhänger vor allem. Nach Saurons Sturz verminderte sich ihr Geschlecht rasch oder vermischte sich mit den Menschen von Mittelerde, doch ihren Haß auf Gondor erhielten sie sich unvermindert. Umbar konnte daher nur unter großen Verlusten eingenommen werden.

über Mordor wurde vernachlässigt. Dennoch dauerte es bis zu den Tagen von Valacar, ehe das erste große Unheil über Gondor hereinbrach: der Bürgerkrieg des Sippenstreits, der große Verluste und Verheerungen verursachte, die niemals völlig wiedergutgemacht wurden.

Minalcar, Calmacils Sohn, war ein Mann von großer Willensstärke, und im Jahre 1240 machte ihn Narmacil, um sich aller Sorgen zu entledigen, zum Verweser des Reiches. Seit dieser Zeit herrschte er in Gondor im Namen der Könige, bis er seinem Vater nachfolgte. Seine Hauptsorge waren die Nordmenschen.

In dem Frieden, den Gondors Macht herbeigeführt hat, hatten sich die Nordmenschen stark vermehrt. Die Könige waren ihnen wohlgesonnen, denn unter den geringeren Menschen waren sie es, die den Dúnedain am nächsten verwandt waren (da sie zum größten Teil Abkömmlinge jener Völker waren, von denen die alten Edain abstammten); und die Könige gaben ihnen ein weites Gebiet jenseits des Anduin, südlich des Großen Grünwalds, damit sie ein Schutz gegen die Menschen des Ostens sein sollten. Denn in der Vergangenheit waren die Angriffe der Ostlinge meist über die Ebene zwischen dem Binnenmeer und dem Aschengebirge erfolgt.

In den Tagen von Narmacil I. begannen ihre Angriffe wieder, wenn auch anfänglich mit geringen Streitkräften; aber der Verweser erfuhr, daß die Nordmenschen nicht immer treu zu Gondor standen und manche mit den Ostlingen gemeinsame Sache machten, sei es aus Beutegier oder um die Fehden zwischen ihren Fürsten zu fördern. Daher zog Minalcar im Jahre 1248 mit einer großen Streitmacht aus und besiegte zwischen Rhovanion und dem Binnenmeer ein großes Heer der Ostlinge und zerstörte ihre Lager und Siedlungen östlich des Meers. Dann nahm er den Namen Rómendacil an.

Nach seiner Rückkehr befestigte Rómendacil das westliche Ufer des Anduin bis zur Mündung des Limklar und verbot allen Fremden, über die Emyn Muil hinaus den Fluß herunterzukommen. Er war es, der die Säulen von Argonath am Eingang zum Nen Hithoel erbaute. Aber da er Mannen brauchte und das Band zwischen Gondor und den Nordmenschen zu stärken wünschte, nahm er viele von ihnen in seinen Dienst und gab einigen eine hohe Stellung in seinem Heer.

Besondere Gunst erwies Rómendacil Vidugavia, der ihm im Krieg beigestanden hatte. Vidugavia nannte sich König von Rhovanion und war wirklich der mächtigste der nördlichen Fürsten, obwohl sein eigenes Reich zwischen dem Grünwald und dem Fluß Celduin lag[27]. 1250 schickte Rómendacil seinen Sohn Valacar als Botschafter, damit er eine Weile bei Vidugavia lebe und sich mit der Sprache, den Sitten und dem Staatswesen der Nordmenschen vertraut mache. Doch Valacar ging weit über die Pläne seines Vaters hinaus. Er verliebte sich in Land und Leute des Nordens und heiratete Vidumavi, Vidugavias Tochter. Erst nach einigen Jahren kehrte er zurück. Aus dieser Ehe entstand später der Krieg des Sippenstreits.

---

[27] Der Fluß Eilend

»Denn die edlen Menschen von Gondor sahen schon scheel auf die Nordmenschen unter ihnen; und bisher hatte es das noch nicht gegeben, daß der Erbe der Krone oder irgendein Sohn des Königs eine Frau aus einem geringeren und fremden Geschlecht heiratete. Es gab schon Aufruhr in den südlichen Provinzen, als König Valacar alt wurde. Seine Königin war eine schöne und edle Frau gewesen, aber kurzlebig, wie es das Schicksal geringerer Menschen war, und die Dúnedain fürchteten, daß es mit ihren Nachkommen genauso sein könnte und sie die Hoheit der Könige der Menschen mindern würden. Auch waren sie nicht bereit, den Sohn der Königin als ihren Gebieter anzuerkennen, der, obwohl er jetzt Eldacar hieß, in einem fremden Land geboren war und in seiner Jugend Vinitharya genannt wurde, ein Name des Volkes seiner Mutter.

Als Eldacar seinem Vater nachfolgte, entbrannte daher Krieg in Gondor. Aber Eldacar war nicht so leicht aus seinem Erbe zu verdrängen. Denn zu der Abstammung von Gondor kam bei ihm der furchtlose Mut der Nordmenschen. Er sah gut aus und war tapfer und schien nicht rascher zu altern als sein Vater. Als die von Abkömmlingen der Könige angeführten Verbündeten sich gegen ihn erhoben, widersetzte er sich ihnen bis zum Ende seiner Kraft. Schließlich wurde er in Osgiliath belagert, und er hielt sich dort lange, bis ihn der Hunger und die größere Streitmacht der Aufrührer vertrieb, und er hinterließ die Stadt in Flammen. Bei dieser Belagerung und dem Brand wurde der Turm des Steins von Osgiliath zerstört, und der *palantír* ging in den Fluten verloren.

Doch Eldacar entzog sich seinen Feinden und gelangte in den Norden zu seiner Sippe in Rhovanion. Viele scharten sich dort um ihn, sowohl Nordmenschen im Dienste von Gondor als auch Dúnedain aus den nördlichen Teilen des Reiches. Denn von den letzteren hatten ihn viele schätzen gelernt, und noch größer war die Zahl derer, die den Thronräuber zu hassen begannen. Das war Castamir, der Enkel von Calimehtar, Rómendacils II. jüngerer Bruder. Er war nicht nur einer von denen, die blutmäßig der Krone am nächsten waren, sondern er hatte auch die größte Anhängerschaft unter den Aufrührern; denn er war der Befehlshaber der Schiffe und wurde von dem Volk der Küsten und der großen Häfen Pelargir und Umbar unterstützt.

Castamir hatte noch nicht lange auf dem Thron gesessen, da erwies er sich als hochmütig und unedel. Er war ein grausamer Mann, wie er gleich zu Beginn bei der Einnahme von Osgiliath gezeigt hatte. Er veranlaßte, daß Ornendil, Eldacars Sohn, der gefangen genommen worden war, getötet wurde; und das auf seinen Befehl in der Stadt angerichtete Gemetzel und die Zerstörungen gingen weit über das hinaus, was der Krieg erforderte. Das wurde in Minas Anor und Ithilien nicht vergessen; und dort nahm die Liebe zu Castamir noch weiter ab, als sich herausstellte, daß ihm wenig an dem Land lag und er nur die Flotten im Sinn hatte und daran dachte, den Sitz des Königs nach Pelargir zu verlegen.

So war er erst zehn Jahre König, als Eldacar seine Stunde erkannte und mit einem großen Heer von Norden kam, und aus Calenardhon und Anórien und Ithilien strömte ihm das Volk zu. Es gab eine große Schlacht in Lebennin an den Übergängen des Erui, in der viel bestes Blut von Gondor vergossen wurde. Eldacar selbst erschlug Castamir im Kampf, und so war Ornendil gerächt; aber Castamirs Söhne entkamen, und mit anderen ihrer Sippe und vielen Leuten von den Flotten hielten sie sich lange in Pelargir.

Als sie dort soviel Kraft gesammelt hatten, wie sie konnten (denn Eldacar hatte keine Schiffe, um sie vom Meer abzuschneiden), segelten sie davon und ließen sich in Umbar nieder. Dort boten sie allen Feinden des Königs eine Zufluchtsstätte und errichteten eine von Gondor unabhängige Herrschaft. Viele Menschenleben lang führte Umbar mit Gondor Krieg und war eine Bedrohung für seine Küstenlande und alle Seewege. Bis zu den Tagen von Elessar ist Umbar nie völlig unterworfen worden; und das Gebiet von Südgondor wurde ein umstrittenes Land zwischen den Corsaren und den Königen.«

»Der Verlust von Umbar war schmerzlich für Gondor, nicht nur, weil das Reich im Süden geschmälert war und die Menschen von Harad weniger leicht in Schach gehalten werden konnten, sondern auch deshalb, weil Ar-Pharazôn der Goldene, der letzte König von Númenor, dort gelandet war und Saurons Macht gedemütigt hatte. Obwohl großes Unheil folgte, gedachten selbst Elendils Anhänger voll Stolz der Ankunft des großen Heeres von Ar-Pharazôn aus den Tiefen des Meeres; und auf dem höchsten Berg des Vorgebirges über dem Hafen haben sie eine große weiße Säule als Denkmal aufgestellt. Sie war gekrönt mit einer Kristallkugel, die die Strahlen der Sonne und des Mondes auffing und wie ein heller Stern leuchtete, der bei klarem Wetter sogar an den Küsten von Gondor oder weit draußen auf dem westlichen Meer zu sehen war. So stand die Säule, bis Umbar nach der zweiten Erhebung von Sauron, die sich jetzt näherte, unter die Herrschaft seiner Diener geriet und die an seine Demütigung erinnernde Säule gestürzt wurde.«

Nach Eldacars Rückkehr vermischte sich das Blut des königlichen Hauses und anderer Häuser der Dúnedain mehr mit dem geringerer Menschen. Denn viele der Großen waren in dem Sippenstreit erschlagen worden; Eldacar indessen bezeugte seine Gunst den Nordmenschen, mit deren Hilfe er die Krone wiedererlangt hatte, und das Volk von Gondor vergrößerte sich wieder durch viele, die aus Rhovanion kamen.

Diese Vermischung beschleunigte den Verfall der Dúnedain zuerst nicht, wie befürchtet worden war; aber der Verfall ging, wie auch vorher, allmählich weiter. Denn zweifellos war er vor allem auf Mittelerde selbst zurückzuführen und auf die langsame Abnahme der Gaben der Númenorer nach dem Untergang des Landes des Sterns. Eldacar wurde zweihundertfünfunddreißig Jahre alt und war achtundfünfzig Jahre lang König, von denen er zehn in der Verbannung verbrachte.

Das zweite und größte Unheil kam über Gondor während der Herrschaft von Telemnar, dem sechsundzwanzigsten König, dessen Vater Minardil, Eldacars Sohn, von den Corsaren von Umbar bei Pelargir erschlagen wurde. (Sie wurden angeführt von Angamaitë und Sangahyando, den Urenkeln von Castamir.) Kurz darauf kam mit düsteren Winden aus dem Osten eine tödliche Pest. Der König und alle seine Kinder starben, und auch viele aus dem Volk von Gondor, besonders jene, die in Ithilien lebten. Da die Leute erschöpft und gering an Zahl waren, wurde damals die Wacht an den Grenzen von Mordor unterbrochen, und die Festungen, die die Pässe schützten, waren unbemannt.

Später merkte man, daß diese Dinge gerade zu der Zeit geschehen waren, als der Schatten in Grünwald dunkler wurde und viele böse Wesen wieder erschienen, ein Zeichen für Saurons Erhebung. Es ist richtig, daß auch Gondors Feinde litten, sonst hätten sie Gondor in seiner Schwäche überwältigt; aber Sauron konnte warten, und es mag gut sein, daß der Zugang zu Mordor das war, was er hauptsächlich erstrebte.

Als König Telemnar starb, welkten auch die Weißen Bäume von Minas Anor und gingen ein. Doch Tarondor, sein Neffe, der ihm nachfolgte, pflanzte in der Veste wieder einen jungen Baum. Er war es, der das Haus des Königs für ständig nach Minas Anor verlegte, denn Osgiliath war nun teilweise verlassen und begann in Trümmer zu fallen. Wenige, die vor der Pest aus Ithilien oder den westlichen Bergtälern geflohen waren, waren bereit, dorthin zurückzukehren.

Tarondor, der den Thron jung bestieg, herrschte von allen Königen von Gondor am längsten; aber er konnte wenig mehr vollbringen, als sein Reich im Inneren wieder zu ordnen und langsam wieder zu stärken. Doch sein Sohn Telumehtar, eingedenk des Todes von Minardil und besorgt wegen der Unverschämtheit der Corsaren, die Überfälle an seinen Küsten sogar bis Anfalas machten, sammelte seine Streitkräfte und nahm Umbar 1810 im Sturm. In diesem Krieg fielen die letzten Nachkommen von Castamir, und Umbar wurde eine Zeitlang wieder von den Königen gehalten. Telumehtar fügte seinem Namen die Bezeichnung Umbardacil hinzu. Aber bei dem neuen Unheil, das bald über Gondor hereinbrach, ging Umbar wieder verloren und fiel den Menschen von Harad in die Hände.

Das dritte Unheil war das Eindringen der Wagenfahrer in Kriegen, die fast hundert Jahre dauerten und an der schwindenden Kraft von Gondor zehrten. Die Wagenfahrer waren ein Volk oder ein Bund vieler Völker aus dem Osten; doch waren sie stärker und besser bewaffnet als alle, die vorher gekommen waren. Sie zogen mit großen Planwagen einher, und ihre Anführer kämpften in Streitwagen. Aufgestachelt, wie sich später herausstellte, durch Saurons Abgesandte, unternahmen sie einen plötzlichen Angriff auf Gondor, und 1856 wurde König Narmacil II. im Kampf mit ihnen jenseits des Anduin erschlagen. Das Volk des östlichen und südlichen Rhovanion wurde unterjocht; und Gondors Grenzen wurden zeitweise bis zum Anduin und dem Emyn Muil zurückgenommen. (Zu jener Zeit, glaubt man, kehrten die Ringgeister nach Mordor zurück.)

Calimehtar, Narmacils II. Sohn, rächte im Jahr 1899, unterstützt durch einen Aufstand in Rhovanion, seinen Vater mit einem großen Sieg über die Ostlinge auf Dagorlad, und für eine Weile war die Gefahr abgewendet. Es war unter der Herrschaft von Araphant im Norden und von Ondoher, Calimehtars Sohn, im

Süden, daß die beiden Königreiche nach langem Schweigen und Entfremdung wieder miteinander berieten. Denn sie erkannten endlich, daß eine einzige Macht und ein einziger Wille den Angriff auf die Überlebenden von Númenor von vielen Stellen aus leitete. Es war zu jener Zeit, daß Arvedui, Araphants Erbe, Fíriel, Ondohers Tochter, heiratete (1940). Aber keines der beiden Königreiche vermochte dem anderen Hilfe zu schicken; denn Angmar nahm seinen Angriff auf Arthedain zur selben Zeit wieder auf, als die Wagenfahrer mit großer Macht anrückten.

Viele der Wagenfahrer zogen jetzt südlich von Mordor weiter und verbündeten sich mit den Menschen von Khand und Nah-Harad; und bei diesem großen Angriff von Norden und Süden wäre Gondor beinahe vernichtet worden. Im Jahr 1944 fielen König Ondoher und seine beiden Söhne, Artamir und Faramir, in der Schlacht nördlich des Morannon, und der Feind ergoß sich nach Ithilien. Aber Eärnil, Befehlshaber des Südheeres, errang einen großen Sieg in Südithilien und vernichtete das Heer von Harad, das den Fluß Poros überschritten hatte. Er eilte nach Norden, scharte alles um sich, was er von dem zurückflutenden Nordheer erreichen konnte, und griff das Hauptlager der Wagenfahrer an, während sie schmausten und zechten, weil sie glaubten, Gondor sei niedergeworfen und sie brauchten nur noch die Beute einzuheimsen. Eärnil erstürmte das Lager, steckte die Wagen in Brand und vertrieb den Feind in wilder Flucht aus Ithilien. Ein großer Teil von denen, die vor ihm flohen, gingen in den Totensümpfen zugrunde.

»Nach dem Tode von Ondoher und seinen Söhnen erhob Arvedui vom Nördlichen Königreich Anspruch auf die Krone von Gondor als unmittelbarer Abkömmling von Isildur und als Ehemann von Fíriel, des letzten überlebenden Kindes von Ondoher. Der Anspruch wurde zurückgewiesen, Hierbei spielte Pelendur, der Truchseß von König Ondoher, die Hauptrolle.

Der Rat von Gondor antwortete: ›Die Krone und Königswürde von Gondor gehört einzig und allein den Erben von Meneldil, Anárions Sohn, dem Isildur sein Reich abtrat. In Gondor gelten als Erben nur die Söhne; und wir haben nicht gehört, daß das Gesetz in Arnor anders ist.‹

Darauf erwiderte Arvedui: ›Elendil hatte zwei Söhne, von denen Isildur der ältere und der Erbe seines Vaters war. Wir haben gehört, daß Elendils Name bis zum heutigen Tage an der Spitze der Linie der Könige von Gondor steht, da er als der Hohe König aller Lande der Dúnedain angesehen wurde. Noch zu Elendils Lebzeiten wurde die gemeinsame Herrschaft im Süden seinen Söhnen übertragen; aber als Elendil fiel, ging Isildur fort, um das hohe Königsamt seines Vaters zu übernehmen, und übertrug die Herrschaft im Süden in gleicher Weise dem Sohn seines Bruders. Er trat seine Königswürde in Gondor nicht ab, noch wollte er, daß Elendils Reich auf immerdar geteilt sei.

Überdies ging einst in Númenor das Szepter auf das älteste Kind des Königs über, sei es Mann oder Frau. Es ist richtig, daß das Gesetz in den Landen der Verbannung, die immer in Kriege verwickelt waren, nicht befolgt wurde; doch so war das Gesetz unseres Volkes, auf das wir uns jetzt beziehen, da wir sehen, daß Ondohers Söhne kinderlos starben.‹ [28]

Darauf gab Gondor keine Antwort. Die Krone wurde von Eärnil beansprucht, dem siegreichen Heerführer; und sie wurde ihm zugestanden mit Billigung aller Dúnedain in Gondor, da er aus dem königlichen Haus war. Er war Siriondils Sohn, der Calimmacils Sohn war, des Sohns von Arciyas, des Bruders von Narmacil II. Arvedui beharrte nicht auf seinem Anspruch; denn er hatte weder die Macht noch den Wunsch, sich der Wahl der Dúnedain von Gondor zu widersetzen; dennoch haben seine Nachkommen diesen Anspruch niemals vergessen, auch nicht, als ihr Königtum erloschen war. Denn die Zeit näherte sich, da das Nördliche Königreich sein Ende fand.

Arvedui war tatsächlich der letzte König, wie sein Name bedeutete. Es heißt, daß ihm dieser Name bei seiner Geburt von Malbeth dem Seher gegeben wurde, der zu seinem Vater sagte: ›*Arvedui* sollt Ihr ihn nennen, denn er wird der Letzte in Arthedain sein. Obwohl die Dúnedain vor eine Wahl gestellt werden, und wenn sie die Entscheidung treffen, die weniger hoffnungsvoll zu sein scheint, dann wird Euer Sohn seinen Namen ändern und König eines großen Reiches werden. Wenn nicht, dann wird es viel Kummer geben, und viele Menschenleben werden vergehen, ehe sich die Dúnedain wieder erheben und vereint sein werden.‹

Auch in Gondor folgte auf Eärnil nur noch ein König. Es mag sein, daß, wenn Krone und Szepter vereint worden wären, das Königtum erhalten geblieben und viel Unheil abgewendet worden wäre. Aber Eärnil war ein kluger Mann und nicht hochmütig, selbst wenn ihm, wie den meisten Menschen in Gondor, das Reich in Arthedain trotz der Herkunft seiner Herrscher recht unbedeutend erschien.

Er schickte Arvedui eine Botschaft und ließ ihn wissen, er habe die Krone von Gondor in Übereinstimmung mit den Gesetzen und Erfordernissen des Südlichen Königreichs angenommen, ›aber ich vergesse Arnors Treue nicht, noch leugne ich unsere Verwandtschaft oder wünsche, daß Elendils Reiche einander entfremdet werden. Ich will Euch Hilfe senden, wenn Ihr sie braucht, soweit ich dazu imstande bin.‹

Indes dauerte es lange, bis sich Eärnil selbst sicher genug fühlte, um sein Versprechen einzulösen. König Araphant wehrte weiterhin mit schwindenden Kräften die Angriffe von Angmar ab, und ebenso Arvedui, als er ihm nachfolgte; doch schließlich gelangten im Herbst 1973 Botschaften nach Gondor, daß Arthedain in großen Schwierigkeiten sei und der Hexenkönig einen letzten Schlag ge-

---

[28] Das Gesetz wurde in Númenor erlassen (wie wir vom König erfuhren), als Tar-Aldarion, der sechste König, nur ein Kind hierließ, eine Tochter. Sie wurde die erste Herrschende Königin, Tar-Ancalimë. Doch das Gesetz war vor ihrer Zeit anders. Auf Tar-Elendil, den vierten König, folgte sein Sohn Tar-Meneldur, obwohl seine Tochter Silmariën die ältere war. Jedoch stammte Elendil von Silmariën ab.

gen das Land vorbereite. Da sandte Eärnil seinen Sohn Eärnur mit einer großen Flotte nach Norden, so schnell er konnte, und mit so viel Mannen, wie er entbehren konnte. Zu spät. Ehe Eärnur die Häfen von Lindon erreichte, hatte der Hexenkönig Arthedain erobert, und Arvedui war tot.

Doch als Eärnur zu den Grauen Anfurten kam, herrschte bei Elben und Menschen Freude und großes Staunen. Von solchem Tiefgang und so zahlreich waren seine Schiffe, daß die Häfen kaum ausreichten, obgleich sowohl Harlond als auch Forlond angelaufen wurden; und den Schiffen entstieg ein mächtiges Heer mit Waffen und Vorräten für einen Krieg großer Könige. So erschien es jedenfalls dem Volk des Nordens, obwohl dies nur ein kleiner Heeresverband der gesamten Streitmacht von Gondor war. Das höchste Lob wurde den Pferden gespendet, von denen viele aus den Anduin-Tälern stammten, und mit ihnen waren große und schöne Reiter gekommen und stolze Fürsten von Rhovanion.

Dann rief Círdan alle aus Lindon und Arnor zusammen, die zu ihm kommen wollten, und als alles bereit war, überschritt das Heer den Luhn und marschierte nach Norden, um den Hexenkönig von Angmar zum Kampf herauszufordern. Er wohnte jetzt, hieß es, in Fornost, wo er übles Volk zusammengezogen und sich das Haus und die Herrschaft der Könige angeeignet hatte. In seinem Stolz erwartete er den Angriff seiner Feinde nicht in seiner Festung, sondern zog ihnen entgegen, denn er glaubte, er könne sie, wie andere zuvor, in den Luhn treiben.

Doch das Heer des Westens kam aus den Bergen von Evendim über ihn, und es gab eine große Schlacht auf der Ebene zwischen Nenuial und den Nordhöhen. Angmars Streitkräfte wankten schon und zogen sich nach Fornost zurück, als die Hauptmacht der Reiter, die die Berge umgangen hatte, von Norden herabkam und sie in die Flucht schlug. Da floh der Hexenkönig mit allen, die er aus der Zerstörung noch um sich sammeln konnte, nach Norden, um in sein eigenes Land Angmar zu gelangen. Ehe er den Schutz von Carn Dûm erreichte, holte ihn die Reiterei von Gondor mit Eärnur an der Spitze ein. Gleichzeitig kam eine Streitmacht unter Glorfindel, dem Elbenfürsten, aus Bruchtal heran. Da wurde Angmar so völlig besiegt, daß kein Mensch oder Ork jenes Reichs westlich des Gebirges übrig blieb.

Doch heißt es, daß der Hexenkönig, als alles verloren war, selbst erschien, in schwarzer Kleidung und mit einer schwarzen Maske auf einem schwarzen Pferd. Furcht befiel alle, die ihn sahen; doch er suchte sich den Heermeister von Gondor aus, da er ihn am meisten haßte, und mit einem entsetzlichen Schrei ritt er geradenwegs auf ihn zu. Eärnur hätte ihm standgehalten; aber sein Pferd konnte diesen Angriff nicht aushalten, und es wich zur Seite und trug ihn davon, ehe er es meistern konnte.

Da lachte der Hexenkönig, und keiner, der es hörte, vergaß den Schrecken dieses Gelächters. Aber da ritt Glorfindel auf seinem weißen Pferd heran, und während er noch lachte, wandte sich der Hexenkönig zur Flucht und verschwand in den Schatten. Denn die Nacht senkte sich auf das Schlachtfeld, und er war fort, und keiner sah, wohin er ging.

Eärnur ritt jetzt zurück, aber Glorfindel blickte in das zunehmende Dunkel und sagte: ›Verfolgt ihn nicht! Er wird nicht in dieses Land zurückkehren. Sein Schicksal liegt noch in weiter Ferne, und nicht durch die Hand eines Mannes wird er fallen.‹ Dieser Worte entsannen sich viele; aber Eärnur war zornig und wollte nichts als Rache für seine Schmach.

So endete das böse Reich von Angmar; und so zog sich Eärnur, Heermeister von Gondor, den Hauptthaß des Hexenkönigs zu; doch viele Jahre sollten noch vergehen, ehe das enthüllt wurde.«

So kam es, daß unter der Herrschaft von König Eärnil, wie sich später herausstellte, der Hexenkönig aus dem Norden entfloh und nach Mordor ging, und dort scharte er die anderen Ringgeister um sich, deren Anführer er war. Doch erst im Jahre 2000 verließen sie Mordor über den Paß von Cirith Ungol und belagerten Minas Ithil. Sie eroberten es 2002 und erbeuteten den *palantír* des Turms. Sie konnten nicht vertrieben werden, solange das Dritte Zeitalter dauerte; und Minas Ithil wurde ein Ort des Schreckens und wurde umbenannt in Minas Morgul. Viele von dem Volk, das noch in Ithilien geblieben war, verließen es.

»Eärnur kam seinem Vater an Tapferkeit gleich, aber nicht an Klugheit. Er war körperlich stark und hitzigen Gemüts; aber er wollte keine Frau nehmen, denn seine einzige Freude war der Kampf oder der Gebrauch der Waffen. Er besaß ein so überragendes Können, daß keiner in Gondor es mit ihm in den Waffenspielen aufnehmen konnte, an denen er sich ergötzte, und er schien eher ein Kämpe als ein Heerführer oder König zu sein, und er bewahrte seine Kraft und Geschicklichkeit bis in ein höheres Alter, als damals üblich war.«

Als Eärnur im Jahre 2043 die Krone erhielt, forderte ihn der König von Minas Morgul zum Zweikampf und höhnte, er habe es in der Schlacht im Norden nicht gewagt, sich ihm zu stellen. Diesmal beschwichtigte Mardil, der Truchseß, den Zorn des Königs. Minas Anor, das seit den Tagen von König Telemnar die Hauptstadt des Reichs und der Wohnsitz der Könige geworden war, wurde nun in Minas Tirith umbenannt, die Stadt, die immer Wache hält gegen das Böse von Morgul.

Eärnur hatte die Krone nur sieben Jahre getragen, als der Herr von Morgul seine Herausforderung wiederholte und höhnte, zu dem feigen Herzen seiner Jugend sei jetzt noch die Schwäche des Alters gekommen. Da konnte Mardil den König nicht länger beschwichtigen, und mit einer kleinen Begleitung von Rittern ritt er zum Tor von Minas Morgul. Von keinem, der mit ihm ritt, hat man je wieder gehört. In Gondor nahm man an, daß der heimtückische Feind den König in eine Falle gelockt habe, und daß er unter Foltern in Minas Morgul starb; aber da es keine Zeugen seines Todes gab, herrschte Mardil, der Gute Truchseß, in seinem Namen viele Jahre über Gondor.

Nun waren der Abkömmlinge der Könige nur noch wenige. Ihre Zahl hatte in dem Sippenstreit stark abgenommen; doch waren seit jener Zeit die Könige argwöhnisch gegen die nahen Verwandten und auf der Hut vor ihnen. Oft waren jene, auf die ein Verdacht fiel, nach Umbar geflohen und hatten sich dort den Aufrührern angeschlossen; während andere auf ihre geradlinige Abstammung verzichteten und Frauen von nichtnúmenorischem Blut heirateten.

So kam es, daß kein Anwärter auf die Krone gefunden werden konnte, der von reinem Blut war, oder dessen Anspruch von allen gebilligt wurde; und alle fürchteten die Erinnerung an den Sippenstreit und wußten, daß Gondor, wenn solche Zwietracht wieder ausbrechen würde, zugrunde gehen müßte. Deshalb herrschten die Truchsessen, obwohl Jahr um Jahr verging, weiterhin über Gondor, und Elendils Krone lag auf dem Schoß von König Eärnil in den Häusern der Toten, wo Eärnul sie gelassen hatte.

Die Truchsessen

Das Haus der Truchsessen wurde das Haus von Húrin genannt, denn sie waren Abkömmlinge des Truchsessen von König Minardil (1621–34), Húrin von Emyn Arnen, einem Manne aus edlem Númenorer-Geschlecht. Nach seiner Zeit hatten die Könige ihre Truchsessen immer unter seinen Nachkommen ausgewählt; und nach den Tagen von Pelendur wurde das Truchsessenamt erblich wie eine Königswürde und ging vom Vater auf den Sohn oder den nächsten Verwandten über.

Jeder neue Truchseß übernahm das Amt mit dem Eid, »Stab und Herrschaft zu führen im Namen des Königs, bis er zurückkehrt«. Doch diese Worte wurden bald zu einer bloßen Förmlichkeit, der niemand mehr Beachtung schenkte, denn die Truchsessen übten alle Machtbefugnisse der Könige aus. Dennoch glaubten noch viele in Gondor, daß irgendwann tatsächlich ein König zurückkehren würde; und manche erinnerten sich der alten Linie des Nordens, von der es gerüchtweise hieß, sie lebe noch im Verborgenen. Doch gegen solche Gedanken verhärteten die Herrschenden Truchsessen ihr Herz.

Dennoch saßen die Truchsessen niemals auf dem alten Thron; und sie trugen keine Krone und hielten kein Szepter. Nur einen weißen Stab trugen sie als Zeichen ihres Amtes; und ihr Banner war weiß ohne Wappenschild. Doch das königliche Banner war schwarz gewesen, und es zeigte einen blühenden weißen Baum unter sieben Sternen.

Nach Mardil Voronwë, der als der erste der Linie angesehen wurde, folgten vierundzwanzig Herrschende Truchsessen von Gondor bis zur Zeit von Denethor II., dem sechsundzwanzigsten und letzten. Zuerst hatten sie Ruhe, denn es waren die Tage des Wachsamen Friedens, als sich Sauron vor der Macht des Weißen Rats zurückzog und die Ringgeister im Morgul-Tal verborgen blieben. Doch seit der Zeit von Denethor I. war niemals wieder richtiger Friede, und selbst wenn Gondor keinen großen oder offenen Krieg führte, waren seine Grenzen ständig bedroht.

In den letzten Jahren von Denethor I. erschien die Rasse der Uruks, schwarze Orks von großer Stärke, zum ersten Mal außerhalb von Mordor, und im Jahre

2475 brachen sie über Ithilien herein und nahmen Osgiliath. Boromir, Denethors Sohn (nach dem Boromir von den Neun Gefährten später genannt wurde), besiegte sie und gewann Ithilien zurück; aber Osgiliath war endgültig zerstört, und seine große Steinbrücke war geborsten. Niemand wohnte später mehr dort. Boromir war ein großer Heerführer, und selbst der Hexenkönig fürchtete ihn. Er war edel und schön von Angesicht, ein Mann von kräftigem Körperbau und starkem Willen, aber er trug in diesem Krieg eine Morgul-Wunde davon, die seine Tage verkürzte, und von Schmerzen verzehrt, starb er zwölf Jahre nach seinem Vater.

Nach ihm begann die lange Herrschaft von Cirion. Er war wachsam und vorsichtig, doch das Einflußgebiet von Gondor war klein geworden, und er konnte nicht viel mehr tun, als seine Grenzen zu schützen, während seine Feinde (oder die Macht, die sie antrieb) Schläge gegen ihn vorbereitete, die er nicht zu verhindern vermochte. Die Corsaren plünderten seine Küsten, doch lag die Hauptgefahr für ihn im Norden. In den ausgedehnten Landen von Rhovanion, zwischen dem Düsterwald und dem Fluß Eilend lebte jetzt ein wüstes Volk, das ganz unter dem Schatten von Dol Guldur stand. Oft machten sie Raubzüge durch den Wald, bis das Anduin-Tal südlich des Schwertels weitgehend verlassen war. Diese Balchoth wurden ständig verstärkt durch andere ihresgleichen, die aus dem Osten kamen, während das Volk von Calenardhon sich vermindert hatte. Cirion fiel es schwer, die Stellung am Anduin zu halten.

»Da er den Sturm voraussah, bat Cirion im Norden um Hilfe, aber es war zu spät; denn in jenem Jahr (2510) setzten die Balchoth, die am Ostufer des Anduin viele große Boote und Flöße gebaut hatten, über den Fluß und fegten die Verteidiger hinweg. Ein aus dem Süden heranmarschierendes Heer wurde abgeschnitten und über den Limklar nach Norden getrieben, und dort wurde es plötzlich von einer Orkhorde aus dem Gebirge angegriffen und zum Anduin abgedrängt. Dann kam wider alle Erwartung Hilfe aus dem Norden, und die Hörner der Rohirrim erschallten zum ersten Mal in Gondor. Eorl der Junge kam mit seinen Reitern, fegte den Feind hinweg und verfolgte die Balchoth über die Felder von Calenardhon, bis keiner mehr übrig war. Cirion verlieh Eorl dieses Land, um es zu bewohnen, und er leistete Cirion Eorls Eid der Freundschaft für die Herren von Gondor in der Not oder auf Verlangen.«

In den Tagen von Beren, dem neunzehnten Truchsessen, kam eine noch größere Gefahr über Gondor. Drei große Flotten, seit langem vorbereitet, segelten von Umbar und Harad herauf und griffen mit großer Stärke Gondors Küsten an; und der Feind machte viele Landungen, sogar weit im Norden an der Mündung des Isen. Zur gleichen Zeit wurden die Rohirrim von Westen und Osten angegriffen, und ihr Land wurde überrannt, und sie wurden in die Täler des Weißen Gebirges getrieben. In jenem Jahr (2758) begann der Lange Winter mit Kälte und Schnee aus dem Norden und Osten, der fast fünf Monate dauerte. Helm von Rohan und seine beiden Söhne kamen in diesem Krieg um; und es herrschte Elend und Tod in Eriador und Rohan. Doch in Gondor, südlich des Gebirges, war die Lage weniger schlimm, und ehe der Frühling kam, hatte Beregond, Berens Sohn, die Eindringlinge überwältigt. Sogleich schickte er Hilfe nach Rohan. Er war der größte Heerführer, den Gondor seit Boromir gehabt hatte; und als er (2763) seinem Vater nachfolgte, wurde Gondor wieder stark. Rohan erholte sich langsamer von den Wunden, die es erhalten hatte. Aus diesem Grunde hieß Beren Saruman willkommen und gab ihm die Schlüssel von Orthanc; und seit jenem Jahr (2759) wohnte Saruman in Isengart.

Es war in den Tagen von Beregond, daß der Krieg der Zwerge und Orks im Nebelgebirge ausgefochten wurde (2793–9), über den nur Gerüchte nach Süden drangen, bis die aus Nanduhirion fliehenden Orks versuchten, Rohan zu durchqueren und sich im Weißen Gebirge niederzulassen. Es wurde viele Jahre lang in den Tälern gekämpft, bis diese Gefahr gebannt war.

Als Belecthor II., der einundzwanzigste Truchseß, starb, starb in Minas Tirith auch der Weiße Baum; doch er wurde stehen gelassen, »bis der König zurückkehrt«, denn es konnte kein Sämling gefunden werden.

In den Tagen von Túrin II. rührten sich Gondors Feinde wieder; denn Sauron hatte von neuem Macht erlangt, und der Tag seiner Erhebung näherte sich. Die Tapfersten ausgenommen, verließ die ganze Bevölkerung Ithilien und zog nach Westen über den Anduin, denn das Land wurde von Orks heimgesucht. Túrin war es, der für seine Krieger geheime Zufluchtsorte in Ithilien baute, von denen Henneth Annûn der am längsten bewachte und bemannte war. Zum Schutz von Anórien befestigte er auch wieder die Insel Cair Andros [29]. Doch seine Hauptgefahr lag im Süden, wo die Haradrim Süd-Gondor besetzt hatten und viele Kämpfe am Poros ausgefochten wurden. Als starke Kräfte nach Ithilien eindrangen, erfüllte König Folcwine von Rohan Eorls Eid und zahlte seine Schuld ab für den Beistand, den Beregond geleistet hatte, indem er viele Mannen nach Gondor schickte. Mit ihrer Hilfe errang Túrin einen Sieg am Übergang des Poros; doch Folcwines Söhne fielen beide in der Schlacht. Die Reiter begruben sie nach der Art ihres Volkes, und sie wurden in ein Hügelgrab gelegt, denn sie waren Zwillingsbrüder. Lange stand es, *Haudh in Gwanûr*, hoch über dem Ufer des Flusses, und Gondors Feinde fürchteten sich, an ihm vorüberzugehen.

Auf Túrin folgte Turgon, und aus seiner Zeit entsinnt man sich vor allem dessen, daß sich zwei Jahre vor seinem Tod Sauron wieder erhob und seine Pläne offen kundtat; und er betrat Mordor wieder, das lange für ihn vorbereitet worden war. Damals wurde Barad-dûr wieder aufgebaut, und der Schicksalsberg brach in Flammen aus, und die letzten des Volks von Ithilien flohen weit fort. Als Turgon starb, nahm sich Saruman Isengart zu eigen und befestigte es.

---

[29] Dieser Name bedeutet »Schiff von Langschaum«; denn die Insel hatte die Form eines großen Schiffes mit einem hohen Bug, der nach Norden wies, und an ihm brachen sich auf spitzen Felsen die schäumenden Wellen des Anduin.

»Ecthelion II., Turgons Sohn, war ein kluger Mann. Was ihm an Macht geblieben war, verwendete er, um sein Reich gegen Mordors Angriff zu stärken. Er ermutigte alle verdienstvollen Männer von nah und fern, in seinen Dienst zu treten, und jenen, die sich als vertrauenswürdig erwiesen, gab er Rang und Lohn. Bei vielem, was er tat, hatte er die Hilfe und den Rat eines Heerführers, den er über alles liebte. Thorongil nannten ihn die Menschen in Gondor, den Adler des Sterns, denn er war flink und scharfäugig und trug einen silbernen Stern auf seinem Mantel; doch niemand kannte seinen richtigen Namen oder wußte, in welchem Lande er geboren war. Er kam zu Ecthelion aus Rohan, wo er König Thengel gedient hatte, aber er war nicht einer der Rohirrim. Er war ein großer Führer der Menschen, zu Lande und zur See, doch er verschwand in den Schatten, aus denen er gekommen war, ehe Ecthelions Tage beendet waren.

Thorongil gab Ecthelion oft zu bedenken, daß die Stärke der Aufrührer in Umbar eine große Gefahr für Gondor sei und eine Bedrohung der Lehen des Südens, die sich als tödlich erweisen würde, wenn Sauron zu offenem Krieg übergehen würde. Schließlich erhielt er Erlaubnis vom Truchseß, eine kleine Flotte zu sammeln, und unerwartet kam er des Nachts nach Umbar und verbrannte dort einen großen Teil der Corsaren-Schiffe. Er selbst besiegte im Kampf auf den Kais den Befehlshaber des Hafens, und dann zog er sich mit seiner Flotte unter geringen Verlusten zurück. Doch als sie nach Pelargir kamen, wollte er zum Kummer und Erstaunen der Menschen nicht nach Minas Tirith zurückkehren, wo große Ehren ihn erwarteten.

Er schickte Ecthelion eine Abschiedsbotschaft und sagte: ›Andere Aufgaben rufen mich jetzt, Herr, und viel Zeit wird vergehen und viele Gefahren müssen überstanden werden, ehe ich wieder nach Gondor komme, wenn das mein Schicksal ist.‹ Obwohl niemand erraten konnte, was diese Aufgaben sein mochten, noch wer ihn gerufen haben könnte, so wurde doch bekannt, wohin er ging. Denn er nahm ein Boot und überquerte den Anduin, und dann sagte er seinen Gefährten Lebewohl und ging allein weiter; und als er zuletzt gesehen wurde, war sein Gesicht dem Schattengebirge zugewandt.

In der Stadt war man erschreckt über Thorongils Fortgehen, und allen Menschen erschien es als ein großer Verlust, mit Ausnahme von Denethor, Ecthelions Sohn, einem Mann, der jetzt reif war für das Truchsessenamt, das er vier Jahre später nach dem Tod seines Vaters übernahm.

Denethor II. war ein stolzer Mann, kühn, tapfer und königlicher als jeder andere Mann in Gondor seit vielen Menschenaltern. Und er war auch klug und weitsehend und der Lehre kundig. Tatsächlich war er Thorongil so ähnlich wie einem nahen Verwandten, und dennoch nahm er in den Herzen der Menschen und der Wertschätzung seines Vaters immer den zweiten Platz hinter dem Fremden ein. Damals glaubten viele, daß Thorongil fortgegangen sei, ehe sein Gegenspieler sein Herr wurde; obwohl Thorongil in Wirklichkeit nie mit Denethor gewetteifert oder sich selbst als mehr angesehen hatte als einen Diener seines Vaters. Und nur in einem Punkt stimmten die Ratschläge nicht überein, die sie dem Truchsessen gaben: Thorongil warnte Ecthelion oft, er solle Saruman dem

Weißen in Isengart nicht vertrauen, sondern lieber Gandalf den Grauen willkommen heißen. Aber zwischen Denethor und Gandalf gab es wenig Liebe; und nach Ecthelions Tagen war der Graue Pilger in Minas Tirith noch weniger willkommen. Daher glaubten viele später, als alles klar geworden war, daß Denethor, der einen scharfen Verstand besaß und weiter und tiefer sah als andere Menschen seiner Zeit, herausgefunden hatte, wer dieser fremde Thorongil in Wirklichkeit war, und argwöhnte, daß er und Mithrandir planten, ihn zu verdrängen.

Als Denethor (2984) Truchseß wurde, erwies er sich als ein herrischer Gebieter, der in allen Dingen das Steuer fest in der Hand hielt. Er sagte wenig. Er hörte sich Ratschläge an und verfuhr dann nach eigenem Gutdünken. Er hatte spät (2976) geheiratet und Finduilas, Adrahils Tochter von Dol Amroth, zur Frau genommen. Sie war eine edle Frau von großer Schönheit und Sanftmut, doch ehe zwölf Jahre vergangen waren, starb sie. Denethor liebte sie auf seine Weise mehr als jeden anderen, es sei denn den älteren der Söhne, die sie ihm geboren hatte. Aber es schien den Menschen, daß sie in der bewachten Stadt dahinwelkte wie eine Blume aus den am Meer gelegenen Tälern, die auf einen kahlen Fels verpflanzt wird. Der Schatten im Osten erfüllte sie mit Schrecken und sie richtete ihre Augen nach Süden zum Meer, das sie vermißte.

Nach ihrem Tode wurde Denethor noch grimmiger und schweigsamer als zuvor, und lange pflegte er allein in seinem Turm zu sitzen, tief in Gedanken, und er sah voraus, daß der Angriff von Mordor zu seinen Lebzeiten kommen würde. Später glaubte man, er habe, da er Aufklärung brauchte, aber stolz war und seiner eigenen Willensstärke traute, es gewagt, in den *palantír* des Weißen Turms zu schauen. Keiner der Truchsessen hatte das gewagt, nicht einmal die Könige Eärnil und Eärnur nach dem Fall von Minas Ithil, als Isildurs *palantír* in die Hände des Feindes geriet; denn der Stein von Minas Tirith war Anárions *palantír* und am engsten in Übereinstimmung mit dem, den Sauron besaß.

Auf diese Weise erlangte Denethor großes Wissen von Dingen, die sich in seinem Reich ereigneten, und auch weit jenseits seiner Grenzen; doch erkaufte er sich dieses Wissen teuer, denn durch sein Ringen mit Saurons Willen alterte er vor seiner Zeit. Daher nahm bei Denethor der Stolz zugleich mit der Verzweiflung zu, bis er alle Taten dieser Zeit nur als einen Zweikampf zwischen dem Herrn des Weißen Turms und dem Herrn von Barad-dûr sah und allen anderen mißtraute, die Sauron Widerstand leisteten, sofern sie nicht ihm allein dienten.

So näherte sich die Zeit des Ringkrieges, und Denethors Söhne kamen ins Mannesalter. Boromir, um fünf Jahre älter, geliebt von seinem Vater, war ihm äußerlich und in seinem Stolz ähnlich, aber sonst wenig. Er war eher ein Mann nach der Art von König Eärnur von einst, nahm keine Frau und hatte hauptsächlich Freude an Waffen; er war furchtlos und stark, machte sich aber wenig aus der Überlieferung, abgesehen von den Schilderungen alter Schlachten. Faramir, der jüngere, sah aus wie er, hatte aber eine andere Veranlagung. Er las in den Herzen der Menschen so scharfsichtig wie sein Vater, aber was er las, erregte eher sein Mitleid denn seinen Zorn. Er hatte ein freundliches Wesen und war ein Liebhaber der Überlieferung und der Musik, und daher wurde in jenen Tagen sein Mut von vielen für geringer erachtet als der seines Bruders. Doch dem war nicht so, nur daß er nicht ohne Not um des Ruhmes willen Gefahren auf sich nahm. Er hieß Gandalf willkommen, wann immer er in die Stadt kam, und er lernte, soviel er konnte, von seiner Weisheit; und damit wie mit vielen anderen Dingen erregte er das Mißfallen seines Vaters.

Indes liebten sich die beiden Brüder sehr, schon seit ihrer Kindheit, als Boromir der Helfer und Beschützer von Faramir war. Keine Eifersucht und kein Wetteifern um die Gunst ihres Vaters oder das Lob der Menschen hatte es seitdem zwischen ihnen gegeben. Es schien Faramir unmöglich, daß irgend jemand in Gondor Boromir, Denethors Erben, den Heermeister des Weißen Turms, übertreffen könne; und derselben Meinung war Boromir. Bei der Probe erwies es sich allerdings anders. Doch von allem, was diesen dreien im Ringkrieg widerfuhr, ist anderswo viel gesagt worden. Und nach dem Krieg nahmen die Tage der Herrschenden Truchsessen ein Ende; denn der Erbe von Isildur und Anárion kehrte zurück, das Königtum wurde wiederhergestellt, und das Banner des Weißen Baums flatterte von neuem an Ecthelions Turm.«

5. Hier folgt ein Teil der Erzählung von Aragorn und Arwen

»Arador war der Großvater des Königs. Sein Sohn Arathorn hielt um Gilraen die Schöne an, die Tochter von Dírhael, der selbst ein Nachkomme von Aranarth war. Dírhael war gegen diese Heirat; denn Gilraen war jung und hatte noch nicht das Alter erreicht, in dem die Frauen der Dúnedain gewöhnlich heirateten. ›Überdies‹, sagte er, ›ist Arathorn ein ernster Mann und volljährig, und er wird früher Stammesführer werden, als die Menschen erwarten; dennoch sagt mein Herz voraus, daß sein Leben kurz sein wird.‹

Aber Ivorwen, seine Frau, die auch voraussehend war, antwortete: ›Um so mehr ist Eile geboten! Die Tage verdunkeln sich vor dem Sturm, und große Dinge werden kommen. Wenn die beiden jetzt heiraten, mag Hoffnung für unser Volk geboren werden, aber wenn sie es aufschieben, wird die Hoffnung nicht kommen, solange dieses Zeitalter währt.‹

Und es geschah, als Arthorn und Gilraen erst ein Jahr verheiratet waren, daß Arador in den Kaltfelsen nördlich von Bruchtal von Bergtrollen überwältigt und erschlagen wurde; und Arathorn wurde Stammesführer der Dúnedain. Im nächsten Jahr gebar Gilraen ihm einen Sohn, und er wurde Aragorn genannt. Aber Aragorn war erst zwei Jahre alt, als Arathorn mit Elronds Söhnen gegen die Orks ausritt und durch einen Orkpfeil getötet wurde, der ihm das Auge durchbohrte; und so erwies es sich, daß er für einen seines Geschlechts wirklich kurz gelebt hatte, denn er war erst sechzig, als er fiel.

Da wurde Aragorn, der jetzt Isildurs Erbe war, mit seiner Mutter in Elronds Haus gebracht, um dort zu leben; und Elrond vertrat Vaterstelle an ihm und gewann ihn lieb wie einen eigenen Sohn. Doch wurde er Estel genannt, das heißt ›Hoffnung‹, und sein wirklicher Name und Stammbaum wurden auf Elronds Geheiß geheimgehalten; denn die Weisen wußten damals, daß der Feind danach trachtete, Isildurs Erben zu entdecken, wenn es auf Erden einen gab.

Aber als Estel erst zwanzig Jahre alt war, geschah es, daß er nach großen Taten gemeinsam mit Elronds Söhnen nach Bruchtal zurückkehrte; und Elrond blickte ihn an und war froh, denn er sah, daß er schön und edel und früh zum Manne geworden war, obwohl er an Körper und Geist noch wachsen würde. An diesem Tag nannte ihn Elrond daher bei seinem richtigen Namen und sagte ihm, wer er sei und wessen Sohn; und er übergab ihm die Erbstücke seines Hauses.

›Hier ist Barahirs Ring‹, sagt er, ›das Zeichen, daß wir weitläufig verwandt sind; und hier sind auch die Bruchstücke von Narsil. Mit ihnen magst du noch große Taten vollbringen; denn ich sage voraus, daß deine Lebensspanne länger sein wird als das Maß der Menschen, es sei denn, Unheil befällt dich oder du bestehst die Prüfung nicht. Doch wird die Prüfung schwer und lang sein. Das Szepter von Annúminas halte ich zurück, denn du mußt es erst verdienen.‹

Am nächsten Tag ging Aragorn um die Zeit des Sonnenuntergangs allein im Wald spazieren, und er war frohen Muts; und er sang, denn er war voller Hoffnung, und die Welt war schön. Und plötzlich, als er noch sang, sah er eine Maid zwischen den weißen Birkenstämmen über einen grünen Rasen gehen; und er blieb erstaunt stehen und dachte, er habe sich in einen Traum verirrt, oder aber er habe die Gabe der Elbensänger, die die Dinge, von denen sie singen, vor den Augen ihrer Zuhörer erscheinen lassen können. Denn Aragorn hatte einen Teil des Lieds von Lúthien gesungen, das von der Begegnung von Lúthien und Beren im Wald von Neldoreth erzählt. Und siehe! da wandelte Lúthien vor seinen Augen in Bruchtal, angetan mit einem Umhang aus Silber und Blau, schön wie die Dämmerung in Elbenheim; ihr dunkles Haar wehte in einem plötzlichen Wind, und ihre Stirn war mit Edelsteinen wie mit Sternen geschmückt.

Einen Augenblick starrte Aragorn sie schweigend an, aber da er fürchtete, daß sie davongehen könnte und nie wieder zu sehen sein würde, rief er: *Tinúviel! Tinúviel!*, wie Beren es in der Altvorderenzeit getan hatte.

Da wandte sich die Maid um und lächelte und sagte: ›Wer seid Ihr? und warum ruft Ihr mich mit diesem Namen?‹

Und er antwortete: ›Weil ich glaubte, Ihr wäret wirklich Lúthien Tinúviel, von der ich sang. Aber wenn Ihr nicht sie seid, dann seid Ihr ihr Ebenbild.‹

›Das haben schon viele gesagt‹, antwortete sie ernst. ›Doch ihr Name ist nicht meiner. Obwohl mein Schicksal dem ihren nicht unähnlich sein wird. Aber wer seid Ihr?‹

›Estel wurde ich genannt‹, sagte er. ›Aber ich bin Aragorn, Arathorns Sohn, Isildurs Erbe, Herr der Dúnedain.‹ Doch während er das noch sagte, spürte er, daß diese edle Herkunft, über die sein Herz sich gefreut hatte, jetzt wenig wert war und nichts im Vergleich zu ihrer Würde und Lieblichkeit.

Aber sie lachte fröhlich und sagte: ›Dann sind wir weitläufig verwandt. Denn ich bin Arwen, Elronds Tochter, und werde auch Undómiel genannt.‹

›Oft erlebt man‹, sagte Aragorn, ›daß Männer in gefährlichen Zeiten ihren größten Schatz verstecken. Doch staune ich über Elrond und Eure Brüder; denn obwohl ich in diesem Hause seit meiner Kindheit gelebt habe, habe ich nie ein Wort über Euch gehört. Wie kommt es, daß wir uns niemals begegnet sind? Gewiß hat Euer Vater Euch nicht in seiner Schatzkammer eingeschlossen?‹

›Nein‹, sagte sie und schaute hinauf zum Gebirge, das sich im Osten erhob. ›Ich habe eine Zeitlang im Lande der Sippe meiner Mutter gelebt, im fernen Lothlórien. Erst vor kurzem bin ich zurückgekehrt, um meinen Vater wieder zu besuchen. Es sind viele Jahre vergangen, seit ich in Imladris weilte.‹

Da wunderte sich Aragorn, denn sie schien ihm nicht älter zu sein als er, der er nicht mehr als zwanzig Jahre in Mittelerde gelebt hatte. Doch Arwen schaute ihm in die Augen und sagte: ›Wundert Euch nicht! Denn Elronds Kinder haben das Leben der Eldar.‹

Da war Aragorn verlegen, denn er sah das Elbenlicht in ihren Augen und die Weisheit vieler Tage; doch seit dieser Stunde liebte er Arwen Undómiel, Elronds Tochter.

In den folgenden Tagen war Aragorn schweigsam, und seine Mutter nahm wahr, daß ihm irgend etwas Seltsames widerfahren war; und schließlich gab er ihren Fragen nach und erzählte ihr von der Begegnung in der Dämmerung unter den Bäumen.

›Mein Sohn‹, sagte Gilraen, ›dein Ziel ist hoch, selbst für den Nachkommen vieler Könige. Denn dies ist die edelste und schönste Frau, die jetzt auf Erden wandelt. Und es ziemt sich nicht, daß Sterbliche in die Elbensippe einheiraten.‹

›Dennoch haben auch wir einen Anteil an dieser Sippe‹, sagte Aragorn, ›wenn die Geschichte meiner Vorväter wahr ist, die ich erfahren habe.‹

›Sie ist wahr‹, sagte Gilraen, ›aber das ist lange her und war in einem anderen Zeitalter dieser Welt, ehe unser Geschlecht gemindert wurde. Deshalb bin ich ängstlich; denn ohne das Wohlwollen von Herrn Elrond werden Isildurs Erben bald ihr Ende finden. Und ich glaube nicht, daß du in dieser Frage auf Elronds Wohlwollen rechnen kannst.‹

›Bitter werden dann meine Tage sein, und einsam werde ich durch die Wildnis wandern‹, sagte Aragorn.

›Das wird wahrlich dein Schicksal sein‹, sagte Gilraen; aber obwohl auch sie in einem gewissen Maß die Voraussicht ihres Volkes besaß, sagte sie nichts mehr zu ihm von ihrer Vorahnung, und sie sprach auch mit niemandem über das, was ihr Sohn ihr gesagt hatte.

Aber Elrond sah viele Dinge und las in vielen Herzen. Daher rief er eines Tages, ehe das Jahr sich neigte, Aragorn in sein Gemach und sagte: ›Aragorn, Arathorns Sohn, Herr der Dúnedain, höre mich an! Ein großes Schicksal erwartet dich. Entweder wirst du höher aufsteigen als alle deine Vorväter seit Elendils Tagen, oder du wirst mit allen, die von deiner Sippe noch übrig sind, in die Dunkelheit stürzen. Viele Jahre der Prüfung liegen vor dir. Du sollst weder eine Frau nehmen noch dich mit einer verloben, ehe deine Zeit kommt und du dich dessen würdig erweist.‹

Da war Aragorn verwirrt und sagte: ›Kann es sein, daß meine Mutter davon gesprochen hat?‹

›Nein, wahrlich nicht‹, sagte Elrond. ›Deine eigenen Augen haben dich verraten. Doch spreche ich nicht von meiner Tochter allein. Du sollst dich vorläufig mit keines Mannes Kind verloben. Doch was Arwen die Schöne, Herrin von Imladris und Lórien, Abendstern ihres Volkes, betrifft, so ist sie von edlerer Herkunft als du, und sie hat bereits so lange in der Welt gelebt, daß du nur wie ein einjähriger Schößling neben einer jungen Birke von vielen Sommern bist. Sie steht zu hoch über dir. Und so, glaube ich, mag es auch ihr erscheinen. Doch selbst wenn dem nicht so wäre und ihr Herz sich dir zuwendete, würde ich mich dennoch grämen wegen des Schicksals, das uns auferlegt ist.‹

›Was für ein Schicksal ist das?‹ fragte Aragorn.

›Daß sie, solange ich hier weile, mit der Jugend der Eldar leben soll‹, antwortete Elrond. ›Und wenn ich scheide, soll sie mit mir gehen, wenn das ihre Wahl ist.‹

›Ich sehe‹, sagte Aragorn, ›daß ich meine Augen auf einen Schatz gerichtet habe, der nicht weniger teuer ist als Thingols Schatz, den Beren einst begehrte. Das ist mein Schicksal.‹ Dann plötzlich kam ihm die Voraussicht seines Geschlechts, und er sagte: ›Doch seht! Herr Elrond, die Jahre Eures Verweilens hier nähern sich ihrem Ende, und Eure Kinder müssen bald vor die Wahl gestellt werden, sich entweder von Euch oder von Mittelerde zu trennen.‹

›Fürwahr‹, sagte Elrond. ›Bald nach unserer Ansicht, obgleich noch viele Jahre der Menschen vergehen müssen. Doch für meine geliebte Arwen wird es keine Wahl geben, es sei denn, daß du, Aragorn, Arathorns Sohn, zwischen uns trittst, so daß es für einen von uns, für dich oder für mich, eine bittere Trennung bis über das Ende der Welt hinaus gibt. Du weißt noch nicht, was du von mir begehrst.‹ Er seufzte, und nach einer Weile sah er den jungen Mann ernst an und sagte: ›Die Jahre werden bringen, was sie wollen. Wir werden nicht mehr davon sprechen, ehe viele vergangen sind. Die Tage werden dunkel, und viel Unheil wird kommen.‹

Dann nahm Aragorn liebevoll von Elrond Abschied; und am nächsten Tag sagte er seiner Mutter Lebewohl und dem Haus von Elrond und Arwen, und er ging hinaus in die Wildnis. Fast dreißig Jahre lang mühte er sich in der Sache gegen Sauron; und er wurde ein Freund Gandalfs des Weisen, von dem er viel Weisheit erlangte. Mit ihm unternahm er viele gefährliche Fahrten, aber im Laufe der Jahre ging er öfter allein. Seine Wege waren hart und lang, und mit der Zeit bekam er ein etwas grimmiges Äußeres, es sei denn, er lächelte zufällig; und doch erschien er den Menschen der Ehrerbietung würdig wie ein König in der Verbannung, wenn er seine wahre Gestalt nicht verbarg. Denn er ging in vielen Verkleidungen und errang Ruhm unter vielen Namen. Er ritt im Heer der Rohirrim und focht für den Herrn von Gondor zu Lande und zur See; und in der Stunde des Sieges verschwand er dann, und die Menschen des Westens wußten nichts mehr von ihm, und allein ging er weit in den Osten und tief in den

Süden, erforschte die Herzen der Menschen, der bösen und guten, und deckte die Verschwörungen und Pläne von Saurons Dienern auf.

So wurde er schließlich der tapferste der lebenden Menschen, bewandert in ihren Künsten und Überlieferungen, und doch war er mehr als sie; denn er war elbenweise, und es war ein Glanz in seinen Augen, den, wenn sie aufleuchteten, wenige ertragen konnten. Sein Gesicht war traurig und streng wegen des Schicksals, das ihm auferlegt war, und dennoch hegte er Hoffnung in den Tiefen seines Herzens, aus dem zu Zeiten Fröhlichkeit hervorsprudelte wie eine Quelle aus dem Felsen.

Es geschah, als Aragorn neunundvierzig Jahre alt war, daß er aus Gefahren in den finsteren Gemarkungen von Mordor zurückkehrte, wo Sauron jetzt wieder wohnte und mit Bösem beschäftigt war. Aragorn war erschöpft und wollte nach Bruchtal gehen und dort eine Weile rasten, ehe er sich in ferne Länder aufmachte; und auf seinem Weg kam er zu den Grenzen von Lórien, und Frau Galadriel gewährte ihm Zutritt zu dem verborgenen Land.

Er wußte es nicht, aber Arwen Undómiel war auch dort und lebte wieder eine Zeitlang bei der Sippe ihrer Mutter. Sie war wenig verändert, denn die sterblichen Jahre gingen an ihr vorüber. Doch war ihr Gesicht ernster, und selten hörte man jetzt ihr Lachen. Aber Aragorn war nun körperlich und geistig zu voller Größe herangereift, und Galadriel gebot ihm, seine abgetragene Kleidung abzulegen, und sie kleidete ihn in Silber und Weiß mit einem elbengrauen Mantel und einem leuchtenden Edelstein auf der Stirn. Da schien er mehr zu sein als ein Mensch irgendeiner Art und sah eher aus wie ein Fürst der Elben von den Inseln im Westen. Und so war es, daß Arwen ihn nach ihrer langen Trennung wiedersah; und als er unter den mit goldenen Blüten beladenen Bäumen von Caras Galadon auf sie zuging, war ihre Wahl getroffen und ihr Schicksal besiegelt.

Dann wanderten sie eine Zeitlang zusammen in den Hainen von Lothlórien, bis es Zeit für ihn war aufzubrechen. Und am Abend des Mittsommers gingen Aragorn, Arathorns Sohn, und Arwen, Elronds Tochter, zu dem schönen Berg Cerin Amroth in der Mitte des Landes, und barfuß schritten sie über das unsterbliche Gras, in dem Elanor und Niphredil blühten. Und dort auf jenem Berg blickten sie nach Osten auf den Schatten und nach Westen auf die Dämmerung, und sie gelobten einander Treue und waren froh.

Und Arwen sagte: ›Dunkel ist der Schatten, und doch freut sich mein Herz; denn Ihr, Estel, werdet unter den Großen sein, deren Tapferkeit ihn vernichten wird.‹

Aber Aragorn antwortete: ›Ach, ich kann es nicht voraussehen, und wie es geschehen wird, ist mir verborgen. Doch mit Eurer Hoffnung will ich hoffen. Und den Schatten weise ich entschieden zurück. Aber auch die Dämmerung, Herrin, ist nicht für mich. Denn ich bin sterblich, und wenn Ihr zu mir haltet, Abendstern, dann müßt auch Ihr der Dämmerung entsagen.‹

Und sie stand still da wie ein weißer Baum und blickte gen Westen, und schließlich sagte sie: ›Ich will zu Euch halten, Dúnadan, und mich von der Dämmerung abwenden. Doch dort liegt das Land meines Volkes und auf lange das Heim meiner ganzen Sippe.‹ Sie liebte ihren Vater sehr.

Als Elrond von der Wahl seiner Tochter hörte, schwieg er still, obwohl sein Herz kummervoll war und das lang befürchtete Schicksal keineswegs leichter zu ertragen fand. Aber als Aragorn wieder nach Bruchtal kam, rief er ihn zu sich und sagte:

›Mein Sohn, es kommen Jahre, da die Hoffnung schwinden wird, und wenig von dem, was nach ihnen kommt, ist mir klar. Und jetzt liegt ein Schatten zwischen uns. Vielleicht ist es so bestimmt worden, daß durch meinen Verlust das Königtum der Menschen wiederhergestellt werden kann. Obwohl ich dich liebe, sage ich dennoch zu dir: Arwen Undómiel soll nicht um einer geringeren Sache willen das Vorrecht ihres Lebens mindern. Sie soll nicht Braut eines geringeren Menschen sein als des Königs von Gondor und Arnor. Selbst unser Sieg kann mir dann nur Kummer und Trennung bringen – aber dir die Hoffnung auf Glück für eine Weile. Wehe, mein Sohn! Ich fürchte, daß Arwen zuletzt das Schicksal der Menschen hart erscheinen mag.‹

Und dabei blieb es danach zwischen Elrond und Aragorn, und sie sprachen nicht mehr über diese Angelegenheit; aber Aragorn ging wieder hinaus zu Gefahr und Mühsal. Und während die Welt dunkler und Mittelerde von Furcht befallen wurde, da Saurons Macht wuchs und Barad-dûr sich immer höher und stärker erhob, blieb Arwen in Bruchtal, und wenn Aragorn unterwegs war, wachte sie aus der Ferne in Gedanken über ihn; und voll Hoffnung machte sie für ihn ein großes und königliches Banner, wie es nur einer entfalten kann, der Anspruch auf das Herrschaftsgebiet der Númenorer und auf Elendils Erbe erhebt.

Nach ein paar Jahren nahm Gilraen Abschied von Elrond und kehrte zu ihrem eigenen Volk in Eriador zurück und lebte dort allein; und selten sah sie ihren Sohn wieder, denn er verbrachte viele Jahre in fernen Ländern. Doch einmal, als Aragorn in den Norden zurückgekehrt war, kam er zu ihr, und sie sagte zu ihm, ehe er wieder fortging:

›Dies ist unser letzter Abschied, Estel, mein Sohn. Ich bin gealtert durch Sorgen wie einer der geringeren Menschen; und nun, da sie sich nähert, kann ich der Dunkelheit unserer Zeit, die sich über Mittelerde zusammenzieht, nicht ins Auge sehen. Ich werde Mittelerde bald verlassen.‹

Aragorn versuchte sie zu trösten und sagte: ›Dennoch mag es Helligkeit nach der Dunkelheit geben; und wenn, dann hätte ich gern, daß du sie siehst und froh bist.‹

Aber sie antwortete nur mit diesem *linnod:*

Onen i-Estel Edain, ú-chebin estel anim [30],

---

[30] »Ich gab dem Dúnedain Hoffnung, ich behielt keine Hoffnung für mich.«

und Arogorn ging schweren Herzens von dannen. Gilraen starb vor dem nächsten Frühling.

So zogen sich die Jahre hin bis zum Ringkrieg, von dem anderswo mehr gesagt wird: wie die Mittel und Wege enthüllt wurden, durch die Sauron überwältigt werden könnte, und wie über die Hoffnung hinaus Hoffnung sich erfüllte. Und es geschah, daß in der Stunde der Niederlage Aragorn vom Meer heraufkam und Arwens Banner in der Schlacht auf den Pelennor-Feldern entrollte, und an diesem Tag wurde er zuerst als König begrüßt. Und als endlich alles getan war, trat er das Erbe seiner Väter an und erhielt die Krone von Gondor und das Szepter von Arnor; und am Mittsommertag im Jahre des Sturzes von Sauron legte Elrond die Hand von Arwen Undómiel in seine Hand, und in der Stadt der Könige wurden sie einander angetraut.

So endete das Dritte Zeitalter mit Sieg und Hoffnung; doch schmerzlich war bei allem Leid jenes Zeitalters der Abschied von Elrond und Arwen, denn sie wurden getrennt durch das Meer und einen Tod über das Ende der Welt hinaus. Als der Große Ring vernichtet wurde und die Drei ihrer Macht beraubt waren, da wurde Elrond schließlich müde und verließ Mittelerde, um niemals zurückzukehren. Aber Arwen wurde eine sterbliche Frau, und doch war es nicht ihr Los zu sterben, ehe alles, was sie gewonnen hatte, verloren war.

Als Königin der Elben und Menschen lebte sie mit Aragorn dreimal zwanzig Jahre in Herrlichkeit und Glück; doch zuletzt spürte er das Herannahen des Alters und wußte, daß die Spanne seines Lebens ihrem Ende zuging, so lang es auch gewesen war. Da sagte Aragorn zu Arwen:

›Nun, Frau Abendstern, Schönste in der Welt und Geliebteste, vergeht meine Welt. Sehet! wir haben eingenommen und wir haben ausgegeben, und nun nähert sich die Zeit der Bezahlung!‹

Arwen wußte genau, was er beabsichtigte, und hatte es lange vorausgesehen; dennoch war sie überwältigt von ihrem Schmerz. ›Wollt Ihr denn, Herr, vor Eurer Zeit Euer Volk verlassen, das von Eurem Wort lebt?‹ fragte sie.

›Nicht vor meiner Zeit‹, antwortete er. ›Denn wenn ich nicht jetzt gehe, dann muß ich bald notgedrungen gehen. Und Eldarion, unser Sohn, ist ein Mann, der durchaus reif ist für die Königswürde.‹

Dann begab sich Aragorn zu dem Haus der Könige in der Stillen Straße und legte sich auf das Bett, das für ihn bereitet worden war. Dort sagte er Eldarion Lebewohl und gab ihm die geflügelte Krone von Gondor und das Szepter von Arnor in die Hand, und dann verließen ihn alle außer Arwen, und sie stand allein an seinem Bett. Und trotz all ihrer Weisheit und Herkunft konnte sie es nicht unterlassen ihn anzuflehen, noch eine Weile zu bleiben. Sie war ihrer Tage noch nicht überdrüssig, und so erfuhr sie die Bitterkeit der Sterblichkeit, die sie auf sich genommen hatte.

›Frau Undómiel‹, sagte Aragorn, ›die Stunde ist wahrlich schwer, aber das stand schon fest an dem Tag, als wir uns unter den weißen Birken in Elronds Garten trafen, wo sich jetzt niemand ergeht. Und als wir auf dem Berg Cerin Amroth dem Schatten und der Dämmerung entsagten, fanden wir uns mit diesem Schicksal ab. Geht mit Euch selbst zu Rate, Geliebte, und fragt Euch, ob Ihr wirklich wollt, daß ich warte, bis ich erschlaffe und unmännlich und einfältig von meinem Thron herunterfalle. Nein, Herrin, ich bin der Letzte der Númenorer und der letzte König der Altvorderenzeit; und mir ist nicht nur eine Lebensspanne gewährt worden, die dreimal so lang ist wie die der Menschen von Mittelerde, sondern auch das Vorrecht, nach meinem Belieben zu gehen und die Gabe zurückzugeben. Daher will ich jetzt schlafen.

Ich spreche Euch keinen Trost zu, denn es gibt keinen Trost für solchen Schmerz in den Kreisen der Welt. Die letzte Entscheidung liegt vor Euch: zu bereuen und zu den Anfurten zu gehen und die Erinnerung an unsere gemeinsamen Tage mit in den Westen zu nehmen, die dort immerwährend sein wird, aber nie mehr als eine Erinnerung; oder aber das Schicksal der Menschen auf Euch zu nehmen.‹

›Nein, lieber Herr‹, sagte sie, ›die Entscheidung ist längst getroffen. Jetzt gibt es kein Schiff, das mich dort hinbringen würde, und ich muß fürwahr das Schicksal der Menschen auf mich nehmen, ob ich will oder nicht: den Verlust und die Stille. Doch das sage ich Euch, König der Númenorer, bisher habe ich die Geschichte Eures Volkes und seinen Sturz nicht verstanden. Als mutwillige Narren verachtete ich sie, doch nun endlich habe ich Mitleid mit ihnen. Denn wenn dies wirklich, wie die Eldar sagen, die Gabe des Einen an die Menschen ist, dann ist es bitter, sie zu empfangen.‹

›So scheint es‹, sagte er. ›Doch laßt nicht zu, daß wir, die wir einst den Schatten und den Ring zurückwiesen, bei der letzten Prüfung unterliegen. In Kummer müssen wir gehen, aber nicht in Verzweiflung. Schaut! Wir sind nicht für immer an die Kreise der Welt gebunden, und jenseits von ihnen ist mehr als nur Erinnerung. Lebt wohl!‹

›Estel, Estel!‹ rief sie, und als sie eben seine Hand nahm und sie küßte, fiel er in Schlaf. Da wurde eine große Schönheit in ihm offenbar, so daß alle, die nachher kamen, ihn voll Staunen anblickten; denn sie sahen, daß die Anmut der Jugend und die Kraft seiner Mannesjahre und die Weisheit und königliche Würde seines Alters miteinander verschmolzen waren. Und lange lag er dort, ein Abbild der Erhabenheit der Könige der Menschen in nicht verdunkelter Pracht vor dem Bruch der Welt.

Aber Arwen ging hinaus aus dem Haus, und der Glanz ihrer Augen war erloschen, und es schien ihrem Volk, daß sie kalt und grau geworden war wie eine Winternacht, die ohne Sterne anbricht. Dann sagte sie Eldarion und ihren Töchtern Lebewohl und allen, die sie geliebt hatte; und sie verließ die Stadt Minas Tirith und ging in das Land Lórien und lebte dort allein unter den verblassenden Bäumen, bis der Winter kam. Galadriel war dahingeschieden, und auch Celeborn war fortgegangen, und das Land war still.

Dort endlich, als die Mallornblätter fielen, aber der Frühling noch nicht gekommen war [31], legte sie sich zur Ruhe auf Cerin Amroth; und dort ist ihr grü-

---

[31] I, 404

nes Grab, bis die Welt sich wandelt, und alle Tage ihres Lebens sind von den nachkommenden Menschen gänzlich vergessen, und Elanor und Niphredil blühen nicht mehr östlich der See.

Hier endet diese Erzählung, wie sie vom Süden zu uns gekommen ist; und nach dem Hinscheiden von Abendstern wird in diesem Buch nichts mehr über die Tage von einst gesagt.«

II. DAS HAUS VON EORL

»Eorl der Junge war der Herr der Menschen von Éothéod. Dieses Land lag in der Nähe der Anduin-Quellen zwischen den letzten Ketten des Nebelgebirges und den nördlichsten Teilen von Düsterwald. Die Éothéod waren in den Tagen von König Eärnil II. in dieses Gebiet gezogen aus Landstrichen in den Tälern des Anduin zwischen dem Carrock und dem Schwertel, und sie waren ihrer Herkunft nach den Beornings und den Menschen von den Westrändern des Waldes nah verwandt. Eorls Vorfahren behaupteten, von den Königen von Rhovanion abzustammen, deren Reich vor dem Eindringen der Wagenfahrer jenseits von Düsterwald lag, und so hielten sie sich für Verwandte der Könige von Gondor, die von Eldacar abstammten. Sie liebten vor allem die Ebenen und begeisterten sich für Pferde und alle Feinheiten der Reitkunst, aber es gab niemals viele Menschen in den Mitteltälern des Anduin, und überdies wurde der Schatten von Dol Guldur länger. Als sie daher von der Niederwerfung des Hexenkönigs hörten, suchten sie weiteren Raum im Norden, und sie vertrieben die Reste des Volks von Angmar von der Ostseite des Gebirges. Doch in den Tagen von Léod, Eorls Vater, waren sie zu einem zahlreichen Volk geworden und von neuem beengt in dem Land, das sie zu ihrem Heim gemacht hatten.

Im tausendfünfhundertzehnten Jahr des Dritten Zeitalters wurde Gondor von einer neuen Gefahr bedroht. Ein großes Heer wilder Menschen aus dem Nordosten ergoß sich über Rhovanion und überquerte, aus den Braunen Landen kommend, den Anduin auf Flößen. Durch Zufall oder absichtlich kamen zur gleichen Zeit die Orks (die damals vor ihrem Krieg mit den Zwergen sehr stark waren) vom Gebirge herab. Die Eindringlinge überrannten Calenardhon, und Cirion, Truchseß von Gondor, schickte nach Norden um Hilfe; denn lange hatte Freundschaft bestanden zwischen den Menschen des Anduin-Tals und dem Volk von Gondor. Doch im Tal des Flusses gab es nur wenige und verstreut lebende Menschen, und sie eilten sich nicht sonderlich, die Hilfe zu leisten, die sie erbringen konnten. Endlich erfuhr Eorl von Gondors Not, und obwohl es spät zu sein schien, brach er mit einem großen Reiterheer auf.

So kam er zu der Schlacht auf dem Feld von Celebrant, denn so hieß das grüne Land, das zwischen Silberlauf und Limklar lag. Dort war das Nordheer von Gondor in Gefahr. Besiegt im Ödland und vom Süden abgeschnitten, war es über den Limklar gedrängt und dort plötzlich von einem Orkheer angegriffen worden, das auf den Anduin zustieß. Alle Hoffnung war aufgegeben, als unerwartet die Reiter aus dem Norden kamen und über die Nachhut des Feindes hereinbrachen. Da schlug das Kriegsglück um, und unter Gemetzel wurde der Feind über den Limklar getrieben. Eorl führte seine Mannen bei der Verfolgung an, und so groß war der Schrecken, der den Reitern aus dem Norden voranging, daß auch die Eindringlinge im Ödland von Entsetzen gepackt wurden, und die Reiter jagten sie über die Ebenen von Calenardhon.«

Das Volk dieses Gebietes war seit der Pest zusammengeschmolzen, und die Mehrzahl der Übriggebliebenen hatten die wilden Ostlinge niedergemetzelt. Daher verlieh Cirion Eorl und seinem Volk zum Lohn für ihre Hilfe Calenardhon zwischen dem Anduin und dem Isen; und sie schickten nach Norden, um ihre Frauen und Kinder und ihre Habe kommen zu lassen, und siedelten sich in diesem Land an. Sie gaben ihm einen neuen Namen, Mark der Reiter, und sich selbst nannten sie die Eorlingas; doch in Gondor wurde ihr Land Rohan genannt und sein Volk die Rohirrim (das heißt Pferdeherren). So wurde Eorl der erste König der Mark, und er erwählte als Wohnort einen grünen Berg vor dem Fuß des Weißen Gebirges, das der Südwall seines Landes war. Dort lebten die Rohirrim von nun als freie Männer unter ihren eigenen Königen und Gesetzen, doch ständig im Bündnis mit Gondor.

»Viele Herren und Krieger und viele schöne und tapfere Frauen werden in den Liedern von Rohan genannt, die man im Norden noch kennt. Frumgar, heißt es, war der Name des Stammesführers, der sein Volk nach Éothéod brachte. Von seinem Sohn Fram wird berichtet, daß er Scatha erschlug, den großen Drachen aus den Ered Mithrin, und das Land hatte seitdem Ruhe vor den Lindwürmern. So erwarb Fram großen Reichtum, aber er lag in Fehde mit den Zwergen, die Scathas Hort für sich beanspruchten. Fram wollte ihnen keinen Pfennig abtreten und schickte ihnen stattdessen Scathas Zähne, aus denen sie eine Halskette machen sollten, und er sagte: ›Nichts mit diesen Edelsteinen Vergleichbares habt Ihr in Euren Schatzkammern, denn sie sind schwer zu bekommen.‹ Manche sagen, daß die Zwerge wegen dieser Beleidigung Fram erschlugen. Es bestand keine große Liebe zwischen Éothéod und den Zwergen.

Léod war der Name von Eorls Vater. Er war ein Zähmer wilder Pferde; denn es gab damals viele in dem Land. Er fing ein weißes Fohlen, und es wuchs rasch heran zu einem starken, schönen und stolzen Pferd. Kein Mann konnte es zähmen. Als Léod aufzusitzen wagte, trug es ihn davon, und schließlich warf es ihn ab, und Léods Kopf schlug auf einen Felsen, und so starb er. Er war damals erst zweiundvierzig Jahre alt und sein Sohn ein Jüngling von sechzehn.

Eorl gelobte, seinen Vater zu rächen. Lange jagte er nach dem Pferd und er erblickte es schließlich; und seine Gefährten erwarteten, daß er versuchen würde, auf Bogenschußweite heranzukommen und es zu töten. Aber als sie näher kamen, erhob sich Eorl und rief mit lauter Stimme: ›Komm hierher, Mannsfluch, und erhalte einen neuen Namen.‹ Zu ihrem Erstaunen blickte das Pferd zu Eorl, kam herbei und stellte sich vor ihn, und Eorl sagte: ›Felaróf nenne ich dich. Du liebtest deine Freiheit, und daraus mache ich dir keinen Vorwurf. Aber jetzt schuldest du mir Wergeld, und du sollst mir deine Freiheit abtreten bis an dein Lebensende.‹

Dann bestieg Eorl das Pferd, und Felaróf fügte sich; und ohne Zaum und Zügel ritt er auf ihm nach Hause; und immer danach ritt er ihn auf die gleiche Weise. Das Pferd verstand alles, was die Menschen sagten, obwohl es niemanden aufsitzen ließ außer Eorl. Auf Felaróf ritt Eorl zum Feld von Celebrant; denn das Pferd erwies sich als so langlebig wie Menschen, und ebenso verhielt es sich mit seinen Nachkommen. Das waren die *mearas,* die niemanden trugen außer dem König der Mark oder seinen Söhnen, bis zur Zeit von Schattenfell. Die Menschen sagten von ihnen, daß Béma (den die Eldar Oromë nennen) ihren Stammvater aus dem Westen über das Meer gebracht haben müsse.«

»Von den Königen der Mark zwischen Eorl und Théoden wird am meisten von Helm Hammerhand gesagt. Er war ein grimmiger Mann von großer Stärke. Zu jener Zeit gab es einen Mann mit Namen Freca, der sich rühmte, von König Fréawine abzustammen, obwohl er, wie die Menschen sagten, viel dunländisches Blut hatte und dunkelhaarig war. Er wurde reich und mächtig und besaß ausgedehnte Ländereien zu beiden Seiten des Adorn [32]. In der Nähe seiner Quelle baute er sich eine Feste und schenkte dem König wenig Beachtung. Helm mißtraute ihm, rief ihn aber zu seinen Beratungen; und er kam, wenn es ihm beliebte.

Zu einer dieser Beratungen ritt Freca mit vielen Mannen, und er bat für seinen Sohn Wulf um die Hand von Helms Tochter. Aber Helm sagte: ›Du bist groß geworden, seit du zuletzt hier warst; aber es ist hauptsächlich Fett, nehme ich an.‹ Und die Menschen lachten darüber, denn Freca hatte einen gehörigen Leibesumfang.

Da wurde Freca wütend und schmähte den König und sagte zuletzt: ›Alte Könige, die die angebotene Stütze ablehnen, fallen auf die Knie.‹ Helm antwortete: ›Ach was! Die Heirat deines Sohnes ist eine Kleinigkeit. Damit sollen sich Helm und Freca später befassen. Derweil haben der König und sein Rat Dinge von Bedeutung zu bedenken.‹

Als die Beratung vorüber war, stand Helm auf, legte Freca seine große Hand auf die Schulter und sagte: ›Der König duldet kein Gezänk in seinem Haus, aber draußen sind Männer freier.‹ Und er zwang Freca, vor ihm her aus Edoras hinaus und aufs Feld zu gehen. Zu Frecas Mannen, die nachkamen, sagte er: ›Bleibt fort! Wir brauchen keine Zuhörer. Wir wollen über eine Angelegenheit reden, die nur uns betrifft. Geht und unterhaltet euch mit meinen Leuten.‹ Und sie blickten sich um und sahen, daß die Mannen des Königs und seine Freunde zahlreicher waren als sie, und sie zogen sich zurück.

›Nun, Dunländer‹, sagte der König, ›hast du es nur mit Helm zu tun, allein

[32] Er fließt vom Westen der Ered Nimrais in den Isen.

und unbewaffnet. Aber du hast schon viel gesagt, und jetzt bin ich an der Reihe zu reden. Freca, deine Torheit ist mit deinem Bauch gewachsen. Du sprichst von einer Stütze! Wenn Helm eine Krücke, die ihm aufgedrängt wird, nicht gefällt, dann zerbricht er sie. So!‹ Und damit versetzte er Freca einen solchen Faustschlag, daß er betäubt rücklings niederstürzte und bald danach starb.

Helm erklärte dann Frecas Sohn und nahe Verwandte zu Feinden des Königs; und sie flohen, denn alsbald ließ der König viele Mannen in die Westmarken reiten.«

Vier Jahre später (2758) geriet Rohan in große Schwierigkeiten, und keine Hilfe konnte aus Gondor geschickt werden, denn drei Flotten der Corsaren griffen es an, und es war Krieg an all seinen Küsten. Zur gleichen Zeit wurde Rohan wieder vom Osten überfallen, die Dunländer erkannten ihre Gelegenheit und kamen über den Isen und von Isengart herunter. Es wurde bald bekannt, daß Wulf ihr Führer war. Sie hatten eine große Streitmacht, denn ihnen hatten sich Feinde von Gondor angeschlossen, die an den Mündungen des Lefnui und Isen gelandet waren.

Die Rohirrim wurden besiegt und ihr Land überrannt; und diejenigen, die nicht erschlagen waren oder Hörige wurden, flohen in die Gebirgstäler. Helm wurde unter großen Verlusten von den Furten des Isen zurückgetrieben, und er suchte Zuflucht in der Hornburg und der Schlucht dahinter (die später als Helms Klamm bekannt wurde). Dort wurde er belagert. Wulf nahm Edoras und saß in Meduseld und nannte sich König. Dort fiel Haleth, Helms Sohn, als letzter von allen, als er die Tore verteidigte.

»Bald danach begann der Lange Winter, und Rohan lag fast fünf Monate (von November 2758 bis März 2759) unter Schnee. Sowohl die Rohirrim als auch ihre Feinde litten schwer unter der Kälte und der Drangsal, die noch länger währte. In Helms Klamm herrschte nach dem Julfest bitterer Hunger; und in ihrer Verzweiflung und gegen den Rat des Königs unternahm Fáma, sein jüngerer Sohn, mit einigen Leuten einen Ausfall und Beutezug, aber sie gingen im Schnee zugrunde. Helm wurde grausam und unheimlich vor Hunger und Kummer; und allein die Furcht vor ihm war bei der Verteidigung der Burg viele Mannen wert. Ab und zu ging er selbst hinaus, in Weiß gekleidet, stapfte wie ein Schneetroll in das Lager seiner Feinde und erschlug so manchen Mann mit den Händen. Man glaubte, daß er, wenn er keine Waffe trug, von keiner Waffe verwundet werden könne. Die Dunländer sagten, wenn er keine Nahrung finden konnte, dann aß er Menschen. Diese Geschichte hielt sich lange in Dunland. Helm hatte ein großes Horn, und bald bemerkte man, daß er, bevor er herauskam, schmetternd auf dem Horn blies, so daß es in der Klamm widerhallte; und dann befiel seine Feinde eine solche Furcht, daß sie, statt sich zu sammeln, um ihn zu ergreifen oder zu töten, das Tal hinunterflohen.

Eines Nachts hörten die Menschen das Horn blasen, aber Helm kehrte nicht zurück. Am Morgen kam ein Sonnenstrahl, der erste seit langen Tagen, und sie sahen eine weiße Gestalt still auf dem Wall stehen, allein, denn keiner der Dunländer wagte sich heran. Da stand Helm, und er war tot, aber seine Knie waren ungebeugt. Indes heißt es, daß zu Zeiten das Horn noch in der Klamm zu hören ist und Helms Gespenst unter den Feinden von Rohan umgeht und die Menschen vor Angst sterben.

Kurz danach brach die Macht des Winters. Da kam Fréaláf, der Sohn von Hild, Helms Schwester, aus Dunharg heraus, wohin sich viele geflüchtet hatten; und mit einer kleinen Schar verwegener Mannen überrumpelte er Wulf in Meduseld, erschlug ihn und gewann Edoras zurück. Es gab große Überschwemmungen nach dem vielen Schnee, und das Tal der Entwasser wurde ein riesiges Fenn. Die Eindringlinge aus dem Osten gingen zugrunde oder zogen sich zurück; und endlich kam Hilfe von Gondor auf den Straßen östlich und westlich des Gebirges. Ehe das Jahr (2759) endete, waren die Dunländer vertrieben, sogar aus Isengart, und dann wurde Fréaláf König.

Helm wurde von der Hornburg heruntergebracht und in das neunte Hügelgrab gelegt. Seitdem blühte die weiße *simbelmynë* dort immer am dichtesten, so daß der Hügel mit Schnee bedeckt zu sein schien. Als Fréaláf starb, wurde eine neue Reihe Hügelgräber angelegt.«

Die Rohirrim waren durch Krieg und Not und den Verlust von Rindern und Pferden schwer geschwächt; und es war gut, daß sie auf viele Jahre hinaus nicht mehr von großen Gefahren bedroht waren, denn erst zur Zeit von König Folcwine hatten sie ihre frühere Stärke wiedererlangt.

Bei der Krönung von Fréaláf erschien Saruman, brachte Geschenke und sprach voll Lob von der Tapferkeit der Rohirrim. Alle sahen in ihm einen willkommenen Gast. Bald darauf nahm er seinen Wohnsitz in Isengart. Dazu hatte Beren, Truchseß von Gondor, seine Erlaubnis gegeben, denn Gondor machte immer noch geltend, daß Isengart eine Festung seines Reiches sei und nicht ein Teil von Rohan. Auch gab Beren Saruman die Schlüssel von Orthanc zur Verwahrung. Diesen Turm hatte kein Feind zu beschädigen oder zu betreten vermocht.

Auf diese Weise begann Saruman sich wie ein Gebieter von Menschen aufzuführen; denn zuerst hatte er Isengart inne als Stellvertreter des Truchsessen und Verwalter des Turms. Aber Fréaláf war ebenso froh wie Beren, daß dem so war, und froh, Isengart in der Hand eines starken Freundes zu wissen. Lange schien er ein Freund zu sein, vielleicht war er zu Anfang wirklich einer. Obwohl die Menschen später wenig Zweifel daran hatten, daß Saruman in der Hoffnung nach Isengart gegangen war, dort noch den Stein vorzufinden, und mit der Absicht, sich eine eigene Macht aufzubauen. Nach dem letzten Weißen Rat (2953) waren seine Absichten gegenüber Rohan, obwohl er sie verbarg, gewiß böse. Damals nahm er sich Isengart zu eigen und begann, es zu einer Stätte der starken Wehr und des Schreckens zu machen, als ob er es Barad-dûr gleichtun wolle. Seine Freunde und Diener wählte er unter allen denen, die Gondor und Rohan haßten, ob es nun Menschen oder andere, noch bösere Geschöpfe waren.

Die Könige der Mark

Erste Linie

Jahr[33]	
2485–2545	1. *Eorl der Junge.* Er wurde so genannt, weil er seinem Vater in der Jugend nachfolgte und flachshaarig und rotbackig bis ans Ende seiner Tage blieb. Seine Tage waren verkürzt durch einen erneuten Angriff der Ostlinge. Eorl fiel in der Schlacht im Ödland, und das erste Hügelgrab wurde errichtet. Auch Falaróf wurde dort hineingelegt.
2512–70	2. *Brego.* Er vertrieb den Feind aus dem Ödland, und Rohan wurde viele Jahre lang nicht wieder angegriffen. 2569 vollendete er die große Halle von Meduseld. Bei dem Fest legte sein Sohn Baldor das Gelübde ab, er werde die ›Pfade der Toten‹ betreten, und er kehrte von dort nicht zurück[34].
2544–2645	3. *Aldor der Alte.* Er war Bregos zweiter Sohn. Er wurde der Alte genannt, da er ein hohes Alter erreichte und 75 Jahre lang König war. Zu seiner Zeit nahmen die Rohirrim an Zahl zu und vertrieben oder unterwarfen die letzten des Dunländischen Volkes, die sich noch östlich des Isen aufhielten. Das Hargtal und andere Bergtäler wurden besiedelt. Über die nächsten drei Könige wird weniger gesagt, denn Rohan hatte Frieden und blühte und gedieh zu ihrer Zeit.
2570–2659	4. *Fréa.* Der älteste Sohn, aber das vierte Kind von Aldor; er war schon alt, als er König wurde.
2594–2680	5. *Fréawine.*
2619–99	6. *Goldwine.*
2644–2718	7. *Déor.* Zu seiner Zeit machten die Dunländer oft Raubzüge über den Isen. 2710 besetzten sie den verlassenen Ring von Isengart und konnten nicht vertrieben werden.
2668–2741	8. *Gram.*
2691–2759	9. *Helm Hammerhand.* Am Ende seiner Herrschaft erlitt Rohan durch eindringende Feinde und den Langen Winter schwere Verluste. Helm und seine Söhne Haleth und Háma kamen um. Fréaláf, Helms Schwestersohn, wurde König.

Zweite Linie

2726–2798	10. *Fréaláf Hildeson.* Zu seiner Zeit kam Saruman nach Isengart, von wo die Dunländer vertrieben worden waren. Die

[33] Die angegebenen Daten entsprechen der Zeitrechnung von Gondor (Drittes Zeitalter). Die am Rande aufgeführten Daten sind die Geburts- und Todesjahre.
[34] III, 63 f., 75

Rohirrim zogen in den Tagen der Not und Schwäche, die folgten, zuerst Vorteil aus seiner Freundschaft.

2752–2842 11. *Brytta.* Er wurde von seinem Volk *Léofa* genannt, denn er wurde von allen geliebt; er war freigebig und half allen, die in Not waren. Zu seiner Zeit war Krieg mit den Orks, die vom Norden vertrieben waren und im Weißen Gebirge Zuflucht suchten. Als der König starb, glaubte man, daß alle verjagt seien, aber dem war nicht so.

2780–2851 12. *Walda.* Er war nur neun Jahre lang König. Er wurde mit all seinen Begleitern erschlagen, als sie, auf Gebirgspfaden von Dunharg reitend, von Orks überfallen wurden.

2804–64 13. *Folca.* Er war ein großer Jäger, aber er legte ein Gelübde ab, keine wilden Tiere zu jagen, solange noch ein Ork in Rohan sei. Als die letzte Orkfeste aufgespürt und vernichtet war, machte er sich auf, um den großen Eber von Everholt im Firienwald zu jagen. Er erschlug den Eber, starb aber an den Wunden, die die Hauer des Ebers ihm geschlagen hatten.

2830–2903 14. *Folcwine.* Als er König wurde, waren die Rohirrim wieder stark geworden. Er eroberte die Westmarken (zwischen Adorn und Isen) zurück, die die Dunländer besetzt hatten. Rohan erhielt in den bösen Tagen große Hilfe von Gondor. Als Folcwine hörte, daß die Haradrim Gondor mit großer Macht angriffen, schickte er daher dem Truchsessen viele Mannen zu Hilfe. Er selbst wollte sie anführen, aber es wurde ihm ausgeredet, und an seiner Statt gingen seine beiden Zwillingssöhne (geboren 2858). Sie fielen Seite an Seite im Kampf in Ithilien (2885). Túrin II. von Gondor schickte Folcwine reiches Wergeld in Gold.

2870–2953 15. *Fengel.* Er war der dritte Sohn und das vierte Kind von Folcwine. Man gedenkt seiner nicht lobend. Er war gierig nach Essen und Gold und stritt sich mit seinen Marschällen und seinen Kindern. Thengel, sein drittes Kind und einziger Sohn, verließ Rohan, als er mannbar wurde, und lebte lange in Gondor und errang Ehren im Dienste von Turgon.

2905–80 16. *Thengel.* Er nahm erst spät eine Frau und heiratete 2943 Morwen von Lossarnach in Gondor, obwohl sie siebzehn Jahre jünger war. Sie gebar ihm drei Kinder in Gondor, von denen Théoden, das zweite, sein einziger Sohn war. Als Fengel starb, riefen die Rohirrim Thengel zurück, und er kam ungern. Doch erwies er sich als guter und weiser König; obgleich in seinem Hause die Sprache von Gondor gesprochen wurde und nicht alle das gut fanden. Morwen schenkte ihm in Rohan noch zwei Töchter; die letzte, Théodwyn, war die schönste, obwohl sie spät kam (2963), das Kind seines Alters. Ihr Bruder liebte sie sehr.

Kurz nach Thengels Rückkehr ließ Saruman unmißverständlich erkennen, daß er sich als den Herrn von Isengart betrachtete, und er begann, Rohan Schwierigkeiten zu bereiten, indem er die Grenzen verletzte und Rohans Feinden Unterstützung gewährte.

2948–3019 17. *Théoden.* In der Überlieferung von Rohan wird er Théoden Ednew genannt, denn unter den Zaubersprüchen von Saruman siechte er dahin, aber er wurde von Gandalf geheilt, und in seinem letzten Lebensjahr schwang er sich auf und führte seine Mannen zum Sieg an der Hornburg und bald danach zu den Pelennor-Feldern, der größten Schlacht des Zeitalters. Er fiel vor den Toren von Mundburg. Eine Weile ruhte er im Lande seiner Geburt unter den toten Königen von Gondor, aber er wurde zurückgebracht und in das achte Hügelgrab seiner Linie in Edoras gelegt. Dann begann eine neue Linie.

Dritte Linie

Im Jahre 2989 heiratete Théodwyn Éomund von Ostfold, den ersten Marschall der Mark. Ihr Sohn Éomer wurde 2991 geboren und ihre Tochter Éowyn 2995. Zu jener Zeit hatte sich Sauron wieder erhoben, und der Schatten von Mordor erstreckte sich bis Rohan. Orks unternahmen Raubzüge in den östlichen Gebieten und erschlugen oder stahlen Pferde. Andere kamen herunter aus dem Nebelgebirge, viele von ihnen waren große Uruks im Dienste von Saruman, obwohl es lange dauerte, bis man es glaubte. Éomunds Hauptaufgabe lag in den östlichen Marken; und er liebte Pferde und haßte Orks. Wenn Nachrichten von einem Überfall eintrafen, dann ritt er oft los in heftigem Zorn, unvorsichtig und mit wenig Mannen. So geschah es, daß er im Jahre 3002 erschlagen wurde; denn er verfolgte eine kleine Bande bis an die Grenzen der Emyn Muil und wurde dort von einer starken Schar überrumpelt, die zwischen den Felsen im Hinterhalt lag.

Nicht lange danach wurde Théodwyn krank und starb zum großen Kummer des Königs. Ihre Kinder nahm er in sein Haus und nannte sie Sohn und Tochter. Er hatte nur ein eigenes Kind, seinen Sohn Théodred, der damals vierundzwanzig Jahre alt war; denn Königin Elfhild war im Kindbett gestorben, und Théoden hatte nicht wieder geheiratet. Éomer und Éowyn wuchsen in Edoras auf und sahen den dunklen Schatten auf Théodens Hallen fallen. Éomer war wie seine Väter vor ihm; aber Éowyn war schlank und groß, von einer Anmut und Würde, die vom Süden, von Morwen von Lossarnach, die von den Rohirrim Stahlglanz genannt wurde, auf sie gekommen waren.

2991–V. Z. 63 (3084) *Éomer Éadig.* Schon in jungen Jahren wurde er ein Marschall der Mark (3017), und ihm wurde die Aufgabe seines Vaters in den Ostmarken übertragen. Im Ringkrieg fiel Théodred im Kampf gegen Saruman an den Furten des Isen. Ehe er auf den Pellenor-Feldern starb, ernannte daher Théoden Éomer zu seinem Erben und berief ihn als König. An jenem Tag errang auch Éowyn Ruhm, denn sie kämpfte in dieser Schlacht, nachdem sie unerkannt mitgeritten war; später wurde sie in der Mark die Herrin des Schildarms genannt [35].

Éomer war ein großer König, und da er noch jung war, als er Théoden nachfolgte, herrschte er fünfundsechzig Jahre lang, länger als alle Könige von Rohan vor ihm außer Aldor dem Alten. Im Ringkrieg schloß er Freundschaft mit König Elessar und mit Imrahil von Dol Amroth; und er ritt oft nach Gondor. Im letzten Jahr des Dritten Zeitalters heiratete er Lothíriel, Imrahils Tochter. Ihr Sohn Elfwine der Schöne herrschte nach ihm.

In Éomers Tagen hatten in der Mark die Menschen Frieden, die ihn sich ersehnten, und das Volk vermehrte sich in den Bergtälern und in den Ebenen, und die Zahl ihrer Pferde wuchs. In Gondor herrschte jetzt König Elessar, und auch in Arnor. In allen Landen jener alten Reiche war er König, nur nicht in Rohan; denn er erneuerte für Éomer Cirions Schenkung, und Éomer legte wieder Eorls Eid ab. Oft erfüllte er ihn. Denn obwohl Sauron dahingegangen war, waren der Haß und das Unheil, die er erzeugt hatte, nicht ausgelöscht, und der König des Westens mußte viele Feinde unterwerfen, ehe der Weiße Baum in Frieden wachsen konnte. Und wo immer König Elessar in den Krieg zog, ging König Éomer mit ihm; und jenseits des Meeres von Rhûn und auf den fernen Feldern des Südens war das Donnern der Reiterei der Mark zu hören, und das Weiße Pferd auf Grün flatterte in vielen Winden, bis Éomer alt wurde.

III. DURINS VOLK

Über die Anfänge der Zwerge werden seltsame Geschichten erzählt, sowohl von den Eldar als auch von den Zwergen selbst; aber da diese Dinge weit vor unserer Zeit lagen, wird hier wenig darüber gesagt. Durin ist der Name, den die Zwerge für den Ältesten der Sieben Väter ihrer Rasse und den Vorfahren aller

---

[35] Denn ihr Schildarm wurde durch die Keule des Hexenkönigs gebrochen; aber er wurde vernichtet, und so wurden die Worte erfüllt, die Glorfindel vor langer Zeit zu König Eärnur gesprochen hatte, daß der Hexenkönig nicht durch die Hand eines Mannes fallen würde. Denn es heißt in den Liedern der Mark, daß Éowyn bei dieser Tat die Unterstützung von Théodens Schildknappen hatte, und auch er war nicht ein Mann, sondern ein Halbling aus einem fernen Land, obwohl Éomer ihm Ehren in der Mark und den Namen Holdwine verlieh. (Dieser Holdwine ist kein anderer als Meriadoc der Prächtige, der Herr von Bockland.)

Könige der Langbärte gebrauchten[36]. Er war still für sich, bis er in grauer Vorzeit und beim Erwachen dieses Volkes nach Azanulbizar kam und in den Höhlen über Kheledzâram im Osten des Nebelgebirges seinen Wohnsitz nahm, wo später die im Liede berühmten Minen von Moria waren.

Dort lebte er so lange, daß er weit und breit als Durin der Unsterbliche bekannt war. Doch zuletzt starb er, ehe die Altvorderenzeit vorüber war, und sein Grab war in Khazad-dûm; doch sein Geschlecht starb nie aus, und fünfmal wurde ein Erbe in seinem Haus geboren, der seinem Ahn so ähnlich sah, daß er den Namen Durin erhielt. Tatsächlich hielten ihn die Zwerge für den Unsterblichen, der zurückkehrt; denn es gibt bei ihnen viele seltsame Geschichten und Meinungen über sich selbst und ihr Schicksal in der Welt.

Nach dem Ende des Ersten Zeitalters hatten Macht und Wohlstand von Khazad-dûm sehr zugenommen; denn es wurde bereichert durch viel Volk und viel Wissen und Kunstfertigkeit, als die alten Städte Nogrod und Belegost in den Blauen Bergen bei der Niederwerfung von Thangorodrim zerstört wurden. Die Macht von Moria hielt sich während der Dunklen Jahre und Saurons Herrschaft, denn obwohl Eregion zerstört war und die Tore von Moria geschlossen, waren die Hallen von Khazad-dûm zu tief und stark, und das Volk dort war zu zahlreich und tapfer, als daß Sauron es von draußen hätte besiegen können. So blieb sein Reichtum lange ungeraubt, obwohl sein Volk sich zu verringern begann.
Es geschah um die Mitte des Dritten Zeitalters, daß Durin wiederum sein König war, der sechste dieses Namens. Die Macht von Sauron, dem Diener von Morgoth, wuchs damals von neuem in der Welt, obwohl der Schatten in dem Wald, der Moria gegenüber lag, noch nicht als das erkannt wurde, was er war. Alle bösen Geschöpfe waren in Bewegung. Die Zwerge gruben damals tief, denn sie suchten unter Barazinbar nach *mithril*, dem unschätzbaren Metall, das von Jahr zu Jahr schwerer zu gewinnen war[37]. Auf diese Weise weckten sie ein entsetzliches Wesen aus dem Schlaf[38], das nach der Ankunft des Heeres des Westens und seiner Flucht aus Thangorodrim auf dem tiefsten Grund der Erde verborgen gelegen hatte: ein Balrog von Morgoth. Durin wurde von ihm erschlagen, und ein Jahr danach Náin I., sein Sohn; und dann war Morias Glanzzeit vorüber, und sein Volk wurde vernichtet oder floh weit fort.

Die meisten von denen, die entkamen, gingen in den Norden, und Thráin I., Náins Sohn, kam nach Erebor, dem Einsamen Berg, nahe den östlichen Rändern von Düsterwald, und dort erschloß er neue Bergwerke und wurde König unter dem Berg. In Erebor fand er den großen Edelstein, den Arkenstein, das Herz des Berges[39]. Doch Thorin I., sein Sohn, zog weiter in den fernen Norden zum

---

[36] *Der Hobbit*

[37] I, 384

[38] Oder befreiten es aus dem Gefängnis; es mag sehr wohl sein, daß es durch Saurons Bosheit schon geweckt war.

[39] *Der Hobbit*

Grauen Gebirge, wo die meisten von Durins Volk sich jetzt sammelten; denn diese Berge waren erzreich und wenig erforscht. Doch lebten Drachen in den Ödlanden dahinter; und nach vielen Jahren wurden sie wieder stark und vermehrten sich, und sie führten Krieg gegen die Zwerge und plünderten ihre Bergwerke. Schließlich wurde Dáin I. zusammen mit Frór, seinem zweiten Sohn, an den Türen seiner Halle von einem großen Kaltdrachen erschlagen.

Nicht lange danach verließen die meisten von Durins Volk das Graue Gebirge. Grór, Dáins Sohn, ging mit vielen, die ihm folgten, zu den Eisenbergen; aber Thrór, Dáins Erbe, kehrte mit Borin, seines Vaters Bruder, und dem Rest des Volkes nach Erebor zurück, und ihm und seinem Volk erging es gut, und sie wurden reich und waren mit allen Menschen befreundet, die in der Nähe wohnten. Denn sie stellten nicht nur wunderbare und schöne Dinge her, sondern auch Waffen und Rüstungen von großem Wert; und der Erzhandel zwischen ihnen und ihren Verwandten in den Eisenbergen blühte. So wurden die Nordmenschen stark, die zwischen dem Celduin (Fluß Eilend) und dem Carnen (Rotwasser) wohnten, und vertrieben alle Feinde aus dem Osten; und die Zwerge lebten im Überfluß, und es gab Festmähler und Gesang in den Hallen von Erebor[40].

Das Gerücht von dem Reichtum in Erebor verbreitete sich im Ausland und kam den Drachen zu Ohren, und schließlich erhob sich Smaug der Goldene, der Größte der Drachen seiner Zeit, und griff ohne Warnung König Thrór an und stieß in Flammen auf den Berg nieder. Es dauerte nicht lange, da war das ganze Gebiet zerstört, und die nahegelegene Stadt Thal war in Trümmern und verlassen; aber Smaug ging hinein in die Große Halle und legte sich dort auf ein Bett von Gold.

Der Plünderung und dem Brand entkamen viele von Thrórs Verwandten; und als letzter von allen verließen Thrór selbst und sein Sohn Thrain II. die Hallen durch eine geheime Tür. Sie machten sich mit ihrer Sippe[41] auf eine lange und obdachlose Wanderung nach Süden. Mit ihnen ging auch eine kleine Schar ihrer Verwandten und getreuen Anhänger.

Jahre später gab Thrór, der nun alt, arm und verzweifelt war, seinem Sohn Thráin den einzigen großen Schatz, den er noch besaß, den letzten der Sieben Ringe, und dann ging er fort mit nur einem alten Gefährten mit Namen Nár. Über den Ring sagte er beim Abschied zu Thráin:

»Dieses hier mag sich noch als die Grundlage eines neuen Wohlstands für dich erweisen, obwohl es unwahrscheinlich ist. Der Ring braucht Gold, um Gold zu hecken.«

»Gewiß denkst du doch nicht daran, nach Erebor zurückzukehren?« fragte Thráin.

---

[40] *Der Hobbit*

[41] Unter ihnen waren die Kinder von Thráin II.: Thorin (Eichenschild), Frerin und Dís. Thorin war damals nach Ansicht der Zwerge ein Jüngling. Später erfuhr man, daß noch mehr von dem Volk unter dem Berge entkommen waren, als man zuerst glaubte; aber die meisten von diesen gingen in die Eisenberge.

»Nicht in meinem Alter«, sagte Thrór. »Unsere Rache an Smaug überlasse ich dir und deinen Söhnen. Aber ich bin die Armut leid und die Verachtung der Menschen. Ich will sehen, was ich finden kann.« Er sagte nicht, wohin er gehen wollte.

Er war vielleicht ein bißchen verrückt vor Alter und Unglück und langem Grübeln über den Glanz von Moria in den Tagen seiner Vorväter; oder es könnte sein, daß der Ring jetzt, da sein Herr wach war, einen unheilvollen Einfluß hatte, und ihn zu Torheit und Vernichtung trieb. Von Dunland, wo Thór damals wohnte, ging er mit Nár nach Norden, und sie überquerten den Rothornpaß und kamen hinunter nach Azanulbizar.

Als Thrór nach Moria kam, stand das Tor offen. Nár bat ihn, vorsichtig zu sein, aber er achtete seiner nicht und ging stolz hinein wie ein Erbe, der heimkehrt. Aber er kam nicht zurück. Nár blieb mehrere Tage in einem Versteck in der Nähe. Eines Tages hörte er einen lauten Ruf und das Blasen eines Horns und ein Körper wurde hinausgeworfen auf die Stufen. Er fürchtete, es könne Thrór sein, und begann näher zu kriechen, aber da erschallte eine Stimme innerhalb des Tors:

»Komm heran, Bärtling! Wir können dich sehen. Aber heute brauchst du keine Angst zu haben. Wir brauchen dich als Boten.«

Dann kam Nár heran und stellte fest, daß es wirklich Thrórs Leiche war, aber der Kopf war abgeschlagen und lag mit dem Gesicht nach unten. Als er niederkniete, hörte er Orkgelächter in den Schatten, und die Stimme sagte:

»Wenn Bettler nicht an der Tür warten, sondern sich hereinschleichen und zu stehlen versuchen, dann verfahren wir so mit ihnen. Und wenn irgend welche von eurem Volk noch einmal versuchen, ihre widerlichen Bärte hier hereinzustecken, dann wird es ihnen genauso ergehen. Geh und sage ihnen das! Aber wenn seine Sippe wissen will, wer jetzt hier König ist, so steht der Name auf seinem Gesicht geschrieben. Ich schrieb ihn! Ich tötete ihn! Ich bin der Herr!«

Da drehte Nár den Kopf herum und sah auf der Stirn eingebrannt in Zwergenrunen, so daß er ihn lesen konnte, den Namen AZOG. Dieser Name war später in seinem Herzen und den Herzen aller Zwerge eingebrannt. Nár bückte sich, um den Kopf aufzuheben, aber Azog[42] sagte:

»Laß ihn liegen! Fort mit dir! Hier ist dein Botenlohn, du Bettler-Bart.« Ein kleiner Beutel wurde ihm zugeworfen. Er enthielt ein paar Münzen von geringem Wert.

Weinend floh Nár den Silberlauf hinunter; aber einmal schaute er sich um und sah, daß Orks aus dem Tor herausgekommen waren, die Leiche zerhackten und die Stücke den schwarzen Krähen hinwarfen.

Das war die Geschichte, die Nár zu Thráin zurückbrachte; und nachdem er geweint und sich den Bart gerauft hatte, schwieg er. Sieben Tage saß er da und sprach kein Wort. Dann stand er auf und sagte: »Das kann nicht hingenommen

---

[42] Azog war der Vater von Bolg; vgl. *Der Hobbit.*

werden!« Das war der Anfang des Krieges der Zwerge und Orks, der lang und mörderisch war und zum größten Teil tief unter der Erde ausgefochten wurde.

Thráin schickte sogleich Boten aus, die die Nachricht nach Norden, Osten und Westen brachten; doch es dauerte drei Jahre, bis die Zwerge ihre Streitmacht aufgestellt hatten. Durins Volk sammelte sein ganzes Heer, und ihnen schlossen sich starke Kräfte an, die von den Häusern der anderen Väter entsandt wurden; denn die Schmach, die dem Erben des Ältesten ihrer Rasse angetan worden war, erfüllte sie mit Zorn. Als alles bereit war, griffen sie an und plünderten eine Orkfeste nach der anderen zwischen Gundabad und dem Schwertel. Beide Seiten waren erbarmungslos, und es gab Tod und grausame Taten bei Tage und bei Nacht. Aber die Zwerge waren siegreich durch ihre Stärke, ihre unvergleichlichen Waffen und ihre rasende Wut, als sie in jeder Höhle unter dem Gebirge nach Azog jagten.

Schließlich hatten sich alle Orks, die vor ihnen flohen, in Moria versammelt, und das sie verfolgende Zwergenheer kam nach Azanulbizar. Das war ein großes Tal zwischen den Ausläufern der Berge um den See Kheledzâram und war einst ein Teil des Königreiches Khazad-dûm gewesen. Als die Zwerge das Tor ihrer alten Behausungen an der Bergseite sahen, stießen sie einen lauten Schrei aus, der wie Donner im Tal widerhallte. Aber ein großes Heer von Feinden war auf den Hängen über ihnen aufgestellt, und aus den Toren ergoß sich eine Unmasse von Orks, die Azog für den letzten Notfall zurückgehalten hatte.

Zuerst war das Glück gegen die Zwerge; denn es war ein dunkler Wintertag ohne Sonne, und die Orks wankten nicht, und sie waren an Zahl überlegen und hatten den höheren Standort. So begann die Schlacht von Azanulbizar (oder Nanduhirion in der Elbensprache), und wenn sie daran denken, schaudert es die Orks noch immer, und die Zwerge weinen. Der erste Angriff der von Thráin geführten Vorhut wurde unter Verlusten zurückgeschlagen, und Thráin wurde in einen Wald von großen Bäumen getrieben, die damals nicht weit von Kheledzâram noch wuchsen. Dort fiel sein Sohn Frerin und sein Vetter Fundin und viele andere, und Thráin und auch Thorin wurden verwundet [43]. An anderen Stellen ging die Schlacht mit großem Gemetzel hin und her, bis schließlich das Volk der Eisenberge die Entscheidung brachte. Die gepanzerten Krieger von Náin, Grórs Sohn, kamen spät und mit frischen Kräften auf das Schlachtfeld, stießen durch die Orks durch bis zur Schwelle von Moria und schrien: »Azog! Azog!«, und sie schlugen mit ihren Queräxten alle nieder, die ihnen im Weg waren.

Dann stand Náin vor dem Tor und rief mit lauter Stimme: »Azog! Wenn du drinnen bist, komm heraus! Oder ist der Waffengang im Tal zu roh?«

Daraufhin kam Azog heraus, und er war ein großer Ork mit einem riesigen, gepanzerten Kopf, und dennoch behende und stark. Mit ihm kamen viele seines-

---

[43] Es heißt, daß Thorins Schild zerhauen war und er ihn wegwarf, sich mit seiner Axt einen Ast von einer Eiche abhieb und ihn in der linken Hand hielt, um die Streiche seiner Feinde abzuwehren oder ihn als Keule zu verwenden. So kam er zu seinem Namen.

gleichen, die Kämpfer seiner Leibwache, und als sie Náins Schar angriffen, wandte Azog sich an Náin und sagte:

»Was? Noch ein Bettler an meiner Tür? Muß ich dich auch brandmarken?« Damit stürzte er sich auf Náin, und sie kämpften. Aber Náin war halb blind vor Wut und auch müde von der Schlacht, während Azog frisch und grausam und voller Tücke war. Bald führte Náin einen gewaltigen Streich mit aller Kraft, die er noch hatte, aber Azog sprang zur Seite und trat gegen Náins Bein, so daß die Queraxt auf dem Stein zersplitterte, auf dem er stand, und Náin nach vorn stolperte. Da führte Azog einen raschen Hieb nach seinem Hals. Náins Panzerhemd widerstand der Klinge, aber der Schlag war so heftig, daß Náins Genick brach und er zu Boden stürzte.

Da lachte Azog, und er hob den Kopf, um einen lauten Siegesschrei auszustoßen; aber der Schrei blieb ihm in der Kehle stecken. Denn er sah, daß sein ganzes Heer im Tal in wilder Flucht war und die Zwerge überall angriffen und alle erschlugen, und diejenigen, die ihnen entkommen konnten, flohen unter schrillen Schreien nach Süden, und alle Krieger seiner Leibwache waren tot. Er wandte sich um und floh zurück zum Tor.

Ihm nach auf die Stufen sprang ein Zwerg mit einer roten Axt. Es war Dáin Eisenfuß, Náins Sohn. Genau an der Tür erreichte er Azog, und dort tötete er ihn und schlug ihm den Kopf ab. Das wurde als eine große Tat erachtet, denn nach den Maßstäben der Zwerge war Dáin damals noch ein grüner Junge. Doch ein langes Leben und viele Schlachten lagen noch vor ihm, bis er hochbetagt, aber ungebeugt, im Ringkrieg fiel. Dennoch heißt es, daß er, als er vom Tor zurückkam, trotz all seiner Tapferkeit und Wut grau im Gesicht war wie einer, der einen großen Schrecken erlebt hat.

Als die Schlacht schließlich gewonnen war, versammelten sich die Zwerge, die übrig geblieben waren, in Azanulbizar. Sie nahmen Azogs Kopf, stopften ihm den kleinen Geldbeutel in den Mund und steckten ihn auf einen Pfahl. Aber keinen Festschmaus oder Gesang gab es in jener Nacht; denn der Gram um ihre Toten war unermeßlich. Knapp die Hälfte von ihnen, heißt es, konnte noch stehen oder hatte Hoffnung auf Heilung.

Dennoch trat Thráin am Morgen vor sie. Er war auf einem Auge unheilbar blind geworden und lahm durch eine Beinwunde; aber er sagte: »Gut! Wir haben gesiegt. Khazad-dûm ist unser!«

Aber sie antworteten: »Durins Erbe magst du sein, aber selbst mit einem Auge solltest du klarer sehen. Wir führten diesen Krieg um der Rache willen, und Rache haben wir genommen. Aber sie ist nicht süß. Wenn dies Sieg ist, dann sind unsere Hände zu klein, um ihn zu halten.«

Und jene, die nicht von Durins Volk waren, sagten außerdem: »Khazad-dûm war nicht unseres Vaters Haus. Was bedeutet es uns, es sei denn eine Hoffnung auf Schätze? Aber wenn wir nun ohne den Lohn und das Wergeld, das uns geschuldet wird, auskommen müssen, dann werden wir, je eher wir in unsere eigenen Lande zurückkehren, um so froher sein.«

Da wandte sich Thráin an Dáin und sagte: »Aber gewiß wird mich doch meine eigene Sippe nicht verlassen?« – »Nein«, sagte Dáin. »Du bist der Vater unseres Volkes, und wir haben für dich geblutet und werden es wieder tun. Aber wir werden Khazad-dûm nicht betreten. Auch du wirst Khazad-dûm nicht betreten. Nur ich habe durch den Schatten des Tors geschaut. Jenseits des Schattens wartet er noch auf uns: Durins Fluch. Die Welt muß sich wandeln, und eine andere Macht als die unsere muß kommen, ehe Durins Volk wieder in Moria wandert.«

So kam es, daß nach Azanulbizar die Zwerge wieder auseinandergingen. Doch zuerst entkleideten sie mit großen Mühen alle ihre Toten, damit den Orks nicht ein Vorrat von Waffen und Panzern in die Hände falle. Es heißt, daß jeder Zwerg, der das Schlachtfeld verließ, unter einer schweren Last gebeugt ging. Dann errichteten sie viele Scheiterhaufen und verbrannten die Leichen ihrer Verwandten. Viele Bäume wurden in dem Tal gefällt, das seitdem immer kahl blieb, und der Rauch des Brandes war in Lórien zu sehen [44].

Als die entsetzlichen Feuer zu Asche niedergebrannt waren, gingen die Verbündeten jeder in sein eigenes Land, und Dáin Eisenfuß führte seines Vaters Volk zurück zu den Eisenbergen. Dann sagte Thráin, als sie an dem großen Pfahl standen, zu Thorin Eichenschild: »Manche werden denken, dieser Kopf sei teuer erkauft! Zumindest haben wir unser Königreich dafür hingegeben. Willst du mit mir zum Amboß zurückkommen? Oder willst du dein Brot an stolzen Türen erbetteln?«

»Zum Amboß«, antwortete Thorin. »Der Hammer wird wenigstens die Arme stark erhalten, bis sie wieder schärfere Geräte schwingen können.«

So kehrten Thráin und Thorin mit denen, die von ihren Gefolgsleuten noch übrig waren (unter ihnen Balin und Glóin) nach Dunland zurück, und bald darauf brachen sie wieder auf und wanderten in Eriador, bis sie sich schließlich ein Heim in der Verbannung im Osten des Ered Luin jenseits des Luhn schufen. Aus Eisen waren die meisten Dinge, die sie in jenen Tagen schmiedeten, aber es ging ihnen gut auf ihre Weise, und ihre Zahl nahm langsam zu [45]. Doch wie Thrór gesagt hatte: der Ring brauchte Gold, um Gold zu hecken, und davon oder von irgendwelchen anderen Edelmetallen hatten sie wenig oder gar nichts.

---

[44] So mit ihren Toten zu verfahren, war den Zwergen schmerzlich, denn es war gegen ihre Bräuche; aber um derartige Grabstätten zu bauen, wie sie es gewohnt waren (denn sie legen ihre Toten nur in Stein, nicht in Erde), wären viele Jahre nötig gewesen. Daher überlieferten sie ihre Verwandten lieber dem Feuer als Tieren oder Vögeln oder den Aas-Orks. Doch jener, die in Azanulbizar fielen, wurde in Ehren gedacht, und bis zum heutigen Tage wird ein Zwerg stolz von einem seiner Vorfahren sagen: »Er war ein verbrannter Zwerg«, und das genügt.

[45] Es gab sehr wenig Frauen bei ihnen. Dís, Thráins Tochter war dort. Sie war die Mutter von Fíli und Kíli, die im Ered Luin geboren wurden. Thorin hatte keine Frau.

Von diesem Ring kann hier einiges gesagt werden. Die Zwerge von Durins Volk glaubten, er sei als erster der Sieben geschmiedet worden; und sie sagen, er sei dem König von Khazad-dûm, Durin III., von den Elbenschmieden selbst und nicht von Sauron gegeben worden, obwohl dessen böse Macht zweifellos auf ihm lag, da er beim Schmieden von allen Sieben geholfen hatte. Aber die Besitzer des Rings zeigten ihn nicht und sprachen auch nicht von ihm, und selten gaben sie ihn weiter, ehe der Tod nahe war, so daß andere nicht genau wußten, wo er verwahrt wurde. Manche glaubten, er sei in Khazad-dûm geblieben, in den geheimen Grüften der Könige, wenn sie nicht entdeckt und geplündert worden waren; aber in der Sippe von Durins Erben wurde (fälschlich) angenommen, daß Thrór ihn getragen habe, als er unbesonnen dorthin zurückkehrte. Was dann aus ihm geworden sei, wußten sie nicht. Bei Azogs Leiche war er nicht gefunden worden [46].

Dennoch mag es sehr wohl sein, wie die Zwerge jetzt glauben, daß Sauron in seiner Arglist herausgefunden hatte, wer diesen Ring besaß, der letzte, der noch frei war, und daß das außergewöhnliche Mißgeschick von Durins Erben weitgehend seiner Bosheit zuzuschreiben war. Denn es erwies sich, daß die Zwerge durch dieses Mittel nicht zu unterwerfen waren. Die einzige Macht, die der Ring über sie besaß, bestand darin, daß er ihre Herzen mit einer Gier nach Gold und Kostbarkeiten erfüllte, so daß ihnen, wenn sie diese nicht hatten, alle anderen Dinge nutzlos erschienen und sie Zorn und Rachedurst gegen alle empfanden, die sie des Goldes beraubten. Aber von Anfang an waren sie von einer Art, die sich höchst beharrlich jeder Beherrschung widersetzt. Sie konnten zwar erschlagen oder verletzt werden, aber sie konnten nicht zu bloßen Schatten erniedrigt werden, die einem anderen Willen hörig waren; und aus demselben Grunde übte kein Ring insofern eine Wirkung auf ihr Leben aus, daß sie seinetwegen etwa länger oder kürzer lebten. Um so mehr haßte Sauron die Besitzer des Ringes und trachtete, sie seiner zu berauben.

Es lag daher vielleicht teilweise an der Bosheit des Ringes, daß Thráin nach einigen Jahren rastlos und unzufrieden wurde. Das Gelüst nach Gold ließ ihn nicht los. Schließlich, als er es nicht länger ertragen konnte, richtete er seine Gedanken auf Erebor und beschloß, dorthin zurückzukehren. Er sagte zu Thorin nichts von dem, was sein Herz bewegte; aber mit Balin und Dwalin und ein paar anderen machte er sich bereit, sagte Lebewohl und ging von dannen.

Wenig ist darüber bekannt, was ihm später widerfuhr. Es scheint jetzt, daß er, kaum daß er mit einigen wenigen Gefährten unterwegs war, von Saurons Abgesandten gejagt wurde. Wölfe verfolgten ihn, Orks lauerten ihm auf, böse Vögel beschatteten seinen Weg, und je mehr er sich mühte, nach Norden zu gehen, um so mehr Mißgeschicke ereilten ihn. Es war in einer dunklen Nacht, als er und seine Gefährten in dem Land jenseits des Anduin wanderten und ein abscheulicher Regen sie zwang, unter den Säumen des Düsterwalds Schutz zu suchen.

[46] I, 326

Am Morgen war er aus dem Lager verschwunden, und vergeblich riefen ihn seine Gefährten. Viele Tage suchten sie nach ihm, bis sie die Hoffnung schließlich aufgaben und fortgingen und zu Thorin zurückkehrten. Erst viel später erfuhr man, daß Thráin lebend ergriffen und in die Verliese von Dol Guldur gebracht worden war. Dort wurde er gefoltert, und der Ring wurde ihm abgenommen, und dort starb er schließlich.

So wurde Thorin Eichenschild Durins Erbe, aber ein Erbe ohne Hoffnung. Als Thráin umkam, war Thorin fünfundneunzig, ein großer Zwerg von stolzer Haltung; aber er schien es zufrieden zu sein, in Eriador zu bleiben. Dort arbeitete er lange, trieb Handel und erwarb so viel Reichtum, wie er konnte; und sein Volk vermehrte sich um viele aus dem wandernden Volk von Durin, die gehört hatten, daß er im Westen wohne, und zu ihm kamen. Jetzt hatten sie schöne Hallen in den Bergen und Warenbestände, und ihre Tage schienen nicht so hart, obwohl sie in ihren Liedern immer von dem fernen Einsamen Berg sprachen.

Die Jahre vergingen. Die Asche in Thorins Herz wurde wieder heiß, als er über die Kränkungen seines Hauses nachgrübelte und über die Rache an dem Drachen, die ein Erbe seiner Sippe war. Er dachte an Waffen und Heere und Bündnisse, wenn sein großer Hammer in seiner Schmiede hallte; aber die Heere waren verstreut und die Bündnisse gelöst, und der Äxte seines Volkes waren wenige; und ein großer Zorn ohne Hoffnung brannte in ihm, wenn er auf das rote Eisen auf dem Amboß schlug.

Doch schließlich kam es durch Zufall zu einer Begegnung zwischen Gandalf und Thorin, die das ganze Geschick von Durins Haus änderte und außerdem noch zu anderen und größeren Zielen führte. Eines Tages[47], als Thorin von einer Fahrt in den Westen zurückkehrte, blieb er über Nacht in Bree. Dort war auch Gandalf. Er war auf dem Weg ins Auenland, das er seit etwa zwanzig Jahren nicht besucht hatte. Er war müde und wollte dort eine Weile rasten.

Abgesehen von vielen Sorgen war er beunruhigt über die gefährliche Lage im Norden; denn er wußte damals schon, daß Sauron einen Krieg plante und beabsichtigte, sobald er sich stark genug fühlte, Bruchtal anzugreifen. Aber jedem Versuch von Osten, die Lande von Angmar und die nördlichen Pässe im Gebirge wiederzuerlangen, vermochten sich jetzt die Zwerge der Eisenberge zu widersetzen. Und jenseits dieser Berge lag die Wüstenei des Drachens. Des Drachens könnte Sauron sich bedienen, und das würde entsetzliche Folgen haben. Was wäre zu tun, um Smaug ein Ende zu bereiten?

Gerade, als Gandalf dasaß und darüber nachdachte, trat Thorin vor ihn und sagte: »Herr Gandalf, ich kenne Euch nur vom Sehen, aber jetzt wäre ich froh, mit Euch zu sprechen. Denn letzthin seid Ihr oft in meinen Gedanken aufgetaucht, als ob ich geheißen würde, Euch zu suchen. Ich hätte es fürwahr getan, wenn ich gewußt hätte, wo Ihr zu finden seid.«

Gandalf blickte ihn erstaunt an. »Das ist seltsam, Thorin Eichenschild«, sagte

[47] Am 15. März 2941.

er. »Denn auch ich habe an Euch gedacht; und obwohl ich auf meinem Weg ins Auenland bin, kam es mir in den Sinn, daß das auch der Weg zu Euren Hallen ist.«

»Nennt sie so, wenn Ihr wollt«, sagte Thorin. »Sie sind nur eine armselige Unterkunft in der Verbannung. Aber Ihr wäret dort willkommen, wenn Ihr kämet. Denn es heißt, daß Ihr weise seid und mehr von dem wißt, was in der Welt vorgeht, als jeder andere; denn es gibt vieles, was mich beschäftigt, und ich wäre froh über Euren Rat.«

»Ich werde kommen«, sagte Gandalf. »Denn ich vermute, daß zumindest ein Ärgernis uns beide bewegt. Mich beschäftigt der Drache von Erebor, und ich glaube nicht, daß Thrórs Enkel ihn vergessen hat.«

Anderswo ist die Geschichte erzählt worden, die auf diese Begegnung folgte: der seltsame Plan, den Gandalf schmiedete, um Thorin zu helfen, und wie Thorin und seine Gefährten vom Auenland aus zu der Fahrt zum Einsamen Berg aufbrachen, die große und unerwartete Ergebnisse hatte. Hier werden nur jene Dinge erwähnt, die Durins Volk unmittelbar betreffen.

Der Drachen wurde von Bard von Esgaroth erschlagen, aber es gab Kampf in Thal. Denn die Orks überfielen Erebor, sobald sie von der Rückkehr der Zwerge hörten; sie wurden angeführt von Bolg, dem Sohn von Azog, den Dáin in seiner Jugend erschlagen hatte. In dieser ersten Schlacht von Thal erhielt Thorin Eichenschild eine tödliche Wunde; und er starb und wurde in eine Gruft unter dem Berg gelegt mit dem Arkenstein auf seiner Brust. Dort fielen auch Fíli und Kíli, seine Schwestersöhne. Aber Dáin Eisenfuß, sein Vetter, der ihm von den Eisenbergen zu Hilfe gekommen war, und auch sein rechtmäßiger Erbe war, wurde dann König Dáin II., und das Königreich unter dem Berg ward wiederhergestellt, wie Gandalf es gewünscht hatte. Dáin erwies sich als großer und weiser König; die Zwerge kamen zu Wohlstand und wurden stark zu seiner Zeit.

Im Spätsommer desselben Jahres (2941) hatte Gandalf bei Saruman und dem Weißen Rat endlich durchgesetzt, Dol Guldur anzugreifen, und Sauron zog sich zurück und ging nach Mordor, wo er, wie er glaubte, vor all seinen Feinden sicher sei. So kam es, als der Krieg endlich ausbrach, daß sich der Hauptangriff gegen den Süden richtete; trotzdem hätte Sauron mit seiner weit ausgestreckten rechten Hand großes Unheil im Norden anrichten können, wenn ihm König Dáin und König Brand nicht im Wege gestanden hätten. Genau wie Gandalf später zu Frodo und Gimli sagte, als sie eine Zeitlang zusammen in Minas Tirith wohnten. Kurz nachdem Nachrichten nach Gondor gelangt waren von weit entfernten Ereignissen.

»Ich war betrübt über Thorins Tod«, sagte Gandalf. »Und jetzt hören wir, daß Dáin gefallen ist, der wieder in Thal kämpfte, während wir hier kämpften. Ich würde es einen schweren Verlust nennen, wenn es nicht eher ein Wunder wäre, daß er in seinem hohen Alter seine Axt noch so gewaltig schwingen konnte, wie es heißt, daß er es tat, als er vor dem Tor von Erebor über König Brands Leiche stand, bis die Dunkelheit hereinbrach.

Dennoch hätten sich die Dinge ganz anders und viel schlimmer entwickeln können. Wenn ihr an die große Schlacht von Pelennor denkt, dann vergeßt nicht die Schlachten in Thal und die Tapferkeit von Durins Volk. Denkt daran, was hätte sein können. Drachenfeuer und grausame Vernichtung in Eriador, Nacht in Bruchtal. Es hätte vielleicht keine Königin in Gondor gegeben. Womöglich wären wir jetzt von dem Sieg hier nur zu Zerstörung und Asche zurückgekehrt. Aber das ist verhütet worden – weil ich an einem Vorfrühlingsabend Thorin Eichenschild in Bree traf. Eine Zufallsbegegnung, wie wir in Mittelerde sagen.«

Dís war Thráins II. Tochter. Sie ist die einzige Zwergenfrau, die in diesen Geschichten mit Namen genannt wird. Gimli sagte, es gebe wenig Zwergenfrauen, wahrscheinlich nicht mehr als ein Drittel des ganzen Volkes. Sie sind selten unterwegs, es sei denn in großer Not. Und wenn sie auf eine Fahrt gehen müssen, dann sind sie, was ihre Stimme, ihr Äußeres und ihre Kleidung betrifft, den Zwergenmännern so ähnlich, daß Augen und Ohren anderer Völker sie nicht auseinanderhalten können. Das hat bei den Menschen die törichte Meinung aufkommen lassen, daß es keine Zwergenfrauen gebe und die Zwerge »aus Stein wachsen«.

Daß es so wenig Frauen unter den Zwergen gibt, ist der Grund, warum sich ihr Geschlecht so langsam vermehrt und in Gefahr ist, wenn sie keine sichere Bleibe haben. Denn Zwerge nehmen in ihrem Leben nur eine Ehefrau oder einen Ehemann und sind eifersüchtig, wie in allen Fragen ihrer Rechte. Die Zahl der Zwergenmänner, die heiraten, beträgt tatsächlich weniger als ein Drittel. Denn nicht alle Frauen nehmen einen Ehemann: manche wollen keinen; manche wollen einen, den sie nicht bekommen können, und nehmen deshalb lieber gar keinen. Was die Männer betrifft, so wünschen auch sehr viele von ihnen nicht zu heiraten, weil sie von ihrem Handwerk so in Anspruch genommen sind.

Gimli, Glóins Sohn, ist berühmt, denn er war einer der Neun Gefährten, die mit dem Ring aufbrachen; und den Krieg über blieb er bei König Elessar. Er wurde Elbenfreund genannt wegen der großen Liebe zwischen ihm und Legolas, König Thranduils Sohn, und wegen seiner Verehrung für Frau Galadriel.

Nach Saurons Sturz brachte Gimli einen Teil des Zwergenvolks von Erebor nach Süden, und er wurde der Herr der Glitzernden Höhlen. Er und sein Volk vollbrachten große Werke in Gondor und Rohan. Für Minas Tirith schmiedeten sie Tore aus *mithril* und Stahl anstelle der durch den Hexenkönig zerstörten. Sein Freund Legolas brachte auch Elben aus Grünwald in den Süden, und sie wohnten in Ithilien, und es wurde wieder das schönste Land des Westens.

Aber als König Elessar sein Leben aufgab, folgte Legolas endlich dem Wunsch seines Herzens und segelte über das Meer.

Hier folgt eine der letzten Eintragungen im Roten Buch

Wir haben gehört, daß Legolas Gimli, Glóins Sohn, mitnahm wegen ihrer großen Freundschaft, die größer war als jede, die es je zwischen Elb und Zwerg gegeben hat. Wenn das stimmt, dann ist es wahrlich seltsam: daß ein Zwerg um irgendeiner Liebe willen bereit ist, Mittelerde zu verlassen, oder daß die Eldar ihn aufnehmen oder die Herren des Westens es erlauben. Aber es heißt, daß Gimli auch deshalb ging, weil er den Wunsch hatte, Galadriels Schönheit wiederzusehen, und es mag sein, daß sie, die mächtig war unter den Eldar, dieses Vorrecht für ihn erlangte. Mehr kann darüber nicht gesagt werden.

Der Stammbaum der Zwerge von Erebor, wie er von Gimli, Glóins Sohn, für König Elessar aufgestellt wurde.

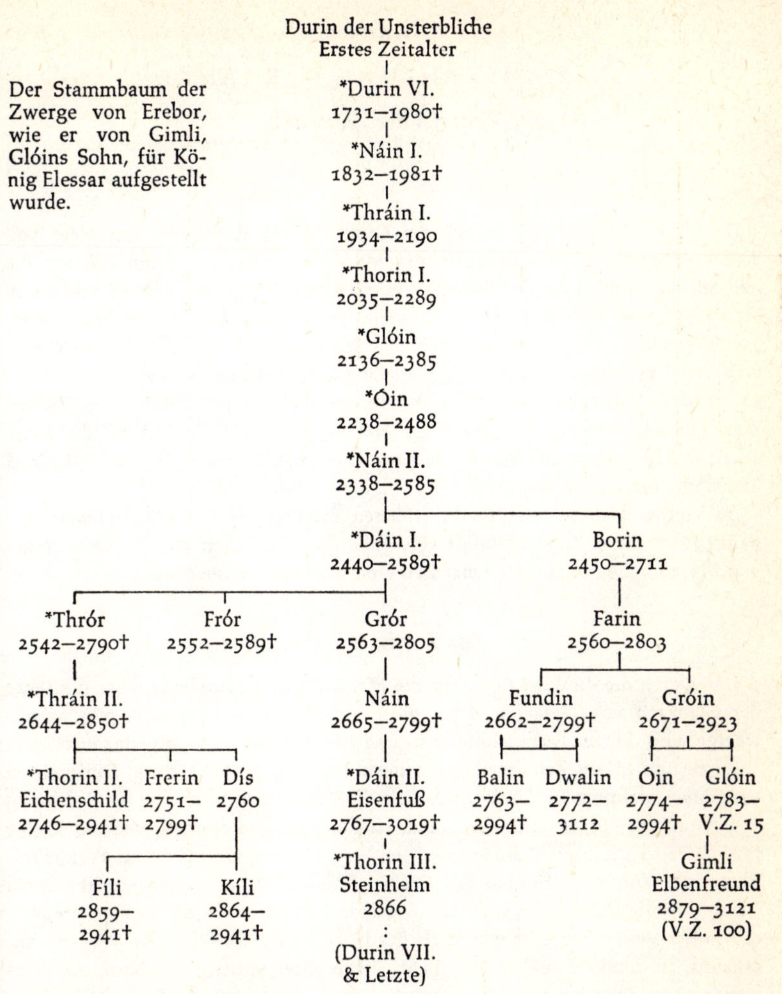

Gründung von Erebor, 1999.
Dáin I. von einem Drachen erschlagen, 2589.
Rückkehr nach Erebor, 2590.
Plünderung von Erebor, 2770.
Ermordung von Thrór, 2790.
Heerschau der Zwerge, 2790–3.
Krieg der Zwerge und Orks, 2793–9.
Schlacht von Nanduhirion, 2799.
Thráin geht auf die Wanderschaft, 2841.
Thráins Tod und Verlust seines Ringes, 2850.
Schlacht der Fünf Heere und Thorins II. Tod, 2941.
Balin geht nach Moria, 2989.

* Die Namen derjenigen, die als Könige von Durins Volk gelten, sei es in der Verbannung oder nicht, sind mit einem Sternchen bezeichnet. Von den anderen Gefährten von Thorin Eichenschild auf der Fahrt nach Erebor gehörten auch Ori, Nori und Dori zum Haus von Durin, und die entfernteren Verwandten von Thorin, Bifur, Bofur und Bombur, stammten von den Zwergen von Moria ab, waren aber nicht von Durins Linie. Für das Zeichen † vgl. S. 353.

ANHANG B

DIE AUFZÄHLUNG DER JAHRE

(Zeittafel der Westlande)

Das *Erste Zeitalter* endete mit der Großen Schlacht, bei der das Heer von Valinor Thangorodrim[1] zerstörte und Morgoth niederwarf. Dann kehrten die meisten der Noldor in den Fernen Westen zurück[2] und wohnten in Eressëa in Sichtweite von Valinor; und auch viele der Sindar gingen über das Meer.

Das *Zweite Zeitalter* endete damit, daß Sauron, der Diener von Morgoth, zum ersten Mal niedergeworfen und ihm der Eine Ring abgenommen wurde.

Das *Dritte Zeitalter* endete im Ringkrieg; aber als der Beginn des Vierten Zeitalters galt erst das Fortgehen von Herrn Elrond, als die Zeit für die Herrschaft der Menschen und den Niedergang aller anderen »sprechenden Völker« in Mittelerde gekommen war[3].

Im Vierten Zeitalter wurden die früheren Zeitalter oft die *Altvorderenzeit* genannt; aber dieser Name gebührt eigentlich nur den Tagen vor der Vertreibung von Morgoth. Die Ereignisse jener Zeit sind hier nicht verzeichnet.

Das Zweite Zeitalter

Das waren die dunklen Jahre für die Menschen von Mittelerde, aber die Jahre der Glanzzeit von Númenor. Über die Geschehnisse in Mittelerde gibt es nur wenige und kurze Aufzeichnungen, und ihre Daten sind oft unzuverlässig.

Zu Beginn dieses Zeitalters waren noch viele der Hochelben da. Die meisten von ihnen wohnten in Lindon westlich des Ered Luin; aber vor der Erbauung von Barad-dûr gingen viele der Sindar nach Osten, und einige gründeten Reiche in den weit entfernten Wäldern, und ihr Volk bestand vor allem aus Waldelben. Thranduil, König im Norden des Großen Grünwalds, war einer von ihnen. In Lindon, nördlich des Luhn, wohnte Gil-galad, der letzte Erbe der Könige der Noldor in der Verbannung. Er wurde als der Hohe König der Elben des Westens anerkannt. In Lindon, südlich des Luhn, lebte eine Zeitlang Celeborn, ein Verwandter von Thingol; seine Frau war Galadriel, die größte der Frauen unter den Elben. Sie war die Schwester von Finrod Felagund, dem Menschenfreund, einst König von Nargothrond, der sein Leben hingab, um Beren, Barahirs Sohn, zu retten.

Später gingen einige der Noldor nach Eregion im Westen des Nebelgebirges und nahe dem Westtor von Moria. Sie taten das, weil sie erfahren hatten, daß

[1] I, 295 [2] II, 232, *Der Hobbit* [3] III, 281

mithril in Moria entdeckt worden sei[4]. Die Noldor waren große Handwerker und hatten ein besseres Verhältnis zu den Zwergen als die Sindar; und die Freundschaft, die sich zwischen Durins Volk und den Elbenschmieden von Eregion entwickelte, war die engste, die es je zwischen diesen beiden Rassen gab. Celebrimbor war Herr von Eregion und der größte ihrer Handwerker; er stammte von Fëanor ab.

Jahr	
1	Gründung der Grauen Anfurten und von Lindon.
32	Die Edain erreichen Númenor.
ca. 40	Viele Zwerge verlassen ihre alten Städte in Ered Luin und gehen nach Moria, dessen Bevölkerung dadurch wächst.
442	Tod von Elros Tar-Minyatur.
ca. 500	Sauron beginnt sich wieder in Mittelerde zu rühren.
548	Silmariën in Númenor geboren.
600	Die ersten Schiffe der Númenorer erscheinen vor den Küsten.
750	Eregion von den Noldor gegründet.
ca. 1000	Sauron, aufgeschreckt von der wachsenden Macht der Númenorer, wählt Mordor als Land, um es zu einer Festung auszubauen. Er beginnt den Bau von Barad-dûr.
1075	Tar-Ancalimë wird die erste Herrschende Königin von Númenor.
1200	Sauron bemüht sich, die Eldar zu verführen. Gil-galad lehnt es ab, mit ihm etwas zu tun zu haben; aber er gewinnt die Schmiede von Eregion für sich. Die Númenorer beginnen, ständige Häfen anzulegen.
ca. 1500	Die von Sauron unterwiesenen Elbenschmiede erreichen den Gipfel ihres Könnens. Sie beginnen, die Ringe der Macht zu schmieden.
ca. 1590	Die Drei Ringe sind in Eregion fertiggestellt.
ca. 1600	Sauron schmiedet in Orodruin den Einen Ring. Er vollendet Barad-dûr. Celebrimbor erkennt Saurons Absichten.
1693	Der Krieg der Elben gegen Sauron beginnt. Die drei Ringe werden versteckt.
1695	Saurons Streitkräfte dringen nach Eriador ein. Gil-galad schickt Elrond nach Eregion.
1697	Eregion wird verwüstet. Tod von Celebrimbor. Die Tore von Moria werden geschlossen. Elrond zieht sich mit den Resten der Noldor zurück und gründet die Zufluchtstätte Imladris.
1699	Sauron überrennt Eriador.
1700	Tar-Minastir entsendet eine große Flotte von Númenor nach Lindon. Sauron wird besiegt.
1701	Sauron wird aus Eriador vertrieben. Die Westlande haben auf lange Zeit Frieden.
ca. 1800	Seit dieser Zeit beginnen die Númenorer Einflußgebiete an den Küsten

[4] I, 384

zu begründen. Sauron erweitert seine Macht nach Osten. Der Schatten fällt auf Númenor.

2251 Tar-Atanamir nimmt das Szepter. Aufruhr und Uneinigkeit unter den Númenorern beginnt. Etwa um diese Zeit erscheinen die Nazgûl oder Ringgeister, Hörige der Neun Ringe, zum ersten Mal.

2280 Umbar wird zu einer großen Festung von Númenor ausgebaut.

2350 Pelargir wird gebaut. Es wird Haupthafen der Getreuen Númenorer.

2899 Ar-Adûnakhôr nimmt das Szepter.

3175 Reue von Tar-Palantir. Bürgerkrieg in Númenor.

3255 Ar-Pharazôn der Goldene reißt das Szepter an sich.

3261 Ar-Pharazôn schifft sich ein und landet in Umbar.

3262 Sauron wird als Gefangener nach Númenor gebracht; 3262–3310 Sauron verführt den König und verdirbt die Númenorer.

3310 Ar-Pharazôn beginnt die Große Rüstung aufzubauen.

3319 Ar-Pharazôn greift Valinor an. Untergang von Númenor. Elendil und seine Söhne entkommen.

3320 Gründung der Reiche in der Verbannung: Arnor und Gondor. Die Steine werden verteilt (II, 233). Sauron kehrt nach Mordor zurück.

3429 Sauron greift Gondor an, nimmt Minas Ithil und verbrennt den Weißen Baum. Isildur entkommt über den Anduin und geht zu Elendil in den Norden. Anárion verteidigt Minas Anor und Osgiliath.

3430 Das Letzte Bündnis der Elben und Menschen wird geschlossen.

3431 Gil-galad und Elendil marschieren gen Osten nach Imladris.

3434 Das Heer des Bündnisses überquert das Nebelgebirge. Schlacht von Dagorlad und Saurons Niederlage. Die Belagerung von Barad-dûr beginnt.

3440 Anárion erschlagen.

3441 Sauron von Elendil und Gil-galad besiegt, die umkommen. Isildur nimmt den Einen Ring. Sauron geht dahin, und die Ringgeister verschwinden in den Schatten. Das Zweite Zeitalter endet.

Das Dritte Zeitalter

Diese Jahre waren der Lebensherbst der Eldar. Denn lange hatten sie Frieden und besaßen die Drei Ringe, während Sauron untätig und der Eine Ring verloren war; aber sie unternahmen nichts Neues, sondern lebten in der Erinnerung an die Vergangenheit. Die Zwerge versteckten sich an tiefgelegenen Orten und hüteten ihre Schätze; doch als sich das Böse von neuem regte und wieder Drachen erschienen, wurden ihre uralten Horte einer nach dem anderen geplündert, und sie wurden ein wanderndes Volk. Moria blieb lange ungefährdet, aber seine Bevölkerung nahm ab, bis viele seiner großen Behausungen dunkel und leer wurden. Auch die Weisheit und die Lebensspanne der Númenorer verringerte sich, als sie sich mit geringeren Menschen vermischten.

Als vielleicht tausend Jahre vergangen und der erste Schatten auf den Großen Grünwald gefallen war, erschienen die *Istari* oder Zauberer in Mittelerde. Später hieß es, sie seien aus dem Fernen Westen gekommen und als Boten ausgesandt worden, um Saurons Macht zu bekämpfen und alle jene zu einen, die den Willen hatten, ihm zu widerstehen; aber es sei ihnen verboten worden, seine Gewalt mit Gewalt zu vergelten oder danach zu trachten, Elben oder Menschen durch Macht oder Schrecken zu beherrschen.

Sie kamen daher in der Gestalt von Menschen, obwohl sie niemals jung waren und nur langsam alterten, und sie besaßen viele Fähigkeiten des Geistes und der Hand. Nur wenigen enthüllten sie ihre wahren Namen [5] und bedienten sich der Namen, die ihnen gegeben wurden. Die beiden Höchsten dieses Ordens (von dem es heißt, daß Fünf ihm angehörten), wurden von den Eldar Curunír, »der Mann des Wissens«, und Mithrandir, »der Graue Pilger«, genannt, aber die Menschen im Norden nannten sie Saruman und Gandalf. Curunír machte oft Fahrten in den Osten, wohnte aber zuletzt in Isengart. Mithrandir war am engsten mit den Eldar befreundet, wanderte meistens im Westen und hatte nie einen festen Wohnsitz.

Während des ganzen Dritten Zeitalters wußten nur diejenigen, die die Drei Ringe besaßen, in wessen Obhut sie waren. Doch später wurde bekannt, daß zuerst die drei Größten der Eldar sie gehabt hatten: Gil-galad, Galadriel und Círdan. Ehe er starb, gab Gil-galad seinen Ring an Elrond, Círdan später den seinen an Mithrandir. Denn Círdan blickte weiter und tiefer als jeder andere in Mittelerde, und er begrüßte Mithrandir an den Grauen Anfurten, und wußte, woher er kam und wohin er zurückkehren würde.

»Nehmt diesen Ring, Herr«, sagte er, »denn Eure Mühen werden schwer sein; aber er wird Euch unterstützen bei der schweren Aufgabe, die Ihr auf Euch genommen habt. Denn dies ist der Ring des Feuers, und mit ihm werdet Ihr vielleicht Herzen in einer Welt, die kühl wird, entzünden. Doch was mich betrifft, so hängt mein Herz am Meer, und ich will an den grauen Gestaden bleiben, bis das letzte Schiff Segel setzt. Ich werde auf Euch warten.«

Jahr	
2	Isildur pflanzt einen Sämling des Weißen Baums in Minas Anor. Er übergibt das Südliche Königreich an Meneldil. Verhängnis auf den Schwertelfeldern; Isildur und seine drei älteren Söhne werden erschlagen.
3	Ohtar bringt die Bruchstücke von Narsil nach Imladris.
10	Valandil wird König von Arnor.
109	Elrond heiratet Celeborns Tochter.
130	Geburt von Elladan und Elrohir, Elronds Söhnen.
241	Geburt von Arwen Undómiel.
420	König Ostoher baut Minas Anor um.

[5] II, 319

Jahr	
490	Erstes Eindringen der Ostlinge.
500	Rómendacil I. besiegt die Ostlinge.
541	Rómendacil im Kampf erschlagen.
830	Mit Falastur beginnt die Linie der Schiffskönige von Gondor.
861	Tod von Eärendur und Teilung von Arnor.
933	König Eärnil I. nimmt Umbar, das eine Festung von Gondor wird.
936	Eärnil auf See verschollen.
1015	König Ciryandil bei der Belagerung von Umbar erschlagen.
1050	Hyarmendacil erobert Harad. Gondor erreicht den Gipfel seiner Macht. Um diese Zeit fällt ein Schatten auf Grünwald, und die Menschen beginnen, ihn Düsterwald zu nennen. Die Periannath werden zum ersten Mal in Aufzeichnungen erwähnt, als die Harfüße nach Eriador kommen.
ca. 1100	Die Weisen (die Istari und die führenden Eldar) entdecken, daß eine böse Macht eine Festung in Dol Guldur angelegt hat. Man nimmt an, es sei einer der Nazgûl.
1149	Herrschaft von Atanatar Alcarin beginnt.
ca. 1150	Die Falbhäute kommen nach Eriador. Die Starren kommen über den Rothornpaß und ziehen weiter in den Winkel oder nach Dunland.
ca. 1300	Böse Wesen beginnen sich wieder zu vermehren. Die Orks im Nebelgebirge nehmen an Zahl zu und greifen die Zwerge an. Die Nazgûl erscheinen wieder. Ihr Führer kommt in den Norden nach Angmar. Die Periannath wandern nach Westen; viele lassen sich in Bree nieder.
1356	König Argeleb I. wird im Kampf mit Rhudaur erschlagen. Etwa um diese Zeit verlassen die Starren den Winkel, und einige kehren nach Wilderland zurück.
1409	Der Hexenkönig von Angmar dringt nach Arnor ein. König Arveleg I. erschlagen. Fornost und Tyrn Gorthad werden verteidigt. Der Turm von Amun Sûl zerstört.
1432	König Valacar von Gondor stirbt, und der Bürgerkrieg des Sippenstreits beginnt.
1437	Brand von Osgiliath und Verlust des *palantír*. Eldacar flieht nach Rhovanion; sein Sohn Ornendil wird ermordet.
1447	Eldacar kehrt zurück und vertreibt den Thronräuber Castamir. Schlacht an den Übergängen des Erui. Belagerung von Pelargir.
1448	Die Aufrührer entkommen und bemächtigen sich Umbars.
1540	König Aldamir erschlagen im Krieg mit Harad und den Corsaren von Umbar.
1551	Hyarmendacil II. besiegt die Menschen von Harad.
1601	Viele Periannath wandern weiter von Bree und erhalten von Argeleb II. jenseits des Baranduin Land zugewiesen.
ca. 1630	Ihnen schließen sich die Starren an, die von Dunland heraufkommen.
1634	Die Corsaren verwüsten Pelargir und erschlagen König Minardil.

Jahr

1636 Die Große Pest verheert Gondor. Tod von König Telemnar und seinen Kindern. Der Weiße Baum stirbt in Minas Anor. Die Pest breitet sich nach Norden und Westen aus, und viele Teile von Eriador sind nun unbewohnt. Jenseits des Baranduin überleben die Periannath, erleiden aber große Verluste.

1640 König Tarondor verlegt das Haus des Königs nach Minas Anor und pflanzt einen Sämling des Weißen Baums. Osgiliath fällt in Trümmer. Mordor bleibt unbewacht.

1810 König Telumehtar Umbardacil erobert Umbar zurück und vertreibt die Corsaren.

1851 Die Angriffe der Wagenfahrer auf Gondor beginnen.

1856 Gondor verliert seine Ostgebiete, und Narmacil II. fällt im Kampf.

1899 König Calimehtar besiegt die Wagenfahrer auf Dagorlad.

1900 Calimehtar baut den Weißen Turm in Minas Anor.

1940 Gondor und Arnor nehmen von neuem Verbindung miteinander auf und schließen ein Bündnis. Arvedui heiratet Fíriel, die Tochter Ondohers von Gondor.

1944 Ondoher fällt im Kampf. Eärnil besiegt den Feind in Südithilien. Dann gewinnt er die Schlacht des Lagers und treibt die Wagenfahrer in die Totensümpfe. Arvedui erhebt Anspruch auf die Krone von Gondor.

1945 Eärnil II. erhält die Krone.

1974 Ende des Nördlichen Königreichs. Der Hexenkönig überrennt Arthedain und nimmt Fornost.

1975 Arvedui ertrinkt in der Bucht von Forochel. Die *palantíri* von Annúminas und Amon Sûl gehen verloren. Eärnur bringt eine Flotte nach Lindon. Der Hexenkönig wird in der Schlacht von Fornost besiegt und bis in die Ettenöden verfolgt. Er verschwindet aus dem Norden.

1976 Aranarth nimmt die Bezeichnung Stammesführer der Dúnedain an. Die Erbstücke von Arnor werden Elrond in Obhut gegeben.

1977 Frumgar führt die Éothéod nach Norden.

1979 Bucca vom Bruch wird der erste Thain des Auenlands.

1980 Der Hexenkönig kommt nach Mordor und sammelt dort die Nazgûl um sich. Ein Balrog erscheint in Moria und erschlägt Durin VI.

1981 Náin I. erschlagen. Die Zwerge von Lórien fliehen nach Süden. Amroth und Nimrodel werden verloren.

1999 Thráin I. kommt nach Erebor und gründet ein Zwergenkönigreich »unter dem Berg«.

2000 Die Nazgûl kommen aus Mordor heraus und belagern Minas Ithil.

2002 Minas Ithil fällt, später wird es Minas Morgul genannt. Der *palantír* wird erbeutet.

2043 Eärnur wird König von Gondor. Er wird vom Hexenkönig zum Zweikampf herausgefordert.

Jahr

2050 Die Herausforderung wird erneut erhoben. Eärnur reitet nach Minas Morgul und kehrt nicht zurück. Mardil wird der erste Herrschende Truchseß.

2060 Die Macht von Dol Guldur wächst. Die Weisen fürchten, Sauron könne wieder Gestalt annehmen.

2063 Gandalf geht nach Dol Guldur. Sauron zieht sich zurück und versteckt sich im Osten. Der Wachsame Friede beginnt. Die Nazgûl verhalten sich still in Minas Morgul.

2210 Thorin I. verläßt Erebor und geht nach Norden in das Graue Gebirge, wo sich nun die meisten, die von Durins Volk noch übrig sind, versammeln.

2340 Isumbras I. wird der dreizehnte Thain und der erste der Tuk-Linie. Die Altbocks besetzen Bockland.

2460 Der Wachsame Friede endet. Mit vermehrter Stärke kehrt Sauron nach Dol Guldur zurück.

2463 Der Weiße Rat wird gebildet. Um diese Zeit findet der Starre Déagol den Einen Ring und wird von Sméagol ermordet.

2470 Etwa um diese Zeit verbirgt sich Sméagol-Gollum im Nebelgebirge.

2475 Neuer Angriff auf Gondor. Osgiliath endgültig zerstört, seine Steinbrücke geborsten.

ca. 2480 Orks beginnen geheime Festungen im Nebelgebirge anzulegen, um alle Pässe nach Eriador zu sperren. Sauron beginnt Moria mit seinen Geschöpfen zu bevölkern.

2509 Celebrían wird auf dem Wege nach Lórien am Rothornpaß überfallen und trägt eine vergiftete Wunde davon.

2510 Celebrían geht über das Meer. Orks und Ostlinge überrennen Calenardhon. Eorl der Junge siegt auf dem Feld von Celebrant. Die Rohirrim siedeln sich in Calenardhon an.

2545 Eorl fällt in der Schlacht im Ödland.

2569 Brego, Eorls Sohn vollendet die Goldene Halle.

2570 Baldor, Bregos Sohn, durchschreitet die Verbotene Tür und ist verschollen. Etwa um diese Zeit erscheinen die Drachen wieder im fernen Norden und beginnen, die Zwerge zu bedrängen.

2589 Dáin I. von einem Drachen erschlagen.

2590 Thrór kehrt nach Erebor zurück. Sein Bruder Grór geht in die Eisenberge.

ca. 2670 Tobold pflanzt im Südviertel »Pfeifenkraut«.

2683 Isegrim II. wird der zehnte Thain und beginnt die Ausgrabung von Groß-Smials.

2698 Ecthelion I. baut den Weißen Turm in Minas Tirith wieder auf.

2740 Orks dringen von neuem in Eriador ein.

2747 Bandobras Tuk besiegt eine Orkbande im Nordviertel.

2758 Rohan wird von Westen und Osten angegriffen und überrannt. Gon-

Jahr

dor wird von den Flotten der Corsaren angegriffen. Helm von Rohan sucht Zuflucht in Helms Klamm. Wulf nimmt Edoras. 2758–59: Der Lange Winter folgt. Große Not und Tod in Eriador und Rohan. Gandalf kommt dem Auenlandvolk zu Hilfe.

2759 Helms Tod. Fréaláf vertreibt Wulf und beginnt die zweite Linie der Könige der Mark. Saruman nimmt seinen Wohnsitz in Isengart.

2770 Smaug der Drache kommt über Erebor. Thal zerstört. Thrór entkommt mit Thráin II. und Thorin II.

2790 Thrór von einem Ork in Moria erschlagen. Die Zwerge sammeln sich zu einem Rachekrieg. Geburt von Gerontius, der später als der Alte Tuk bekannt wird.

2793 Der Krieg der Zwerge und Orks beginnt.

2799 Schlacht von Nanduhirion vor dem Osttor von Moria. Dáin Eisenfuß kehrt zu den Eisenbergen zurück. Thráin II. und sein Sohn Thorin wandern nach Westen. Sie lassen sich im Süden des Ered Luin jenseits des Auenlands nieder (2802).

2800–64 Orks aus dem Norden beunruhigen Rohan. König Walda wird von ihnen erschlagen (2861).

2841 Thráin II. bricht auf, um Erebor wieder zu besuchen, wird aber von Saurons Dienern verfolgt.

2845 Thráin der Zwerg wird in Dol Guldur eingekerkert, der letzte der Sieben Ringe wird ihm abgenommen.

2850 Gandalf geht wieder nach Dol Guldur und entdeckt, daß dessen Herr tatsächlich Sauron ist, der alle Ringe sammelt und nach Nachrichten über den Einen und über Isildurs Erben forscht. Er findet Thráin und erhält den Schlüssel von Erebor. Thráin stirbt in Dol Guldur.

2851 Der Weiße Rat tritt zusammen. Gandalf drängt auf einen Angriff gegen Dol Guldur. Saruman stimmt dagegen[6]. Saruman beginnt, in der Nähe der Schwertelfelder zu suchen.

2852 Belecthor II. von Gondor stirbt. Der Weiße Baum stirbt, und es kann kein Sämling gefunden werden. Der Tote Baum wird stehengelassen.

2885 Aufgewiegelt von Abgesandten von Sauron, überschreiten die Haradrim den Poros und greifen Gondor an. Die Söhne von Folcwine von Rohan werden im Dienste von Gondor erschlagen.

2890 Bilbo im Auenland geboren.

2901 Die Mehrzahl der noch zurückgebliebenen Einwohner von Ithilien verläßt das Land wegen der Angriffe der Uruks von Mordor. Der geheime Zufluchtsort Henneth Annûn wird gebaut.

2907 Geburt von Gilraen, der Mutter von Aragorn II.

---

[6] Später wurde klar, daß Saruman seit jener Zeit den Einen Ring selbst zu besitzen wünschte und hoffte, er werde sich vielleicht auf der Suche nach seinem Herrn selbst offenbaren, wenn man Sauron eine Zeitlang in Frieden läßt.

Jahr

2911 Der Grausame Winter. Der Baranduin und andere Flüsse sind zugefroren. Weiße Wölfe dringen aus dem Norden nach Eriador ein.

2912 Große Überschwemmungen verheeren Enedwaith und Minhiriath. Tharbad wird zerstört und verlassen.

2920 Tod des Alten Tuk.

2929 Arathorn, Arados Sohn, von den Dúnedain heiratet Gilraen.

2930 Arador von Trollen erschlagen. Geburt von Denethor II., Ecthelions II. Sohn, in Minas Tirith.

2931 Aragorn, Arathorns II. Sohn, geboren am 1. März.

2933 Arathorn II. erschlagen. Gilraen bringt Aragorn nach Imladris. Elrond nimmt ihn als Pflegesohn auf und gibt ihm den Namen Estel (Hoffnung); seine Herkunft wird geheimgehalten.

2939 Saruman entdeckt, daß Saurons Diener den Anduin in der Nähe der Schwertelfelder absuchen und Sauron daher von Isildurs Erben erfahren haben muß. Er ist beunruhigt, sagt dem Rat aber nichts.

2941 Thorin Eichenschild und Gandalf besuchen Bilbo im Auenland. Bilbo trifft Sméagol-Gollum und findet den Ring. Der Weiße Rat tritt zusammen; Saruman ist einverstanden, daß Dol Guldur angegriffen wird, da er jetzt wünscht, Sauron daran zu hindern, den Fluß abzusuchen. Sauron, der seine Pläne gemacht hat, gibt Dol Guldur auf. Die Schlacht der Fünf Heere in Thal. Tod von Thorin II. Bard von Esgaroth erschlägt Smaug. Dáin von den Eisenbergen wird König unter dem Berg (Dáin II.).

2942 Bilbo kehrt in das Auenland zurück und hat den Ring bei sich. Sauron kehrt heimlich nach Mordor zurück.

2944 Bard baut Thal wieder auf und wird König. Gollum verläßt das Gebirge und beginnt seine Suche nach dem »Dieb« des Ringes.

2948 Théoden, Thengels Sohn, König von Rohan, geboren.

2949 Gandalf und Balin besuchen Bilbo im Auenland.

2950 Finduilas, Adrahils von Dol Amroth Tochter, geboren.

2951 Sauron läßt seine Absichten erkennen und wird mächtig in Mordor. Er beginnt den Wiederaufbau von Barad-dûr. Gollum wandert in Richtung auf Mordor. Sauron entsendet drei der Nazgûl, um Dol Guldur wieder zu besetzen. Elrond offenbart »Estel« seinen wirklichen Namen und seine Herkunft und übergibt ihm die Bruchstücke von Narsil. Arwen, kürzlich aus Lórien zurückgekehrt, trifft Aragorn im Wald von Imladris. Aragorn geht hinaus in die Wildnis.

2953 Letzte Zusammenkunft des Weißen Rats. Es wird über die Ringe gesprochen. Saruman gibt vor, er habe entdeckt, daß der Eine Ring den Anduin hinunter ins Meer gespült worden sei. Saruman zieht sich nach Isengart zurück, das er sich zu eigen nimmt und befestigt. Da er Gandalf mißtraut und ihn fürchtet, läßt er alle seine Schritte von Spähern überwachen; und er bemerkt seine Anteilnahme am Auen-

Jahr	
	land. Bald setzt er Vertrauensleute in Bree und im Südviertel ein.
2954	Der Schicksalsberg bricht wieder in Flammen aus. Die letzten Bewohner von Ithilien fliehen über den Anduin.
2956	Aragorn trifft Gandalf, und ihre Freundschaft beginnt.
2957–80	Aragorn unternimmt seine großen Wanderungen und Fahrten. Unter dem angenommenen Namen Thorongil dient er Thengel von Rohan und Ecthelion II. von Gondor.
2968	Geburt von Frodo.
2976	Denethor heiratet Finduilas von Dol Amroth.
2977	Bain, Bards Sohn, wird König von Thal.
2978	Geburt von Boromir, Denethors II. Sohn.
2980	Aragorn geht nach Lórien und trifft Arwen Undómiel wieder. Aragorn gibt ihr Barahirs Ring, und sie verloben sich auf dem Berg Cerin Amroth. Etwa um diese Zeit erreicht Gollum die Grenzen von Mordor und macht die Bekanntschaft von Kankra. Théoden wird König von Rohan.
2983	Faramir, Denethors Sohn, geboren. Geburt von Samweis.
2984	Tod Ecthelions II. Denethor II. wird Truchseß von Gondor.
2988	Finduilas stirbt jung.
2989	Balin verläßt Erebor und geht nach Moria.
2991	Éomer, Éomunds Sohn, in Rohan geboren.
2994	Balin kommt um, und die Zwergensiedlung wird zerstört.
2995	Éowyn, Éomers Schwester, geboren.
ca. 3000	Der Schatten von Mordor wird länger. Saruman wagt den *palantír* von Orthanc zu benutzen, aber er wird von Sauron umgarnt, der den Ithil-Stein hat. Saruman wird ein Verräter an dem Rat. Seine Späher berichten, daß das Auenland von den Waldläufern streng bewacht wird.
3001	Bilbos Abschiedsfest. Gandalf vermutet, daß sein Ring der Eine ist. Die Bewachung des Auenlandes wird verstärkt. Gandalf forscht nach Gollum und bittet Aragorn um Hilfe.
3002	Bilbo wird Gast von Elrond und läßt sich in Bruchtal nieder.
3004	Gandalf besucht Frodo im Auenland und kommt in den nächsten vier Jahren mehrmals wieder.
3007	Brand, Bains Sohn, wird König in Thal. Tod von Gilraen.
3008	Im Herbst besucht Gandalf Frodo zum letzten Mal.
3009	Gandalf und Aragorn nehmen in den nächsten acht Jahren von Zeit zu Zeit ihre Jagd nach Gollum wieder auf und suchen in den Tälern des Anduin, in Düsterwald und Rhovanion bis zu den Grenzen von Mordor. Irgendwann in diesen Jahren wagte sich Gollum nach Mordor und wurde von Sauron gefangengenommen. Elrond schickt nach Arwen, die nach Imladris zurückkehrt; das Gebirge und alle Lande östlich davon werden gefährlich.
3017	Gollum wird von Mordor freigelassen. Er wird von Aragorn in den

Totensümpfen aufgegriffen und zu Thranduil nach Düsterwald gebracht. Gandalf besucht Minas Tirith und liest die Schriftrolle von Isildur.

DIE GROSSEN JAHRE

3018

April

12. Gandalf kommt nach Hobbingen.

Juni

20. Sauron greift Osgiliath an. Um dieselbe Zeit wird Thranduil angegriffen, und Gollum entkommt.

Juli

4. Boromir bricht von Minas Tirith auf.
10. Gandalf in Orthanc gefangen.

August

Alle Spuren von Gollum sind verloren. Man glaubt, daß er um diese Zeit, da er sowohl von den Elben als auch von Saurons Dienern gejagt wird, in Moria Zuflucht gesucht hat; aber als er endlich den Weg zum Westtor entdeckt hatte, konnte er nicht hinaus.

September

18. Gandalf entkommt in den frühen Morgenstunden aus Orthanc. Die Schwarzen Reiter überqueren die Furten des Isen.
19. Gandalf kommt als Bettler nach Edoras, ihm wird der Einlaß verweigert.
20. Gandalf erhält Zutritt zu Edoras. Théoden befiehlt ihm, fortzugehen. »Nehmt irgendein Pferd, aber verschwindet vor dem morgigen Tag!«
21. Gandalf trifft Schattenfell, aber das Pferd läßt ihn nicht an sich heran. Er folgt Schattenfell weit über die Felder.
22. Die Schwarzen Reiter erreichen am Abend die Sarn Furt; sie vertreiben die Wache der Waldläufer. Gandalf holt Schattenfell ein.
23. Vier Reiter kommen vor Morgengrauen ins Auenland. Die anderen verfolgen die Waldläufer nach Osten und kommen dann zurück, um den Grünweg zu beobachten. Ein Schwarzer Reiter kommt bei Einbruch der Nacht nach Hobbingen. Frodo verläßt Beutelsend. Gandalf hat Schattenfell gezähmt und reitet von Rohan los.
24. Gandalf überquert den Isen.
26. Der Alte Wald. Frodo kommt zu Bombadil.
27. Gandalf überquert die Grauflut. Zweite Nacht bei Bombadil.
28. Die Hobbits von einem Grabunhold gefangen. Gandalf erreicht die Sarn Furt.

29. Frodo erreicht spät abends Bree. Gandalf besucht den Ohm.
30. Krickloch und das Gasthaus zu Bree werden in den frühen Morgenstunden überfallen. Frodo verläßt Bree. Gandalf kommt nach Krickloch und erreicht nachts Bree.

Oktober

1. Gandalf verläßt Bree.
3. Er wird nachts auf der Wetterspitze angegriffen.
6. Das Lager unterhalb der Wetterspitze wird nachts angegriffen, Frodo verwundet.
9. Glorfindel verläßt Bruchtal.
11. Er vertreibt die Reiter von der Brücke des Mitheithel.
13. Frodo überquert die Brücke.
18. Glorfindel findet Frodo bei Einbruch der Dämmerung. Gandalf erreicht Bruchtal.
20. Flucht über die Furt des Bruinen.
24. Frodo erholt sich und erwacht. Boromir trifft nachts in Bruchtal ein.
25. Rat von Elrond.

Dezember

25. Die Gemeinschaft des Ringes verläßt Bruchtal in der Abenddämmerung.

3019

Januar

8. Die Gemeinschaft erreicht Hulsten.
11. 12. Schnee auf dem Caradhras.
13. Angriff von Wölfen in den frühen Morgenstunden. Die Gemeinschaft erreicht bei Einbruch der Nacht das Westtor von Moria. Gollum beginnt, dem Ringträger nachzuschleichen.
14. Nacht in Halle Einundzwanzig.
15. Die Brücke von Khazad-dûm und Gandalfs Sturz. Die Gemeinschaft erreicht spät in der Nacht den Nimrodel.
17. Die Gemeinschaft kommt abends nach Caras Galadon.
23. Gandalf verfolgt den Balrog bis zum Gipfel des Zirak-zigil.
25. Er schleudert den Balrog hinunter und verscheidet. Sein Körper liegt auf dem Gipfel.

Februar

14. Galadriels Spiegel. Gandalf kehrt ins Leben zurück und ist bewußtlos.
16. Abschied von Lórien. Versteckt am Westufer, beobachtet Gollum die Abfahrt.
17. Gwaihir bringt Gandalf nach Lórien.

23. Die Boote werden bei Nacht in der Nähe von Sarn Gebir angegriffen.
25. Die Gemeinschaft kommt an Argonath vorbei und lagert auf Parth Galen. Erste Schlacht an den Furten des Isen. Théodred, Théodens Sohn, wird erschlagen.
26. Der Zerfall des Bundes. Tod von Boromir; sein Horn wird in Minas Tirith gehört. Meriadoc und Peregrin gefangen. Frodo und Samweis gelangen in den östlichen Emyn Muil. Aragorn bricht abends zur Verfolgung der Orks auf. Eomer hört davon, daß eine Orkbande von Emyn Muil herunterkommt.
27. Aragorn erreicht bei Sonnenaufgang den westlichen Kamm. Gegen Théodens Befehl bricht Éomer um Mitternacht von Ostfold auf, um die Orks zu verfolgen.
28. Éomer holt die Orks gerade vor dem Fangorn-Forst ein.
29. Meriadoc und Pippin entkommen und treffen Baumbart. Die Rohirrim greifen bei Sonnenaufgang an und vernichten die Orks. Frodo kommt vom Emyn Muil herab und trifft Gollum. Faramir sieht das Bestattungsboot von Boromir.
30. Das Entthing beginnt. Auf dem Rückweg nach Edoras trifft Eomer Aragorn.

März

1. Frodo beginnt im Morgengrauen die Totensümpfe zu durchqueren. Das Entthing dauert an. Aragorn trifft Gandalf den Weißen. Sie brechen nach Edoras auf. Faramir verläßt Minas Tirith zu einem Auftrag in Ithilien.
2. Frodo erreicht das Ende der Sümpfe. Gandalf kommt nach Edoras und heilt Théoden. Die Rohirrim reiten nach Westen gegen Saruman. Zweite Schlacht an den Furten des Isen. Erkenbrand besiegt. Das Entthing endet. Die Ents marschieren nach Isengart und erreichen es bei Nacht.
3. Théoden zieht sich nach Helms Klamm zurück. Die Schlacht um die Hornburg beginnt. Die Ents vollenden die Zerstörung von Isengart.
4. Théoden und Gandalf brechen von Helms Klamm nach Isengart auf. Frodo erreicht die Schlackenhügel am Rande der Einöde des Morannon.
5. Théoden erreicht mittags Isengart. Verhandlung mit Saruman in Orthanc. Ein geflügelter Nazgûl überfliegt das Lager in Dol Baran. Gandalf bricht mit Peregrin nach Minas Tirith auf. Frodo verbirgt sich in Sichtweite des Morannon und verläßt es bei einbrechender Dunkelheit.
6. Aragorn wird in den frühen Morgenstunden von den Dúnedain eingeholt. Théoden macht sich von der Hornburg nach Hargtal auf. Aragorn bricht später auf.
7. Frodo wird von Faramir nach Henneth Annûn gebracht. Aragorn kommt bei Einbruch der Nacht nach Dunharg.
8. Aragorn schlägt bei Tagesanbruch die »Pfade der Toten« ein; um Mitternacht erreicht er Erech. Frodo verläßt Henneth Annûn.

9. Gandalf erreicht Minas Tirith. Faramir verläßt Heneth Annûn. Aragorn bricht von Erech auf und kommt nach Calembel. In der Abenddämmerung erreicht Frodo die Morgul-Straße. Théoden kommt nach Dunharg. Dunkelheit beginnt aus Mordor herauszuströmen.
10. Der Dämmerungslose Tag. Die Heerschau von Rohan; die Rohirrim reiten von Hargtal fort. Faramir wird von Gandalf vor den Toren der Stadt gerettet. Aragorn überschreitet den Ringló. Ein Heer aus dem Morannon nimmt Cair Andros und zieht weiter nach Anórien. Frodo kommt an der Wegscheide vorbei und sieht den Aufbruch des Morgul-Heeres.
11. Gollum besucht Kankra, aber als er Frodo im Schlaf sieht, bereut er es beinahe. Denethor schickt Faramir nach Osgiliath. Aragorn erreicht Linhir und setzt nach Lebennin über. Feinde dringen von Norden nach Ost-Rohan ein. Erster Angriff auf Lórien.
12. Gollum führt Frodo zu Kankras Lauer. Faramir zieht sich zu den Damm-Festungen zurück. Théoden lagert unter Minrimmon. Aragorn treibt den Feind nach Pelargir. Die Ents besiegen die Eindringlinge in Rohan.
13. Frodo von den Orks von Cirith Ungol gefangen. Der Pelennor wird überrrannt. Faramir wird verwundet. Aragorn erreicht Pelargir und bringt die Flotte auf. Théoden im Drúadan-Forst.
14. Samweis findet Frodo im Turm. Minas Tirith wird belagert. Die von den Ödland-Menschen geführten Rohirrim kommen zum Grauen Wald.
15. In den frühen Morgenstunden zertrümmert der Hexenkönig die Tore der Stadt. Denethor verbrennt sich selbst auf einem Scheiterhaufen. Die Hörner der Rohirrim werden mit dem ersten Hahnenschrei gehört. Schlacht auf dem Pelennor. Théoden wird erschlagen. Aragorn entrollt Arwens Banner. Frodo und Samweis entkommen und beginnen ihre Wanderung entlang dem Morgai. Schlacht unter den Bäumen in Düsterwald; Thranduil schlägt die Streitkräfte von Dol Guldur zurück. Zweiter Angriff auf Lórien.
16. Beratung der Heerführer. Frodo erblickt von Morgai über das Lager hinweg den Schicksalsberg.
17. Schlacht von Thal. König Brand und König Dáin Eisenfuß fallen. Viele Zwerge und Menschen suchen Zuflucht in Erebor und werden belagert. Schagrat bringt Frodos Mantel, Panzerhemd und Schwert nach Barad-dûr.
18. Das Heer des Westens marschiert von Minas Tirith. Frodo kommt in Sichtweite der Isenmünde; er wird auf der Straße von Durthang nach Udûn von Orks eingeholt.
19. Das Heer kommt zum Morgul-Tal. Frodo und Samweis entkommen und beginnen ihre Wanderung entlang der Straße nach Barad-dûr.
22. Eine Nacht des Schreckens. Frodo und Samweis verlassen die Straße und gehen nach Süden zum Schicksalsberg. Dritter Angriff auf Lórien.
23. Das Heer verläßt Ithilien. Aragorn entläßt die Zaghaften. Frodo und Samweis werfen ihre Waffen und ihre Ausrüstung fort.
24. Frodo und Samweis auf dem letzten Abschnitt ihrer Fahrt zum Fuß des Schicksalsberg. Das Heer lagert in der Einöde des Morannon.

25. Das Heer wird auf den Schlackenbergen umzingelt. Frodo und Samweis erreichen Sammath Naur. Gollum bemächtigt sich des Ringes und fällt in die Schicksalsklüfte. Barad-dûr stürzt ein und Sauron geht dahin.

Nach dem Fall des Dunklen Turms und Saurons Hinscheiden hob sich der Schatten von den Herzen aller, die sich ihm widersetzt hatten, aber Angst und Verzweiflung befielen seine Diener und Verbündeten. Dreimal war Lórien von Dol Guldur aus angegriffen worden, aber abgesehen von der Tapferkeit des Elbenvolks war die Macht, die dort wohnte, zu groß, als daß irgend jemand sie hätte besiegen können, es sei denn, Sauron selbst wäre dort hingekommen. Obwohl die schönen Wälder an den Grenzen schweren Schaden nahmen, wurden die Angriffe zurückgeschlagen; und als der Schatten verging, kam Celeborn heraus und führte das Heer von Lórien in vielen Booten über den Anduin. Sie nahmen Dol Guldur, und Galadriel riß seine Mauern nieder und legte seine Verliese bloß, und der Wald wurde gesäubert.

Auch im Norden war Krieg und Unheil. Der Feind drang in Thranduils Reich ein, und es gab einen langen Kampf unter den Bäumen und große Zerstörung durch Feuer; aber zuletzt war Thranduil siegreich. Und am Neujahrstag der Elben trafen sich Celeborn und Thranduil in der Mitte des Waldes; und sie gaben Düsterwald einen neuen Namen, *Eryn Lasgalen*, der Wald der Grünblätter. Thranduil nahm als sein Reich das ganze nördliche Gebiet bis zu dem Gebirge, das sich im Wald erhebt; und Celeborn nahm den südlichen Teil unterhalb des Engpasses und nannte ihn Ost-Lórien; der ganze ausgedehnte Wald dazwischen wurde den Beorningern und den Waldmenschen gegeben. Doch nach dem Hinscheiden von Galadriel einige Jahre später wurde Celeborn seines Reiches überdrüssig und ging nach Imladris, um bei Elronds Söhnen zu leben. Die Waldelben im Grünwald blieben unbehelligt, doch in Lórien weilten trauernd nur noch wenige der früheren Bevölkerung, und weder Licht noch Gesang gab es mehr in Caras Galadon.

Zu derselben Zeit, als die großen Heere Minas Tirith belagerten, setzte ein Heer der Verbündeten von Sauron, das die Grenzen von König Brand seit langem bedroht hatte, über den Fluß Carnen, und Brand wurde nach Thal zurückgetrieben. Dort hatte er den Beistand der Zwerge von Erebor; und es kam zu einer großen Schlacht am Fuße des Gebirges. Sie dauerte drei Tage, doch zuletzt wurden König Brand und auch König Dáin Eisenfuß erschlagen, und die Ostlinge hatten gesiegt. Aber sie konnten das Tor nicht einnehmen, und viele Zwerge und auch Menschen fanden Zuflucht in Erebor und hielten einer Belagerung stand.

Als Nachrichten von den großen Siegen im Süden kamen, wurde Saurons Nordheer von Entsetzen gepackt; und die Belagerten machten einen Ausfall und vertrieben sie, und die Reste flohen nach Osten und behelligten Thal nicht wieder. Dann wurde Bard II., Brands Sohn, König in Thal, und Thorin III. Steinhelm, Dáins Sohn, wurde König unter dem Berg. Sie schickten ihre Gesandten zur Krönung von König Elessar, und ihre Reiche hielten immer, so lange sie bestanden, Freundschaft mit Gondor, und sie unterstanden der Krone und dem Schutz des Königs des Westens.

DIE WICHTIGSTEN TAGE SEIT DEM FALL VON BARAD-DUR BIS ZUM ENDE DES DRITTEN ZEITALTERS[7]

3019
A. Z. 1419

27. März. Bard II. und Thorin III. Steinhelm vertreiben den Feind aus Thal. *28.* Celeborn überschreitet den Anduin; Beginn der Zerstörung von Dol Guldur.

6. April. Treffen von Celeborn und Thranduil. *8.* Die Ringträger werden auf dem Feld von Cormallen geehrt.

1. Mai. Krönung von König Elessar; Elrond und Arwen brechen von Bruchtal auf. *8.* Eomer und Éowyn reiten mit Elronds Söhnen nach Rohan. *20.* Elrond und Arwen kommen nach Lórien. *27.* Arwens Geleit verläßt Lórien.

14. Juni. Elronds Söhne treffen das Geleit und bringen Arwen nach Edóras. *16.* Sie brechen nach Gondor auf. *25.* König Elessar findet den Schößling des Weißen Baums.

1. Lithe. Arwen kommt in die Stadt.

Mittjahrstag. Hochzeit von Elessar und Arwen.

18. Juli. Éomer kehrt nach Minas Tirith zurück. *19.* Das Trauer-Geleit von König Théoden bricht auf.

7. August. Das Geleit kommt nach Edoras. *10.* Begräbnis von König Théoden. *14.* Die Gäste nehmen Abschied von König Éomer. *18.* Sie kommen nach Helms Klamm. *22.* Sie kommen nach Isengart; sie nehmen bei Sonnenuntergang Abschied vom König des Westens. *28.* Sie holen Saruman ein; Saruman begibt sich ins Auenland.

6. September. Sie machen Halt in Sichtweite der Berge von Moria. *13.* Celeborn und Galadriel verabschieden sich, die anderen gehen nach Bruchtal. *21.* Rückkehr nach Bruchtal. *22.* Einhundertneunundzwanzigster Geburtstag von Bilbo. Saruman kommt ins Auenland.

5. Oktober. Gandalf und die Hobbits verlassen Bruchtal. *6.* Sie überqueren die Furt des Bruinen; Frodo verspürt zum ersten Mal wieder Schmerzen. *28.* Bei Einbruch der Nacht erreichen sie Bree. *30.* Sie verlassen Bree. Die »Reisenden« kommen im Dunkeln zur Brandywein-Brücke.

1. November. Sie werden in Froschmoorstetten verhaftet. *2.* Sie kommen nach Wasserau und rufen das Auenlandvolk zum Aufstand auf. *3.* Schlacht von Wasserau und Verscheiden von Saruman. Ende des Ringkrieges.

---

[7] Monate und Tage sind nach dem Auenland-Kalender angegeben.

3020
A. Z. 1420: Das große Jahr des Überflusses

13. März. Frodo ist wieder krank (am Jahrestag seiner Vergiftung durch Kankra).
6. April. Der Mallorn blüht auf der Festwiese.
1. Mai. Samweis heiratet Rose.
Mittjahrstag. Frodo tritt vom Amt des Bürgermeisters zurück, und Willi Weißfuß übernimmt es wieder.
22. September. Bilbos einhundertdreißigster Geburtstag.
6. Oktober. Frodo ist wieder krank.

3021
A. Z. 1421: Das letzte des Dritten Zeitalters

13. März. Frodo ist wieder krank. *25.* Geburt von Elanor der Schönen[8], Tochter von Samweis. An diesem Tage begann nach der Zeitrechnung von Gondor das Vierte Zeitalter.
21. September. Frodo und Samweis brechen von Hobbingen auf. *22.* Sie treffen die Verwahrer der Ringe auf ihrem Letzten Ritt in Waldende. *29.* Sie kommen zu den Grauen Anfurten. Frodo und Bilbo fahren mit den Drei Verwahrern über das Meer. Das Ende des Dritten Zeitalters.
6. Oktober. Samweis kehrt nach Beutelsend zurück.

SPÄTERE EREIGNISSE, DIE ANGEHÖRIGE DER GEMEINSCHAFT DES RINGES BETREFFEN

A. Z.
1422 Mit dem Beginn dieses Jahres begann in der Zählung der Jahre im Auenland das Vierte Zeitalter; aber die Jahre der Auenland-Zeitrechnung wurden weitergezählt.
1427 Willi Weißfuß tritt zurück. Samweis wird zum Bürgermeister des Auenlandes gewählt. Peregrin Tuk heiratet Dietmute aus Lang-Cleeve. König Elessar gibt einen Erlaß heraus, daß Menschen das Auenland nicht betreten dürfen, und er macht es zu einem Freien Land unter dem Schutz des Nördlichen Szepters.
1430 Faramir, Peregrins Sohn, geboren.
1431 Goldglöckchen, Tochter von Samweis, geboren.
1432 Meriadoc, genannt der Prächtige, wird Herr von Bockland. Große Geschenke werden ihm von König Éomer und Frau Éowyn von Ithilien gesandt.

---

[8] Sie bekam den Beinamen »die Schöne« wegen ihrer Lieblichkeit; viele sagten, sie sehe eher wie eine Elbenmaid denn wie ein Hobbitmädchen aus. Sie hatte goldenes Haar, was im Auenland sehr selten gewesen war; aber zwei weitere von Samweis' Töchtern waren auch goldhaarig, und viele der um diese Zeit geborenen Kinder ebenso.

1434 Peregrin wird der Tuk und Thain. König Elessar ernennt den Thain, den Herrn von Bockland und den Bürgermeister zu Ratsherren des Nördlichen Königreichs. Meister Samweis wird zum zweiten Mal zum Bürgermeister gewählt.

1436 König Elessar reitet nach Norden und wohnt eine Zeitlang am See Evendim. Er kommt zur Brandywein-Brücke und begrüßt dort seine Freunde. Den Stern der Dúnedain gibt er Meister Samweis, und Elanor wird Ehrenjungfrau von Königin Arwen.

1441 Meister Samweis wird zum dritten Mal Bürgermeister.

1442 Meister Samweis, seine Frau und Elanor reiten nach Gondor und bleiben ein Jahr dort. Meister Tolman Hüttinger wird stellvertretender Bürgermeister.

1448 Meister Samweis wird zum vierten Mal Bürgermeister.

1451 Elanor die Schöne heiratet Fastred aus Grünholm auf den Weiten Höhen.

1452 Die Westmark, von den Weiten Höhen bis zu den Turmbergen (Emyn Beraid) [9], wird als ein Geschenk von König Elessar dem Auenland angegliedert. Viele Hobbits ziehen dorthin.

1454 Elfstan Schönkind, Sohn von Fastred und Elanor, geboren.

1455 Meister Samweis wird zum fünften Mal Bürgermeister. Auf seine Bitte ernennt der Thain Fastred zum Verwalter der Westmark. Fastred und Elanor schlagen ihren Wohnsitz in Untertürmen auf den Turmbergen auf, wo ihre Nachkommen, die Schönkinds von den Türmen, viele Generationen lebten.

1463 Faramir Tuk heiratet Goldglöckchen, Samweis' Tochter.

1469 Meister Samweis wird zum siebenten und letzten Mal Bürgermeister, da er 1476, bei Ablauf seiner Amtszeit, sechsundneunzig Jahre alt ist.

1482 Tod von Meister Samweis' Ehefrau Rose am Mittjahrstag. Am 22. September reitet Meister Samweis von Beutelsend fort. Er kommt zu den Turmbergen und wird zuletzt von Elanor gesehen, der er das Rote Buch übergibt, das später von den Schönkinds aufbewahrt wird. Von Elanor stammt die Überlieferung, daß Samweis an den Türmen vorbei zu den Grauen Anfurten ritt und als letzter der Ringträger über das Meer davonging.

1484 Im Frühling dieses Jahres kam eine Botschaft von Rohan nach Bockland, daß König Éomer Herrn Holdwine noch einmal zu sehen wünsche. Meriadoc war damals alt (102), aber noch rüstig. Er beriet sich mit seinem Freund, dem Thain, und bald darauf übergaben sie ihre Habe und ihre Ämter ihren Söhnen und ritten über die Sarn-Furt davon, und sie wurden im Auenland nicht mehr gesehen. Später erfuhr man, daß Herr Meriadoc nach Edoras kam und bei dem König war, bis Éomer in jenem Herbst starb. Dann gingen er und Thain Peregrin nach Gondor und verbrachten die kurzen Jahre, die ihnen noch blieben, in diesem Reich, bis sie starben

---

[9] I, 19; III, 364 (Anm. 22).

und in Rath Dínen unter den Großen von Gondor zur Ruhe gebettet wurden.

1541 In diesem Jahr [10] kam schließlich am 1. März das Hinscheiden von König Elessar. Es heißt, daß die Totenbetten von Meriadoc und Peregrin neben das Totenbett des großen Königs gestellt wurden. Dann baute Legolas in Ithilien ein graues Schiff und segelte den Anduin hinunter und weiter über das Meer; und mit ihm, heißt es, ging Gimli der Zwerg. Und als das Schiff davonfuhr, war in Mittelerde das Ende der Gemeinschaft des Ringes gekommen.

---

[10] Viertes Zeitalter (Gondor) 120.

ANHANG C

FAMILIENSTAMMBÄUME

Die in diesen Stammbäumen aufgeführten Namen sind nur eine Auswahl unter vielen. Bei den meisten von ihnen handelt es sich um die Gäste bei Bilbos Abschiedsfest oder ihre unmittelbaren Vorfahren. Die Gäste auf dem Fest sind unterstrichen. Einige wenige Namen anderer Personen, die bei den berichteten Ereignissen beteiligt waren, sind auch aufgeführt. Zusätzlich werden einige genealogische Informationen über Samweis, den Begründer der Familie *Gärtner* gegeben, die später berühmt und einflußreich war.

Die Zahlen nach den Namen sind die Daten der Geburt (und des Todes, soweit er verzeichnet ist). Alle Daten verstehen sich nach der Auenland-Zeitrechnung, die mit der Überquerung des Brandywein durch die Brüder Marcho und Blanco im Jahr 1 des Auenlands begann.

BEUTLIN VON HOBBINGEN

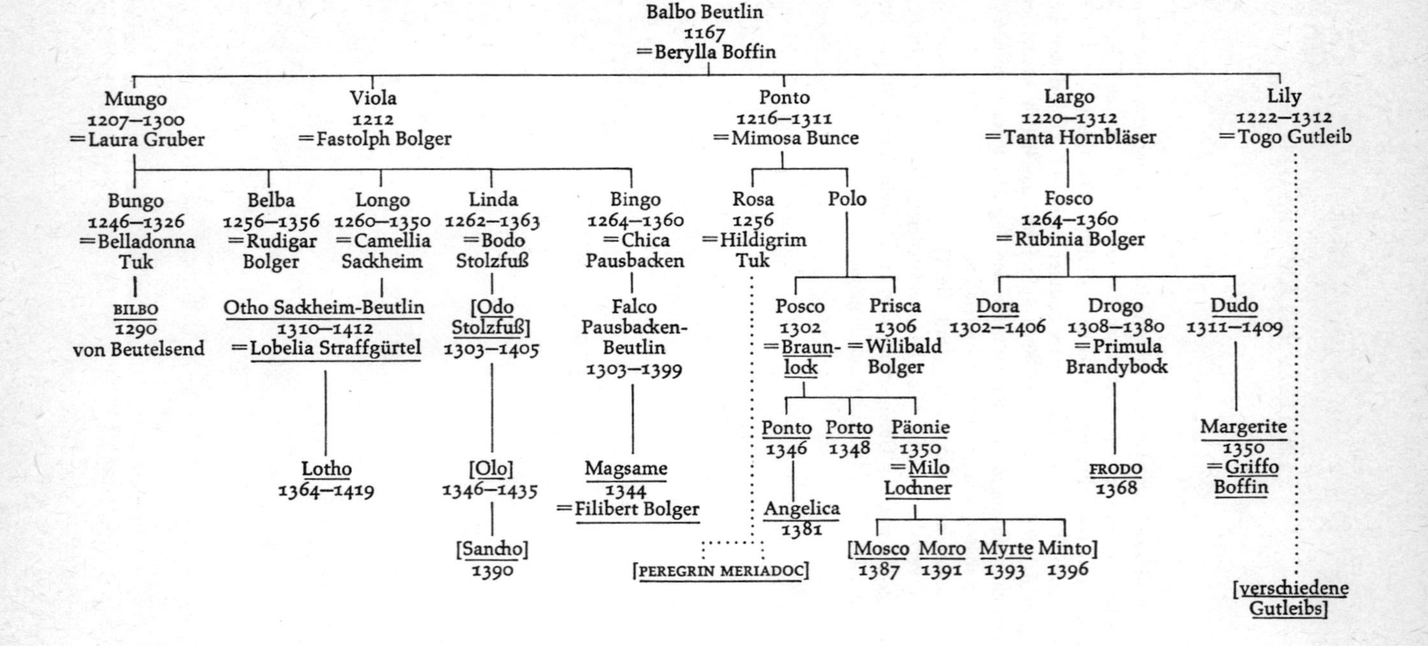

TUK VON GROSS-SMIALS

*Isegrim II.
Zehnter Thain der Tuk-Linie
1020–1122

*Isumbras III.
1066–1159

*Ferumbras II.
1101–1201

*Fortinbras I.
1145–1248

*Gerontius, Der Alte Tuk
1190–1320
=Adamanta Pausbacken

Bandobras
(Bullenraßler)
1104–1206

Viele Nachkommen
einschließlich der Nord-Tuks
von Langcleeve

*Isegrim III. 1232–1330 (keine Kinder)

Hildigard (starb jung)

*Isumbras IV. 1238–1339

Hildigrim 1240–1341 =Rosa Beutlin

Isembold 1242–1346 (viele Nachkommen)

Hildifons 1244 (ging auf eine Fahrt und kehrte nie zurück

Isembard 1247–1346

Hildibrand 1249–1334

Belladonna 1252–1334 =Bungo Beutlin

Donnamira 1256–1348 =Hugo Boffin

Mirabella 1260–1360 =Gorbadoc Brandybock

Isengar 1262–1360 (soll in seiner Jugend »zur See gegangen« sein)

*Fortinbras II. 1278–1380

Adalgrim 1280–1382

[BILBO]

Flambard 1287–1389

Sigismund 1290–1391

[sechs Kinder]

[Primula]

[FRODO]

*Ferumbras III. 1316–1415 (unverheiratet)

3 Töchter

*Paladin II. 1333–1434 =Heiderose Hang

Esmeralda 1336 =Saradoc Brandybock

Adelard 1328–1423

Rosamunde 1338 =Odovacar Bolger

Ferdinand 1340

Perle 1375

Pimpernel 1379

Petunia 1385

*PEREGRIN I. 1390 =Dietmute von Langcleeve 1395

[MERIADOC]

Reginard 1369

3 Töchter

Everard 1380

[Fredegar] 1380

Ferdibrand 1383

*Faramir I.
1430
=Goldlöckchen, Tochter von Meister Samweis

BRANDYBOCK VON BOCKLAND

Gorhendad Altbock vom Bruch begann um 740 mit dem Bau von *Brandyschloß* und änderte den Familiennamen in *Brandybock*

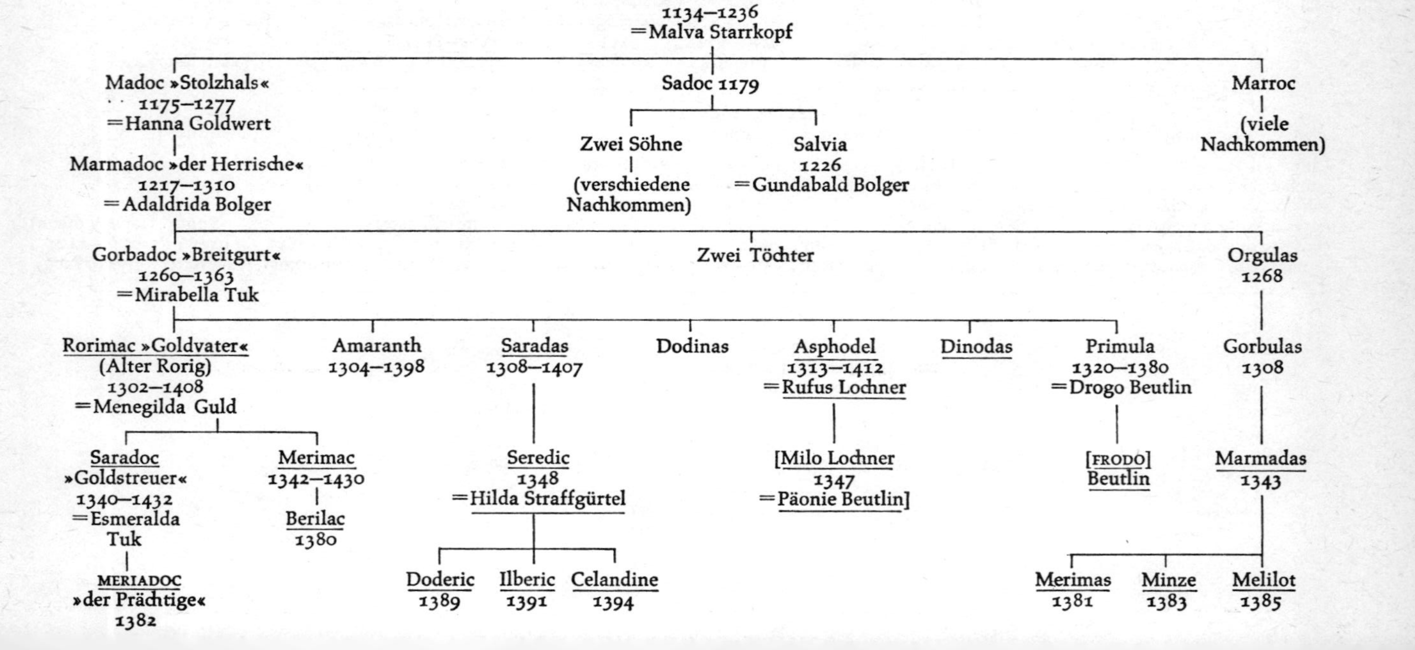

(der auch den Aufstieg der Familien Gärtner vom Bühl und Schönkind von den Türmen zeigt)

Hamfast von Gamwich 1160

Weisman Gamwich 1200 zog nach Reepfeld

Hob Gammidsch der Seiler (»Alter Gammidschie«) 1246 = Rowan 1249

Höhlenmann, der Grünhändige, von Hobbingen: Rowan 1249; Halfred Grünhand 1251 (Gärtner); Erling 1254; Hending 1259; Rose 1262

Halfred Grünhand 1251 (Gärtner) — Holman Grünhand 1292

Hütter 1220: Hüttner 1260; Carl 1263

Rose 1262 = Hüttner 1260

Hüttner 1260 — Höhlenmann Hüttinger (»Langer Hom«) von Wasserau 1302

Hobsen (Seiler Gamdschie) 1285–1384

Kinder von Hobsen: Andweis Seiler von Reepfeld (»Andi«) 1323; HAMFAST (Ham Gamdschie) der Ohm 1326–1428 =Bell Gutkind; Maie 1328; Halfred von Oberbühl 1332

HAMFAST (Ham Gamdschie) der Ohm: arbeitete bei seinem »Vetter Höhlenmann« in Hobbingen als Gärtner

Halfred von Oberbühl 1332 — Halfast 1372

Andweis — Ansen 1361

Kinder von Hamfast: Hamsen 1365 ging zu seinem Onkel, dem Seiler; Halfred 1369 zog ins Nordviertel; Margerite 1372; Maie 1376; SAMWEIS 1380 (Gärtner) = Rose Hüttinger; Goldblume 1383

Kinder von Höhlenmann Hüttinger: Tolman Hüttinger (»Tom«) 1341–1440 =Lily Braun; Wilkomm (»Will«) 1346

Kinder von Tolman Hüttinger: Tolman (Tom) 1380; ROSE 1384 = Sam Gamdschie; Wilkomm (Jupp) 1384; Bogenman (Klaus) 1386; Carl (Nibs) 1389

Goldblume 1383 = Tolman (Tom) 1380

Kinder von Samweis und Rose: ELANOR die Schöne 1421; FRODO Gärtner 1423; Rose 1425; Merry 1427; Pippin 1429; Goldlöckchen 1431; Hamfast 1432; Margerite 1433; Primula 1435; Bilbo 1436; Rubinie 1438; Robi 1440; Tolman (Tom) 1442

ELANOR die Schöne 1421 = Fastred von Grünholm

FRODO Gärtner 1423 — Holfast Gärtner 1462 — Harding vom Bühl 1501

Goldlöckchen 1431 = Faramir I. Sohn von Thain Peregrin I.

Sie zogen in die *Westmark*, ein damals neu besiedeltes Land (ein Geschenk von König Elessar) zwischen den Weiten Höhen und den Turmbergen. Von ihnen stammten die *Schönkinds von den Türmen* ab, die Verweser der Westmark, die das Rote Buch erbten und mehrere Abschriften mit verschiedenen Anmerkungen und späteren Zusätzen anfertigten.

ANHANG D

AUENLAND-KALENDER

(Zur Verwendung in allen Jahren)

(1) *Nachjul*	(4) *Astron*	(7) *Nachlithe*	(10) *Winterfilth*
7 14 21 28	1 8 15 22 29	7 14 21 28	1 8 15 22 29
1 8 15 22 29	2 9 16 23 30	1 8 15 22 29	2 9 16 23 30
2 9 16 23 30	3 10 17 24 –	2 9 16 23 30	3 10 17 24 –
3 10 17 24 –	4 11 18 25 –	3 10 17 24 –	4 11 18 25 –
4 11 18 25 –	5 12 19 26 –	4 11 18 25 –	5 12 19 26 –
5 12 19 26 –	6 13 20 27 –	5 12 19 26 –	6 13 20 27 –
6 13 20 27 –	7 14 21 28 –	6 13 20 27 –	7 14 21 28 –
(2) *Solmath*	(5) *Thrimidge*	(8) *Wedmath*	(11) *Blotmath*
– 5 12 19 26	– 6 13 20 27	– 5 12 19 26	– 6 13 20 27
– 6 13 20 27	– 7 14 21 28	– 6 13 20 27	– 7 14 21 28
– 7 14 21 28	1 8 15 22 29	– 7 14 21 28	1 8 15 22 29
1 8 15 22 29	2 9 16 23 30	1 8 15 22 29	2 9 16 23 30
2 9 16 23 30	3 10 17 24 –	2 9 16 23 30	3 10 17 24 –
3 10 17 24 –	4 11 18 25 –	3 10 17 24 –	4 11 18 25 –
4 11 18 25 –	5 12 19 26 –	4 11 18 25 –	5 12 19 26 –
(3) *Rethe*	(6) *Vorlithe*	(9) *Halimath*	(12) *Vorjul*
– 3 10 17 24	– 4 11 18 25	– 3 10 17 24	– 4 11 18 25
– 4 11 18 25	– 5 12 19 26	– 4 11 18 25	– 5 12 19 26
– 5 12 19 26	– 6 13 20 27	– 5 12 19 26	– 6 13 20 27
– 6 13 20 27	– 7 14 21 28	– 6 13 20 27	– 7 14 21 28
– 7 14 21 28	1 8 15 22 29	– 7 14 21 28	1 8 15 22 29
1 8 15 22 29	2 9 16 23 30	1 8 15 22 29	2 9 16 23 30
2 9 16 23 30	3 10 17 24	2 9 16 23 30	3 10 17 24
	Mittjahrstag (Überlithe)		

Jedes Jahr begann am ersten Tag der Woche, Samstag, und endete am letzten Tag der Woche, Freitag. Der Mittjahrstag und in Schaltjahren der Überlithe hatten keinen Wochentag-Namen. Der Lithe vor dem Mittjahrstag wurde 1. Lithe genannt, und der danach wurde 2. Lithe genannt. Der Jul am Ende des Jahres war 1. Jul, und der zu Beginn war 2. Jul. Der Überlithe war ein besonderer Feiertag, aber er kam in den für die Geschichte des Großen Rings wichtigen Jahren nicht vor. Er kam 1420 vor, dem Jahr der berühmten Ernte und des wundervollen Sommers, und es heißt, die Feste in jenem Jahr seien die größten gewesen, an die man sich erinnern kann oder die je aufgezeichnet wurden.

DIE KALENDER

Der Kalender im Auenland unterscheidet sich in verschiedenen Einzelheiten von dem unseren. Das Jahr war zweifellos genauso lang [1], denn wenn jene Zeiten auch, gerechnet nach Jahren und Menschenleben, lange her sind, so sind sie doch für das Gedächtnis der Erde nicht sehr fern. Es ist von den Hobbits aufgezeichnet worden, daß sie keine »Woche« hatten, solange sie noch ein wanderndes Volk waren, und obwohl sie »Monate« hatten, die mehr oder weniger vom Mond bestimmt waren, so waren ihre Datenaufzeichnungen und Zeitberechnungen unbestimmt und ungenau. Als sie begonnen hatten, sich in den Westlanden von Eriador anzusiedeln, übernahmen sie die Königs-Zeitrechnung der Dúnedain, die ursprünglich von den Eldar stammte; aber die Hobbits im Auenland führten verschiedene kleinere Änderungen ein. Dieser Kalender oder die »Auenland-Zeitrechnung«, wie er genannt wurde, wurde schließlich auch in Bree übernommen mit Ausnahme der Auenland-Gepflogenheit, als Jahr 1 die Besiedlung des Auenlandes zu rechnen.

Es ist oft schwierig, aus alten Erzählungen und Überlieferungen genaue Aufschlüsse über Dinge zu erhalten, die die Leute zu ihrer Zeit gut kannten und als selbstverständlich ansahen (zum Beispiel Namen von Buchstaben oder Wochentagen oder die Namen und Länge von Monaten). Doch dank ihrem allgemeinen Interesse für Ahnenkunde und dem Interesse für alte Geschichte, das die Gebildeten unter ihnen nach dem Ringkrieg bezeugten, scheinen sich die Auenland-Hobbits ziemlich viel mit Daten befaßt zu haben; und sie stellten komplizierte Tabellen auf, die den Zusammenhang zwischen ihrem eigenen System und anderen aufzeigten. Ich bin nicht erfahren in diesen Dingen und habe vielleicht viele Fehler gemacht; aber jedenfalls ist die Chronologie der entscheidenden Jahre A. Z. 1418, 1419 so sorgfältig im Roten Buch dargelegt worden, daß in diesem Punkt nicht viel Zweifel an Tagen und Zeiten bestehen kann.

Es scheint klar, daß die Eldar in Mittelerde, die, wie Samweis bemerkte, mehr Zeit zur Verfügung hatten, in langen Zeiträumen rechneten, und das Quenya-Wort *yén*, das oft mit »Jahr« übersetzt wurde (I, 455/56), bedeutet in Wirklichkeit 144 von unseren Jahren. Die Eldar zogen es vor, so weit als möglich mit sechs und zwölf zu rechnen. Einen Tag der Sonne nannten sie *ré* und rechneten von Sonnenuntergang bis Sonnenuntergang. Das *yén* umfaßte 52 596 Tage. Eher aus rituellen denn aus praktischen Gründen gab es bei ihnen eine Woche oder *enquië* von sechs Tagen; und das *yén* umfaßt 8766 dieser *enquier*, die während des Zeitraums fortlaufend gezählt wurden.

In Mittelerde gab es bei den Eldar auch einen kurzen Zeitraum oder Sonnenjahr, das *coranar* oder »Sonnenrunde« genannt wurde, wenn es mehr oder weniger astronomisch betrachtet wurde, aber gewöhnlich hieß es *loa*, »Wachstum«

---

[1] 365 Tage, 5 Stunden, 48 Minuten, 46 Sekunden.

(besonders in den nordwestlichen Landen), wenn in erster Linie die jahreszeitlichen Veränderungen in der Vegetation betrachtet wurden, wie es bei den Elben im allgemeinen üblich war. Das *loa* war in Perioden unterteilt, die man entweder als lange Monate oder kurze Jahreszeiten ansehen könnte. Diese wichen zweifellos in verschiedenen Gebieten voneinander ab; aber die Hobbits geben nur Aufschluß über den Kalender von Imladris. Nach jenem Kalender gab es sechs dieser »Jahreszeiten«, deren Quenya-Namen *tuilë, lairë, yávië, quellë, hrívë, coirë* lauteten, was mit »Frühling, Sommer, Herbst, Vergehen, Winter und Regung« übersetzt werden könnte. Die Sindarin-Namen waren *ethuil, laer, iavas, firith, rhîw, echuir.* »Vergehen« wurde auch *lasse-lante* »Laubfall« oder in Sindarin *narbeleth* »Sonnenschwund« genannt.

Lairë und *hrívë* umfaßten je 72 und die anderen je 54 Tage. Das *loa* begann mit *yestarë,* dem Tag unmittelbar vor *tuilë,* und endete mit *mettarë,* dem Tag unmittelbar nach *coirë.* Zwischen *yávië* und *quellë,* waren drei *enderi* oder »Mitteltage« eingefügt. Das ergab ein Jahr von 365 Tagen, das ergänzt wurde durch eine Verdoppelung der *enderi* (zusätzlich 3 Tage) in jedem elften Jahr.

Wie mit sich ergebenden Ungenauigkeiten verfahren wurde ist unbestimmt. Wenn das Jahr damals so lang war wie jetzt, dann würde das *yén* mehr als einen Tag zu lang gewesen sein. Daß eine Ungenauigkeit bestand, wird deutlich durch eine Anmerkung in den Kalendern des Roten Buchs, die besagt, daß in der »Rechnung von Bruchtal« das letzte Jahr jedes dritten *yén* um drei Tage gekürzt wurde: die in diesem Jahr fällige Verdoppelung der drei *enderi* wurde unterlassen. »Aber das geschah nicht in unserer Zeit«. Über den Ausgleich noch verbliebener Ungenauigkeiten gibt es keine Unterlagen.

Die Númenorer änderten diese Anordnungen. Sie unterteilten das *loa* in kürzere Perioden von gleichmäßigerer Länge; und sie hielten an dem Brauch fest, das Jahr mitten im Winter beginnen zu lassen, wie er bei den Menschen des Nordwestens bestanden hatte, deren Abkömmlinge im Ersten Zeitalter sie waren. Später gaben sie ihrer Woche auch sieben Tage und rechneten den Tag vom Aufgang der Sonne (aus dem östlichen Meer) bis Sonnenaufgang.

Das Númenorische System, wie es in Númenor und auch in Arnor und Gondor bis zum Ende der Könige angewandt wurde, nannte man Königs-Zeitrechnung. Das normale Jahr hatte 365 Tage. Es war unterteilt in zwölf *astar,* oder Monate, von denen zehn 30 Tage und zwei 31 Tage hatten. Die langen *astar* waren die beiden vor und nach dem Mittjahr und entsprachen ungefähr unserem Juni und Juli. Der erste Tag des Jahres wurde *yestarë,* der mittlere (der 183.) *loëndë* und der letzte Tag *mettarë* genannt. Diese drei Tage gehörten zu keinem Monat. In jedem vierten Jahr außer im letzten eines Jahrhunderts *(haranyë)* traten zwei *enderi* oder »Mitteltage« an die Stelle des *loëndë.*

In Númenor begann die Zählung mit Z. Z. 1. Das durch das Abziehen eines Tages vom letzten Jahr eines Jahrhunderts entstandene *Defizit* wurde erst im letzten Jahr eines Jahrtausend ausgeglichen, wobei ein *tausendjähriges Defizit* von 4 Stunden, 46 Minuten und 40 Sekunden blieb. Diese Hinzufügung wurde in Númenor im Z. Z. 1000, 2000 und 3000 vorgenommen. Nach dem Untergang im Z. Z. 3319 wurde das System von den Verbannten beibehalten; doch wurde es mit Beginn des Dritten Zeitalters durch eine neue Zählweise stark verschoben: Z. Z. 3342 wurde D. Z. 1. Indem D. Z. 4 anstelle von D. Z. 3 (Z. Z. 3444) zu einem Schaltjahr gemacht wurde, war ein weiteres kurzes Jahr von nur 365 Tagen eingeführt, das ein Defizit von 5 Stunden, 48 Minuten und 46 Sekunden verursachte. Die tausendjährigen Zusätze wurden 441 Jahre zu spät gemacht: im D. Z. 1000 (Z. Z. 4441) und 2000 (Z. Z. 5441). Um die so verursachten Fehler und die Häufung der tausendjährigen Defizite zu vermindern, gab der Truchseß Mardil einen berichtigten Kalender heraus, der in D. Z. 2060 in Kraft treten sollte, nachdem noch zwei weitere Tage zu 2059 (Z. Z. 5500) hinzugefügt wurden, die 5 1/2 Jahrtausende seit dem Beginn des Númenorischen Systems abschlossen. Aber dabei blieb immer noch ein Defizit von 8 Stunden. Hador fügte dem Jahr 2360 einen Tag zu, obwohl der Ausfall nicht ganz so viel betragen hatte. Danach wurden keine Berichtigungen mehr vorgenommen. (Im D. Z. 3000 wurden solche Dinge angesichts der drohenden Kriegsgefahr vernachlässigt.) Am Ende des Dritten Zeitalters, nach weiteren 660 Jahren, betrug das Defizit noch nicht einen Tag.

Der von Mardil eingeführte Berichtigte Kalender wurde Truchsessen-Zeitrechnung genannt und schließlich von der Mehrzahl derer, die das Westron sprachen, übernommen, mit Ausnahme der Hobbits. Die Monate hatten sämtlich 30 Tage, und zwei Tage außerhalb der Monate wurden eingeführt: einer zwischen dem 3. und 4. Monat (März, April) und einer zwischen dem 9. und 10. Monat (September, Oktober). Diese fünf Tage außerhalb der Monate, *yestarë, tuilérë, loëndë, yáviérë* und *mettarë*, waren Feiertage.

Die Hobbits waren konservativ und verwendeten weiterhin eine Form der Königs-Zeitrechnung, die sie ihren eigenen Bräuchen anpaßten. Ihre Monate waren alle gleich lang und hatten je 30 Tage; aber sie hatten zwischen Juni und Juli 3 Sommertage, die im Auenland die Lithe oder Lithetage genannt wurden. Der letzte Tag des Jahres und der erste des neuen Jahres wurden Jultage genannt. Die Jultage und die Lithetage blieben außerhalb der Monate, so daß der 1. Januar der zweite und nicht der erste Tag des Jahres war. Alle vier Jahre, außer im letzten Jahr des Jahrhunderts [2], gab es vier Lithetage. Die Lithetage und die Jultage waren die Hauptfeiertage und Festzeit. Der zusätzliche Lithetag nach dem Mittjahrstag, als der 184. Tag des Schaltjahrs, wurde Überlithe genannt und war ein Tag besonderer Festlichkeit. Insgesamt betrug die Julzeit sechs Tage, und zwar die drei letzten und die drei ersten Tage jedes Jahres.

Das Auenland-Volk führte eine eigene kleine Neuerung ein (die schließlich auch in Bree übernommen wurde), die sie die Auenland-Reform nannten. Sie fanden es unordentlich und unbequem, daß sich die Namen der Wochentage im

---

[2] Im Auenland, wo Jahr 1 D. Z. 1601 entsprach. In Bree, wo Jahr 1 D. Z. 1300 entsprach, war es das erste Jahr des Jahrhunderts.

Hinblick auf die Daten von Jahr zu Jahr verschoben. In der Zeit von Isegrim II. bestimmten sie daher, daß der zusätzliche Tag, der die Reihenfolge störte, keinen Wochentag-Namen haben sollte. Seitdem hatte der Mittjahrstag (und der Überlithe) nur diesen Namen und gehörte zu keiner Woche (I, 182). Infolge dieser Reform begann das Jahr immer am Ersten Tag der Woche und endete am Letzten Tag; und das jeweilige Datum in einem Jahr hatte denselben Wochentag-Namen in allen anderen Jahren, so daß das Auenland-Volk sich nicht mehr die Mühe machte, in ihren Briefen oder Tagebüchern den Wochentag anzugeben [3]. Sie fanden das zu Hause recht bequem, aber nicht so bequem, wenn sie weiter reisten als bis Bree.

In den obigen Bemerkungen wie in der Erzählung habe ich unsere modernen Namen für Monate und Wochentage gebraucht, obwohl das natürlich weder die Eldar noch die Dúnedain oder die Hobbits in Wirklichkeit taten. Die Übersetzung der Westron-Namen schien wesentlich zu sein, um Verwirrung zu vermeiden, während die jahreszeitlichen Bedeutungen unserer Namen mehr oder weniger dieselben sind, jedenfalls im Auenland. Es scheint jedoch, daß der Mittjahrstag möglichst annähernd mit der Sommersonnenwende übereinstimmen sollte. In diesem Fall waren die Auenland-Daten den unseren tatsächlich um etwa zehn Tage voraus, und unser Neujahrstag entsprach mehr oder weniger dem 9. Januar im Auenland.

Im Westron wurden die Quenya-Namen der Monate gewöhnlich beibehalten, wie heutzutage die lateinischen Namen weitgehend in fremden Sprachen verwendet werden. Sie lauteten: *Narvinyë, Nénimë, Súlimë, Víressë, Lótessë, Nárië, Cermië, Urimë, Yavannië, Narquelië, Hísimë, Ringarë.* Die Sindarin-Namen (die nur von den Dúnedain gebraucht wurden) waren: *Narwain, Nínui, Gwaeron, Gwirith, Lothron, Nórui, Cerveth, Urui, Ivanneth, Narbeleth, Hithui, Girithron.*

In dieser Nomenklatur wichen jedoch die Hobbits sowohl im Auenland wie in Bree von dem Westron-Sprachgebrauch ab und hielten an ihren altmodischen, örtlichen Namen fest, die sie in grauer Vorzeit von den Menschen der Anduin-Täler übernommen zu haben scheinen; jedenfalls wurden ähnliche Namen in Thal und Rohan gefunden (vgl. die Bemerkungen über Sprachen, S. 466 f.). Die Bedeutungen dieser von Menschen ersonnenen Namen waren in der Regel von den Hobbits längst vergessen, selbst in Fällen, in denen sie ursprünglich bekannt gewesen waren; und die Formen der Namen wurden infolgedessen stark verwischt; *math* zum Beispiel am Ende einiger dieser Namen ist eine Vereinfachung von *Monat.*

---

[3] Bei einem Blick auf den Auenland-Kalender wird man feststellen, daß der einzige Wochentag, an dem kein Monat begann, der Freitag war. So wurde es eine scherzhafte Redensart im Auenland, von »Freitag dem ersten« zu sprechen, wenn ein Tag gemeint war, den es nicht gab, oder ein Tag, an dem sehr unwahrscheinliche Ereignisse eintreten könnten, etwa daß Schweine fliegen oder (im Auenland) Bäume laufen. Der volle Wortlaut der Redensart war »am Freitag dem ersten Sommerfilth«.

Die Auenland-Namen sind im Kalender angegeben. Es mag erwähnt werden, daß *Solmath* gewöhnlich *Somath* ausgesprochen und manchmal auch so geschrieben wurde; *Thrimidge* wurde oft *Thrimich* geschrieben; und *Blotmath* wurde *Blodmath* oder *Blommath* ausgesprochen. In Bree lauteten die Namen anders, und zwar *Frery, Solmath, Rethe, Chithing, Thrimidge, Lithe, Die Sommertage, Mede, Wedmath, Erntemath, Wintring, Blooting* und *Julmath. Frery, Chithing* und *Julmath* wurden auch im Ostviertel gebraucht[4].

Die Hobbit-Woche stammte von den Dúnedain, und die Namen waren Übersetzungen jener, die den Tagen im Nördlichen Königreich gegeben worden waren und ihrerseits von den Eldar stammten. Die Sechstagewoche der Eldar hatte Tage, die den Sternen, der Sonne, dem Mond, den Zwei Bäumen, dem Himmel und den Valar oder Mächten in dieser Reihenfolge gewidmet waren oder nach ihnen genannt wurden, wobei der letzte Tag der wichtigste Tag der Woche war. In Quenya lauteten ihre Namen *Elenya, Anarya, Isilya, Aldúya, Menelya, Valanya* (oder *Tárion*); die Sindarin-Namen waren *Orgilion, Oranor, Orithil, Orgaladhad, Ormenel, Orbelain (oder Rodyn).*

Die Númenorer behielten die Widmungen und die Reihenfolge bei, änderten aber den vierten Tag in *Aldea (Orgaladh),* so daß er sich nur auf den Weißen Baum bezog, als dessen Abkömmling Nimloth, der in des Königs Hof in Númenor wuchs, angesehen wurde. Da sie auch einen siebenten Tag wünschten und große Seeleute waren, fügten sie nach dem Himmelstag einen »Meer-Tag«, *Eärenya (Oraearon),* ein.

Die Hobbits übernahmen diese Anordnung, aber die Bedeutungen ihrer übersetzten Namen waren bald vergessen oder wurden nicht mehr beachtet, und die Formen wurden stark vereinfacht, besonders im alltäglichen Sprachgebrauch. Die erste Übersetzung der númenorischen Namen wurde wahrscheinlich zweitausend oder mehr Jahre vor dem Ende des Dritten Zeitalters gemacht, als die Woche der Dúnedain (der zuerst von fremden Völkern übernommene Teil ihrer Zeitrechnung) von den Menschen im Norden aufgegriffen wurde. Wie bei ihren Monatsnamen, hielten die Hobbits auch an diesen Übersetzungen fest, obwohl anderswo im Westron-Bereich die Quenya-Namen gebraucht wurden.

Nicht viele alte Urkunden waren im Auenland erhalten. Am Ende des Dritten Zeitalters war das bei weitem bemerkenswerteste die Gelbhülle oder das Jahrbuch von Buckelstadt[5]. Die frühesten Eintragungen scheinen zumindest neun-

[4] Es war ein Scherz in Bree, von »Winterfilth im (schlammigen) Auenland« zu sprechen, aber das Auenland-Volk meinte, Wintring sei eine Bree-Abwandlung des älteren Namens gewesen, der sich ursprünglich auf das Erfüllen oder die Vollendung des Jahres vor dem Winter bezog und sich aus Zeiten vor der völligen Übernahme der Königs-Zeitrechnung herleitete, als ihr neues Jahr nach der Ernte begann.

[5] Es wurden Geburten, Heiraten und Todesfälle in den Tuk-Familien und auch andere Dinge wie Landverkäufe und verschiedene Auenland-Ereignisse aufgezeichnet.

hundert Jahre vor Frodos Zeit gemacht worden zu sein; und viele sind in den Annalen und Stammbäumen des Roten Buchs zitiert. Bei diesen Eintragungen erscheinen die Wochentagnamen in archaischen Formen, von denen die folgenden die ältesten sind: (1) *Sterrendei*, (2) *Sunnendei*, (3) *Monendei*, (4) *Trewesdei*, (5) *Hevenesdei*, (6) *Meresdei*, (7) *Hochdei*. In der Sprache der Zeit des Ringkrieges waren sie zu *Stertag*, *Sonntag*, *Montag*, *Trewstag*, *Hevenstag* (oder *Henstag*), *Merstag* und *Hochtag* geworden.

Ich habe diese Namen in unsere Namen übersetzt und natürlich auch mit Sonntag und Montag angefangen, die in der Auenland-Woche mit denselben Namen wie unsere vorkommen, und habe die anderen der Reihe nach umbenannt. Es muß jedoch beachtet werden, daß die Namensassoziationen im Auenland ganz andere waren. Der letzte Tag der Woche, Freitag (Hochtag) war der wichtigste Tag und ein Feiertag (ab Mittag), und abends wurde geschmaust. Samstag entspricht also eher unserem Montag und Donnerstag unserem Samstag [6].

Noch ein paar andere Namen können erwähnt werden, die sich auf die Zeit beziehen, obwohl sie bei der eigentlichen Zeitrechnung nicht verwendet wurden. Die gewöhnlich genannten Jahreszeiten waren *tuilë*, Frühling, *lairë*, Sommer, *yávië*, Herbst (oder Ernte), *hrívë*, Winter; aber sie waren nicht genau festgelegt und *quellë* (oder *lasselanta*) wurden ebenfalls für den letzten Teil des Herbstes und den Beginn des Winters gebraucht.

Die Eldar schenkten (in den nördlichen Gebieten) der »Dämmerung« besondere Aufmerksamkeit, hauptsächlich deshalb, weil es die Stunden waren, da die Sterne verblaßten oder aufgingen. Sie hatten viele Namen für diese Zeitspannen, von denen die gebräuchlichsten *tindómë* und *undómë* waren; der erstere bezog sich zumeist auf die Zeit um die Morgendämmerung, der zweite auf den Abend. Die Sindarin-Namen waren *uial*, die als *minuial* und *aduial* gekennzeichnet werden konnten. Im Auenland wurden sie oft *morgendim* und *evendim* genannt. Vgl. See Evendim, eine Übersetzung von Nenuial.

Die Auenland-Zeitrechnung und -Daten sind die einzig wichtigen für die Erzählung vom Ringkrieg. Alle Tage, Monate und Daten sind im Roten Buch daher in Auenland-Begriffe übersetzt oder in Anmerkungen gleichgesetzt worden. Angaben von Monaten und Tagen im *Herrn der Ringe* beziehen sich also durchweg auf den Auenland-Kalender. Die einzigen Punkte, an denen die Unterschiede zwischen diesem und unserem Kalender für die Geschichte in dem entscheidenden Zeitraum wichtig sind, das Ende von 3018 und der Beginn von 3019 (A. Z. 1418, 1419) sind folgende: der Oktober 1418 hat nur 30 Tage, der 1. Januar ist der zweite Tag von 1419, und der Februar hat 30 Tage; so daß der 25. März, der Tag des Falls von Barad-dûr, unserem 27. März entsprechen würde, wenn unsere Jahre an demselben jahreszeitlichen Punkt begännen. Das

---

[6] Ich habe daher in Bilbos Lied (I, 199–200) Samstag und Sonntag anstelle von Donnerstag und Freitag verwendet.

Datum war jedoch sowohl in der Königs- als auch in der Truchsessen-Zeitrechnung der 25. März.

Die Neue Zeitrechnung wurde im wiederhergestellten Königreich in D. Z. 3019 begonnen. Sie stellt eine Rückkehr zu der auf einen Frühjahrsbeginn wie in der Eldarin *loa* umgestellten Königs-Zeitrechnung dar [7].

In der neuen Zeitrechnung begann das Jahr am 25. März alten Stils zur Erinnerung an den Sturz von Sauron und die Taten der Ringträger. Die Monate behielten ihre früheren Namen und begannen nun mit Víresse (April), bezogen sich aber auf Zeiträume, die im allgemeinen fünf Tage früher begannen als vorher. Alle Monate hatten 30 Tage. Es gab 3 *Enderi* oder Mitteltage (von denen der zweite *Loëndë* genannt wurde) zwischen *Yavannië* (September) und *Narquelië* (Oktober), die dem 23., 24. und 25. September alten Stils entsprachen. Aber zu Ehren von Frodo wurde der 30. *Yavannië*, der dem früheren 22. September, seinem Geburtstag, entsprach, zu einem Festtag gemacht, und in Schaltjahren wurde dieses Fest verdoppelt und *Cormarë* oder Ringtag genannt.

Als Beginn des Vierten Zeitalters galt das Fortgehen von Herrn Elrond, das im September 3021 stattfand; aber bei allen Aufzeichnungen im Königreich war Viertes Zeitalter Jahr 1 dasjenige, das nach der Neuen Zeitrechnung am 25. März 3019 alten Stils begann.

Diese Zeitrechnung wurde im Laufe der Regierung von König Elessar in allen seinen Landen übernommen mit Ausnahme des Auenlandes, wo der alte Kalender beibehalten und die Auenland-Zeitrechnung fortgesetzt wurde. Viertes Zeitalter 1 wurde daher 1422 genannt; und soweit die Hobbits den Zeitalterwechsel überhaupt beachteten, beharrten sie darauf, daß das neue Zeitalter mit dem 2. Jul 1422 und nicht im März davor begonnen habe.

Es gibt keine Aufzeichnungen des Auenland-Volkes darüber, daß entweder der 25. März oder der 22. September gefeiert wurden; doch im Westviertel, besonders in der Gegend um den Bühl von Hobbingen, entstand die Sitte, am 6. April, wenn das Wetter es erlaubte, auf der Festwiese zu feiern und zu tanzen. Manche sagten, es sei der Geburtstag des alten Sam Gärtner, manche wiederum meinten, es sei der Tag gewesen, an dem im Jahre 1420 der Goldene Baum zum ersten Mal blühte, und wieder andere glaubten, es sei das Neujahr der Elben. In Bockland wurde das Horn der Mark an jedem 2. November bei Sonnenuntergang geblasen, und Freudenfeuer und Festmähler schlossen sich an [8].

---

[7] Obwohl das *yestare* der Neuen Zeitrechnung in Wirklichkeit früher begann als im Kalender von Imladris, bei dem es mehr oder weniger dem 6. April des Auenlandes entsprach.

[8] Der Tag, an dem es 3019 zum ersten Mal im Auenland geblasen wurde.

ANHANG E*

SCHREIBWEISE

Die im Dritten Zeitalter verwendeten Schriftzeichen und Buchstaben stammten ursprünglich von den Eldar und waren schon zu jener Zeit sehr alt. Sie hatten das Stadium der vollen alphabetischen Entwicklung erreicht, doch waren ältere Schreibweisen, bei denen nur die Konsonanten durch volle Buchstaben bezeichnet wurden, noch gebräuchlich.

Es gab zwei Hauptarten von Alphabeten, die ursprünglich unabhängig voneinander waren: die *Tengwar* oder *Tîw*, die hier als »Buchstaben« übersetzt sind; und die *Certar* oder *Cirth*, als »Runen« übersetzt. Die *Tengwar* waren entwickelt worden für das Schreiben mit Pinsel oder Feder, und die eckigen Formen bei Inschriften waren in diesem Fall eine Ableitung von den Schriftformen. Die *Certar* waren für eingeritzte oder eingeschnittene Inschriften erfunden worden und wurden meistens auch nur dafür verwendet.

Die *Tengwar* waren die älteren; denn die Noldor, das in derartigen Dingen kundigste Volk der Eldar, hatten sie lange vor ihrer Verbannung entwickelt. Die ältesten Eldar-Buchstaben, die Tengwar von Rúmil, wurden in Mittelerde nicht verwendet. Die späteren Buchstaben, die Tengwar von Fëanor, waren eine weitgehend neue Erfindung, obwohl einiges von den Buchstaben von Rúmil übernommen war. Die verbannten Noldor hatten sie nach Mittelerde gebracht, und so wurden sie den Edain und Númenorern bekannt. Im Dritten Zeitalter hatte sich ihre Verwendung auf etwa demselben Gebiet verbreitet, in dem die Gemeinsame Sprache bekannt war.

---

* *Anm. d. Übers.:* In der Originalausgabe (als »Übersetzung« aus dem Westron oder der Gemeinsamen Sprache ins Englische) beginnt Anhang E mit einem Kapitel über die »Aussprache«, das für die deutsche Übersetzung entfallen mußte. – Eine Notiz zur Aussprache der Elbennamen findet sich im Anhang der deutschen Ausgabe des Silmarillion.

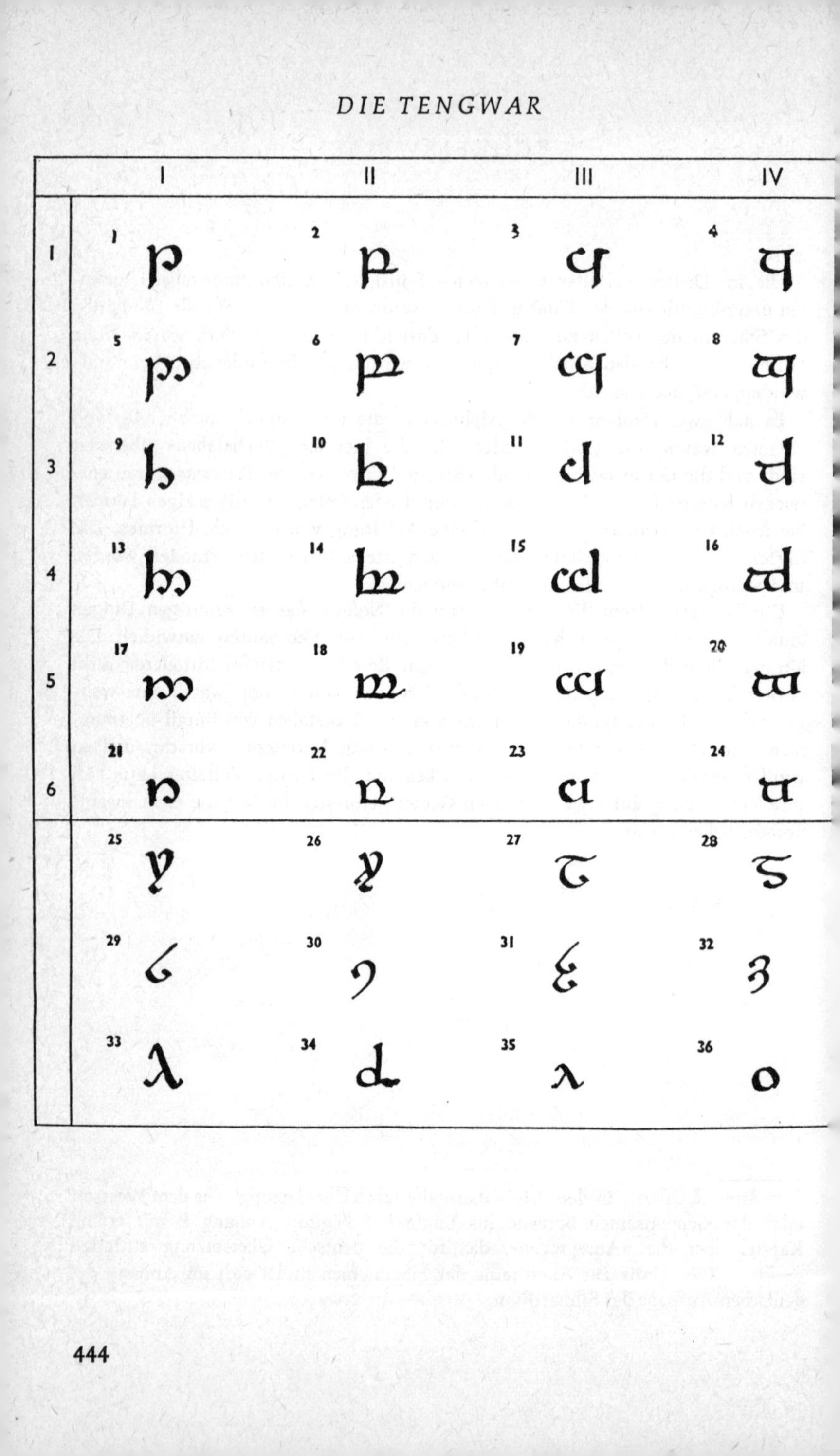

	I	II	III	IV
1	1	2	3	4
2	5	6	7	8
3	9	10	11	12
4	13	14	15	16
5	17	18	19	20
6	21	22	23	24
	25	26	27	28
	29	30	31	32
	33	34	35	36

Die Cirth waren zuerst in Beleriand von den Sindar erdacht worden; lange Zeit wurden sie nur dafür verwendet, Namen und kurze Aufzeichnungen auf Holz oder Stein zu schreiben. Auf diesen Ursprung sind ihre rechtwinkligen Formen zurückzuführen, die den Runen unserer Zeit sehr ähnlich sind, obwohl sie sich in Einzelheiten von ihnen unterschieden und ihre Anordnung eine völlig andere war. In ihrer älteren und einfacheren Form verbreiteten sich die Cirth im Zweiten Zeitalter nach Osten und wurden bei vielen Völkern bekannt, bei Menschen und Zwergen und sogar bei den Orks, die sie alle für ihre jeweiligen Zwecke und entsprechend ihrem Können oder Mangel an Können abwandelten. Eine solche einfache Form wurde noch von den Menschen von Thal verwandt, und eine ähnliche von den Rohirrim.

Doch vor dem Ende des Ersten Zeitalters wurden die Cirth in Beleriand, teilweise unter dem Einfluß der Tengwar der Noldor, neu gestaltet und weiterentwikkelt. Ihre reichhaltigste und bestangeordnete Form war als das Alphabet von Daeron bekannt, denn es hieß in der elbischen Überlieferung, es sei von Daeron erfunden worden, dem Sänger und Schriftkundigen des Königs Thingol von Doriath. Unter den Eldar entwickelte sich das Alphabet von Daeron nicht zu echt kursiven Formen, denn zum Schreiben übernahmen die Elben die Fëanorischen Buchstaben. Die Elben des Westens gaben sogar größtenteils die Verwendung von Runen ganz auf. Im Lande Eregion blieb indes das Alphabet von Daeron gebräuchlich und gelangte von dort nach Moria, wo es das beliebteste Alphabet der Zwerge wurde. Es blieb bei ihnen immer in Gebrauch und gelangte mit ihnen in den Norden. Daher wurde es in späterer Zeit oft *Angerthas Moria* oder die Langrunen-Reihen von Moria genannt. Wie auch bei ihrer Redeweise, benutzten die Zwerge die Schriftzeichen, die geläufig waren, und viele schrieben die Fëanorischen Buchstaben sehr gewandt; aber für ihre eigene Sprache hielten sie an den Cirth fest und entwickelten aus ihnen Schreibformen.

DIE FËANORISCHEN BUCHSTABEN

Die Tabelle zeigt, in buchhandschriftlicher Form, alle Buchstaben, die im Dritten Zeitalter in den Westlanden allgemein gebräuchlich waren. Die Reihenfolge ist die zu der Zeit am meisten übliche und diejenige, in der gewöhnlich die Buchstaben damals mit Namen vorgetragen wurden.

Diese Schrift war ursprünglich kein Alphabet, vielmehr eine zufällige Reihe von Buchstaben, jeder mit einer eigenen unabhängigen Bedeutung, in einer traditionellen Reihenfolge vorgetragen, die weder mit ihren Formen noch mit ihren Funktionen etwas zu tun hatte [1]. Es war eher ein System von konsonantischen Zeichen, einander ähnlich nach Form und Stil, die je nach Wunsch und Belieben

---

[1] Die einzige Beziehung in unserem Alphabet, die den Eldar verständlich gewesen wäre, ist die zwischen P und B; und ihre Trennung voneinander und von F, M, V wäre ihnen sinnlos erschienen.

verwendet werden konnten, um die Konsonanten der von den Eldar beobachteten (oder erfundenen) Sprachen darzustellen. Keiner dieser Buchstaben hatte an sich eine feste Bedeutung; aber gewisse Relationen zwischen ihnen wurden allmählich anerkannt.

Das System enthielt vierundzwanzig Primärbuchstaben, 1–24, angeordnet in vier *témar* (Reihen), von denen jede sechs *tyeller* (Stufen) hatte. Es gab auch »zusätzliche Buchstaben«; Beispiele dafür sind 25–36. Von diesen sind 27 und 29 die einzigen absolut selbständigen Buchstaben; die übrigen sind Modifikationen anderer Buchstaben. Auch gab es eine Anzahl *tehtar* (Zeichen), die auf mancherlei Weise angewandt wurden. Sie erscheinen nicht in der Tabelle.[2]

Die *Primärbuchstaben* wurden jeweils aus einem *telco* (Stamm) und einem *lúva* (Bogen) gebildet. Die in 1–4 gezeigten Formen wurden als normal angesehen. Der Stamm konnte verlängert werden wie in 9–16 oder verkleinert wie in 17–24. Der Bogen konnte offen sein wie in den Reihen I und III, oder geschlossen wie in II und IV; und in beiden Fällen konnte er verdoppelt werden wie z. B. in 5–8.

Die theoretische Freiheit der Anwendung war im Dritten Zeitalter durch Gewohnheit so weit modifiziert, daß die Reihe I im allgemeinen für die Dentallaute oder t-Reihe *(tincotéma)* verwandt wurde und II für die Labiallaute oder p-Reihe *(parmatéma)*. Die Anwendung der Reihen III und IV schwankte je nach den Erfordernissen der verschiedenen Sprachen.

In Sprachen wie dem Westron, in denen viele Konsonanten[3] wie die englischen *ch, j, sh* vorkamen, wurde die Reihe III gewöhnlich für diese angewandt; in diesem Fall wurde die Reihe IV für die normale *k*-Reihe *(calmatéma)* gebraucht. Im Quenya, das neben dem *calmatéma* sowohl eine Palatalreihe *(tyelpetéma)* und eine Labialreihe *(quessetéma)* besaß, wurden die Palatallaute durch ein Fëanorisches diakritisches Zeichen »nach y« (gewöhnlich zwei daruntergesetzte Punkte) dargestellt, während Reihe IV eine *kw*-Reihe war.

Innerhalb dieser allgemeinen Anwendungen wurden auch die folgenden Beziehungen gewöhnlich beachtet. Die normalen Buchstaben, Stufe I, wurden für die »stimmlosen Verschlußlaute« angewandt: *t, p, k* usw. Die Verdoppelung des Bogens deutete an, daß »Stimme« dazukam: so wenn 1, 2, 3, 4 = *t, p, c, k* (oder *t, p, k, kw*), dann 5, 6, 7, 8 = *d, b, j, g* (oder *d, b, g, gw*). Die Verlängerung des Stammes deutete die Öffnung des Konsonanten zu einem »Spiranten« an: so

[2] Viele von ihnen erscheinen in den Beispielen auf Seite 6 im vorliegenden Band und im ersten Band in den Inschriften auf Seite 71 und transkribiert auf Seite 309. Sie wurden hauptsächlich verwendet, um Vokallaute zum Ausdruck zu bringen, die im Quenya gewöhnlich als Modifikation der begleitenden Konsonanten betrachtet wurden; oder um auf kürzere Weise einige der häufigsten Konsonantenverbindungen auszudrücken.

[3] Die Darstellung der Laute ist hier dieselbe wie die bei der Transkription verwendete und oben beschriebene, außer daß hier *ch* das *ch* in englisch *church* darstellt; *j* stellt den Laut des englischen *j* dar und *zh* den in *azure* und *occasion* gehörten Laut.

wurden die obigen Werte für Stufe 1, Stufe 3 (9–12) = *th, f, sh, ch* (oder *th, f, hk, khw/hw*) und Stufe 4 (13–16) = *dh, v, zh, gh* (oder *dh, v, gh, ghw/w*).

Das ursprüngliche Fëanorische System besaß auch eine Stufe, die die Stämme über und unter die Linie verlängerte. Diese stellten gewöhnlich aspirierte Konsonanten dar (z. B. *t + h, p + h, k + h*), konnten jedoch auch andere benötigte Konsonantenvariationen darstellen. Sie wurden nicht gebraucht in den Sprachen des Dritten Zeitalters, das diese Schrift benutzte; aber die verlängerten Formen wurden häufig als Varianten (deutlicher unterschieden von Stufe 1) zu den Stufen 3 und 4 verwendet.

Stufe 5 (17–20) wurde gewöhnlich für die nasalen Konsonanten angewandt: so waren 17 und 18 die üblichsten Zeichen für *n* und *m*. Entsprechend dem oben befolgten Prinzip hätte Stufe 6 dann die stimmlosen Nasallaute darstellen müssen; aber da solche Laute (beispielsweise wie im walisischen *nh* oder im altenglischen *hn)* in den betreffenden Sprachen sehr selten vorkamen, wurde Stufe 6 (21–24) meistens für die schwächsten oder »halbvokalischen« Konsonanten von jeder Reihe gebraucht. Sie bestand aus den kleinsten und einfachsten Formen unter den Primärbuchstaben. So wurde 21 oft verwendet für ein schwaches (nicht gerolltes) r, das ursprünglich im Quenya vorkam und im System dieser Sprache als der schwächste Konsonant des *tincotéma* betrachtet wurde; 22 wurde allgemein für *w* verwendet; wenn Reihe III als eine Palatalreihe verwendet wurde, wurde 23 üblicherweise als konsonantisches *y* gebraucht [4].

Da einige der Konsonanten von Stufe 4 dazu neigten, schwacher ausgesprochen zu werden und sich denen von Stufe 6 (wie oben beschrieben) anzunähern oder mit ihnen zu verschmelzen, hörten die letzteren auf, eine klare Funktion in den Eldar-Sprachen zu haben; und die Buchstaben, die Vokale zum Ausdruck brachten, wurden weitgehend von diesen Buchstaben abgeleitet.

ANMERKUNG

Die Standardrechtschreibung von Quenya wich von den oben beschriebenen Verwendungen der Buchstaben ab. Stufe 2 wurde gebraucht für *nd, mb, ng, ngw*, die alle häufig waren, da *b, g, gw* nur in diesen Kombinationen vorkamen, während für *rd* und *ld* die besonderen Buchstaben 26 und 28 verwendet wurden. (Für *lv*, nicht für *lw*, verwendeten viele Sprecher, vor allem Elben, *lb*: das wurde mit 27 + 6 geschrieben, da *lmb* nicht vorkommen konnte). Ähnlich wurde Stufe 4 für die überaus häufigen Kombinationen *nt, mp, nk, nqu* verwendet, da Quenya *dh, gh, ghw* nicht besaß und für *v* den Buchstaben 22 verwendete. Vgl. die Quenya-Namen auf den folgenden Seiten.

---

[4] Die Inschrift auf dem Westtor von Moria ist ein Beispiel für einen Modus, das Sindarin zu schreiben, wobei Stufe 6 die einfachen Nasallaute darstellte; Stufe 5 dagegen stellte die doppelten oder langen Nasallaute dar, die in Sindarin oft vorkamen: 17 = *nn*, aber 21 = *n*.

Die zusätzlichen Buchstaben. Nr. 27 wurde allgemein für *l* verwendet. Nr. 25 (ursprünglich eine Modifikation von 21) wurde für das »volle« gerollte *r* gebraucht. 26 und 28 waren Abänderungen davon. Sie wurden häufig für stimmloses *r (rh)* respektive *rd* und *ld* verwandt. 29 stellte *s* dar und 31 (mit doppeltem Kringel) *z* in jenen Sprachen, die es erforderten. Die umgekehrten Formen 30 und 32 standen zwar als besondere Zeichen zur Verfügung, wurden indes meist als bloße Varianten von 29 und 31 gebraucht mit Rücksicht auf die Bequemlichkeit des Schreibens, d. h. sie wurden viel verwendet, wenn sie von hinzugefügten *tehtar* begleitet waren.

Nr. 33 war ursprünglich eine Abwandlung, die eine (schwächere) Abart von 11 darstellte; im Dritten Zeitalter wurde sie am häufigsten für *h* gebraucht. 34 wurde, wenn überhaupt, zumeist für stimmloses *w (hw)* benutzt. 35 und 36 wurden, wenn sie als Konsonanten benutzt wurden, meist für *y* respektive *w* angewandt.

Die Vokale wurden bei vielen Modi durch *tehtar* dargestellt, die gewöhnlich über einen konsonantischen Buchstaben gesetzt wurden. In Sprachen wie Quenya, bei denen die meisten Wörter mit einem Vokal endeten, wurde das *tehta* über den vorangegangenen Konsonanten gesetzt; bei Sprachen wie Sindarin, bei denen die meisten Wörter mit einem Konsonanten endeten, wurde es über den folgenden Konsonanten gesetzt. Wenn es an der erforderlichen Stelle keinen Konsonanten gab, wurde das *tehta* über den »kurzen Träger« gesetzt, von dem eine übliche Form das *i* ohne Punkt war. Die wirklich vorhandenen, in den verschiedenen Sprachen für Vokalzeichen verwendeten *tehtar* waren zahlreich. Die allgemeinsten, gewöhnlich für (Abarten von) *e, i, a, o, u* gebrauchten sind in den angeführten Beispielen veranschaulicht. Die drei Punkte, die am meisten übliche Form, um ein *a* schriftlich darzustellen, wurden bei flüssigeren Schreibweisen verschieden ausgeführt, oft wurde eine Form wie ein Zirkumflex verwendet [5]. Der einzelne Punkt und der »Akutus« wurden oft für *i* und *e* angewandt (aber bei manchen Modi für *e* und *i*). Die Kringel wurden für *o* und *u* verwendet. Bei der Ring-Inschrift steht der offene Kringel rechts für *u*; auf Seite 6 bedeutet er aber *o* und der offene Kringel links *u*. Der Kringel rechts wurde bevorzugt, und die Anwendung hing von der betreffenden Sprache ab: in der Schwarzen Sprache war *o* selten.

Lange Vokale wurden gewöhnlich so dargestellt, daß das *tehta* auf den »langen Träger« gesetzt wurde, von dem eine übliche Form wie ein *j* ohne Punkt war. Aber zu demselben Zweck konnten die *tehtar* auch verdoppelt werden. Das

[5] In Quenya, wo *a* sehr häufig war, wurde das Vokalzeichen oft ganz ausgelassen. So konnte für *calma* Lampe *clm* geschrieben werden. Das wurde ganz selbstverständlich als *calma* gelesen, da *cl* eine in Quenya nicht mögliche Anfangsverknüpfung war und *m* niemals am Schluß vorkam. Eine mögliche Lesart wäre *calama* gewesen, aber ein solches Wort gab es nicht.

wurde indes nur mit den Kringeln häufig gemacht und machmal mit dem »Akzent«. Öfter wurden zwei Punkte als Zeichen für ein folgendes *y* verwandt.

Die Inschrift auf dem Westtor veranschaulicht einen Modus der »vollen Schrift«, wobei die Vokale durch gesonderte Buchstaben dargestellt werden. Alle in Sindarin verwendeten vokalischen Buchstaben kommen vor. Der Gebrauch von Nr. 30 als Zeichen für ein vokalisches *y* mag beachtet werden; auch die Darstellung von Diphthongen, wobei das *tehta* für das folgende *y* über den vokalischen Buchstaben gesetzt wird. Das Zeichen für das folgende *w* (erforderlich, um *au, aw* darzustellen) war bei diesem Modus der *u*-Kringel oder eine Abwandlung davon ~. Doch wurden die Diphthonge oft voll ausgeschrieben wie in der Transkription. Bei diesem Modus wurde die Vokallänge gewöhnlich durch den »Akutus« angedeutet, der in diesem Fall *andaith,* »Langzeichen«, genannt wurde.

Außer den bereits erwähnten *tehtar* gab es noch eine Reihe andere, die hauptsächlich verwendet wurden, um das Schreiben abzukürzen, besonders dadurch, daß häufige konsonantische Verknüpfungen zum Ausdruck gebracht wurden, ohne sie voll auszuschreiben. Zum Beispiel wurde ein über einen Konsonanten gesetzter dicker Strich (oder ein Zeichen wie eine spanische *tilde*) oft verwendet, um darauf hinzuweisen, daß ihm ein Nasallaut von derselben Reihe voranging (wie in *nt, mp* oder *nk*); ein darunter gesetztes gleichartiges Zeichen wurde indes hauptsächlich verwendet, um zu zeigen, daß der Konsonant lang oder verdoppelt war. Ein an den Bogen angefügter Haken nach unten (wie in Hobbits, dem letzten Wort auf Seite 6) wurde verwandt, um ein folgendes *s* anzuzeigen, besonders in den Verknüpfungen *ts, ps, ks (x),* die in Quenya beliebt waren.

Es gab natürlich keinen »Modus«, um Englisch darzustellen. Ein phonetisch adäquater Modus könnte nach dem Fëanorischen System erfunden werden. Das kurze Beispiel auf Seite 6 ist kein Versuch, es darzustellen. Vielmehr ist es ein Beispiel dafür, was ein Mensch aus Gondor hätte hervorgebracht haben können, wenn er zwischen den Bedeutungen der in seinem »Modus« bekannten Buchstaben und der traditionellen Schreibweise des Englischen schwankte. Es mag beachtet werden, daß ein Punkt unten (der unter anderem schwache, unbetonte Vokale darstellen soll) hier verwendet wird, um ein unbetontes *and* darzustellen, aber er wird auch gebraucht, um das stumme Schluß-*e* in *here* zu bezeichnen; *the, of* und *of the* werden ausgedrückt durch Abkürzungen (verlängertes *dh,* verlängertes *v,* und das letztere mit einem Strich darunter).

Die Namen der Buchstaben. Bei allen Modi hat jeder Buchstabe und jedes Zeichen einen Namen; aber diese Namen waren so erdacht worden, daß sie auf die phonetische Verwendung in jedem bestimmten Modus paßten oder sie beschrieben. Indes wurde es oft, besonders bei der Beschreibung der Verwendung von Buchstaben in anderen Modi, als wünschenswert empfunden, für jeden Buchstaben als Form einen Namen zu haben. Zu diesem Zweck wurden allgemein die »vollen Namen« des Quenya verwendet, auch wenn sie sich auf Anwendungen bezogen, die allein dem Quenya eigen waren. Jeder »volle Name« war ein in Quenya tatsächlich vorhandenes Wort, das den betreffenden Buchstaben enthielt. Soweit möglich, war es der erste Laut des Wortes; doch wenn der Laut oder die ausgedrückte Verbindung nicht am Anfang vorkam, dann folgte er unmittelbar auf den Anfangsvokal. Die Namen der Buchstaben in der Tabelle waren (1) *tinco* Metall, *parma* Buch, *calma* Lampe, *quesse* Feder; (2) *ando* Tor, *umbar* Schicksal, *anga* Eisen, *ungwe* Spinnennetz; (3) *thúle (súle)* Geist, *formen* Norden, *harma* Schatz (oder *aha* Zorn), *hwesta* Brise; (4) *anto* Mund, *ampa* Haken, *anca* Kiefer, *unque* Mulde; (5) *númen* Westen, *malta* Gold, noldo (älter *ngoldo*) einer von der Sippe der Noldor, *nwalme* (älter *ngwalme*) Folter; *óre* Herz (Gemüt), *vala* engelgleiche Macht, *anna* Geschenk, *vilya* Luft, Himmel (älter *wilya); rómen* Osten, *arda* Gebiet, *lambe* Zunge, *alda* Baum, *silma* Sternenlicht, *silme nuquerna* (*s* umgekehrt) *áre* Sonnenlicht (oder *esse* Name), *áre nuquerna; hyarmen* Süden, *hwesta sindarinwa, yanta* Brücke, *úre* Hitze. Wo Varianten angegeben sind, ist das darauf zurückzuführen, daß Namen gegeben wurden vor gewissen Veränderungen, die sich auf das von den Verbannten gesprochene Quenya auswirkten. So wurde Nr. 11 *harma* genannt, als es den Spiranten *ch* in allen Stellungen bezeichnete, aber als dieser Laut gehauchtes Anfangs-*h* wurde [6], (obwohl er in der Mitte blieb), wurde der Name *aha* erfunden. *áre* war ursprünglich *áze,* aber als dieses z mit 21 verschmolz, wurde das Zeichen in Quenya für das in dieser Sprache sehr häufige *ss* verwandt und ihm der Name *esse* gegeben. *hwesta sindarinwa* oder »Grauelben-*hw*« wurde so genannt, weil 12 in Quenya den Klang von *hw* hatte und unterschiedliche Zeichen für *chw* und *hw* nicht gebraucht wurden. Die Namen der bekanntesten und am meisten gebrauchten Buchstaben waren 17 *n,* 33 *hy,* 25 *r,* 9 *f*: *númen, hyarmen, rómen, formen* = Westen, Süden, Osten, Norden (vgl. Sindarin *dûn* oder *annûn, harad, rhûn* oder *amrûn, forod).* Diese Buchstaben bezeichneten im allgemeinen die Himmelsrichtungen W, S, O, N selbst in Sprachen, die ganz andere Begriffe verwendeten. In den Westlanden wurden sie in dieser Reihenfolge genannt, mit dem Westen beginnend und dorthin blickend; *hyarmen* und *formen* bedeuteten denn auch linksliegendes Gebiet und rechtsliegendes Gebiet (das Gegenteil der Anordnung in vielen Menschensprachen).

---

[6] Für gehauchtes *h* verwendete Quenya ursprünglich einen einfachen verlängerten Stamm ohne Bogen, der *halla* (groß) genannt wurde. Er konnte vor einen Konsonanten gesetzt werden, um anzuzeigen, daß das *h* stimmlos und gehaucht war; stimmloses *r* und *l* wurden gewöhnlich so ausgedrückt und sind als *hr* und *hl* transkribiert. Buchstabe 33 wurde für das unabhängige *h* verwendet, und die Bedeutung von *hy* (die ältere Bedeutung) wurde durch Hinzufügung des *tehta* für das folgende *y* dargestellt.

DIE CIRTH

Das *Certhas Daeron* war ursprünglich nur dafür erdacht, die Laute des Sindarin darzustellen. Die ältesten *cirth* waren die Nr. 1, 2, 5, 6; 8, 9, 12; 18, 19, 22; 29, 31; 35, 36; 39, 42, 46, 50; und ein *certh* schwankend zwischen 13 und 15. Die Zuordnung der Bedeutungen war unsystematisch. Die Nr. 39, 42, 46, 50 waren Vokale und blieben es auch bei allen späteren Entwicklungen. Nr. 13 und 15 wurden für *h* oder *s* verwendet, entsprechend der Verwendung von 35 für *s* oder *h*. Diese Tendenz, in der Zuordnung von Bedeutungen für *s* und *h* zu schwanken, setzte sich bei späteren Anordnungen fort. Bei jenen Schriftzeichen, die aus einem »Stamm« und einem »Zweig« bestanden, 1–31, wurde der Zweig, wenn er einseitig war, gewöhnlich rechts angefügt. Das Umgekehrte war nicht selten, hatte aber keine phonetische Bedeutung.

Die Erweiterung und Verfeinerung dieses *certhas* wurde in seiner älteren Form das *Angerthas Daeron* genannt, da die Hinzufügungen zu den alten *cirth* und ihre Neuanordnung Daeron zugeschrieben wurden. Die wichtigsten Hinzufügungen, die Einführung von zwei neuen Reihen, 13–17 und 23–28, waren jedoch in Wirklichkeit höchstwahrscheinlich Erfindungen der Noldor von Eregion, denn sie wurden verwendet, um Laute darzustellen, die in Sindarin nicht vorkamen.

Bei der Neuanordnung des *Angerthas* sind die folgenden Prinzipien feststellbar (die offensichtlich beeinflußt waren durch das Fëanorische System): (1) ein einem Zweig hinzugefügter Strich fügte »Stimme« hinzu; (2) das *certh* umzukehren, deutete Öffnung zu einem »Spiranten« an; (3) den Zweig an beide Seiten des Stammes zu setzen, fügte Stimme und Nasalität hinzu. Diese Prinzipien wurden regelmäßig durchgeführt außer in einem Punkt. Für das (archaische) Sindarin wurde ein Zeichen für ein spirantisches *m* (oder nasales *v*) gebraucht, und da sich das am besten bewerkstelligen ließ durch eine Umkehrung des Zeichens für *m*, erhielt die umkehrbare Nr. 6 die Bedeutung *m* und Nr. 5 die Bedeutung hw.

Nr. 36, deren theoretische Bedeutung z war, wurde beim Schreiben von Sindarin oder Quenya für *ss* verwendet: vgl. Fëanorisch 31. Nr. 39 wurde entweder für *i* oder *y* (Konsonant) verwendet; 34 und 35 wurden undifferenziert für *s* verwendet; und 38 wurde für die häufige Folge *nd* verwendet, obwohl es der Form nach nicht deutlich mit den Dentalen in Verbindung stand.

In der Tabelle der Bedeutungen sind jene auf der linken Seite, die durch – getrennt sind, die Bedeutungen des älteren *Angerthas*. Die auf der rechten Seite sind die Bedeutungen des *Angerthas Moria* der Zwerge[7]. Die Zwerge von Moria führten, wie ersichtlich, eine Reihe von unsystematischen Bedeutungsänderungen und auch einige neue *cirth* ein: 37, 40, 41, 53, 55, 56. Die Verschiebung der Bedeutung war hauptsächlich auf zwei Gründe zurückzuführen: 1. Die Verände-

[7] Die Bedeutungen in Klammern wurden nur von den Elben verwendet; das Zeichen * kennzeichnet *cirth*, die nur von den Zwergen gebraucht wurden.

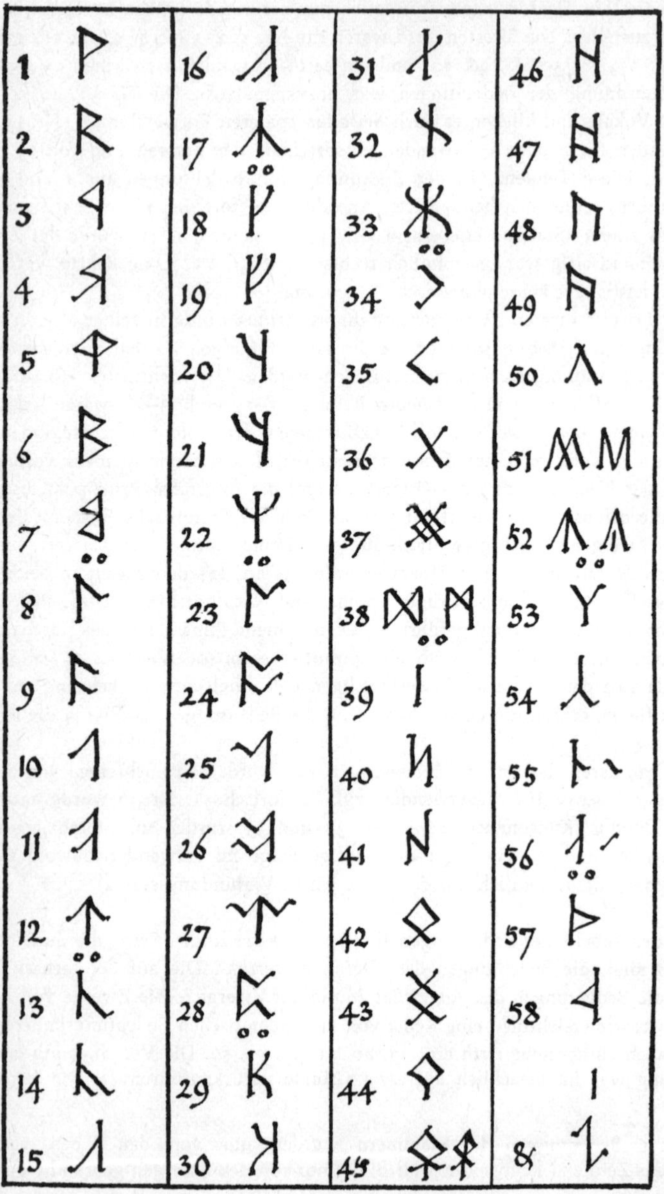

DAS ANGERTHAS

1		16		31		46	
2		17		32		47	
3		18		33		48	
4		19		34		49	
5		20		35		50	
6		21		36		51	
7		22		37		52	
8		23		38		53	
9		24		39		54	
10		25		40		55	
11		26		41		56	
12		27		42		57	
13		28		43		58	
14		29		44			
15		30		45		&	

1	p	16	zh	31	l	46	e
2	b	17	nj—z	32	lh	47	ē
3	f	18	k	33	ng—nd	48	a
4	v	19	g	34	s—h	49	ā
5	hw	20	kh	35	s—’	50	o
6	m	21	gh	36	z—ŋ	51	ō
7	(mh) mb	22	ŋ—n	37	ng*	52	ö
8	t	23	kw	38	nd—nj	53	n*
9	d	24	gw	39	i (y)	54	h—s
10	th	25	khw	40	y*	55	*
11	dh	26	ghw, w	41	hy*	56	*
12	n—r	27	ngw	42	u	57	ps*
13	ch	28	nw	43	ū	58	ts*
14	j	29	r—j	44	w		+h
15	sh	30	rh—zh	45	ü		&

rung der Bedeutungen von 34, 35, 54 zu *h* (der helle oder glottale Beginn eines Wortes mit einem Anfangsvokal, was in Khuzdul vorkam) repektive zu *s*; 2. der Fortfall der Nr. 14 und 16, die die Zwerge durch 29 und 30 ersetzten. Die sich daraus ergebende Verwendung von 12 für *r*, die Erfindung von 53 für *n* (und ihre Vermengung mit 22); die Verwendung von 17 als *z*, um mit 54 in ihrer Bedeutung *s* zusammenzupassen, und die sich daraus ergebende Verwendung von 36 als *n* und das neue *certh* 37 für *ng* können ebenfalls beobachtet werden. Die neuen 55 und 56 waren ursprünglich eine halbierte Form von 46 und wurden für Vokale wie jene benutzt, die man im englischen *butter* hört und die in der Zwergensprache und im Westron häufig waren. Waren sie schwach oder schwindend, dann wurden sie oft auf einen bloßen Strich ohne Stamm reduziert. Dieses *Angerthas Moria* ist auf der Grabinschrift dargestellt.

Die Zwerge von Erebor verwendeten eine weitere Abwandlung dieses Systems, das als der Modus von Erebor bekannt ist; ein Beispiel dafür ist das Buch von Mazarbul. Seine wesentlichen Charakteristika waren: die Verwendung von 43 als *z* und von 17 als *ks (x)* sowie die Erfindung von zwei neuen *cirth*, 57 und 58 für *ps* und *ts*. Sie führten auch 14 und 16 für die Bedeutungen *j* und *zh* wieder ein; doch verwendeten sie 29 und 30 für *g* und *gh* oder als bloße Varianten von 19 und 21. Diese Besonderheiten sind in die Tabelle nicht aufgenommen worden mit Ausnahme der speziell ereborischen *cirth* 57 und 58.

I. SPRACHEN UND VÖLKER DES DRITTEN ZEITALTERS

Die in dieser Geschichte deutsch wiedergegebene Sprache war das *Westron* oder die »Gemeinsame Sprache« der westlichen Lande von Mittelerde im Dritten Zeitalter. Während dieses Zeitalters war es die Muttersprache fast aller (außer den Elben) des Sprechens mächtigen Völker, die innerhalb der Grenzen der alten Königreiche Arnor und Gondor lebten; das heißt entlang aller Küsten von Umbar im Süden bis zur Bucht von Forochel im Norden und landeinwärts bis zu dem Nebelgebirge und Ephel Dúath. Auch hatte sich das Westron nach Norden den Anduin hinauf ausgebreitet und in den Landen westlich des Stroms und östlich des Gebirges bis zu den Schwertelfeldern.

Zu der Zeit des Ringkrieges am Ende jenes Zeitalters waren das die Grenzen, innerhalb derer das Westron noch eine Muttersprache war, obwohl große Teile von Eriador nun verlassen waren und wenige Menschen an den Ufern des Anduin zwischen Schwertel und Rauros wohnten.

Von den alten Wilden Menschen lebten noch einige verborgen im Drúdan-Wald in Anórien; und in den Bergen von Dunland war noch ein kläglicher Rest eines alten Volkes zurückgeblieben, das früher ein gut Teil von Gondor bewohnt hatte. Diese hielten an ihren eigenen Sprachen fest; dagegen lebte jetzt in den Ebenen von Rohan ein Volk aus dem Norden, die Rohirrim, die vor etwa fünfhundert Jahren in dieses Land gekommen waren. Aber als zweite Verkehrssprache wurde das Westron von all denen gebraucht, die noch eine eigene Sprache hatten, sogar von den Elben, und nicht nur in Arnor und Gondor, sondern überall in den Tälern des Anduin und östlich bis zu den weiteren Ausläufern von Düsterwald. Sogar unter den Wilden Menschen und den Dunländern, die anderen Leuten aus dem Wege gingen, gab es einige, die es sprechen konnten, wenn auch gebrochen.

Von den Elben

Einstmals, in der Altvorderenzeit, zerfielen die Elben in zwei Hauptgruppen: die Westelben (die *Eldar*) und die Ostelben. Zur letzteren Art gehörten die meisten Elben in Düsterwald und Lórien; doch kommen in dieser Geschichte, in der alle elbischen Namen und Wörter die *Eldarin*-Form haben, ihre Sprachen nicht vor [1].

---

[1] In Lórien wurde zu jener Zeit Sindarin gesprochen, obschon mit einem »Akzent«, da die Mehrzahl des Volkes silvanischen Ursprungs war. Von diesem »Akzent« und seiner eigenen beschränkten Kenntnis des Sindarin ließ sich Frodo täuschen (wie im *Thains Buch* von einem Berichterstatter aus Gondor ausgeführt

Von den *Eldarin*-Sprachen finden sich zwei in diesem Buch: das Hochelbisch oder *Quenya* und das Grauelbisch oder *Sindarin*. Das Hochelbisch war eine alte Sprache aus Eldamar jenseits des Meeres und die erste, die schriftlich festgehalten wurde. Es war keine lebende Sprache mehr, sondern gleichsam ein »Elbenlatein« geworden, das die Hochelben, die am Ende des Ersten Zeitalters als Verbannte nach Mittelerde zurückgekehrt waren, noch bei feierlichen Gelegenheiten und für die hohen Dinge von Überlieferung und Dichtung gebrauchten.

Das Grauelbisch war ursprünglich dem *Quenya* verwandt; denn es war die Sprache jener Eldar, die, als sie an die Gestade von Mittelerde kamen, nicht über das Meer davonfuhren, sondern an den Küsten des Landes Beleriand blieben. Dort war Thingol Graumantel von Doriath ihr König, und in der langen Zeit des Niedergangs hatte sich mit der Veränderlichkeit der sterblichen Lande auch ihre Sprache verändert und war der Redeweise der Eldar von jenseits des Meeres weit entfremdet.

Die Verbannten, die unter den zahlreicheren Grauelben lebten, hatten für den täglichen Gebrauch das *Sindarin* angenommen; und daher war es die Sprache all jener Elben und Elbenfürsten, die in dieser Geschichte vorkommen. Denn sie alle gehörten zum Geschlecht der Eldar, auch dort, wo das Volk, das sie beherrschten, von geringerer Herkunft war. Die erlauchteste unter ihnen war Frau Galadriel aus dem königlichen Hause Finarphin, Schwester von Finrod Felagund, König von Nargothrond. In den Herzen der Verbannten war die Sehnsucht nach dem Meer eine sich niemals legende Unrast; in den Herzen der Grauelben schlummerte sie, aber nachdem sie einmal geweckt war, konnte sie nicht beschwichtigt werden.

Von Menschen

Das *Westron* war eine Menschensprache, wenngleich es unter elbischem Einfluß reicher und lieblicher geworden war. Ursprünglich war es die Sprache derjenigen gewesen, die die Eldar *Antani* oder *Edain* nannten, »Väter der Menschen«, und das war insbesondere das Volk der Drei Häuser der Elbenfreunde, die im Ersten Zeitalter westwärts nach Beleriand zogen und den Eldar im Krieg der Großen Kleinodien gegen die Dunkle Macht des Nordens beistanden.

Ehe die Dunkle Macht vernichtet war, war Beleriand größtenteils überschwemmt oder zerstört worden, und deshalb wurde den Elbenfreunden zum Dank für ihre Hilfe erlaubt, daß sie wie die Eldar über das Meer nach Westen fahren dürften. Da ihnen das Unsterbliche Reich verwehrt war, erhielten sie ein großes Eiland zugewiesen, das westlichste aller sterblichen Lande. Der Name des Eilands war Númenor (Westernis). Die meisten Elbenfreunde nahmen das Angebot an und zogen nach Númenor, und dort wurden sie groß und mächtig, be-

---

wird). Alle in Band I, Kap. 6, 7 und 8 zitierten elbischen Wörter sind in Wirklichkeit Sindarin, und ebenso die meisten Orts- und Personennamen. Aber die Namen *Lórien, Caras Galadon, Amroth* und *Nimrodel* sind wahrscheinlich silvanischen Ursprungs und dem Sindarin angepaßt worden.

rühmte Seeleute und Herren vieler Schiffe. Sie waren schön von Angesicht und hochgewachsen, und ihre Lebenszeit währte dreimal so lange wie die der Menschen von Mittelerde. Das waren die Númenorer, die Könige der Menschen, die die Elben *Dúnedain* nannten.

Von allen Menschenrassen verstanden und sprachen allein die Dúnedain eine elbische Sprache; denn ihre Vorväter hatten Sindarin gelernt und es als einen Wissensschatz, der im Laufe der Jahre wenig Veränderung erfuhr, ihren Kindern überliefert. Und ihre Gelehrten lernten auch das hochelbische *Quenya* und schätzten es höher als alle anderen Sprachen, und aus ihm entlehnten sie Namen für viele berühmte und verehrungswürdige Orte und für viele Männer von königlicher Abkunft und großem Ruhm [2].

Doch die Muttersprache der Númenorer blieb größtenteils ihre ererbte Menschensprache, das Adûnaic, und in den späteren Tagen ihrer Blütezeit nahmen es auch ihre Könige und Fürsten wieder auf und ließen die Elbensprache fallen, mit Ausnahme der wenigen, die an ihrer alten Freundschaft mit den Eldar festhielten. In den Jahren ihrer Macht hatten die Númenorer viele Festungen und Anfurten an den Westküsten von Mittelerde zur Unterstützung ihrer Schiffe unterhalten; und eine der wichtigsten von diesen war Pelargir nahe den Anduinmündungen. Dort wurde Adûnaic gesprochen, und vermengt mit vielen Wörtern aus den Sprachen geringerer Menschen wurde es eine Gemeinsame Sprache, die sich von hier aus entlang den Küsten unter all jenen ausbreitete, die mit Westernis zu tun hatten.

Nach dem Untergang von Númenor führte Elendil die Überlebenden der Elbenfreunde zurück an die nordwestlichen Gestade von Mittelerde. Dort lebten schon viele, die ganz oder teilweise númenorischen Blutes waren; aber wenige erinnerten sich noch der Elbensprache. Alles in allem waren die Dúnedain also von Anfang an viel geringer an Zahl als die geringeren Menschen, unter denen sie lebten und die sie, da sie über langes Leben und große Macht und Weisheit geboten, beherrschten. Daher bedienten sie sich im Verkehr mit anderen Leuten und bei der Verwaltung ihrer weiten Gebiete der Gemeinsamen Sprache; aber sie vermehrten und bereicherten sie um viele Wörter aus den Elbensprachen.

In den Tagen der Númenorer-Könige verbreitete sich diese veredelte Westron-Sprache überall, selbst unter ihren Feinden; und mehr und mehr wurde sie von den Dúnedain selbst gebraucht, so daß zur Zeit des Ringkrieges die Elbensprache nur noch einem kleinen Teil der Völker von Gondor bekannt war und von noch wenigeren täglich gesprochen wurde. Diese wohnten hauptsächlich in Minas Tirith und auf den angrenzenden Herrensitzen und im Land der tributpflichtigen

---

[2] Aus dem *Quenya* stammen zum Beispiel die Namen *Númenor* (oder vollständig Númenóre) und *Elendil, Isildur* und *Anárion* und alle Namen der Könige von *Gondor*, so auch *Elessar* »Elbenstein«. Die meisten Namen der anderen Männer und Frauen der Dúnedain wie *Aragorn, Denethor* oder *Gilraen* sind aus dem Sindarin und oft Namen von Elben oder Menschen, deren in Liedern oder Geschichten des Ersten Zeitalters gedacht wird (wie *Beren, Húrin*). Einige wenige sind Mischformen, z. B. *Boromir*.

Fürsten von Dol Amroth. Doch fast alle Orts- und Personennamen im Bereich von Gondor hatten eine elbische Form und Bedeutung. Der Ursprung von einigen war vergessen, und sie stammten zweifellos aus der Zeit, ehe die Schiffe der Númenorer das Meer befuhren; dazu gehörten *Umbar, Arnach* und *Erech;* und die Namen der Berge *Eilenach* und *Rimmon. Forlong* war auch ein Name derselben Art.

Die Mehrzahl der Menschen in den nördlichen Gebieten der Westlande stammte von den *Edain* des Ersten Zeitalters oder von ihren engsten Verwandten ab. Ihre Sprachen waren daher mit dem Adûnaic verwandt, und manche hatten auch noch Ähnlichkeit mit der Gemeinsamen Sprache. Von dieser Art waren die Volksstämme in den oberen Tälern des Anduin: die Beoringer und die Waldmenschen des westlichen Düsterwalds; und weiter nördlich und östlich die Menschen am Langen See und in Thal. Von den Ländern zwischen Schwertel und Carrock kam das Volk, das in Gondor als die Rohirrim bekannt war, die Herren der Rösser. Sie sprachen noch ihre ererbte Sprache und gaben fast allen Orten in ihrem neuen Land neue Namen; und sich selbst nannten sie die Eorlinger oder die Menschen der Riddermark. In den Überlieferungen dieses Volkes wurde die Gemeinsame Sprache ganz zwanglos benutzt und nach der Art ihrer Verbündeten in Gondor vortrefflich gesprochen; denn in Gondor, woher das Westron kam, bewahrte es noch einen anmutigeren und altertümlichen Stil.

Völlig fremd war die Redeweise der Wilden Menschen des Drúadan-Waldes. Fremd auch oder nur entfernt verwandt war die Sprache der Dunländer. Diese waren ein Rest der Völker, die in längst vergangenen Zeiten in den Tälern des Weißen Gebirges gelebt hatten. Die Toten Menschen von Dunharg waren von ihrer Sippe. Doch in den Dunklen Jahren waren andere in die südlichen Täler des Nebelgebirges gezogen; und von dort aus waren einige weitergewandert in die verlassenen Gebiete, die sich nach Norden bis zu den Hügelgräberhöhen erstreckten. Von ihnen stammten die Menschen von Bree ab; aber diese waren schon viel früher Untertanen des Nördlichen Königreichs Arnor geworden und hatten das Westron übernommen. Nur in Dunland hielten Menschen dieser Rasse an ihrer alten Sprache und Sitte fest: ein heimliches Volk, das den Dúnedain nicht wohlwollte und die Rohirrim haßte.

Von ihrer Sprache kommt in diesem Buch nichts vor außer dem Namen *Forgoil,* den sie den Rohirrim gaben (und der Flachsköpfe bedeuten soll). *Dunland* und *Dunländer* sind die Namen, die die Rohirrim ihnen gaben, weil sie schwärzlich waren und dunkelhaarig; es besteht kein Zusammenhang zwischen dem Wort *dun* in diesen Namen und dem Grauelbenwort *Dûn* für Westen.

Von Hobbits

Die Hobbits im Auenland und in Bree hatten zu dieser Zeit, wahrscheinlich schon seit tausend Jahren, die Gemeinsame Sprache übernommen. Sie gebrauchten sie auf ihre eigene Weise zwanglos und sorglos; obwohl sich die Gebildeteren unter ihnen, wenn die Gelegenheit es erforderte, auch einer gewählteren Ausdrucksweise zu bedienen wußten.

Es ist nicht überliefert, daß die Hobbits je eine eigene Sprache gehabt hätten. In alter Zeit schienen sie immer die Sprachen der Menschen gesprochen zu haben, in deren Nähe oder unter denen sie lebten. So übernahmen sie auch rasch die Gemeinsame Sprache, nachdem sie nach Eriador gekommen waren, und zu der Zeit, als sie sich in Bree niederließen, hatten sie ihr früheres Idiom schon fast vergessen. Das war offenbar eine Menschensprache vom oberen Anduin gewesen und verwandt mit der Sprache der Rohirrim; obwohl die südlichen Starren anscheinend eine mit dem Dunländischen verwandte Sprache angenommen hatte, ehe sie nach Norden ins Auenland gekommen waren [3].

Zu Frodos Zeiten waren von alledem noch einige Spuren vorhanden in ortsüblichen Wörtern und Namen, von denen viele den in Thal oder Rohan vorkommenden ähnelten. Besonders bemerkenswert waren die Namen der Tage, Monate und Jahreszeiten; verschiedene andere Wörter derselben Art (wie *Mathom* und *Smial*) waren auch noch allgemein gebräuchlich, und weitere waren in Ortsnamen von Bree und dem Auenland erhalten. Auch die Personennamen der Hobbits waren eigenartig, und viele stammten aus alten Zeiten.

Hobbit war der Name, den die Auenlandbewohner auf ihre Artgenossen anwandten. Von den Menschen wurden sie *Halblinge* und von den Elben *Periannath* genannt. An den Ursprung des Wortes *Hobbit* konnten sich die meisten nicht mehr erinnern. Indes scheint es, als sei es ein Name gewesen, den die Falbhäute und Starren zuerst den Harfüßen gegeben hatten, und eine verballhornte Form des in Rohan unverstümmelt erhaltenen Wortes: *holbytla*, »Höhlenbauer«.

Von anderen Rassen

Ents. Das älteste der im Dritten Zeitalter noch lebenden Völker waren die *Onodrim* oder *Enyd. Ent* war die Form ihres Namens in der Sprache von Rohan. Den Eldar waren sie schon in alten Zeiten bekannt, und die Ents schrieben denn auch den Eldar zwar nicht ihre eigene Sprache zu, aber das Verlangen zu sprechen. Die Sprache, die sie entwickelt hatten, war allen anderen unähnlich: schwerfällig, klangvoll, geballt, wiederholend, geradezu langatmig; eine aus einer Vielzahl von Vokalschattierungen gebildete und sich nach Ton und Quantität unterscheidende Sprache, die nicht einmal die Schriftgelehrten der Eldar schriftlich wiederzugeben versucht hatten. Die Ents bedienten sich dieser Sprache nur untereinander; aber sie brauchten sie nicht geheimzuhalten, denn kein anderer konnte sie lernen.

Die Ents selbst waren jedoch sehr begabt für Sprachen, lernten sie schnell und vergaßen sie niemals. Die Sprachen der Eldar schätzten sie vor allem und die altertümliche Hochelbensprache am höchsten. Die seltsamen Wörter und Namen, die nach den Aufzeichnungen der Hobbits von Baumbart und anderen Ents ge-

---

[3] Die Starren im Winkel, die nach Wilderland zurückkehrten, hatten bereits die Gemeinsame Sprache übernommen; aber *Déagol* und *Sméagol* sind Namen der Menschensprache aus der Gegend des Schwertel.

braucht wurden, sind also elbisch oder Bruchstücke der Elbensprache, die auf Ent-Weise aneinandergereiht wurden [4]. Manche sind Quenya: zum Beispiel *Taure-lilómea-tumbalemorna Tumbaletaurea Lómeanor*, was man mit »Waldviel-schattig-tieftalschwarzes tieftalwaldiges Dunkelland« übersetzen könnte und womit Baumbart mehr oder weniger sagen wollte: »Da ist ein schwarzer Schatten in den tiefen Tälern des Waldes.« Manche Wörter wie etwa *Fanghorn*, »Bart-(von)-Baum« oder *Fimbrethil*, »Schlankbuche«, sind Sindarin.

Orks und die Schwarze Sprache. Ork ist in der Sprache von Rohan die Form des Namens, den die anderen Rassen diesem widerlichen Volk gaben. In Sindarin lautete er *orch*. Verwandt damit war zweifellos das Wort *uruk* aus der Schwarzen Sprache, obwohl es in der Regel nur auf die großen Orksoldaten angewandt wurde, die um diese Zeit aus Mordor und Isengart ausschwärmten. Die minderen Sorten wurden, vor allem von den Uruk-hai, *snaga*, »Sklave«, genannt.

Die Orks wurden zuerst von der Dunklen Macht des Nordens in der Altvorderenzeit gezüchtet. Es heißt, sie hätten keine eigene Sprache gehabt, sondern von anderen Sprachen übernommen, was sie konnten, und das dann nach ihrem Belieben umgemodelt; indes brachten sie nur ein primitives Kauderwelsch zustande, das kaum für ihre eigenen Bedürfnisse ausreichte, es sei denn für Flüche und Schimpfwörter. Und diese Geschöpfe, die voller Bosheit steckten und sogar ihresgleichen haßten, entwickelten rasch ebenso viele barbarische Dialekte, wie es Gruppen oder Siedlungen von ihrer Rasse gab, so daß ihnen ihre orkische Sprache im Umgang mit den verschiedenen Stämmen wenig nützte.

Deshalb bedienten sich die Orks im Dritten Zeitalter, wenn sie sich untereinander verständigen wollten, des Westrons; und für viele der älteren Stämme, etwa jene, die sich noch im Norden und im Nebelgebirge aufhielten, war das Westron schon lange die Muttersprache gewesen; allerdings gebrauchten sie es auf eine Weise, die es kaum weniger unschön machte als Orkisch. In diesem Kauderwelsch war *tark*, »Mann von Gondor«, eine verfälschte Form von *tarkil*, einem Quenya-Wort, das im Westron für einen Abkömmling der Númenorer gebraucht wurde; vgl. III, 204.

Es heißt, die Schwarze Sprache sei in den Dunklen Jahren von Sauron erfunden worden, und er habe sie zur Sprache von allen, die ihm dienten, machen wollen; doch mit diesem Vorhaben scheiterte er. Aus der Schwarzen Sprache stammten indes viele der Wörter, die im Dritten Zeitalter unter den Orks weitverbreitet waren, etwa *ghâsh* für Feuer, aber nach Saurons erster Niederwerfung war diese Sprache in ihrer alten Form von allen vergessen außer den Nazgûl. Als sich Sauron wieder erhob, wurde es erneut die Sprache von Barad-dûr und

[4] Außer in den Fällen, wo die Hobbits offenbar versucht haben, das kürzere Gemurmel und die Ausrufe der Ents wiederzugeben; auch *a-lalla-lalla-rumba-kamanda-lindor-burúme* ist nicht elbisch, und es ist der einzige vorhandene (und wahrscheinlich sehr ungenaue) Versuch, ein Bruchstück des eigentlichen Entisch wiederzugeben.

der Anführer von Mordor. Die Inschrift auf dem Ring war in der alten Schwarzen Sprache, während der Fluch des Mordor-Orks in II, 51 die verfälschte Form war, die von den Soldaten des Dunklen Turms gebraucht wurde, deren Anführer Grischnâkh war. Scharkû bedeutete in jener Sprache *alter Mann.*

Trolle. Troll wird hier benutzt als Übersetzung von *Torog* aus dem Sindarin. In ihren Anfängen, weit zurück im Niedergang der Altvorderenzeit, waren diese Geschöpfe stumpfsinnig und schwerfällig und hatten ebenso wenig wie Tiere eine Sprache. Doch Sauron machte sie sich zunutze, lehrte sie das wenige, was sie lernen konnten und vermehrte ihr Denkvermögen um Niedertracht. Die Trolle übernahmen daher von den Orks so viel an Sprache, wie sie zu meistern vermochten; und in den Westlanden sprachen die Steintrolle eine verschandelte Form der Gemeinsamen Sprache.

Doch gegen Ende des Dritten Zeitalters erschien im südlichen Düsterwald und an der gebirgigen Grenze von Mordor ein Schlag Trolle, wie man sie vorher noch nie gesehen hatte. Olog-hai hießen sie in der Schwarzen Sprache. Daß Sauron sie gezüchtet hatte, bezweifelte niemand, doch wußte man nicht, aus welcher Rasse. Manche behaupteten, es seien überhaupt keine Trolle, sondern Riesenorks; aber die Olog-hai waren nach Körperbau und Charakter selbst der größten Orkgattung, die sie an Größe und Stärke weit übertrafen, ganz unähnlich. Trolle waren sie, aber erfüllt vom bösen Geist ihres Herrn: ein grausames Geschlecht, stark, behende, wild und verschlagen und härter als Stein. Im Gegensatz zu der älteren Rasse des Niedergangs konnten sie die Sonne ertragen, solange sie von Saurons Willen beherrscht waren. Sie sprachen wenig, und die einzige Sprache, die sie verstanden, war die Schwarze Sprache von Barad-dûr.

Zwerge. Die Zwerge sind eine Rasse für sich. Von ihrem seltsamen Ursprung und warum sie Elben und Menschen sowohl ähnlich als auch unähnlich sind, berichtet das Silmarillion; aber von dieser Geschichte hatten die niederen Elben von Mittelerde keine Kenntnis, während die Sagen der späteren Menschen mit Erinnerungen an andere Rassen durchsetzt sind.

Sie sind ein zähes und zumeist starrsinniges Geschlecht, verschlossen, fleißig, sie haben ein gutes Gedächtnis für Kränkungen (und Wohltaten), lieben Steine und Edelsteine und eher Dinge, die unter den Händen von Künstlern Gestalt annehmen, als solche Dinge, die ihre eigene Lebendigkeit bewahren. Aber sie sind nicht böse von Natur aus, und wenige dienten dem Feind jemals aus freien Stükken, was immer in den Geschichten der Menschen behauptet worden sein mag. Denn seit alters her gelüstete es die Menschen nach ihrem Reichtum und dem Werk ihrer Hände, und es herrschte Feindschaft zwischen den Rassen.

Doch im Dritten Zeitalter gab es an vielen Orten noch gute Freundschaft zwischen Menschen und Zwergen; und es entsprach der Veranlagung der Zwerge, daß sie, wenn sie durch die Lande wanderten und arbeiteten und Handel trieben, wie sie es nach der Zerstörung ihrer alten Wohnsitze taten, die Sprachen der Menschen gebrauchten, unter denen sie lebten. Doch heimlich (und das war ein

Geheimnis, das sie im Gegensatz zu den Elben nicht gern preisgaben, nicht einmal ihren Freunden gegenüber) gebrauchten sie ihre eigene fremdartige Sprache, die sich mit den Jahren wenig verändert hatte; denn sie war eher eine gelehrte Sprache als eine Wiegensprache geworden, und sie pflegten und hüteten sie wie einen Schatz der Vergangenheit. Wenigen aus anderen Rassen ist es gelungen, sie zu lernen. In dieser Geschichte kommt sie in den Ortsnamen vor, die Gimli seinen Gefährten entdeckt; und in dem Kriegsruf, den er bei der Belagerung der Hornburg ausstieß. Aber der Kriegsruf zumindest war nicht geheim, sondern auf vielen Schlachtfeldern vernommen worden, seit die Welt jung war. *Baruk Khazâd! Khazâd aimênu!* »Äxte der Zwerge! Zwerge über euch!«

Der Name von Gimli selbst und die Namen all seiner Verwandten sind indes nördlichen (menschlichen) Ursprungs. Ihre geheimen und »verborgenen« Namen, ihre eigentlichen Namen, haben die Zwerge niemals einem Angehörigen einer fremden Rasse entdeckt. Sogar auf ihre Grabsteine schrieben sie sie nicht.

II. ZUR ÜBERSETZUNG

Um den Inhalt des Roten Buches als eine Geschichte darzubieten, die Leute von heute lesen können, ist der gesamte sprachliche Bestand so weit als möglich mit Worten unserer Zeit wiedergegeben worden. Nur die der Gemeinsamen Sprache fremden Sprachen wurden in ihrer ursprünglichen Form belassen; aber sie treten hauptsächlich in Personen- und Ortsnamen in Erscheinung.

Die Gemeinsame Sprache als die Sprache der Hobbits und ihrer Erzählungen ließ sich nicht anders als mit modernem Englisch wiedergeben. In diesem Prozeß hat sich der Unterschied zwischen den verschiedenen Arten, das Westron zu sprechen, abgeschwächt*. Es ist versucht worden, diese verschiedenen Sprechweisen durch Abwandlungen des verwendeten Englischen darzustellen; aber die Abweichungen zwischen Aussprache und Idiom im Auenland und dem von den Elben oder den der Oberschicht der Menschen von Gondor gesprochenen Westron waren größer, als in diesem Buch gezeigt wird. Die Hobbits sprachen zumeist einen ländlichen Dialekt, während in Gondor und Rohan eine Sprache gebräuchlich war, die altertümlicher und feierlicher und zugleich knapper war.

Auf eine dieser Abweichungen sei hier hingewiesen, denn es hat sich als unmöglich herausgestellt, sie wiederzugeben, obwohl es oft wichtig gewesen wäre. Das Westron machte in den Pronomen der zweiten (und oft auch in denen der dritten) Person unabhängig vom Numerus einen Unterschied zwischen »familiären« und »respektvollen« Formen. Indes war es eine der Eigentümlichkeiten des Sprachgebrauchs im Auenland, daß die respektvollen Formen aus der Umgangssprache verschwunden waren. Sie waren nur noch bei Dorfbewohnern üblich, besonders im Westviertel, die sie als Koseworte gebrauchten. Das war unter ande-

---

* Dieser Prozeß fand dann natürlich nochmals in der Übersetzung vom Englischen ins Deutsche statt (*Anm. d. Übers.*).

rem der Grund, warum die Leute in Gondor die Redeweise der Hobbits als merkwürdig bezeichneten. In den ersten Tagen seines Aufenthalts in Minas Tirith gebrauchte zum Beispiel Peregrin Tuk die familiären Formen bei Leuten aus allen Schichten und sogar dem Herrn Denethor gegenüber. Das mag den betagten Truchseß belustigt haben, aber seine Diener müssen erstaunt gewesen sein. Zweifellos trug diese zwanglose Verwendung der familiären Formen dazu bei, daß sich unter dem Volk das Gerücht verbreitete, Peregrin sei in seinem eigenen Land eine sehr hochgestellte Persönlichkeit [5].

Man wird bemerken, daß Hobbits, wie zum Beispiel Frodo, oder andere Personen, etwa Gandalf und Aragorn, nicht immer im selben Stil sprechen. Das ist beabsichtigt. Die gebildeteren und begabteren unter den Hobbits hatten einige Kenntnisse in der »Buchsprache«, wie sie im Auenland bezeichnet wurde; sie erkannten rasch den Stil ihrer Gesprächspartner und übernahmen ihn. Es war jedenfalls natürlich, daß vielgereiste Leute mehr oder weniger nach der Art derjenigen redeten, unter denen sie sich befanden, besonders im Fall von Menschen wie Aragorn, die sich oft bemühten, ihre Herkunft oder ihr Vorhaben zu verbergen. Indes hielten in jenen Tagen alle Feinde des Feindes das in Ehren, was aus den alten Zeiten stammte, nicht nur in der Sprache, sondern auch in anderen Dingen, und sie erfreuten sich daran entsprechend ihrem Wissen. Die Eldar, die ganz besonders wortgewandt waren, beherrschten viele Stile, obwohl sie am natürlichsten auf eine Weise redeten, die ihrer eigenen Sprache am nächsten kam und die sogar noch altertümlicher war als die von Gondor. Auch die Zwerge waren redegewandt und paßten sich bereitwillig ihren Gesprächspartnern an, wenngleich ihre Aussprache manchen etwas hart und guttural vorkam. Die Orks und Trolle dagegen redeten, wie es ihnen einfiel, ohne Liebe zu Wörtern oder Dingen; und ihre Sprache war in Wirklichkeit noch würdeloser und gemeiner, als ich es gezeigt habe. Ich nehme nicht an, daß sich irgend jemand eine genauere Wiedergabe wünscht, obwohl Vorbilder leicht genug zu finden sind. Ziemlich dieselbe Redeweise kann man noch heute unter den Orkgesinnten hören: langweilig und Haß und Verachtung ständig wiederkäuend, zu lange vom Guten entfernt, um auch nur verbale Kraft bewahrt zu haben, außer in den Ohren derjenigen, denen nur das Schmutzige überzeugend klingt.

Eine Übersetzung dieser Art ist natürlich üblich und unvermeidlich bei jeder Erzählung, die die Vergangenheit behandelt. Selten geht sie weiter. Aber wir sind weitergegangen. Wir haben auch alle Namen aus dem Westron ihrem Sinn entsprechend übersetzt. Wenn deutsche Namen oder Titel in diesem Buch erscheinen, ist es ein Hinweis darauf, daß Namen in der Gemeinsamen Sprache neben oder anstelle derjenigen in fremden (gewöhnlich elbischen) Sprachen damals gang und gäbe waren.

---

[5] An einzelnen Stellen ist versucht worden, diese Unterschiede durch die nicht konsequent durchgeführte Verwendung von »Ihr« anzudeuten. Da dieses Pronomen heute ungewöhnlich und archaisch ist, wird es hauptsächlich benutzt, um eine feierliche Sprache wiederzugeben.

Die Westron-Namen, zum Beispiel Bruchtal, Weißquell, Silberlauf, Langstrand, Der Feind, der Dunkle Turm waren in der Regel einfach Übersetzungen älterer Namen. Manche wichen in der Bedeutung ab: Berg des Verderbens für *Orodruin*, »brennender Berg«, oder Düsterwald für Taur e-Ndaedelos, »Wald der großen Furcht«. Einige wenige waren abgewandelte elbische Namen: Luhn und Brandywein leiteten sich von *Lhûn* und *Baranduin* ab.

Dieses Verfahren bedarf vielleicht einer Rechtfertigung. Wenn alle Namen in ihrer ursprünglichen Form angegeben worden wären, würde, wie mir schien, ein wesentliches Merkmal jener Zeit verschleiert, dessen sich die Hobbits (deren Betrachtungsweise beizubehalten ich mir besonders angelegen sein ließ) bewußt waren: nämlich der Gegensatz zwischen einer weitverbreiteten Sprache, die für sie so üblich und gewohnt war wie Englisch (Deutsch) für uns Heutige, und den lebendigen Resten von viel älteren und ehrwürdigeren Sprachen. Alle Namen wären, wenn sie lediglich transkribiert worden wären, den modernen Menschen gleich alt erschienen: wenn zum Beispiel der elbische Name *Imladris* und die Westron-Übersetzung *Karningul* beide unverändert geblieben wären. Aber Bruchtal als Imladris zu bezeichnen war damals so, wie wenn man heute Winchester Camelot nennen würde, abgesehen davon, daß die Identität gewiß war, während in Bruchtal noch ein Herrscher von hohem Rang wohnte, der weit älter war, als Artus wäre, wenn er heute noch als König in Winchester lebte.

Die Namen des Auenlands (*Sûza*) und aller anderen Ortschaften der Hobbits sind also verdeutscht* worden. Das machte selten Schwierigkeiten, da diese Namen gewöhnlich aus Elementen bestanden, die in ähnlicher Form auch in unseren einfacheren deutschen Ortsnamen vorkommen; entweder noch geläufige Wörter wie Bühl oder Feld; oder ein wenig abgegriffene wie -weiler neben -stadt. Manche aber gingen, wie schon erwähnt, auf alte, nicht mehr gebräuchliche Hobbitwörter zurück, und diese wurden durch deutsche Entsprechungen wie *-brunn* oder *-büttel* (»Wohnung«) oder *-michel* (»Groß-«) wiedergegeben.

Die Personennamen der Hobbits im Auenland und in Bree waren für jene Zeit absonderlich, vor allem insofern, als sich einige Jahrhunderte früher die Sitte herausgebildet hatte, ererbte Familiennamen zu haben. Die meisten dieser Zunamen hatten offenbar Bedeutungen (in der damaligen Umgangssprache), denn sie waren abgeleitet von scherzhaften Spitznamen, Ortsnamen oder (besonders in Bree) von den Namen von Pflanzen und Bäumen. Diese Namen zu übersetzen war nicht schwierig; aber es blieben einige ältere Namen, deren Bedeutung nicht mehr bekannt war, und bei ihnen haben wir uns damit begnügt, ihre Schreibweise zu verdeutschen: Tuk für Tûk oder Boffin für Bophîn.

Die Vornamen der Hobbits haben wir, soweit möglich, auf dieselbe Weise behandelt. Ihren Töchtern gaben die Hobbits gewöhnlich die Namen von Blumen oder Edelsteinen. Ihre Söhne erhielten zumeist Namen, die in ihrer Alltagsspra-

---

* (*Anm. d. Übers.:*) dem englischen Original entsprechend. – Für Auenland steht im Englischen *shire*, dem das deutsche *Gau* am nächsten käme, wenn es nicht so pervertiert worden wäre.

che überhaupt keine Bedeutung hatten. Zu dieser Sorte gehören Bilbo, Bungo, Polo, Lotho, Tanta, Nina und so weiter. Viele von ihnen haben unvermeidlich, aber zufällig Ähnlichkeit mit Namen, die bei uns noch üblich oder bekannt sind: zum Beispiel Otho, Odo, Drogo, Dora, Cora und dergleichen. Diese Namen haben wir beibehalten, sie allerdings insofern verdeutscht, als ihre Endungen geändert wurden, da bei den Hobbitnamen *a* eine maskuline Endung war und *o* und *e* feminin.

Bei manchen alten Familien, besonders jenen von Falbhäute-Abkunft wie den Tuks und Bolgers, war es indes Sitte, klangvolle Vornamen zu geben. Da die meisten von ihnen aus Sagen der Vergangenheit, der Menschen sowohl wie der Hobbits, stammten, und viele, obschon sie jetzt für die Hobbits bedeutungslos waren, starke Ähnlichkeit mit den Namen der Menschen im Tal des Anduin oder in Thal oder in der Mark hatten, haben wir sie mit jenen alten Namen fränkischen oder gotischen Ursprungs wiedergegeben, die bei uns noch gebräuchlich sind oder in unseren Geschichtswerken vorkommen. Auf diese Weise haben wir jedenfalls den oft komischen Gegensatz zwischen den Vor- und den Zunamen bewahrt, dessen sich die Hobbits selbst sehr wohl bewußt waren. Namen von klassischem Ursprung wurden selten verwandt; denn das, was in der Überlieferung des Auenlands dem Lateinischen und Griechischen am nächsten kam, waren die elbischen Sprachen, und diese benutzten die Hobbits selten bei der Namengebung. Zu allen Zeiten beherrschten nur wenige von ihnen die »Sprachen der Könige«, wie sie sie nannten.

Die Namen der Bockländer unterschieden sich von denen des übrigen Auenlands. Die Leute in den Marschen und ihre Seitenlinie jenseits des Brandywein waren in mancher Hinsicht absonderlich, wie berichtet wurde. Zweifellos stammten viele ihrer sehr seltsamen Namen aus der früheren Sprache der südlichen Starren. Diese haben wir zumeist unverändert gelassen, denn wenn sie heute sonderbar klingen, so taten sie es auch zu ihrer Zeit. Sie hatten einen Stil, den wir vielleicht vage als »keltisch« empfinden sollten.

Da die erhaltenen Spuren der älteren Sprache der Starren und der Menschen in Bree den erhaltenen keltischen Elementen in England ähnelten, sind die letzteren in der Übersetzung manchmal imitiert worden. So sind Bree, Archet und Chetwald nach Überresten britischer Namengebung gebildet und ihrem Sinn entsprechend gewählt worden: *bree* »Hügel«, *chet* »Wald«. Aber nur ein einziger Personenname ist auf solche Weise geändert worden. Meriadoc wurde gewählt, um der Tatsache gerecht zu werden, daß die Kurzform »Kali« seines Namens, der eigentlich Kalimac lautete, auf Westron »vergnügt, lustig« bedeutete, also englisch »Merry« während der bockländische Name Kalimac bedeutungslos geworden war.

Bei den Transpositionen sind keine Namen von hebräischem oder ähnlichem Ursprung verwendet worden. Nichts in den Hobbit-Namen entspricht diesem Element unserer Namen. Kurzformen wie Sam, Tom, Tim, Mat waren üblich als Abkürzungen von echten Hobbitnamen, zum Beispiel Tomba, Tolma, Matta und dergleichen. Aber Sam und sein Vater Ham hießen in Wirklichkeit Ban und Ran.

Das waren Abkürzungen von *Banazîr* und *Ranugad*, die ursprünglich Spitznamen gewesen waren und »Einfaltspinsel« und »Stubenhocker« bedeuteten; diese Ausdrücke waren aus der Umgangssprache verschwunden, hatten sich aber als traditionelle Namen in manchen Familien erhalten. Wir haben daher versucht, diese Eigentümlichkeiten zu bewahren, indem die alten englischen Namen *samwís* und *hámfoest*, die diesen Bedeutungen genau entsprechen, zu Samweis und Hamfast modernisiert wurden.

Nachdem ich so weit gegangen war, Sprache und Namen der Hobbits zu modernisieren und vertraut zu machen, wurde ich in einen weiteren Prozeß hineingezogen. Die mit dem Westron verwandten Menschen-Sprachen sollten, wie mir schien, in eine Form verwandelt werden, die mit unseren Sprachen verwandt ist. Demzufolge habe ich der Sprache von Rohan Ähnlichkeit mit altem Englisch gegeben, denn sie war sowohl (entfernter) mit der Gemeinsamen Sprache und (sehr nahe) mit der früheren Sprache der nördlichen Hobbits verwandt und im Vergleich zum Westron archaisch. In dem Roten Buch ist an verschiedenen Stellen erwähnt, daß Hobbits, wenn sie die Sprache von Rohan hörten, viele Wörter wiedererkannten und die Sprache als verwandt mit ihrer eigenen empfanden, so daß es absurd erschien, die überlieferten Namen und Wörter der Rohirrim in einem völlig fremden Stil zu lassen.

In verschiedenen Fällen habe ich die Formen und Orthographie von Ortsnamen in Rohan modernisiert: zum Beispiel bei *Dunharg* oder *Schneeborn;* aber ich bin nicht konsequent gewesen, denn ich bin den Hobbits gefolgt. Sie änderten auf dieselbe Weise die Namen, die sie hörten, wenn sie aus Elementen bestanden, die sie wiedererkannten, oder wenn sie Ortsnamen im Auenland ähnelten; viele aber ließen sie unverändert, wie auch ich zum Beispiel *Edoras*, die »Höfe«. Aus demselben Grund wurden auch einige Personennamen wie Schattenfell und Schlangenzunge modernisiert [6].

Diese Assimilation bietet zudem eine zweckdienliche Möglichkeit, die eigentümlichen örtlichen Hobbitwörter von nördlichem Ursprung wiederzugeben. Sie erhielten Formen, die verloren gegangene englische Wörter haben könnten, wenn sie bis auf unsere Zeit gekommen wären. *Mathom* soll also an das alte englische *máthm* erinnern und die Verwandtschaft des vorhandenen Hobbitwortes *kast* mit R. *kastu* wiedergeben. Ebenso ist *smial* (oder smile), »Höhle«, eine für einen Abkömmling von *smygel* wahrscheinliche Form und stellt sehr gut die Verwandtschaft des Hobbitworts *trân* mit R. *trahan* dar. *Sméagol* und *Déagol* sind auf dieselbe Weise gebildete Entsprechungen der Namen *Trahald*, »graben, sich einschleichen« und *Nahald* »geheim« in den nördlichen Sprachen.

---

[6] Dieses linguistische Verfahren bedeutet nicht, daß die Rohirrim sonst in ihrer Kultur oder Kunst, Waffen oder Kriegsführung den alten Engländern sehr ähnlich waren, außer in allgemeiner Beziehung infolge ihrer Umstände: ein einfacheres und primitiveres Volk, das mit einer höheren und ehrwürdigeren Kultur in Berührung kommt und Land in Besitz genommen hat, das einst zu ihrem Bereich gehört hatte.

Die noch weiter nördliche Sprache von Thal erscheint in diesem Buch nur in den Namen der Zwerge, die aus dieser Gegend kamen und daher die Sprache der dortigen Menschen gebrauchten und auch ihre »Übernamen« aus ihr nahmen. Wir sprechen heute nicht mehr so oft von einem Zwerg wie von einem Menschen, und die Erinnerungen sind nicht frisch genug geblieben unter den Menschen an eine Rasse, die jetzt in die Volksmärchen verbannt ist, wo wenigstens noch ein Schatten der Wahrheit erhalten ist, und schließlich in die Unsinngeschichten, wo sie zu bloßen Witzfiguren geworden ist. Aber im Dritten Zeitalter tauchte noch flüchtig etwas von ihrer alten Art und Macht auf, wenngleich schon ein wenig verschwommen: sie sind die Nachkommen von Naugrim aus der Altvorderenzeit, in deren Herzen noch das alte Feuer von Aluë dem Schmied brennt und die Glut ihres einstigen Grolls gegen die Elben noch schwelt; und deren Hände noch eine Geschicklichkeit in Steinmetzarbeiten besitzen, die niemand übertroffen hat.

Um das zu kennzeichnen, hätte eigentlich die alte Form *getwerc* oder *querch* verwandt werden müssen, um sie so vielleicht ein wenig von den albernen Geschichten der neuesten Zeit abzuheben. Die alte Form erscheint im Englischen in dem Ortsnamen *Dwarrowdelf* (Zwergenbinge), der den Namen Moria in der Gemeinsamen Sprache wiedergibt: *Phurunargian.* Moria ist ein Elbenname und ohne Liebe gegeben; denn wenn die Eldar in ihren erbitterten Kriegen mit der Dunklen Macht und ihren Dienern zur Not auch unterirdische Festungen anlegen mochten, so bewohnten sie solche Orte doch nicht aus freien Stücken. Sie liebten die grüne Erde und den lichten Himmel; und Moria bedeutet in ihrer Sprache *Schwarzer Abgrund.* Doch die Zwerge selbst nannten es, und zumindest dieser Name wurde niemals geheimgehalten, *Khazad-dûm*, Heim der Khazad; denn dies ist ihr Name für ihre eigene Rasse und ist es immer gewesen, seit Aluë ihn bei ihrer Erschaffung in grauer Vorzeit ihnen gab.

Elben ist als Übersetzung benutzt worden sowohl für *Quendi*, »die Sprecher«, den Namen der Hochelben für alle ihrer Art, als auch für *Eldar*, den Namen der Drei Geschlechter, die sich aufmachten, um das Unsterbliche Reich zu finden, und dort zu Anbeginn der Zeiten eintrafen (nur die Sindar ausgenommen). Dieses alte Wort war nämlich das einzig verfügbare und einstmals zutreffend für die Erinnerungen, die die Menschen an dieses Volk bewahrten, oder den reinen Erfindungen des menschlichen Geistes nicht völlig unähnlich. Aber es ist abgewertet worden, und bei vielen mag es jetzt die Vorstellung von entweder hübschen oder albernen Phantasiegeschöpfen erwecken, die mit den Quendi der alten Zeit ebenso wenig Ähnlichkeit haben wie Schmetterlinge mit dem schnellen Falken – nicht, daß die Quendi jemals Flügel gehabt hätten, das wäre für sie ebenso unnatürlich gewesen wie für Menschen. Sie waren eine edle und schöne Rasse, die älteren Kinder der Welt, und unter ihnen waren die Eldar, die jetzt fort sind, wie Könige: das Volk der Großen Wanderung, das Volk der Sterne. Sie waren hochgewachsen, mit heller Haut und grauäugig, doch ihre Locken waren dunkel, außer in dem goldenen Geschlecht von Finrod; und ihre Stimmen waren melodischer als jede menschliche Stimme, die man heute hört. Sie waren tapfer, doch die Geschichte derer, die als Verbannte nach Mittelerde zurückkehrten, war schmerzlich; und obgleich sich ihr Schicksal in weit entfernten Tagen mit dem der Vorväter kreuzte, ist ihr Schicksal nicht das der Menschen. Das Reich verging vor langer Zeit, und jetzt wohnen sie jenseits der Kreise der Welt und kehren nicht zurück.

Anmerkung zu drei Namen: *Hobbit, Gamdschie* und *Brandywein. Hobbit* ist eine Erfindung. Im Westron lautete der Name, sofern dieses Volk überhaupt erwähnt wurde, *banakil,* »Halbling«. Aber zu dieser Zeit gebrauchten die Leute im Auenland und in Bree das Wort *kuduk,* das es anderswo nicht gab. Meriadoc berichtet indes, daß der König von Rohan das Wort kûd-dûkan, »Höhlenbewohner«, benutzte. Da die Hobbits, wie bereits erwähnt, einstmals eine Sprache gesprochen hatten, die mit der der Rohirrim eng verwandt war, ist es wahrscheinlich, daß *kuduk* eine verballhornte Form von kûd-dûkan war. Dieses Wort habe ich aus den bereits dargelegten Gründen mit *holbytla* übersetzt; und Hobbit ist ein Wort, das gut und gerne eine verballhornte Form von *holbytla* sein könnte, wenn dieser Name in unserer alten Sprache vorgekommen wäre.

Gamdschie. Nach der im Roten Buch ausführlich dargelegten Familienüberlieferung ging der Zuname *Galbasi* oder in verkürzter Form *Galpsi* auf das Dorf *Galabas* zurück, und es wurde allgemein angenommen, daß sich dieser Name aus *galab* — »Spiel« und einem alten Element *bas* — zusammensetzte, das mehr oder weniger unserem »Flecken« oder »Weiler« entspricht.

Brandywein. Die Hobbit-Namen dieses Flusses waren Abänderungen des elbischen *Baranduin* (Betonung auf der zweiten Silbe), das auf *baran* »goldbraun« und *duin* »großer Fluß« zurückging. *Brandywein* scheint eine einleuchtende Verballhornung von *Baranduin* zu sein. Der ältere Hobbit-Name war allerdings *Branda-nîn* »Grenzwasser«, das genauer mit Markgrenze wiedergegeben worden wäre; aber auf Grund eines Witzes, der wiederum auf die Farbe anspielte und dann zu einer Gewohnheit wurde, wurde der Fluß zu jener Zeit gewöhnlich *Bralda-hîm* »berauschendes Bier« genannt.

Indes ist zu beachten, daß, als die Altbock (*Zaragamba*) ihren Namen in Brandybock (*Brandagamba*) abänderten, das erste Element »Grenzland« bedeutete und Markbock der Sache nähergekommen wäre. Nur ein sehr kühner Hobbit hätte es gewagt, den Herrn von Bockland in seiner Gegenwart *Braldagamba* zu nennen.

REGISTER

(Die römischen Zahlen verweisen auf die Bände.)

I. Lieder und Gedichte

Lied- und Gedichtanfänge

* Alle Lieder von Tom Bombadil sind hier für das Register als Fortsetzungen dieses Liedes aufgeführt.

II. Personen, Tiere, Unwesen

(Ausgewählte Stellen)

III. Orte

(Nur die jeweils ersten oder wichtigsten Stellen eines Bandes sind aufgeführt.)